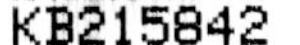

한글이아빠 지음 | 김보경 글

한글이 야호2 워크북 (받침글자 세트_5)

초판 19쇄 발행 ‖ 2024년 5월 8일

지은이 | 한글이아빠

발행처 | EBS 미디어
발행인 | 박성호
출판등록 | 2012년 6월 7일
주소 | 서울시 마포구 토정로 222 한국출판콘텐츠센터
대표전화 | 02-529-5566 팩스 | 070-4340-4796
일러스트 | 아이트리, BIGSTAR GLOBAL, grimsoop
편집 · 디자인 | 아이트리
인쇄 · 제본 | (주)재능인쇄

* 잘못된 책은 구입하신 곳에서 교환해 드립니다.
* 이 책에 실린 모든 내용, 디자인, 이미지, 편집 구성의 저작권은 EBS와 EBS미디어에 있습니다.
허락없이 복제하거나 다른 매체에 옮겨 실을 수 없습니다.
* 이 책에 사용된 글자 서체는 "EBS 한글이 야호" 서체로 EBS 홈페이지(www.ebs.co.kr)에서
다운로드 받아서 사용하실 수 있습니다.

ISBN : 979-11-5859-175-5
ISBN : 979-11-5859-183-0(세트)

기본 구성과 활용법

기본 구성

'한글이 야호'는 통합적인 말하기, 읽기, 쓰기 교육 이론을 바탕으로 두고 제작한 한글 교육 프로그램입니다. 읽기를 막 시작하는 단계부터 말하기를 완성하는 단계까지 체계적인 글자 떼기 커리큘럼을 적용, 높은 교육 효과를 얻을 수 있습니다. 기본 어휘를 활용한 이야기와 말놀이를 통해 말하기와 읽기를 자연스럽게 익히고 그림책으로 이야기를 정리하고 확장시킵니다.

▶ 음운 커리큘럼에 의거한 기본 어휘 제시

▶ 기본 어휘를 활용한 이야기 제시

▶ 이야기에서 파생한 말놀이 노래

▶ 부모와 함께 할 수 있는 한글 놀이로 어휘 및 의미 확장

▶ 그림책으로 기본 어휘 학습

▶ 쓰기 확장의 단계

이번 워크북부터는 기본 음절 140자를 통한 어휘 학습을 마치고 받침이 있는 글자를 학습하게 됩니다. 한글이 야호 방송과 워크북은 받침 글자마다 2~3편으로 나누어 구성했습니다. 첫 편에서는 받침이 있는 글자 중 뜻을 가진 한 글자 어휘를 통해 형태적인 특성과 음운적인 특성을 뿌미와 함께 알아봅니다. 두 번째 편과 세 번째 편에서는 해당 받침이 있는 두 음절 이상의 어휘로 확장해 의성어, 의태어의 말 재미, 발음과 뜻의 연결로 인한 말 놀이등을 습득합니다. 특히 받침 글자만을 전해주는 글자 심해어, 초롱이를 통해 받침 글자가 글자의 아래 부분에 위치하게 되는 형태적인 특성을 반복을 통해 재미있게 보여줍니다. 새 친구 초롱이를 반갑게 맞아주시고 받침 글자와도 친하게 지내면 더 많은 글자를 읽게 되어 성취 욕구를 충족시킬 수 있을 것입니다.

활용법

1 **뿌미 놀이터** 받침 글자의 형태와 음운적인 특성 파악, 글자 조립 원리 습득

2 **야호 놀이터** 낱글자와 단어 글자 읽기

3 **쓰기 놀이터** 낱글자와 단어 글자 쓰기

*** 색깔 표시 예시**

20회 〈 공 〉 편　21회 〈 콩콩콩 쿵쿵쿵 〉 편　22회 〈 퐁당퐁당 〉 편

*** 🎧 방송에서 노래를 듣고 따라하세요.**

*** (스티커를 붙여주세요) 라는 문구를 찾아 알맞은 스티커를 붙이세요.**

한글이 야호 2

공

고 코 차 벼
공 콩 창 병

차 례

20화 <공>편

20화 공

초롱아, 안녕?

뿌미에게 받침 글자를 전해주는 물고기 초롱이가 'ㅇ'받침을 찾고 있어요.
함께 동그라미 모양을 찾아서 표시해봐요.

ㅇ

20화 공

‘ㅇ’받침 닮은 알록달록 훌라후프

뿌미가 나무 기둥옆에 훌라후프를 놓았어요.
훌라후프를 예쁘게 색칠해봐요.

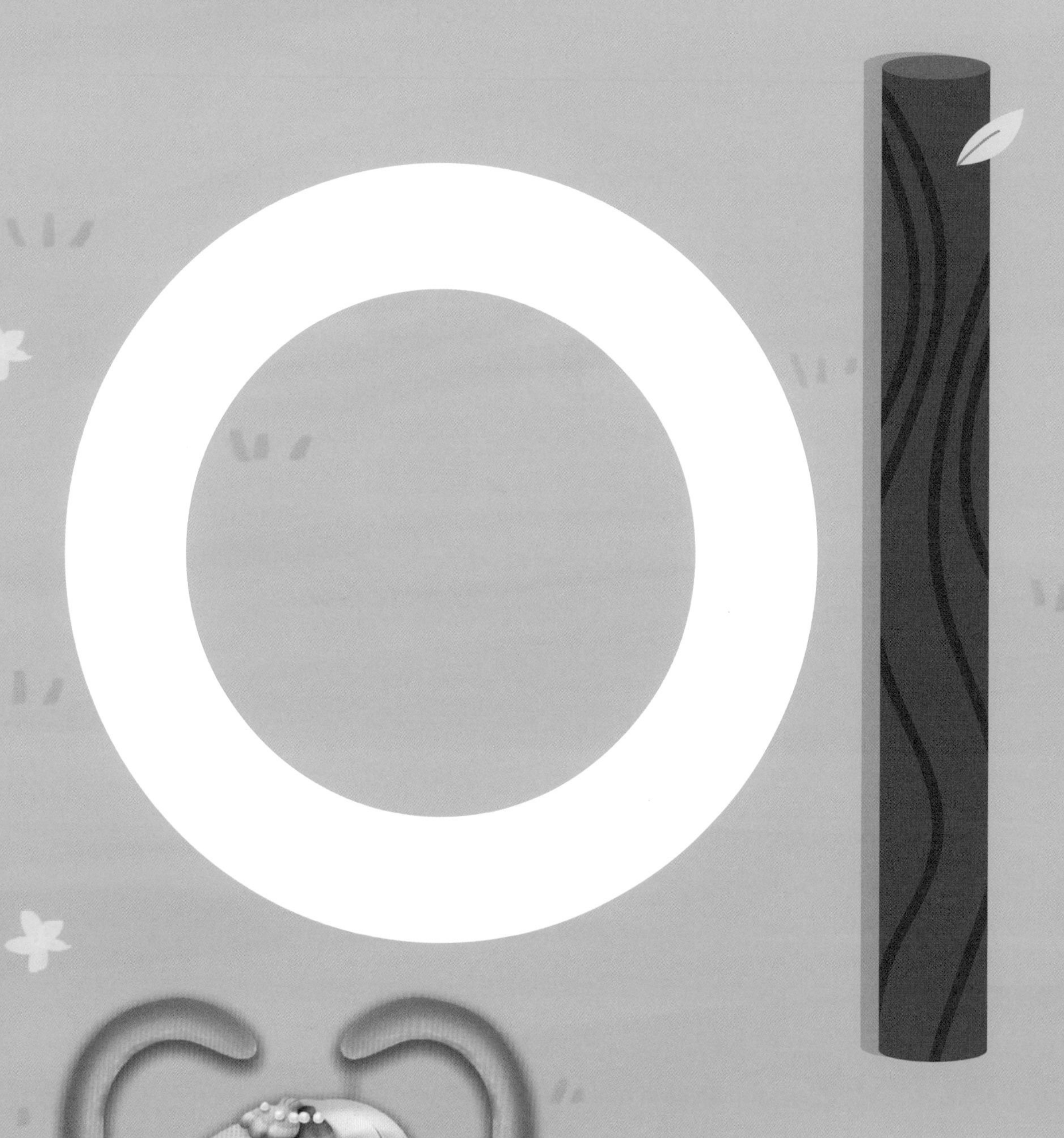

‘ㅇ’의 이름이 됐어요.
큰 소리로 읽어봐요. “이응~~~~.”

뿌미가 나무 기둥 위, 아래에 훌라후프를 놓았어요.
예쁘게 색칠 해봐요.

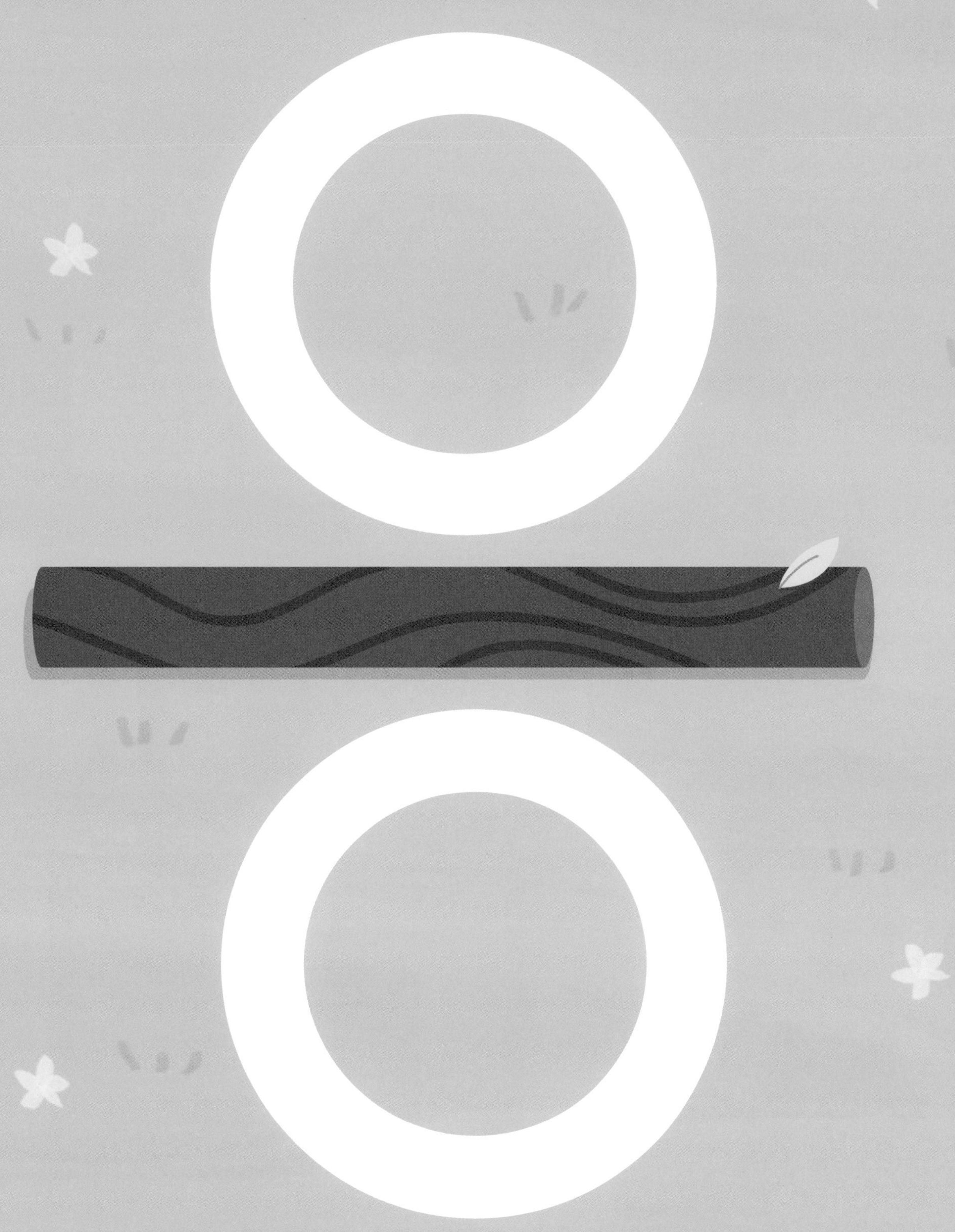

20화 공

이층집의 글자들

뿌미가 글자들이 살고 있는 이층집에 놀러왔어요.
이층에 어떤 글자들이 있는지 큰 소리로 읽어봐요.

서
조
흐

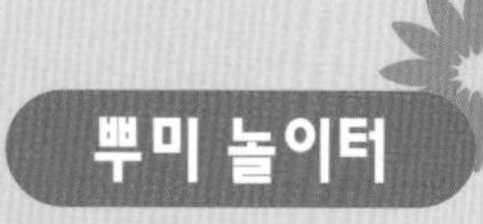

20화 공

뿌미 놀이터

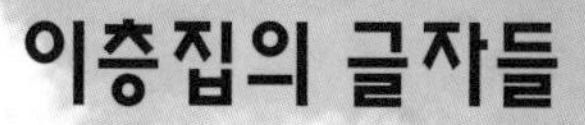

이층집의 글자들

뿌미가 공을 찼는데 일층으로 들어갔어요.
일층에 들어간 공을 예쁘게 색칠해봐요.

서
조
흐

20화 공

뿌미 놀이터

마술공이 샤랄라

뿌미가 마술 공을 던졌어요. 공이 닿자 물건들이 달라졌어요.
마술 공을 예쁘게 색칠하고 어떻게 달라졌는지 잘 보세요.

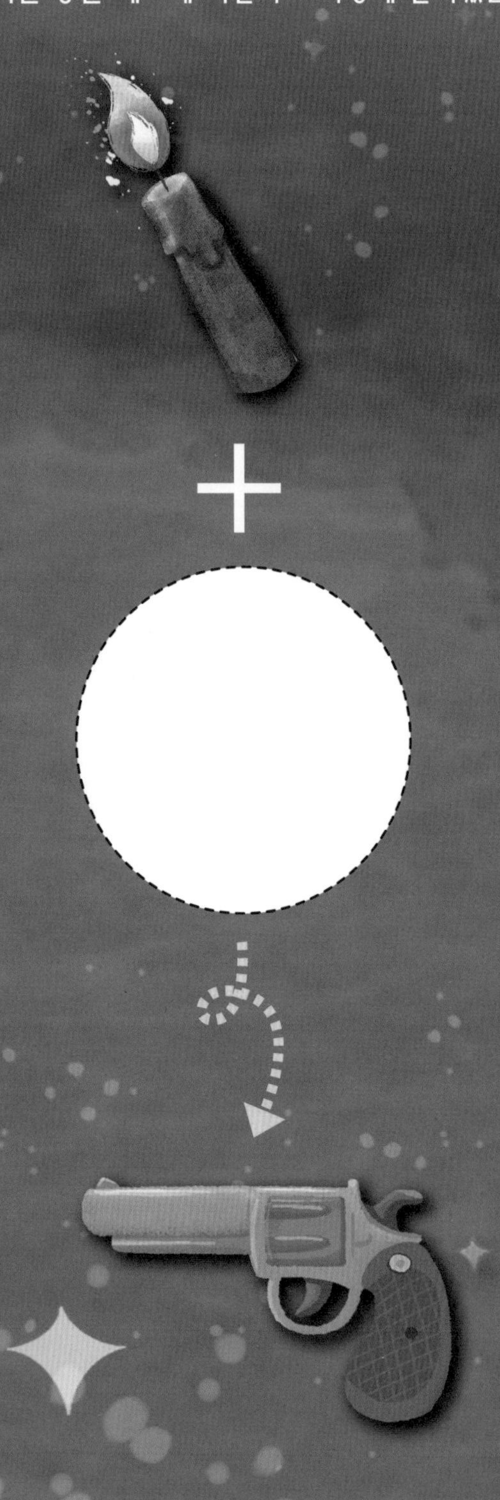

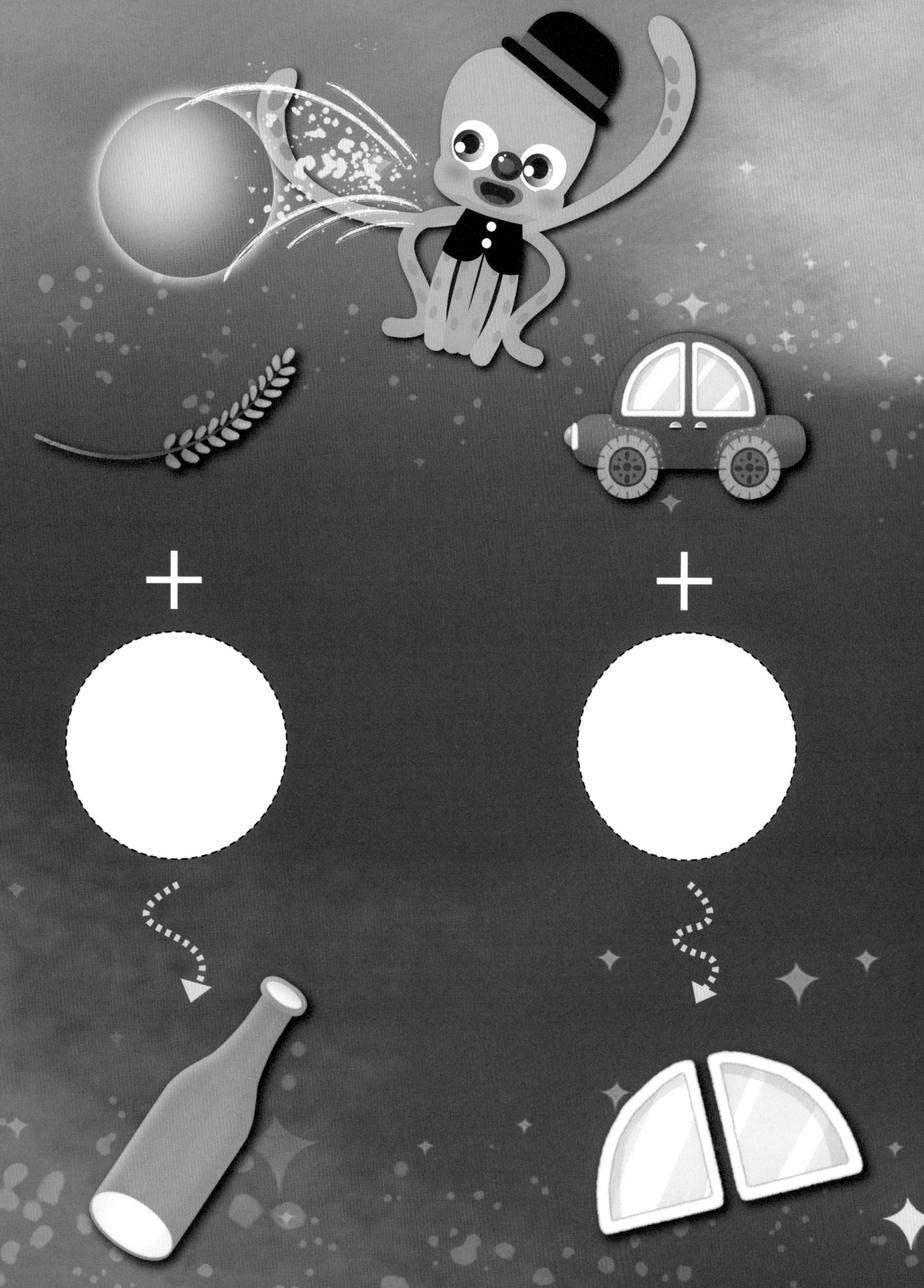

20화 공

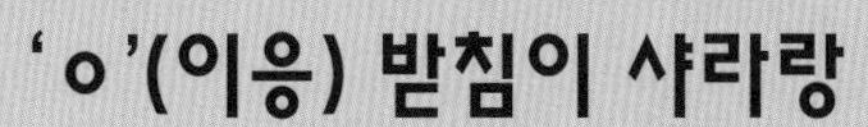

뿌미가 가진 마술 공이 'ㅇ'(이응) 받침이 됐어요.
뿌미가 'ㅇ' 받침을 공처럼 던졌어요.
'ㅇ' 받침은 어디로 갔을까요? 예쁘게 색칠해서 글자를 완성해봐요.

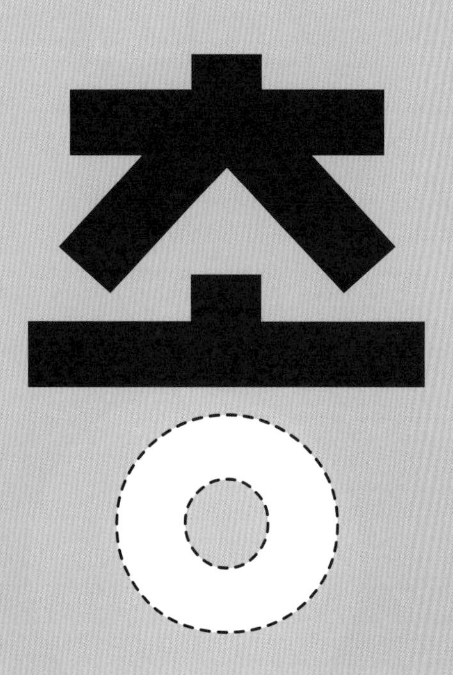

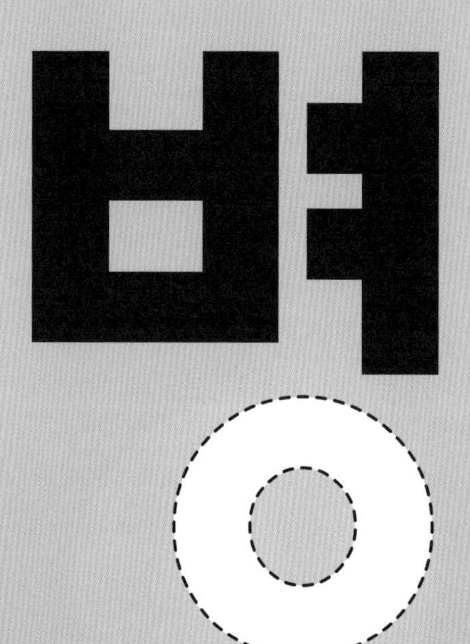

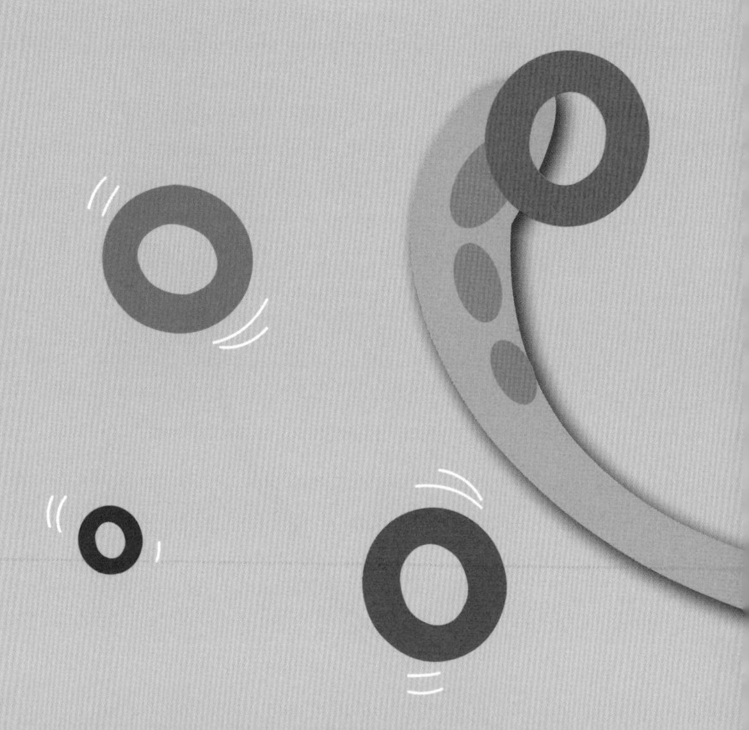

차 코

20화 공

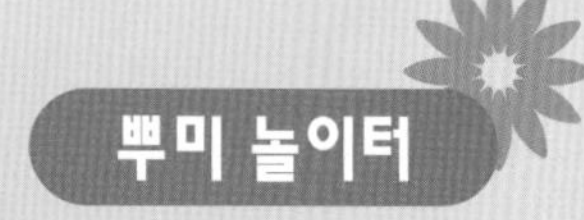

글자를 착착착!

뿌미가 글자에 'ㅇ(이응)' 받침을 붙여서 글자를 만들어요.
뿌미가 어떤 글자를 만들까요? 글자 스티커를 찾아서 붙이고 큰 소리로 읽어봐요.

1
고
교
구
규
그
기
2
ㅇ
1 + 2
(스티커를 붙여주세요)

글자를 착착착!

뿌미가 글자에 'ㅇ(이응)' 받침을 붙여서 글자를 만들어요.
뿌미가 어떤 글자를 만들까요? 글자 스티커를 찾아서 붙이고 큰 소리로 읽어봐요.

1
보 뵤 부 뷰 브 비
2
ㅇ
1 + 2
(스티커를 붙여주세요)

20화 공

뿌미 놀이터

글자를 착착착!

뿌미가 글자에 'ㅇ(이응)' 받침을 붙여서 글자를 만들어요.
뿌미가 어떤 글자를 만들까요? 글자 스티커를 찾아서 붙이고 큰 소리로 읽어봐요.

(스티커를 붙여주세요)

1 조 죠 주 쥬 즈 지 1

1 + 2

(스티커를 붙여주세요)

1 + 2

(스티커를 붙여주세요)

20화 공

뿌미 놀이터

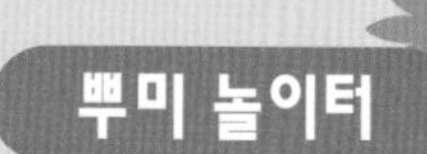

글자를 착착착!

뿌미가 글자에 'ㅇ(이응)' 받침을 붙여서 글자를 만들어요.
뿌미가 어떤 글자를 만들까요?
글자 스티커를 찾아서 붙이고 큰 소리로 읽어봐요.

1
초
추
쵸
츄
츠
치
2
ㅇ
1+2
(스티커를 붙여주세요)

20화 공

글자를 착착착!

뿌미가 구름 글자에 'ㅇ(이응)' 받침이 붙어 있는 글자를 만들어요.
글자 스티커를 찾아서 붙이고 큰 소리로 읽어봐요.

1
(스티커를 붙여주세요)

2
(스티커를 붙여주세요)

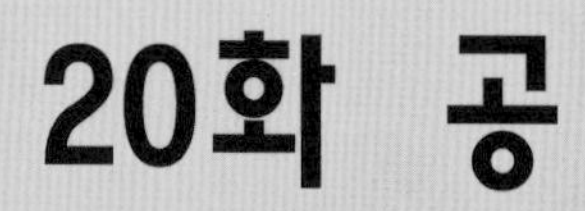

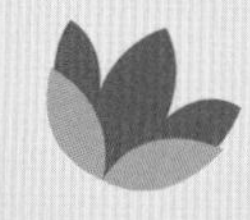
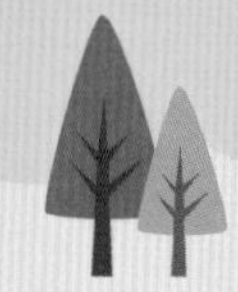

20화 공

야호 놀이터

찍기! 찍기!

야호가 집에 있는 동그란 모양으로 물감 찍기 놀이를 해요.
여러 가지 물건들로 'ㅇ(이응)' 받침 모양이 되는 동그라미 물감을 찍어봐요.

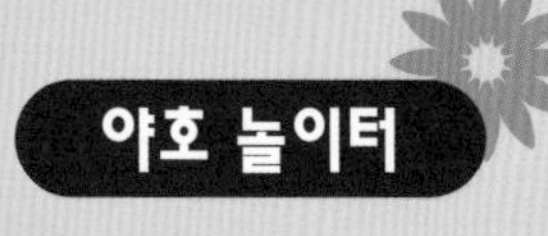

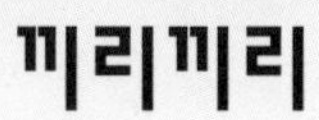

그림에 맞는 글자 짝을 찾아 줄을 그어요.

콩

병

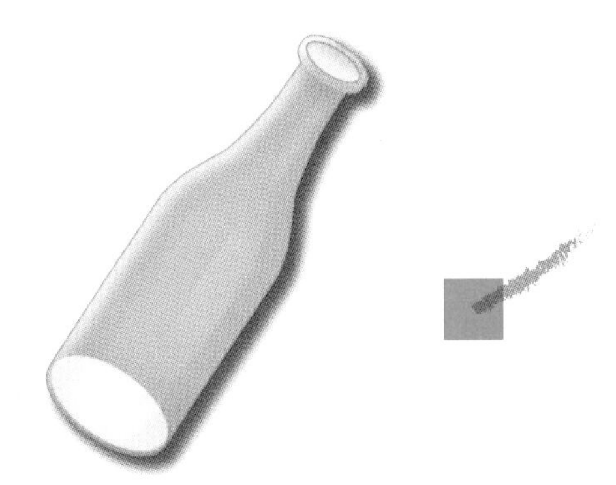

창

총

20화 공

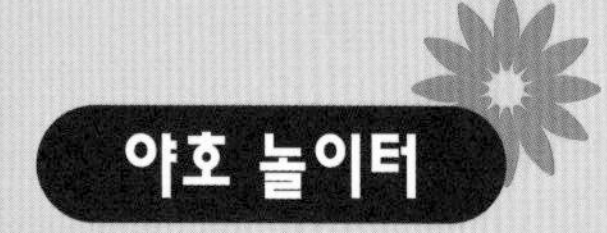

야호가 가장 좋아하는 'ㅇ'이 있는 글자는?

축구를 좋아하는 야호는 '공'이란 글자가 참 좋대요.
나는 어떤 글자가 좋은가요?
좋아하는 글자가 되도록 하나만 골라서 밑에 'ㅇ' 받침 스티커를 붙여요.

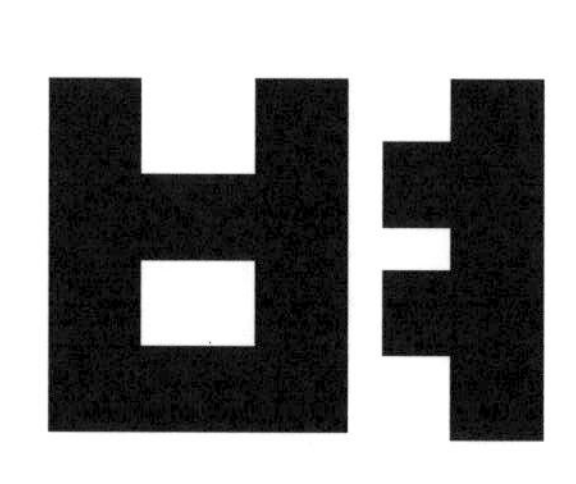

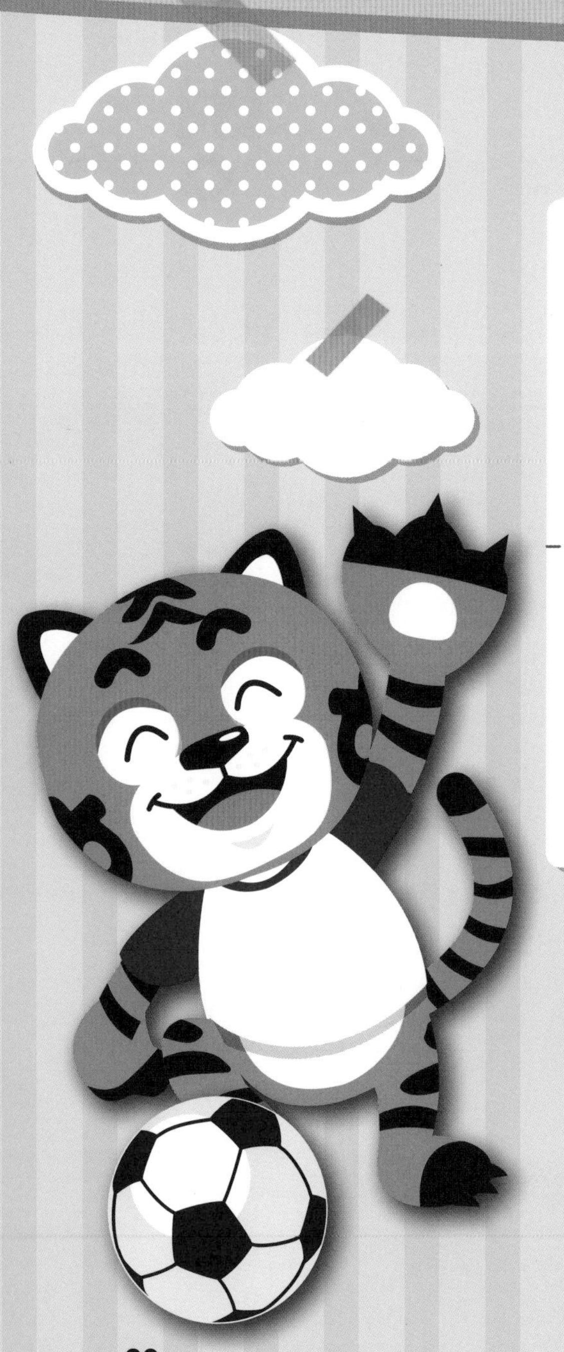

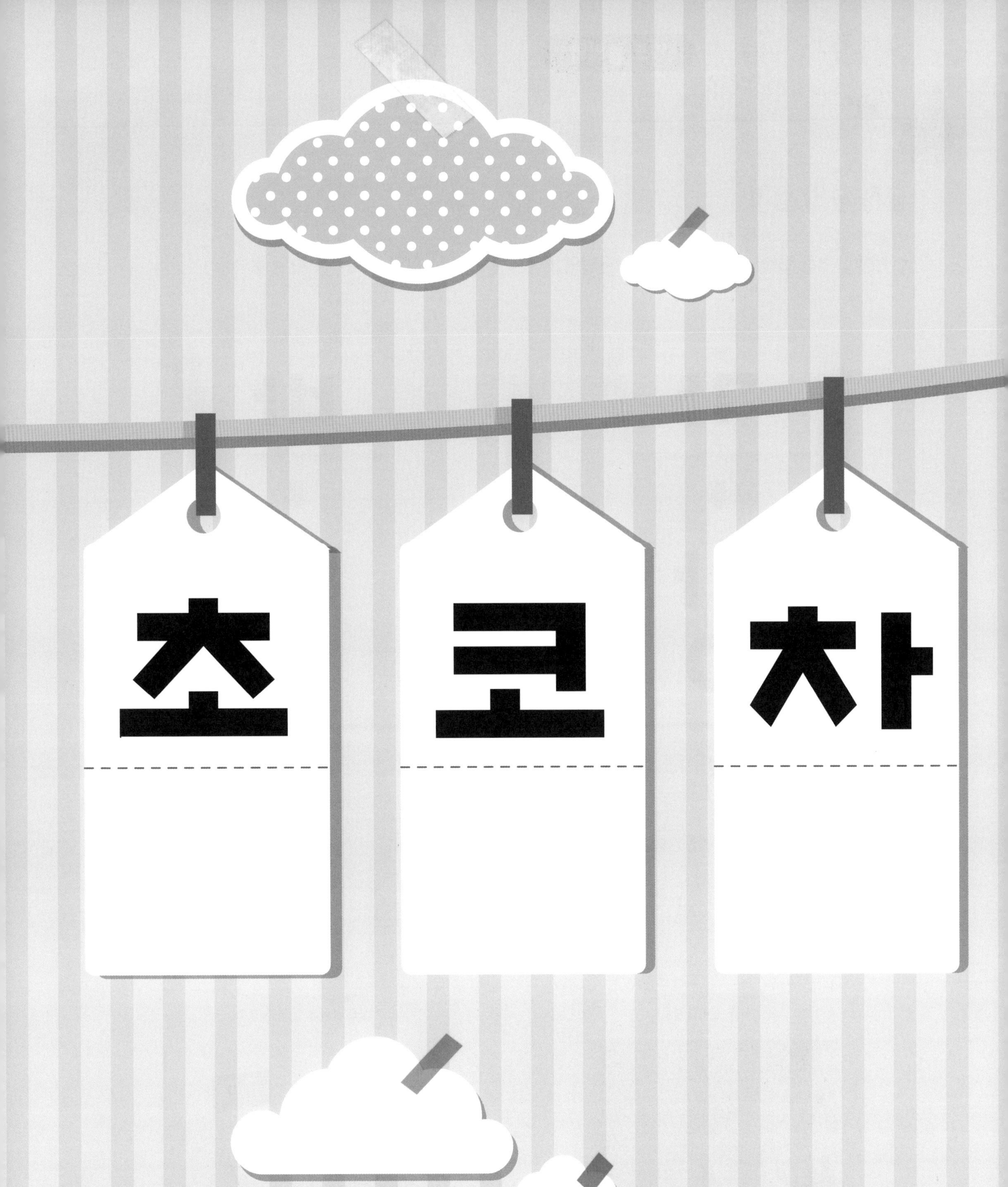
초
코
차

20화 공

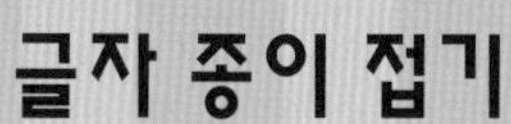

글자 종이 접기

야호가 글자 색종이를 찾아냈어요.
접혀진 종이를 펼치니까 'ㅇ'받침이 나타났어요. 완성된 글자나 그림 스티커를 찾아 붙여요.

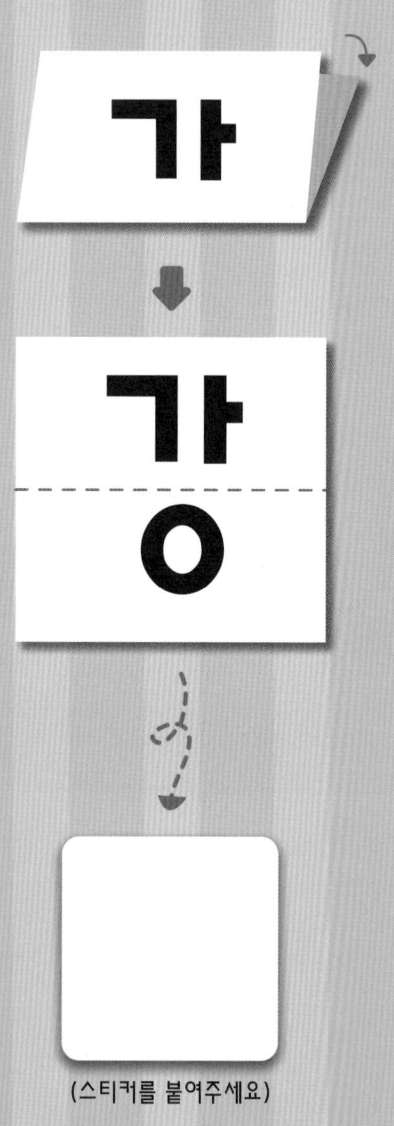

(스티커를 붙여주세요)

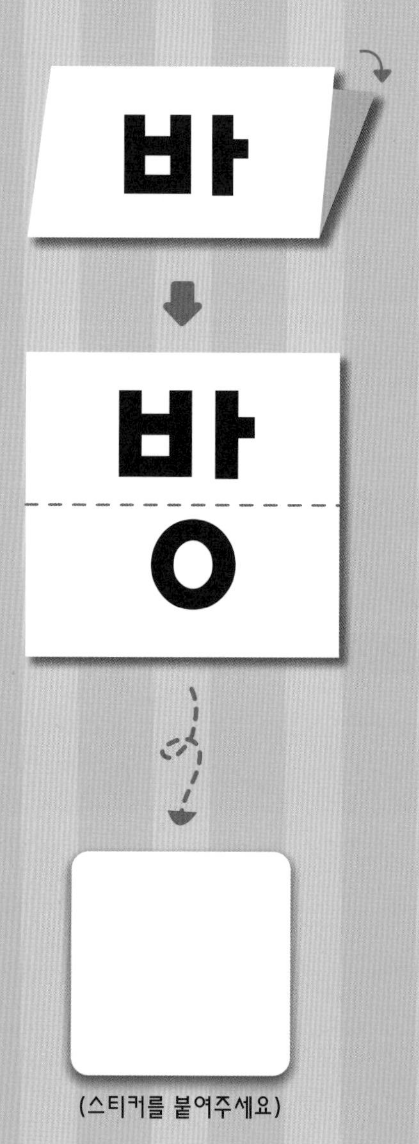

(스티커를 붙여주세요)

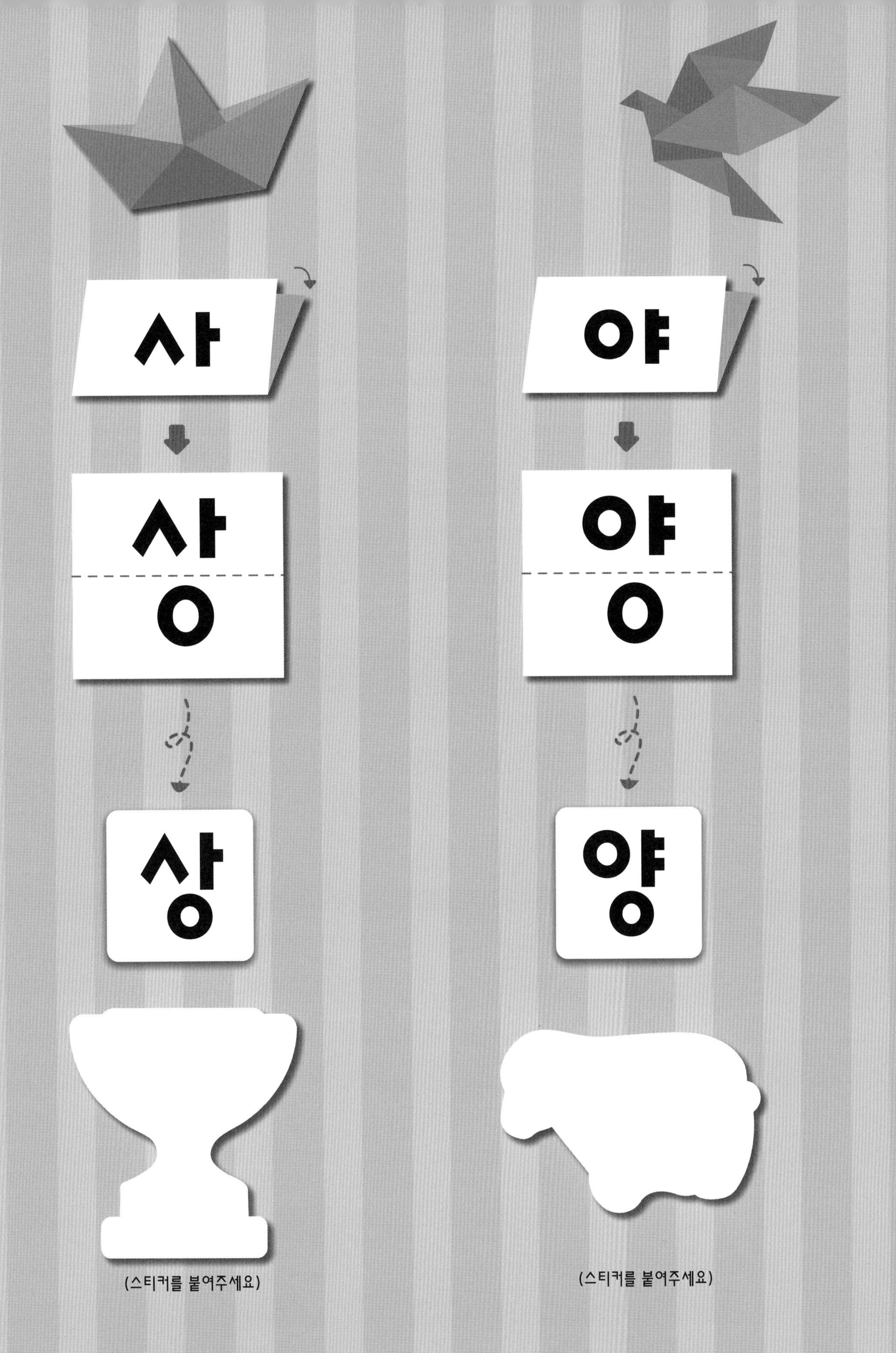

(스티커를 붙여주세요)

(스티커를 붙여주세요)

20화 공

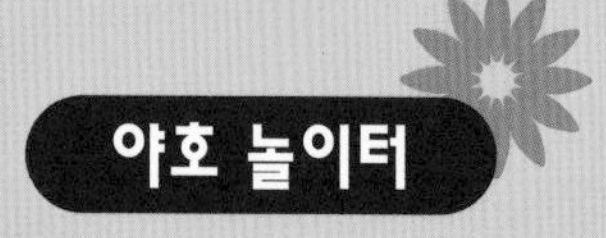

글자 종이 접기

야호가 글자 색종이를 찾아냈어요.
접혀진 종이를 펼치니까 'ㅇ'받침이 나타났어요. 완성된 글자나 그림 스티커를 찾아 붙여요.

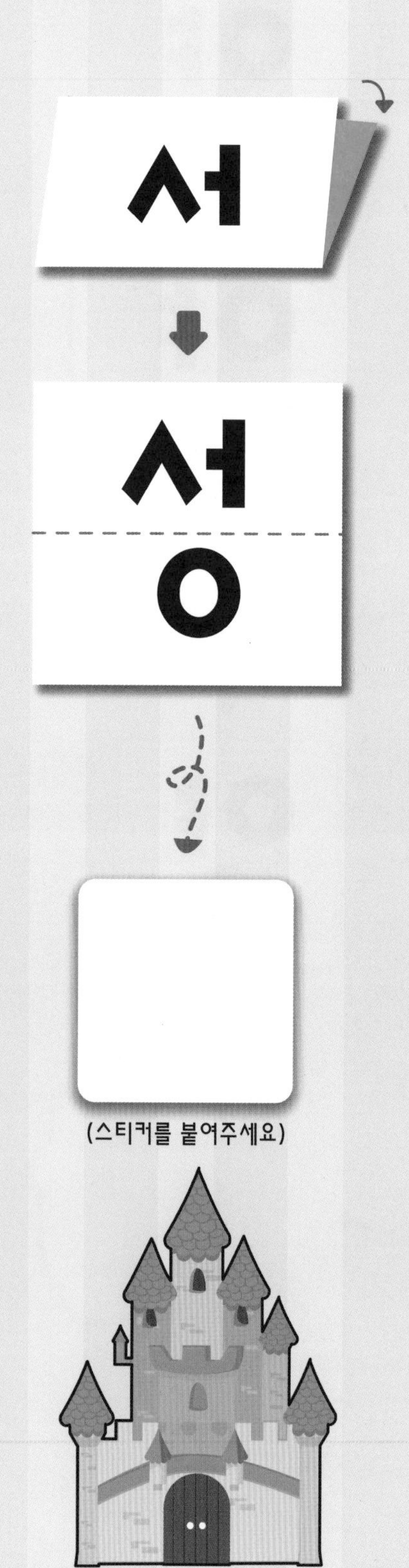

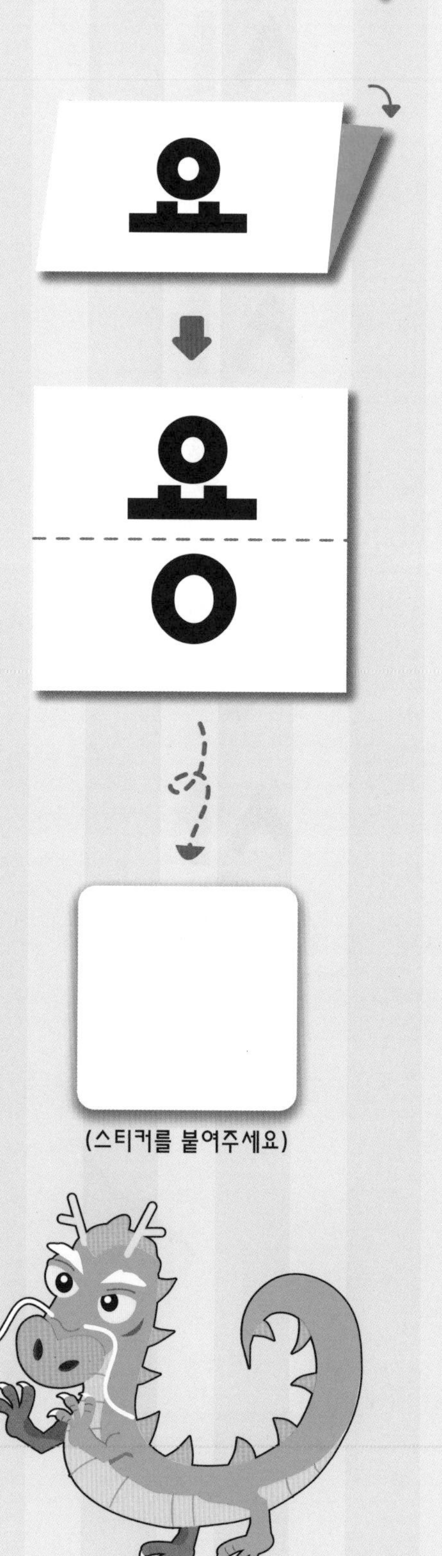

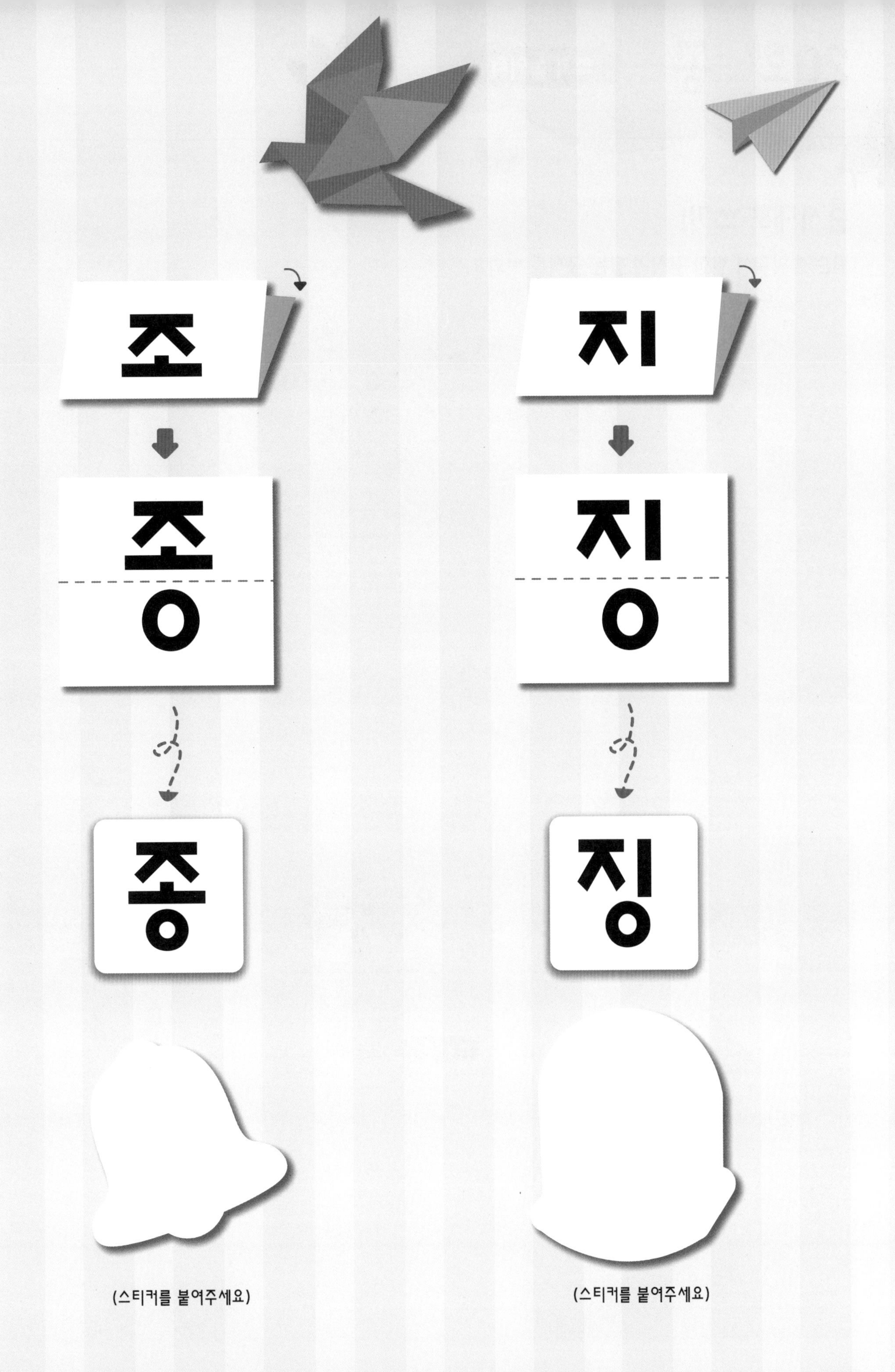
조
종
종
(스티커를 붙여주세요)
지
징
징
(스티커를 붙여주세요)

순서대로 쓰기!

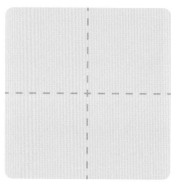

획순에 맞춰서 받침 글자가 있는 글자를 써봐요.

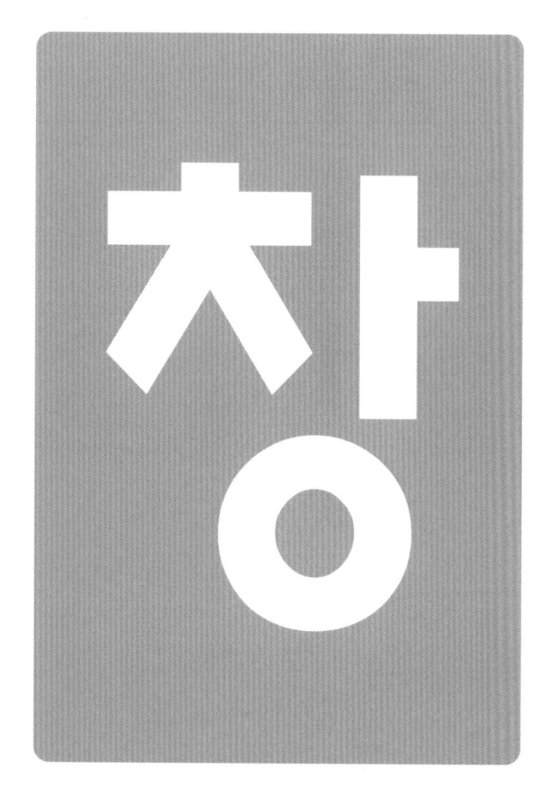

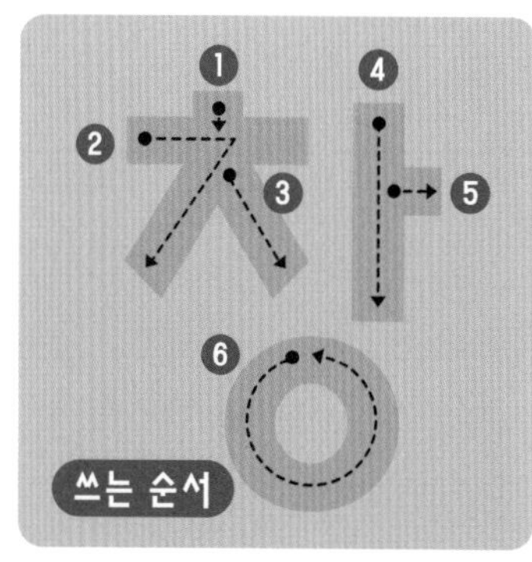

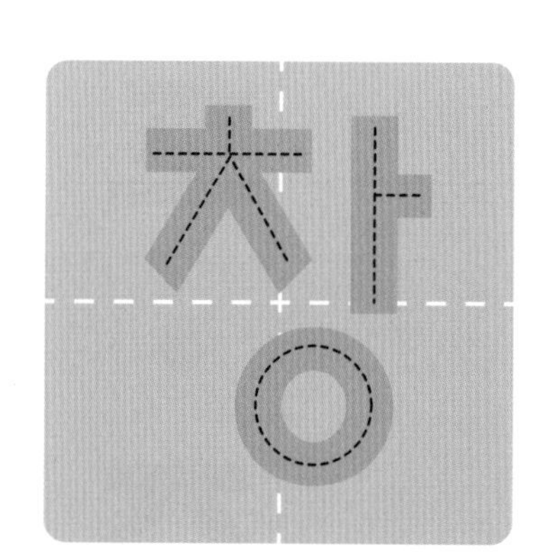

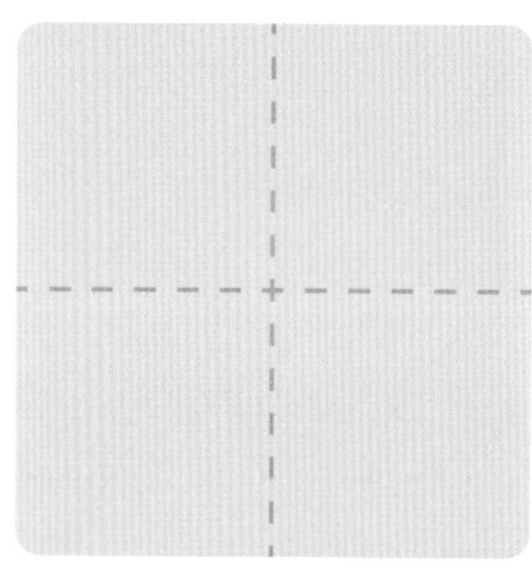

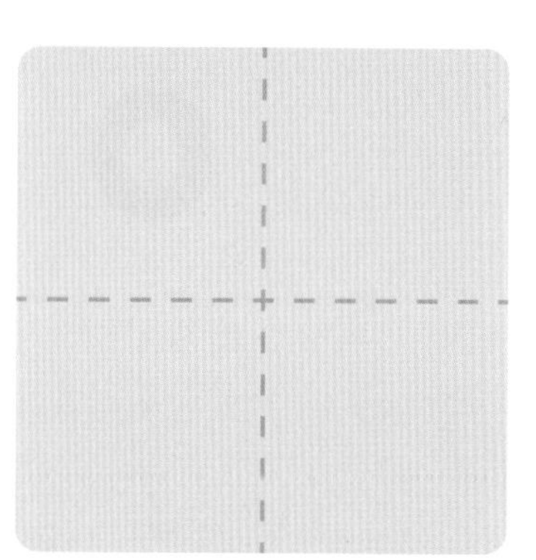

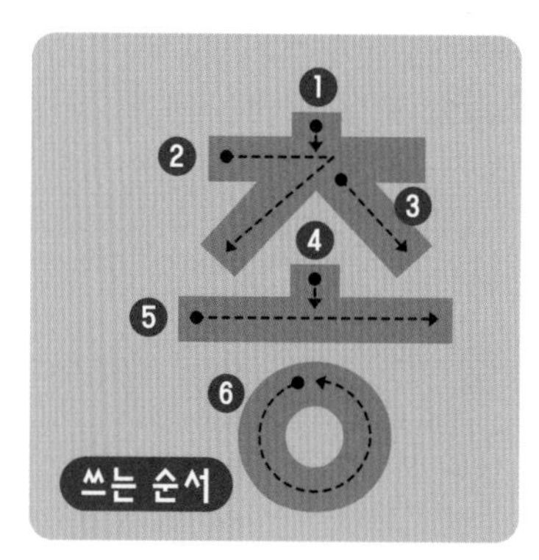

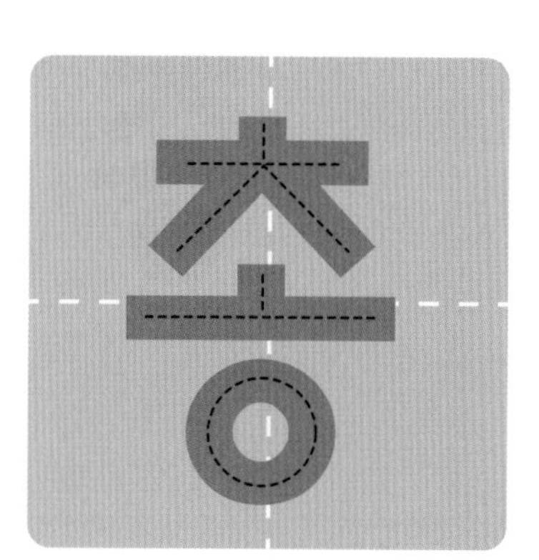

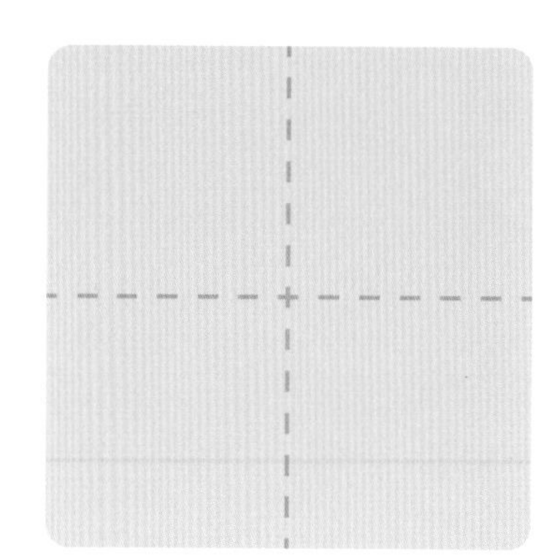

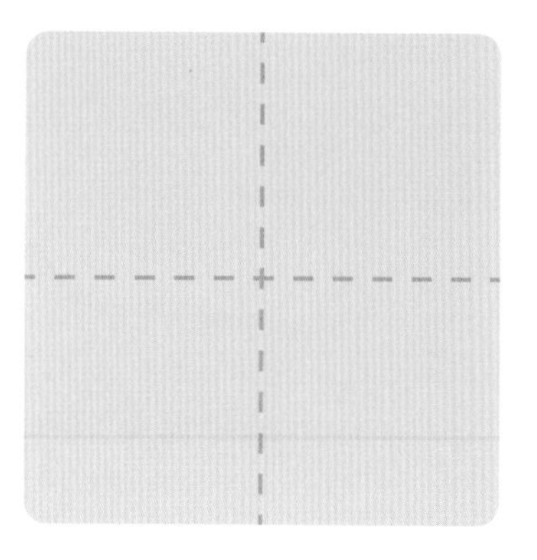

순서대로 쓰기!

획순에 맞춰서 받침 글자가 있는 글자를 써봐요.

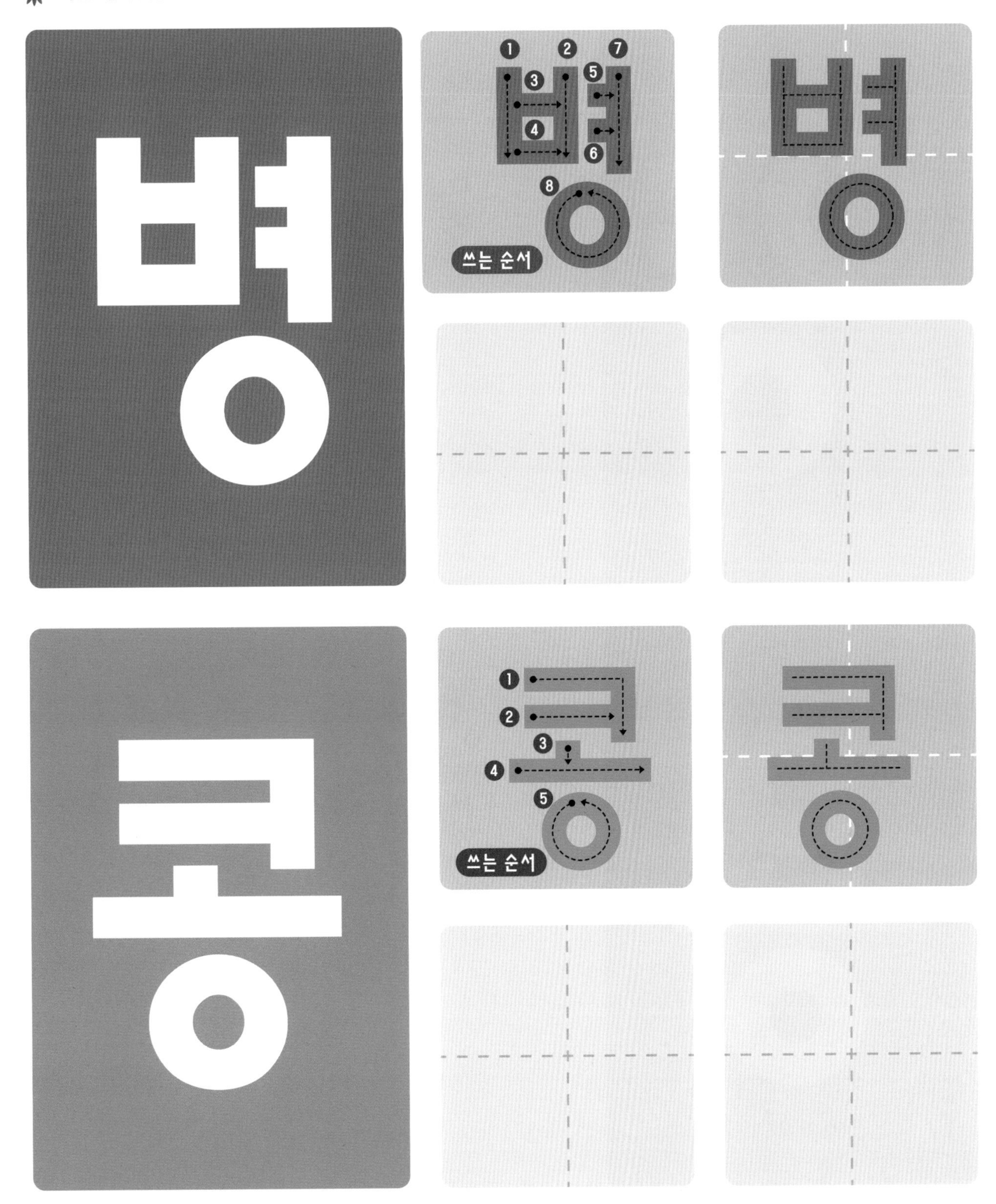

20화 공

쓰기 놀이터

순서대로 쓰기!

획순에 맞춰서 받침 글자가 있는 글자를 써봐요.

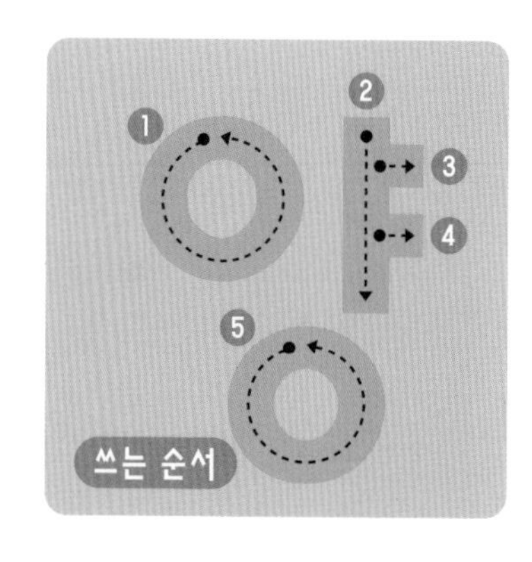

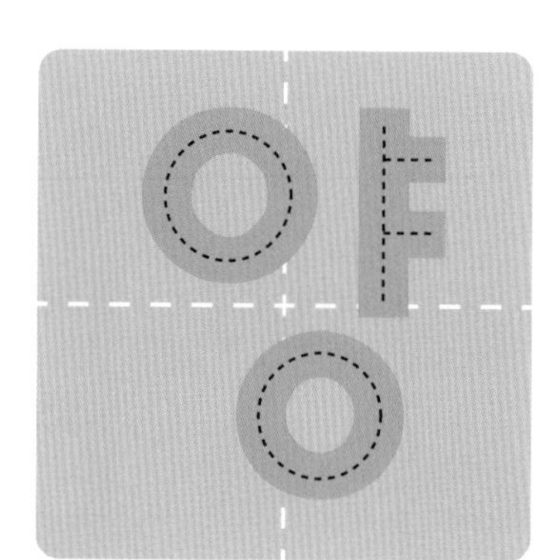

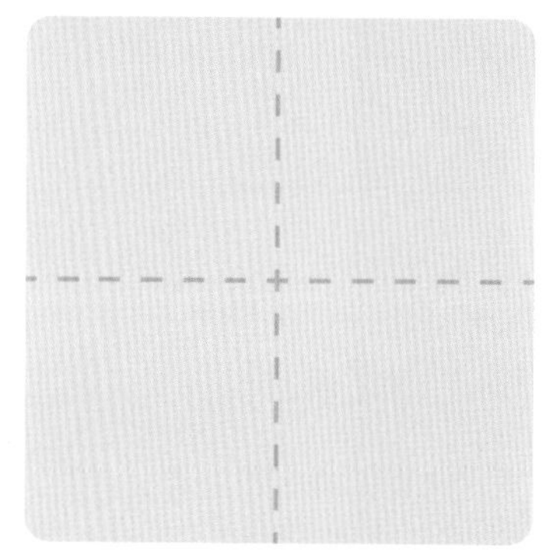

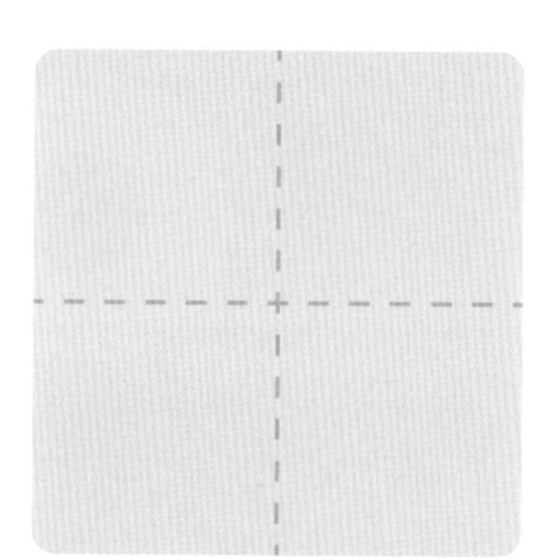

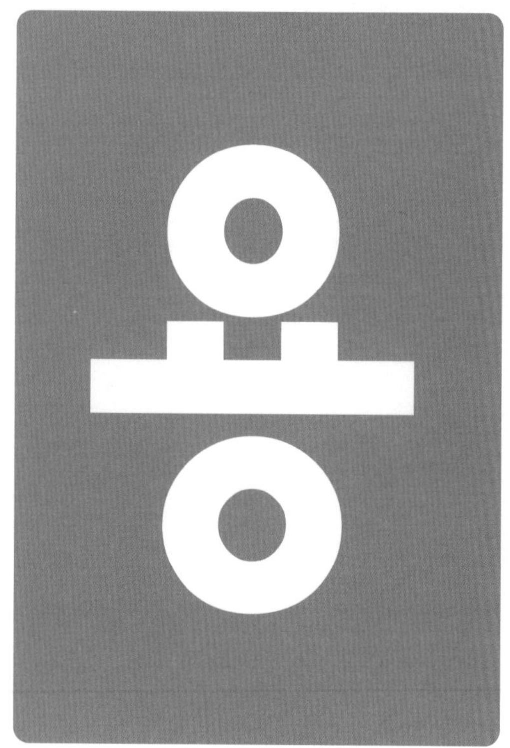

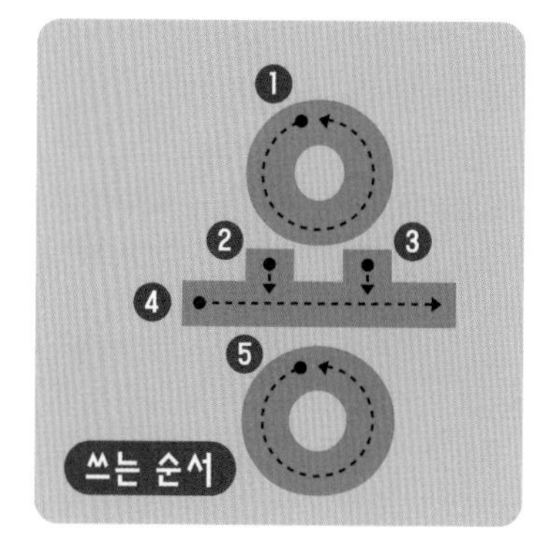

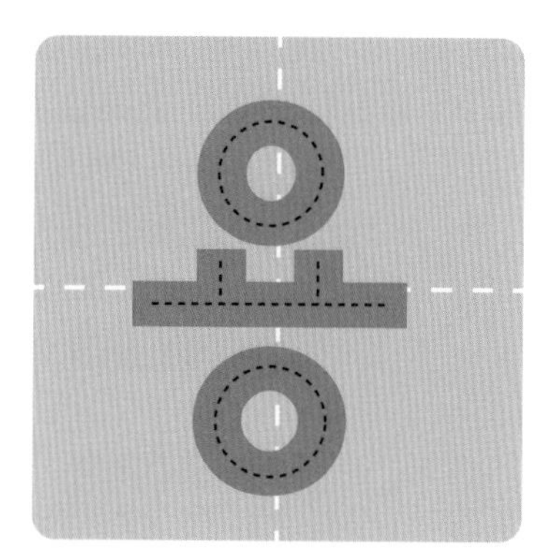

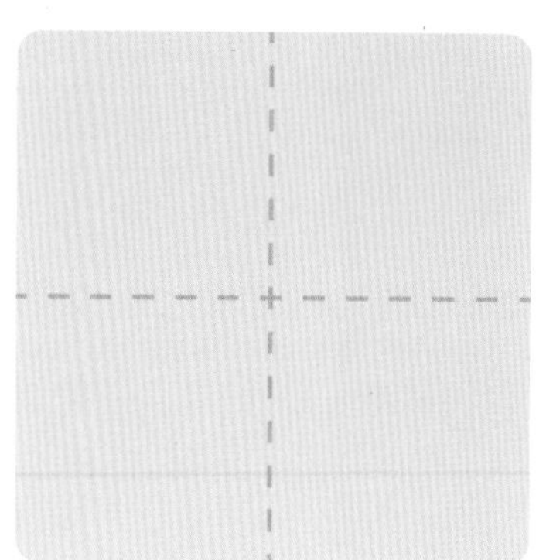

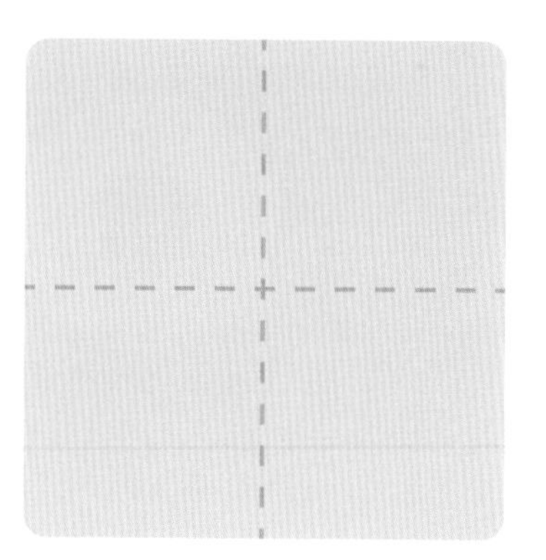

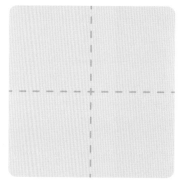

20화 공

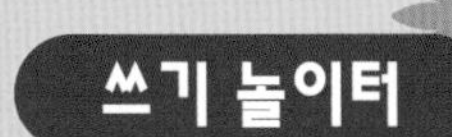

한글이의 작은 그림책

그림책을 또박또박 읽고 빈 자리에 맞는 글자를 써서 그림책을 완성해봐요.

꼬마 마술사에게 마술 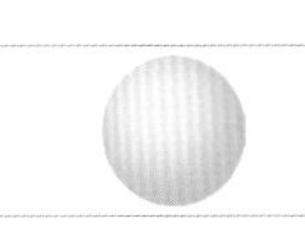 이 생겼어.

코끼리 아저씨는  가 손이래.

싸울 때도 코,  코 ,  .

안돼요, 안돼. 꼬마 마술사가 나타나 “수리 수리 마술공.”

코가 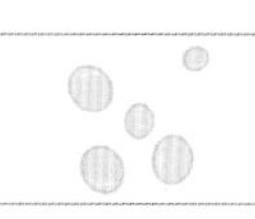 으로!

붕붕~.  가 달리다가 부딪치려고 하네.

안돼요, 안돼. 꼬마 마술사가 나타나 "수리 수리 마술공."

차가  으로!

아이 캄캄해.  에 불을 켜다가 쓰러뜨렸어.

안돼요, 안돼. 꼬마 마술사가 나타나 "수리 수리 마술공."

초가 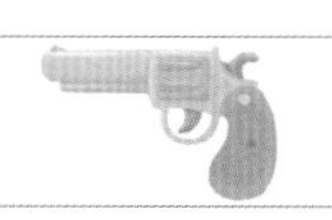 으로!

참새들이 나타나 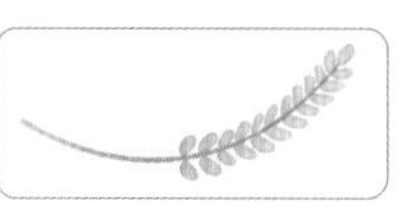 를 쪼아 먹네.

안돼요, 안돼. 꼬마 마술사가 나타나 “수리 수리 마술공.”

벼가 [ ] 으로!

꼬마 마술사의 마술  은 글자를 바꾸는 ‘ㅇ’ 받침 마술 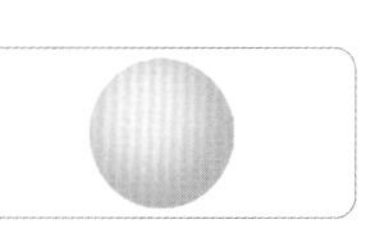 .

한글이 야호 2

콩콩콩 쿵쿵쿵

차 례

21화 <콩콩콩 쿵쿵쿵>편

21화 콩콩콩 쿵쿵쿵 뿌미 놀이터

글자를 착착착!

뿌미가 글자에 'ㅇ(이응)' 받침을 붙여서 글자를 만들어요.
뿌미가 어떤 글자를 만들까요? 글자 스티커를 찾아서 붙이고 큰 소리로 읽어봐요.

카	캬	커	켜

(스티커를 붙여주세요)

1
코
쿄
1
쿠
큐
크
키
2
ㅇ
1 + 2
(스티커를 붙여주세요)

21화 콩콩콩 쿵쿵쿵 뿌미 놀이터

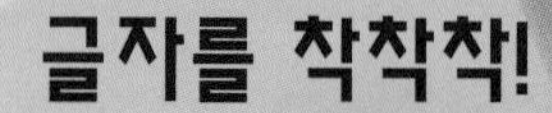

글자를 착착착!

뿌미가 글자에 'ㅇ(이응)' 받침을 붙여서 글자를 만들어요.
뿌미가 어떤 글자를 만들까요? 글자 스티커를 찾아서 붙이고 큰 소리로 읽어봐요.

1
두
드
됴
듀
디
2
ㅇ
1+2
(스티커를 붙여주세요)

21화 콩콩콩 쿵쿵쿵 뿌미 놀이터

글자를 착착착!

뿌미가 글자에 'ㅇ(이응)' 받침을 붙여서 글자를 만들어요.
뿌미가 어떤 글자를 만들까요? 글자 스티커를 찾아서 붙이고 큰 소리로 읽어봐요.

타 탸 터 텨

1 + 2

(스티커를 붙여주세요)

1 + 2

(스티커를 붙여주세요)

토
됴
1 투
듀
트
1 티
2 ㅇ

21화 콩콩콩 쿵쿵쿵 뿌미 놀이터

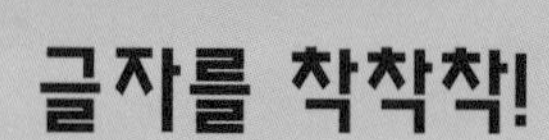

뿌미가 글자에 'ㅇ(이응)' 받침을 붙여서 글자를 만들어요.
뿌미가 어떤 글자를 만들까요? 글자 스티커를 찾아서 붙이고 큰 소리로 읽어봐요.

1+2

(스티커를 붙여주세요)

21화 콩콩콩 쿵쿵쿵 야호 놀이터

소리를 찾아요.

동물들이 작고 귀여운 소리를 내요. 'ㅇ' 받침을 그리거나 물감 찍기를 해서 동물들이 내는 소리를 완성시켜요.

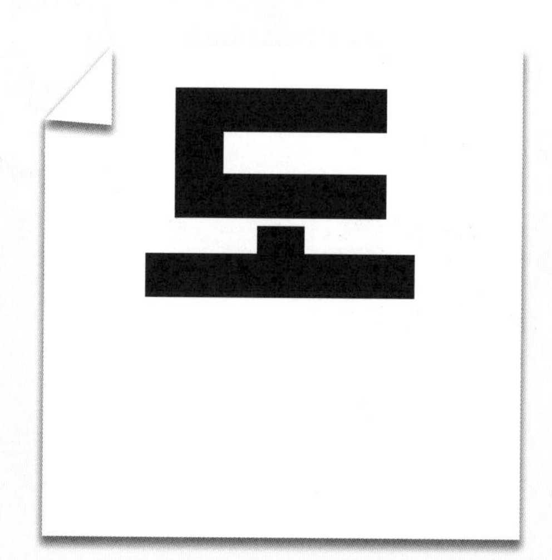

티티티

도도도

코코코

21화 콩콩콩 쿵쿵쿵 야호 놀이터

소리를 찾아요.

동물들이 커다란 소리를 내요. 어떤 소리를 낼까요?
'ㅇ'받침에 색칠을 해서 소리를 나타내는 글자를 찾고, 큰 소리로 읽어봐요.

둥
둥둥둥
쿵
쿵쿵쿵

야호가 초인종을 눌러요.

야호가 친구네 집에 놀러 가서 초인종을 눌렀어요. 어떤 소리가 날까요? 'ㅇ' 받침을 완성시켜 봐요.

디 도

21화 콩콩콩 쿵쿵쿵

야호 놀이터

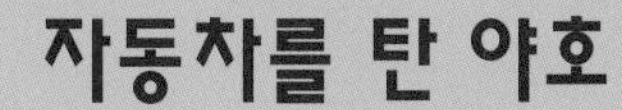

자동차를 탄 야호

야호가 자동차를 타고 놀러 가요.
자동차도 기분이 좋은지 소리를 내요. 'ㅇ' 받침을 완성시켜 봐요.

부부

내 배에선 어떤 소리가 날까?

내가 너구리처럼, 사자처럼 배를 두르리면 어떤 소리가 날까요?
내 배에서 나는 소리를 'ㅇ'(이응) 받침 있는 글자로 써 보세요.

21화 콩콩콩 쿵쿵쿵 야호 놀이터

내가 뛰면 어떤 소리가 날까?

내가 하마처럼 뛰면 어떤 소리가 날까요?
내 발에서 나는 소리를 'ㅇ'(이응) 받침 있는 글자로 써 보세요.

아기가 울면 어떤 소리가 날까?

아기가 큰 소리로 울면 어떤 소리가 날까요?
아기가 울 때 나는 소리를 'ㅇ'(이응) 받침 있는 글자로 써 보세요.

순서대로 쓰기!

획순에 맞춰서 받침 글자가 있는 글자를 써봐요.

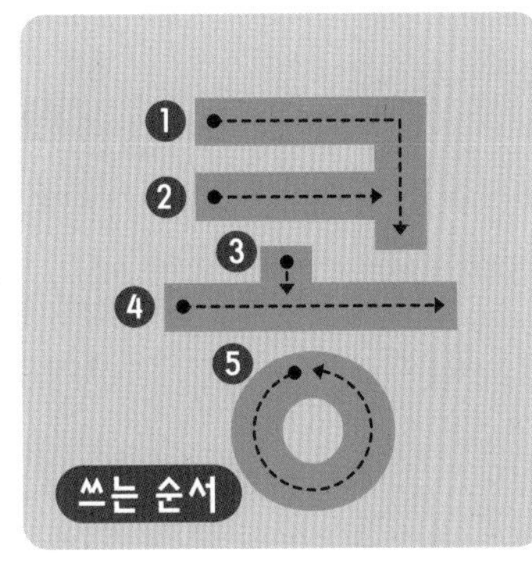

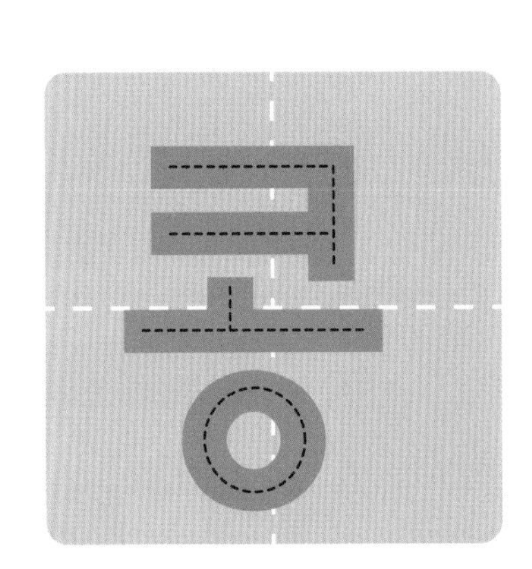

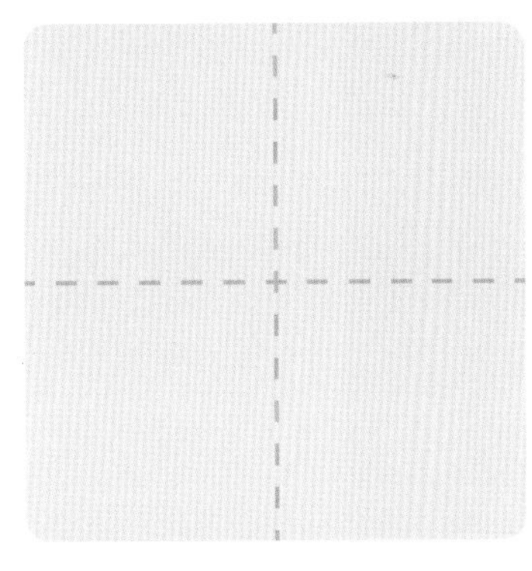

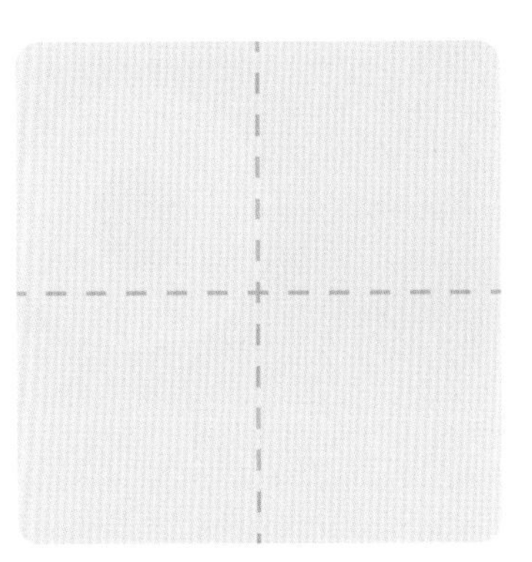

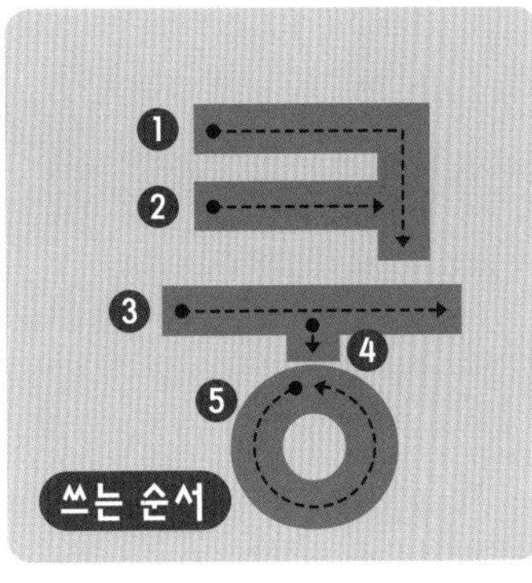

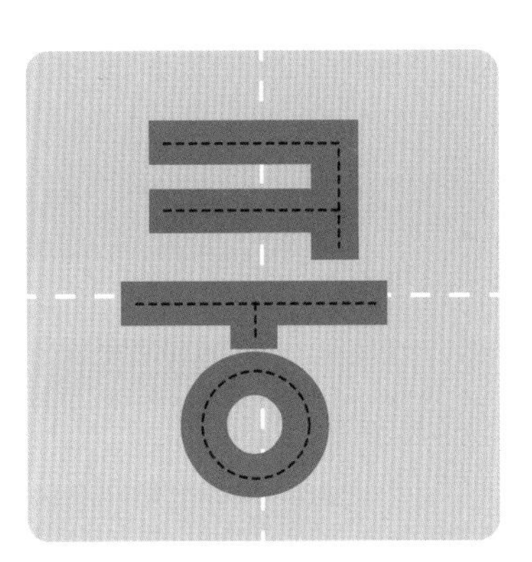

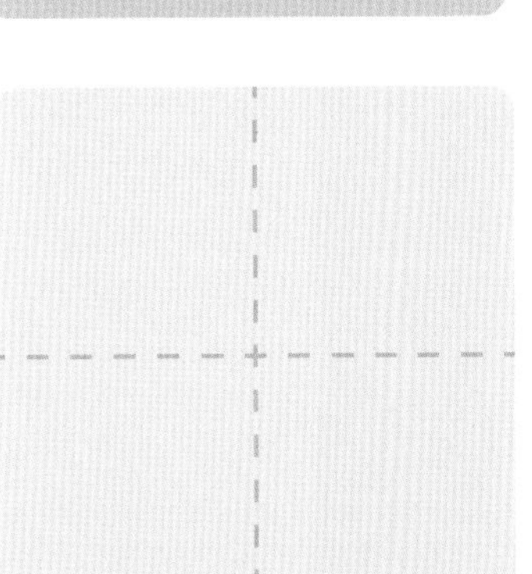

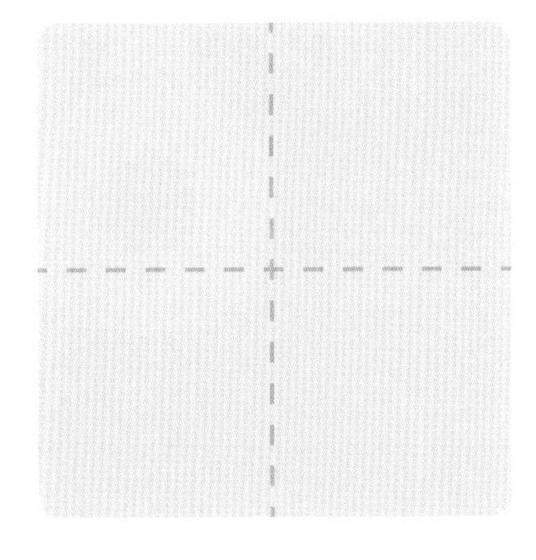

순서대로 쓰기!

획순에 맞춰서 받침 글자가 있는 글자를 써봐요.

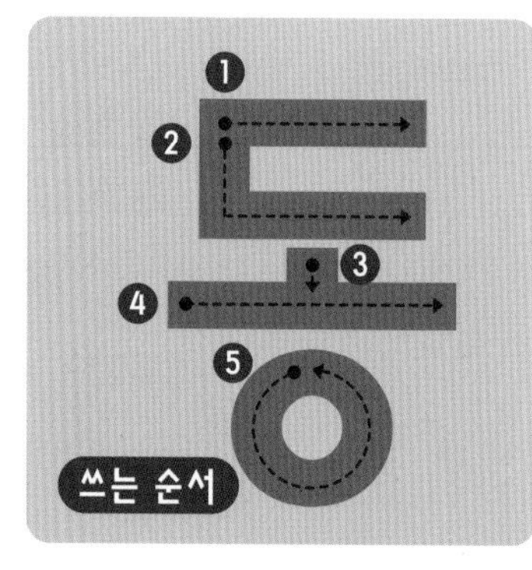

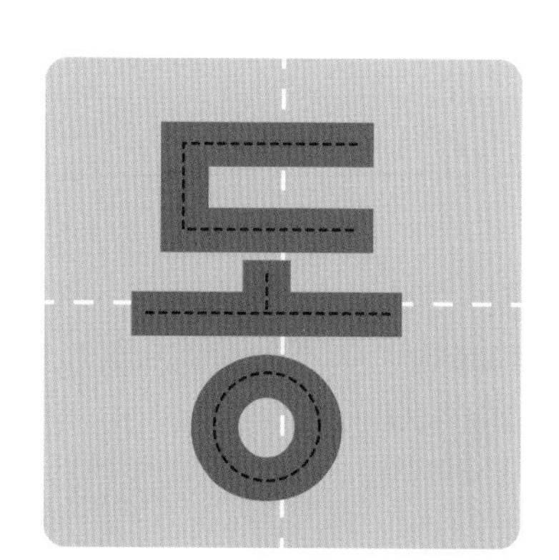

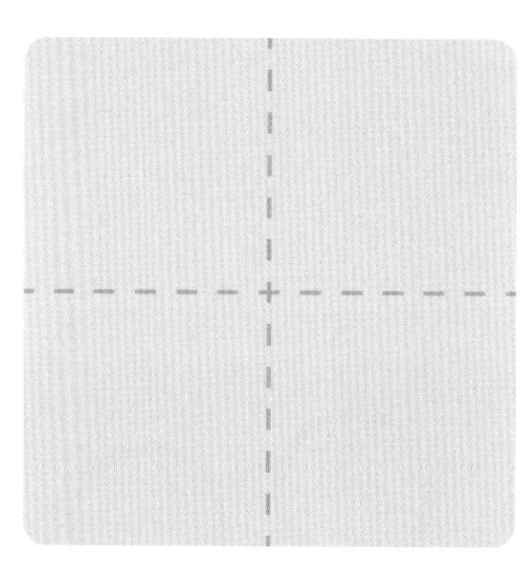

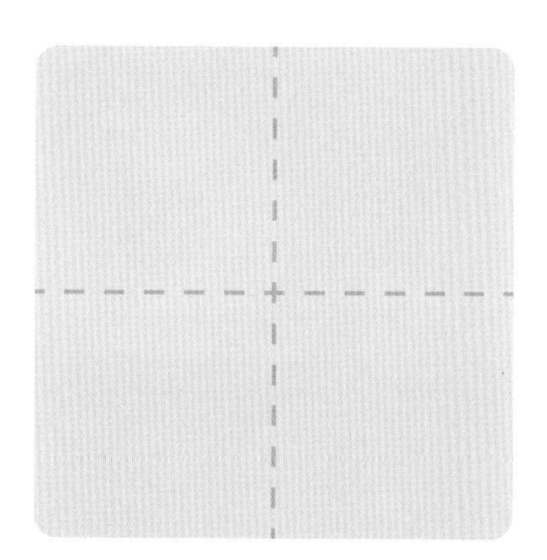

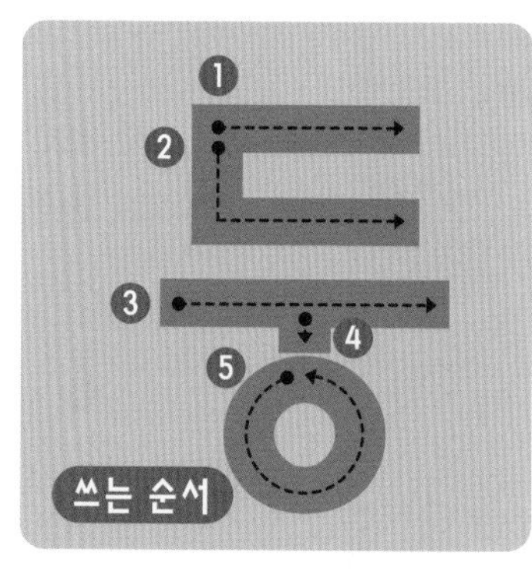

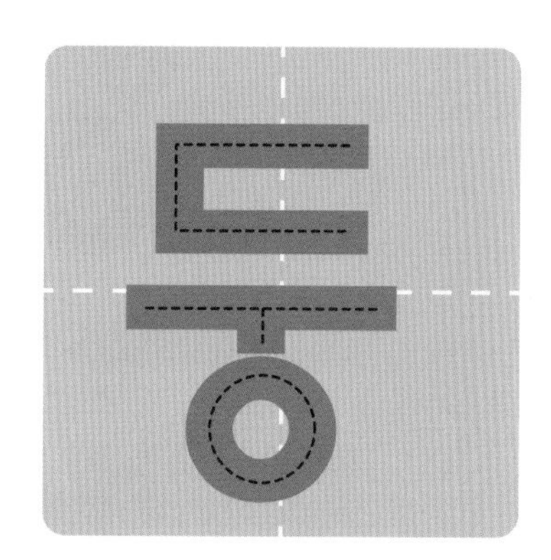

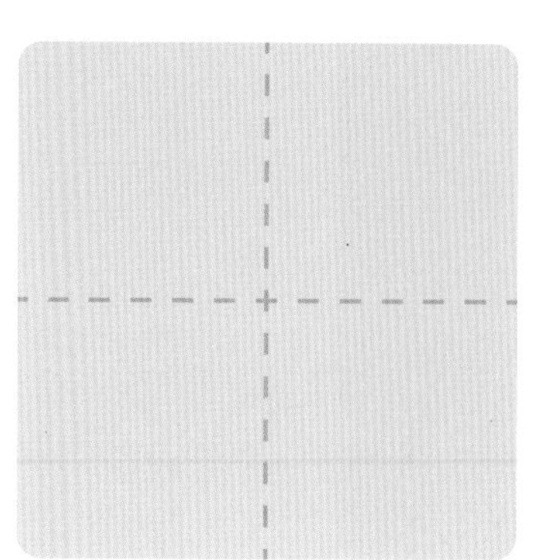

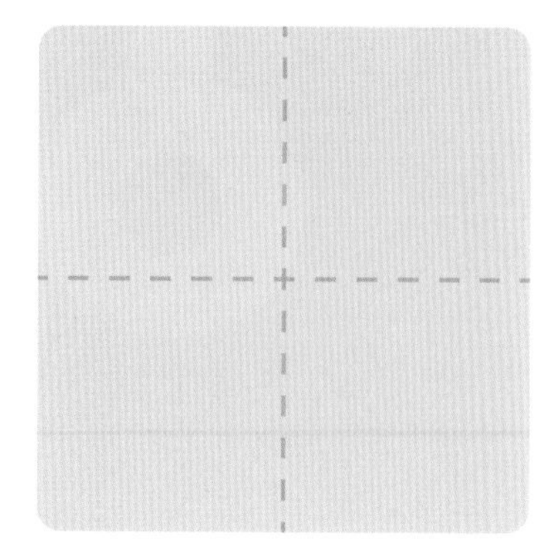

순서대로 쓰기!

✹ 획순에 맞춰서 받침 글자가 있는 글자를 써봐요.

순서대로 쓰기!

획순에 맞춰서 받침 글자가 있는 글자를 써봐요.

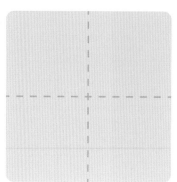

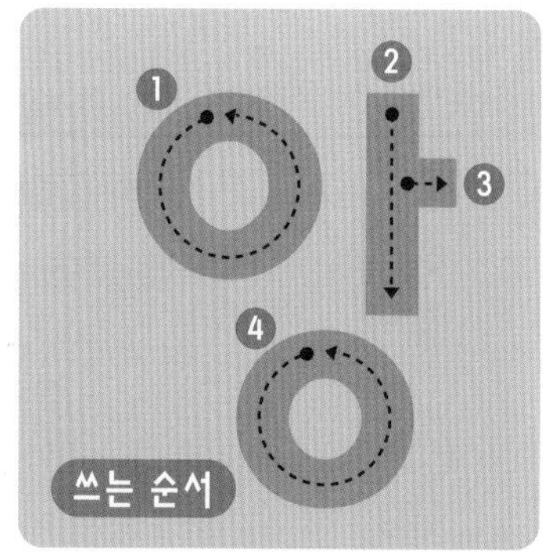

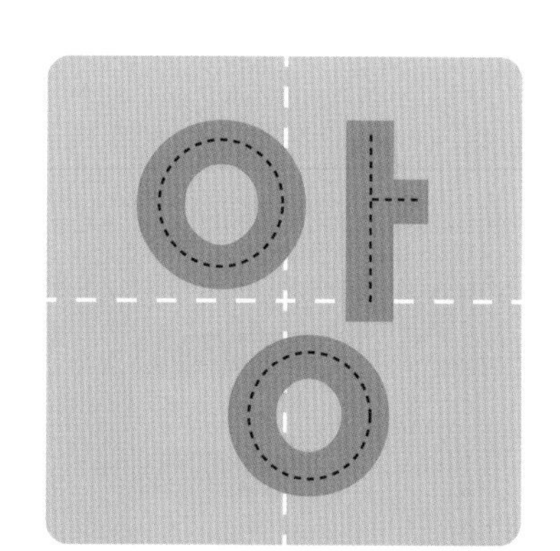

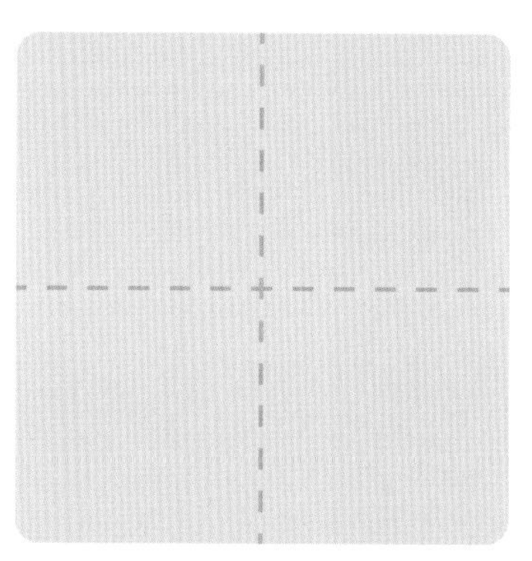

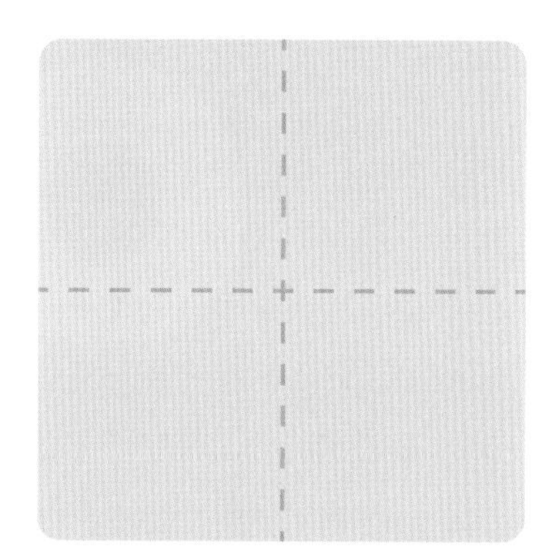

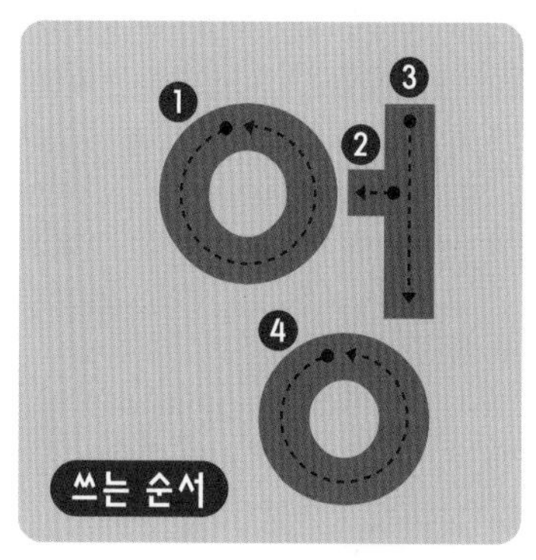

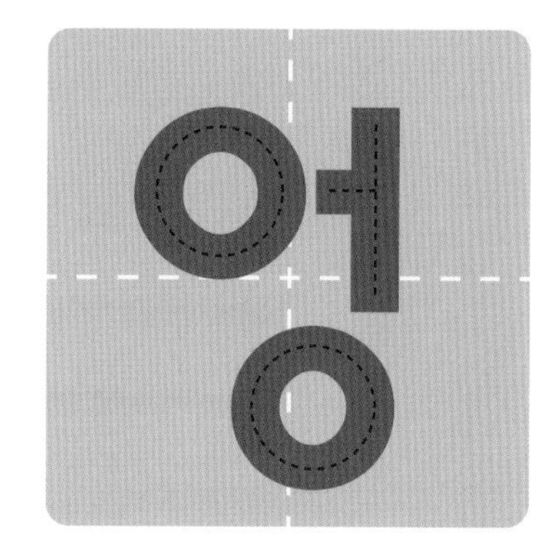

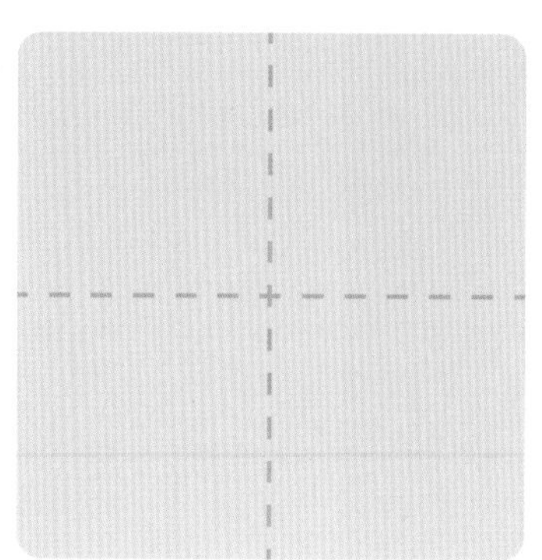

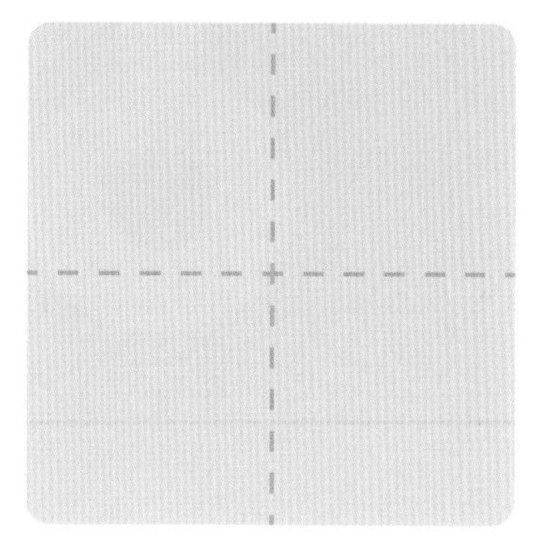

21화 콩콩콩 쿵쿵쿵 쓰기 놀이터

한글이의 작은 그림책

그림책을 또박또박 읽고 빈 자리에 맞는 글자를 써서 그림책을 완성해봐요.

호랑이가 재밌는 소리를 들었어.

거미가 거미줄을 [ ].

오리가 밧줄을 .

너구리가 볼록한 배를 두드렸더니  .

사자가 불룩한 배를 두드렸더니 .

가벼운 아이 하마가 뛰면  .

무거운 엄마 하마가 뛰면 .

팅팅팅 퉁퉁퉁

동동동 둥둥둥

콩콩콩 쿵쿵쿵

모두 모여서 재밌게 소리를 내봤어.

신나는 콩콩콩 쿵쿵쿵 음악대가 되었지.

한글이 야호 2

퐁당퐁당

호랑이 병아리

고양이 강아지

망아지 송아지

차 례

22화 <퐁당퐁당>편

22화 퐁당퐁당 뿌미 놀이터

글자를 착착착!

뿌미가 글자에 'ㅇ(이응)' 받침을 붙여서 글자를 만들어요.
뿌미가 어떤 글자를 만들까요? 글자 스티커를 찾아서 붙이고 큰 소리로 읽어봐요.

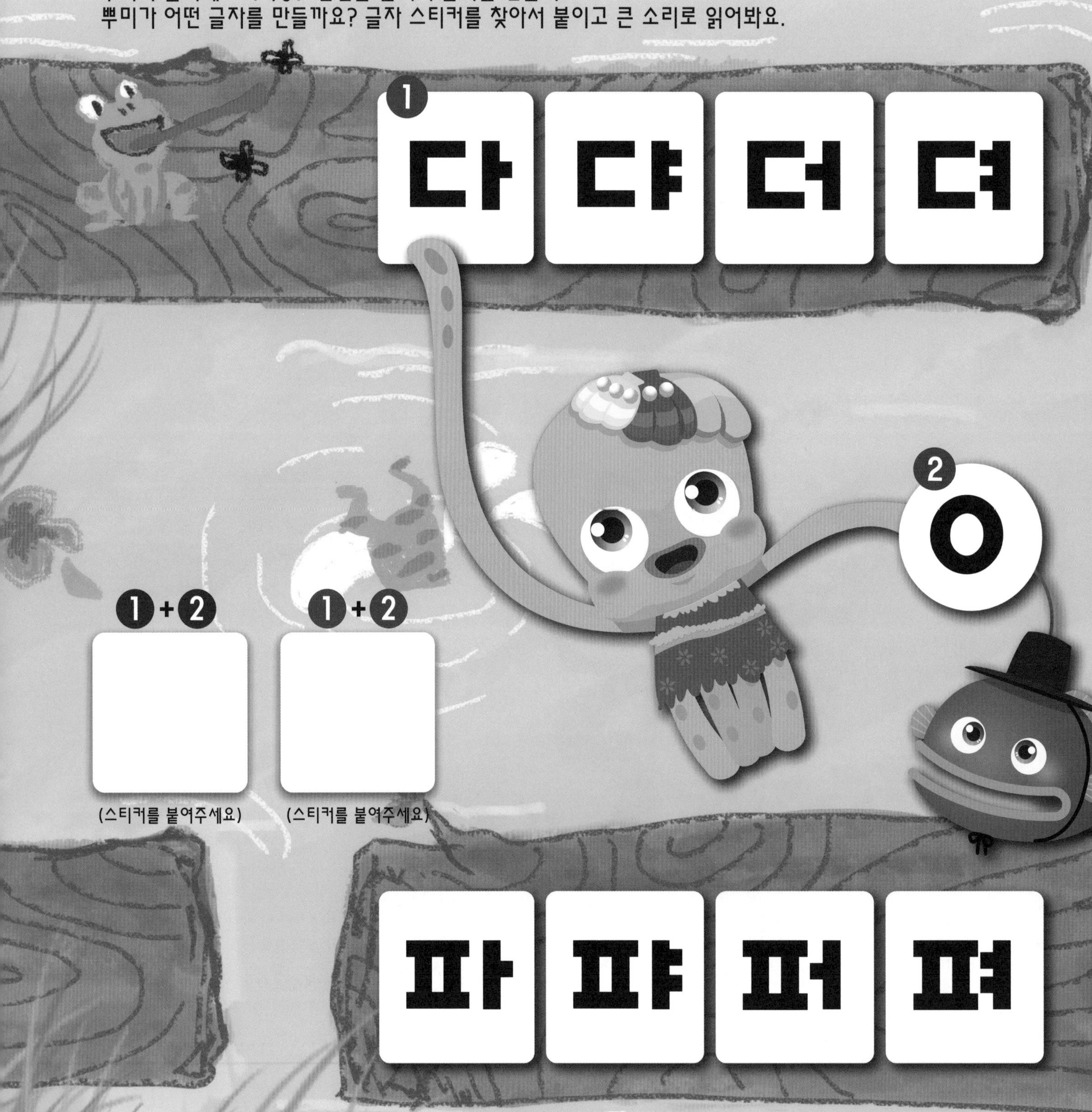

도 됴 두 듀 드 디
2
ㅇ
1
포 표 푸 퓨 프 피

22화 퐁당퐁당

글자를 착착착!

뿌미가 글자에 'ㅇ(이응)' 받침을 붙여서 글자를 만들어요.
뿌미가 어떤 글자를 만들까요? 글자 스티커를 찾아서 붙이고 큰 소리로 읽어봐요.

1

가 갸 거 겨

1 + 2

(스티커를 붙여주세요)

1 + 2 3 4

(스티커를 붙여주세요)

고 교 구 규 그 기

3
아 야
어 여
오 요
우 유
으 이
자 쟈
저 져
조 죠
주 쥬
4
즈 지

22화 퐁당퐁당 뿌미 놀이터

글자를 착착착!

뿌미가 글자에 'ㅇ(이응)' 받침을 붙여서 글자를 만들어요.
뿌미가 어떤 글자를 만들까요? 글자 스티커를 찾아서 붙이고 큰 소리로 읽어봐요.

3

가 갸 거 겨 고

4

요 우 유 으 이

3 1+2 4

(스티커를 붙여주세요)

교 구 규 그 기

22화 퐁당퐁당 뿌미 놀이터

글자를 착착착!

뿌미가 글자에 'ㅇ(이응)' 받침을 붙여서 글자를 만들어요.
뿌미가 어떤 글자를 만들까요? 글자 스티커를 찾아서 붙이고 큰 소리로 읽어봐요.

모 묘 무 뮤 므 미

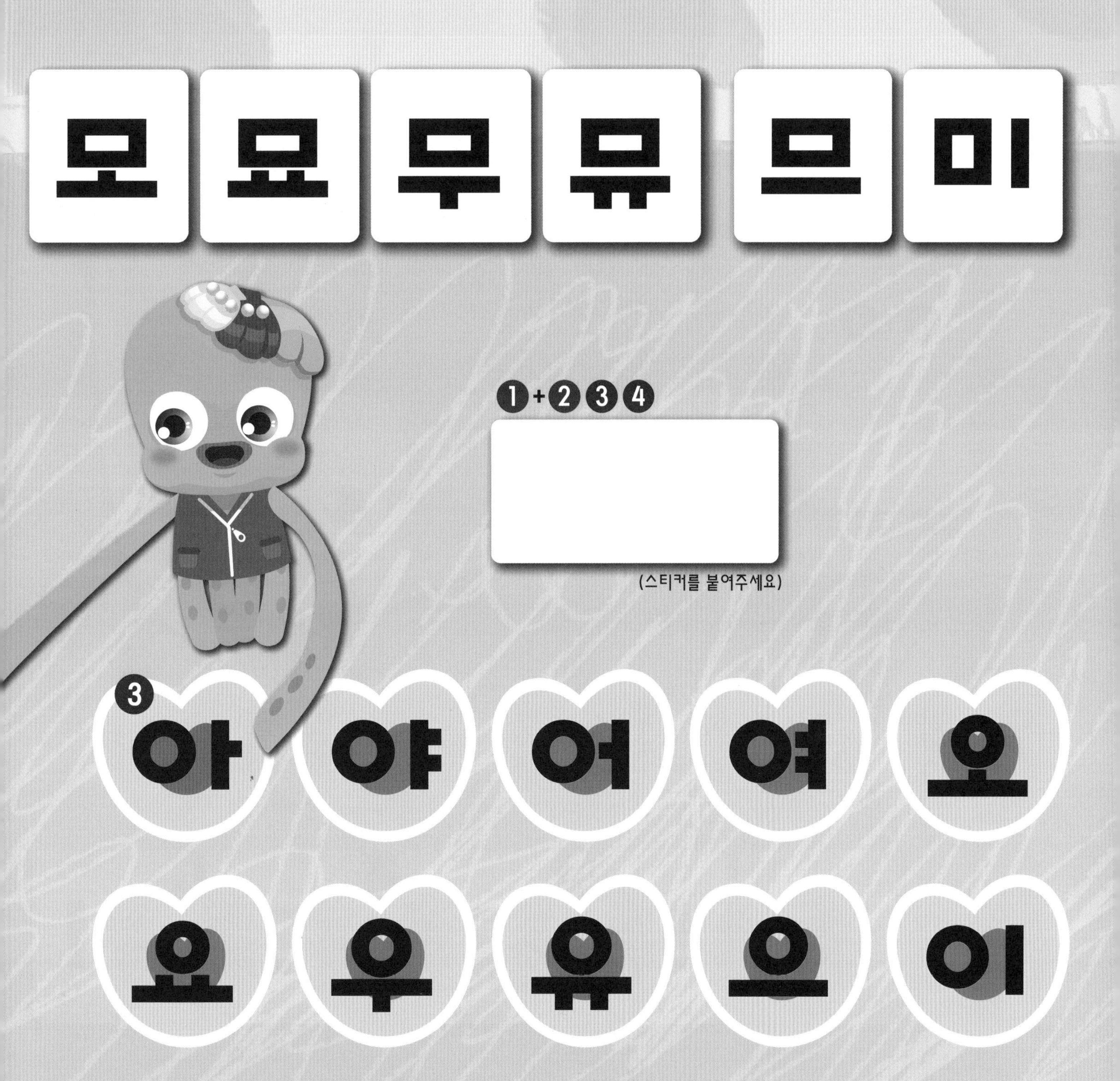

22화 퐁당퐁당 뿌미 놀이터

글자를 착착착!

뿌미가 글자에 'ㅇ(이응)' 받침을 붙여서 글자를 만들어요.
뿌미가 어떤 글자를 만들까요? 글자 스티커를 찾아서 붙이고 큰 소리로 읽어봐요.

1

바 뱌 버 벼

보 뵤 부 뷰 브 비

3 아
야
오
우
유
요
어
여
으
이
1+2 3 4
(스티커를 붙여주세요)
라
랴
로
료
르
러
려
루
류
4 리

22화 퐁당퐁당

글자를 착착착!

뿌미가 글자에 'ㅇ(이응)' 받침을 붙여서 글자를 만들어요.
뿌미가 어떤 글자를 만들까요? 글자 스티커를 찾아서 붙이고 큰 소리로 읽어봐요.

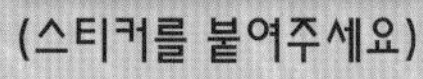
(스티커를 붙여주세요)

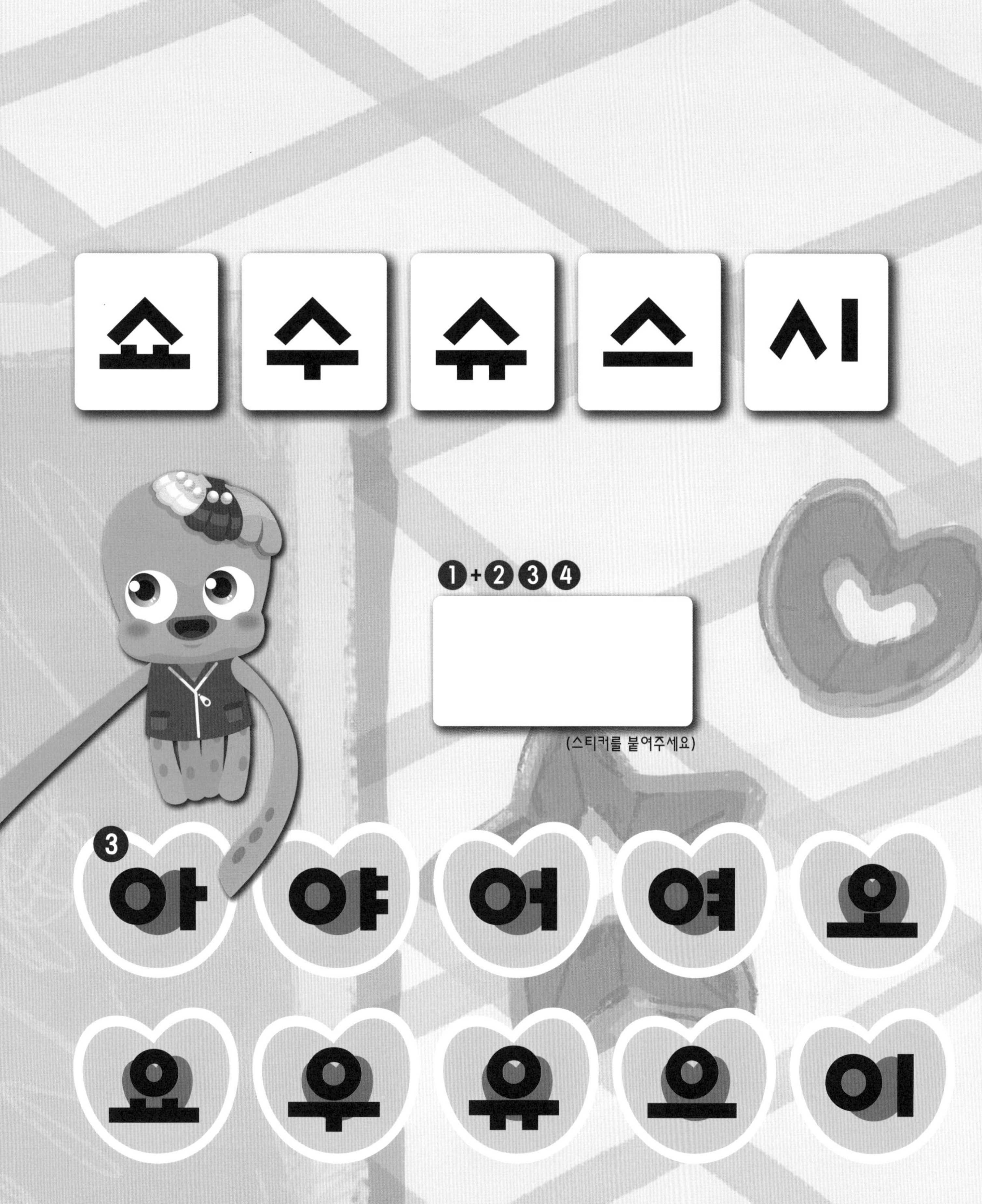

소
수
슈
스
시
❶+❷❸❹
(스티커를 붙여주세요)
❸
아
야
어
여
오
요
우
유
으
이

22화 퐁당퐁당 야호 놀이터

끼리끼리

그림에 맞는 글자 짝을 찾아 줄을 그어요.

■ ● 강아지

● ▲ 망아지

▲ ■ 송아지

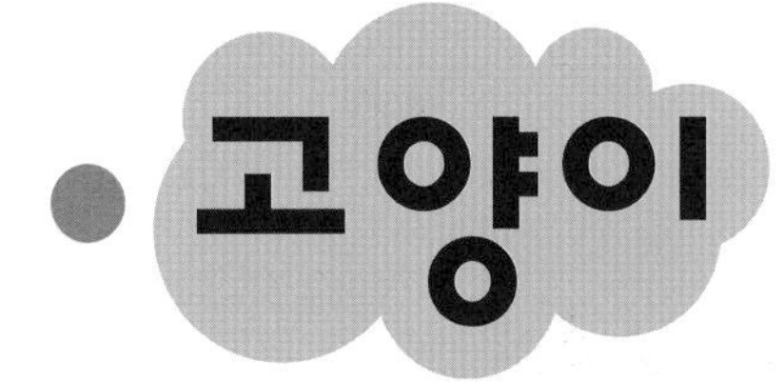

병아리

22화 퐁당퐁당 야호 놀이터

끼리끼리

동물 소리를 흉내내 보고 글자와 동물짝을 찾아줘요.

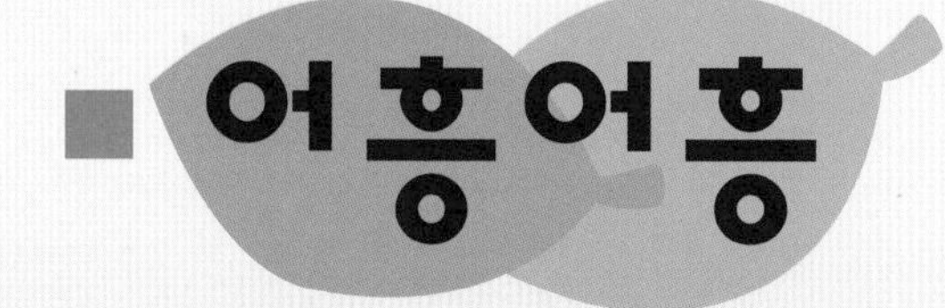

야옹야옹

22화 퐁당퐁당 야호 놀이터

아기 동물 이름이 뭐예요?

야호가 엄마 동물에게 아기 동물 이름표를 찾아주고 있어요. 바른 짝끼리 줄을 그어요.

22화 퐁당퐁당
야호 놀이터
앗, 차거워!
야호와 한글이가 강물에 뛰어들었어요.
물이 퍼지는 모양과 소리를 큰 소리로 읽고 색칠해보아요.
포 다
ㅇ ㅇ

풍덩

22화 퐁당퐁당 야호 놀이터

글자 종이 접기

야호가 글자 색종이를 찾아냈어요.
접혀진 종이를 펼치니까 'ㅇ'받침이 나타났어요. 완성된 글자나 그림 스티커를 찾아 붙여요.

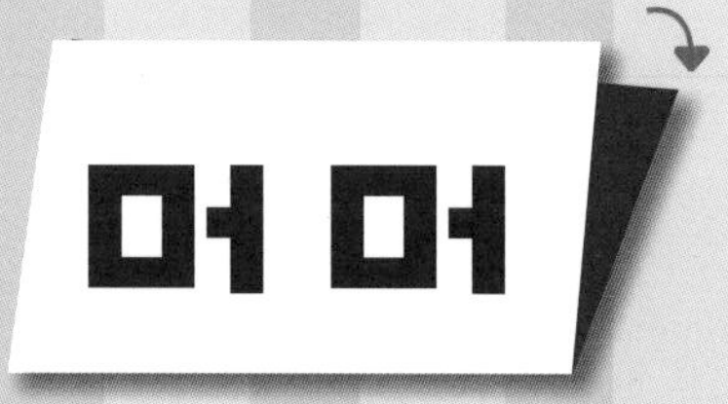

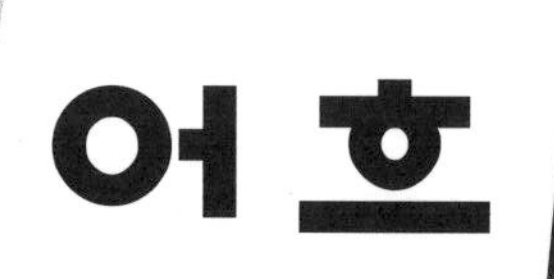

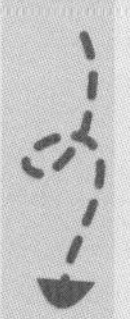

(스티커를 붙여주세요)

(스티커를 붙여주세요)

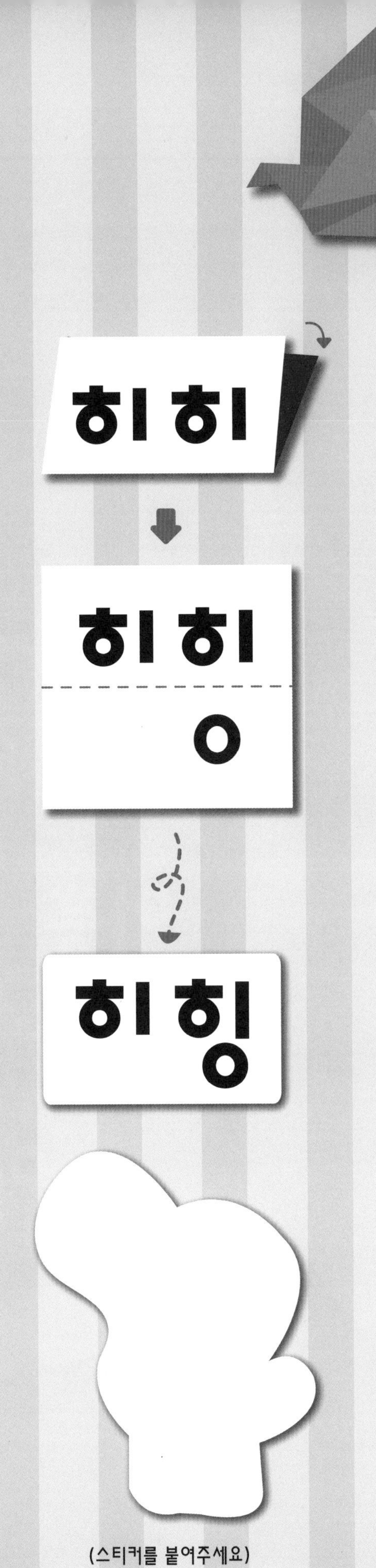

히히
히히
ㅇ
히힝
(스티커를 붙여주세요)

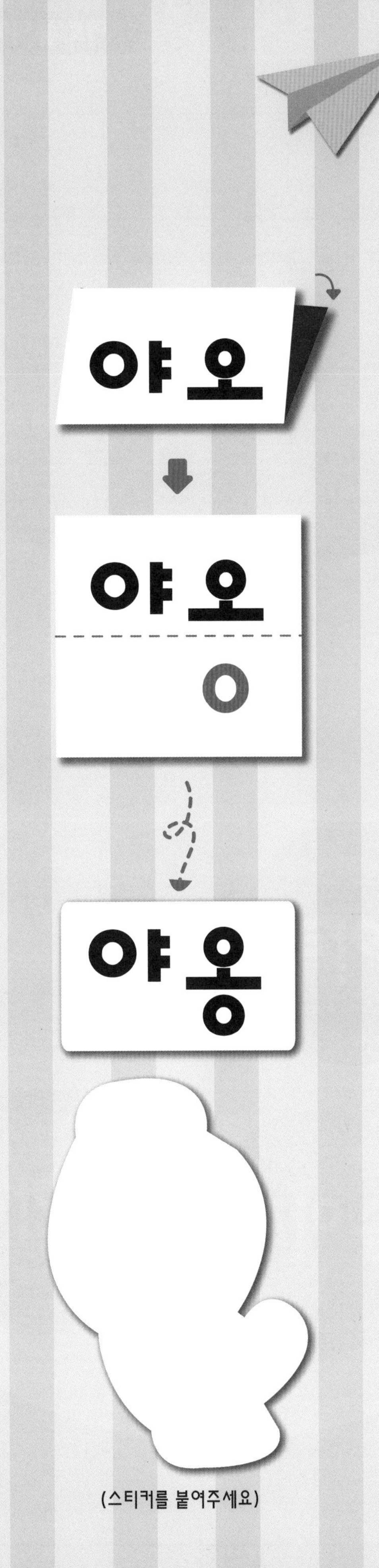

야오
야오
ㅇ
야옹
(스티커를 붙여주세요)

22화 퐁당퐁당 야호 놀이터

글자를 뽑아요.

그림과 맞는 글자는 어느 것일까요? 동그라미를 쳐요.

어흥

멍멍

멍멍

히힝

순서대로 쓰기!

획순에 맞춰서 받침 글자가 있는 글자를 써봐요.

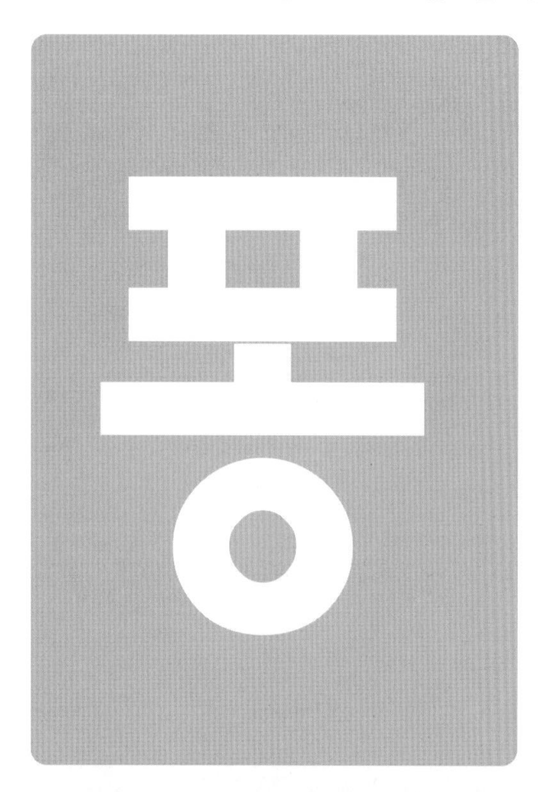

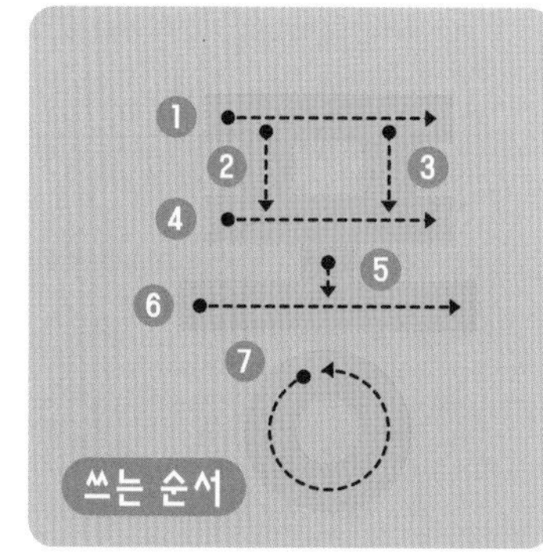

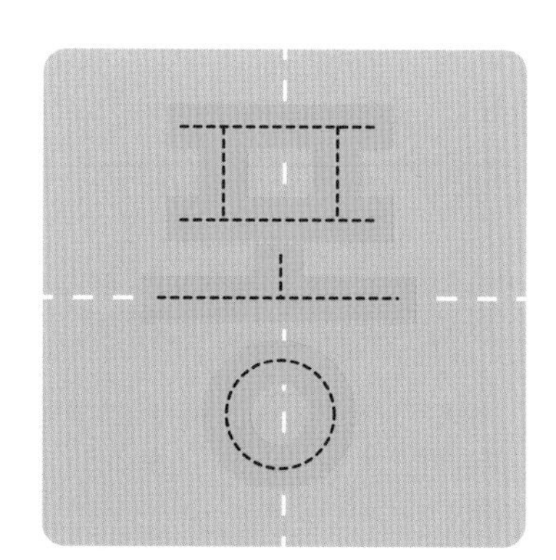

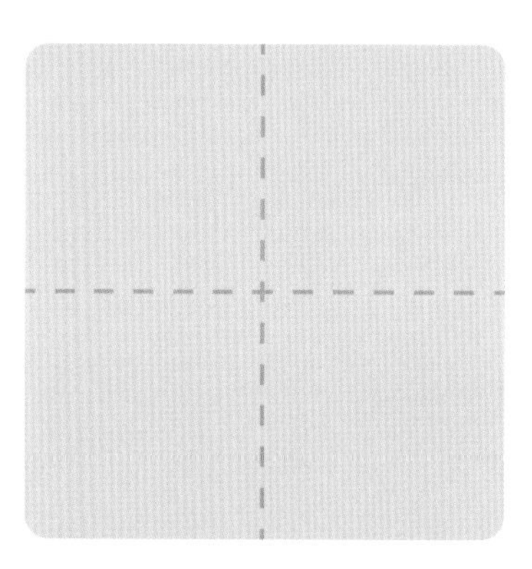

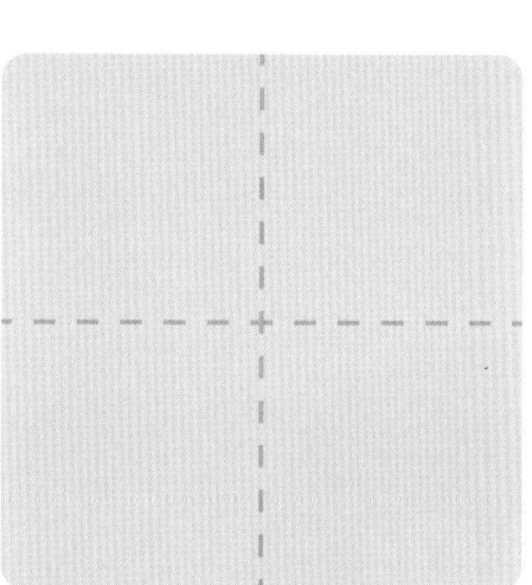

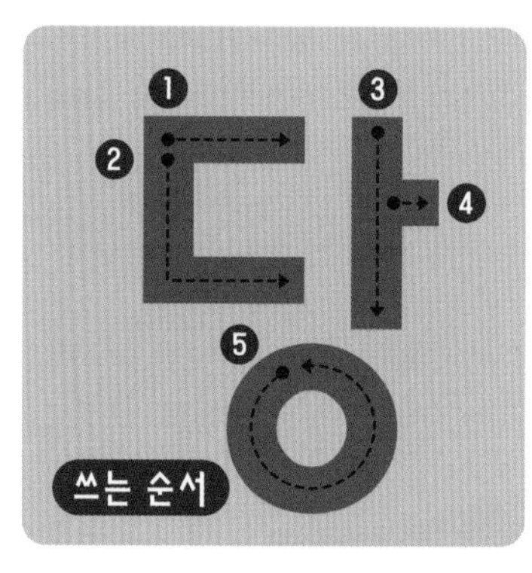

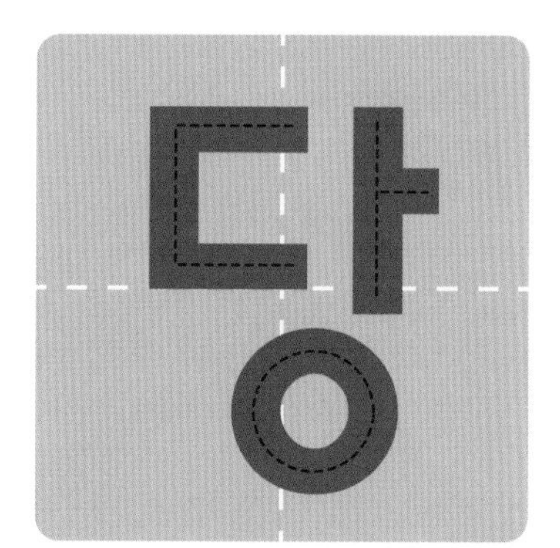

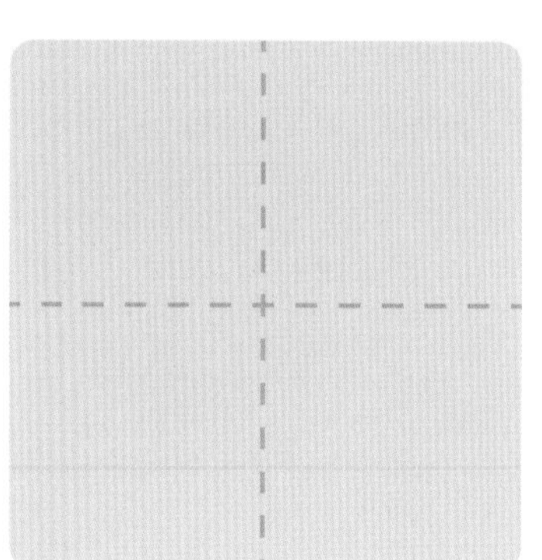

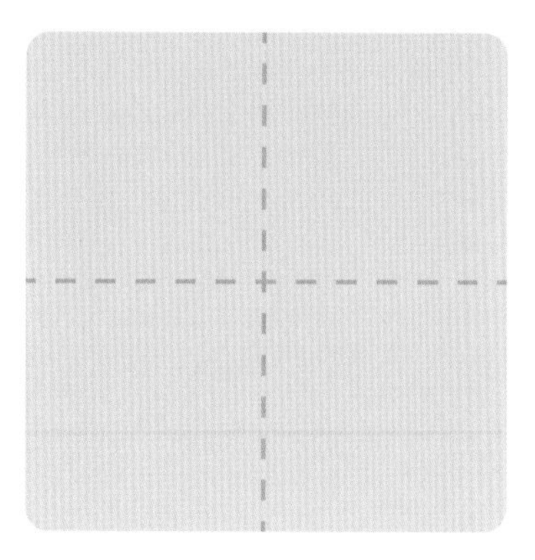

순서대로 쓰기!

✹ 획순에 맞춰서 받침 글자가 있는 글자를 써봐요.

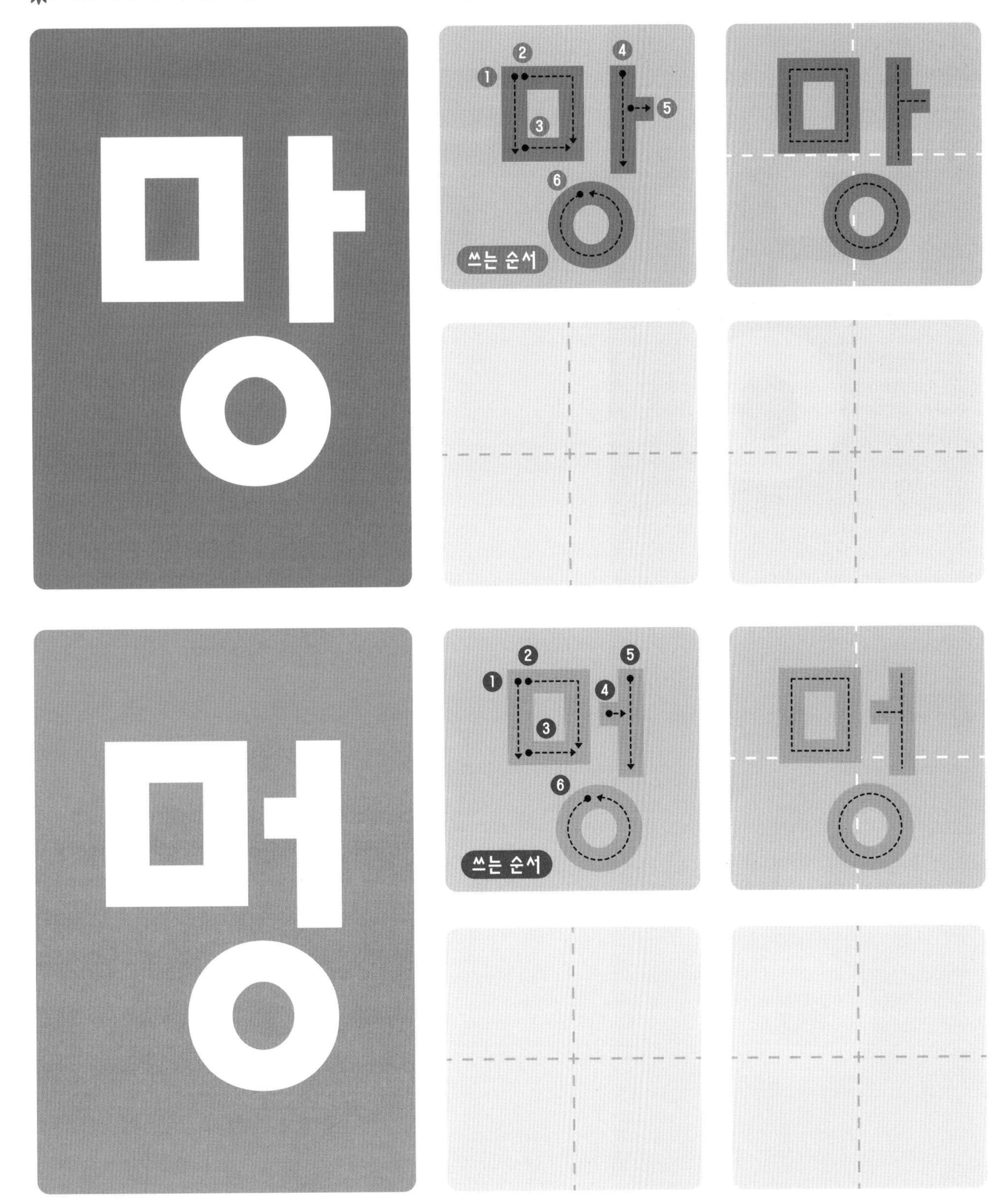

순서대로 쓰기!

획순에 맞춰서 받침 글자가 있는 글자를 써봐요.

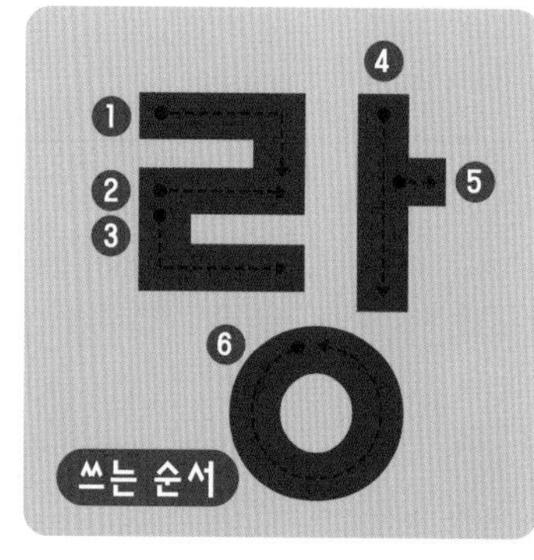

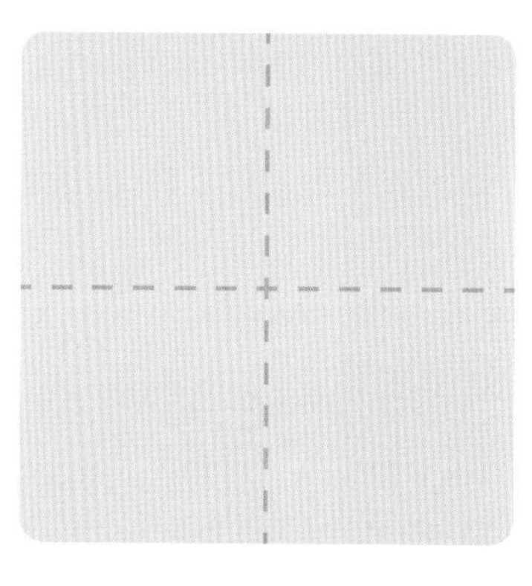
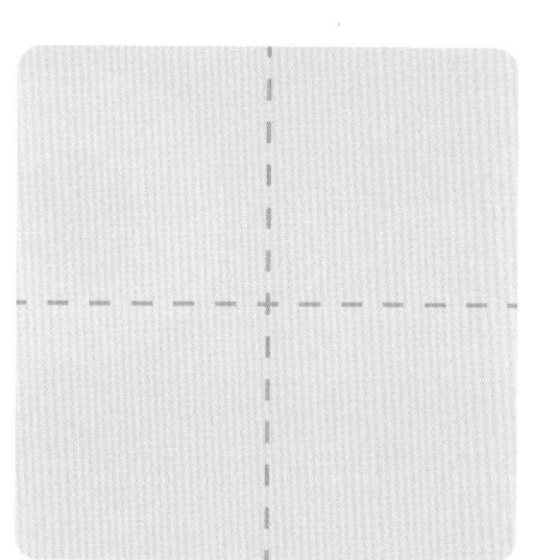

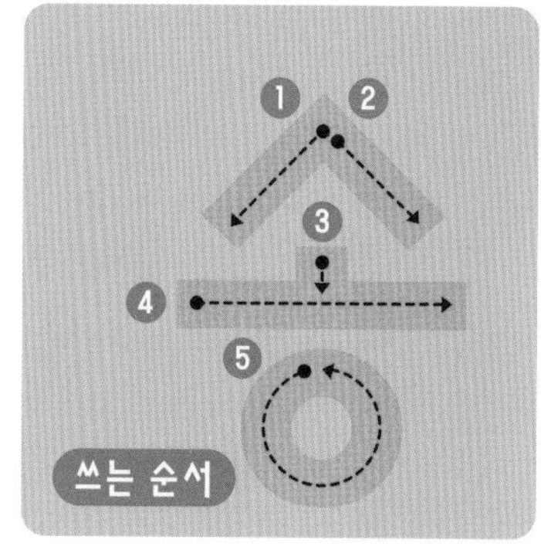

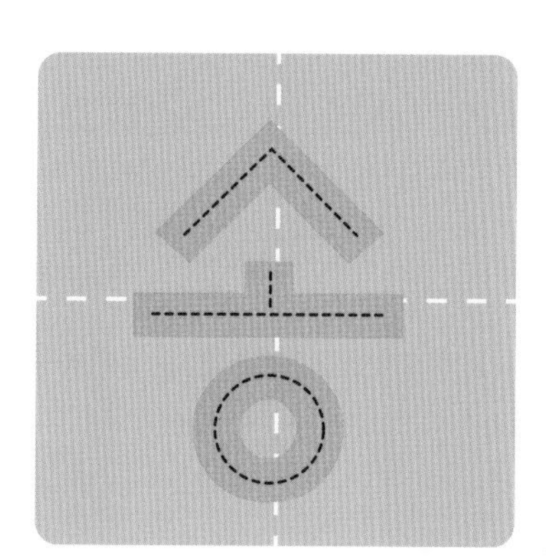

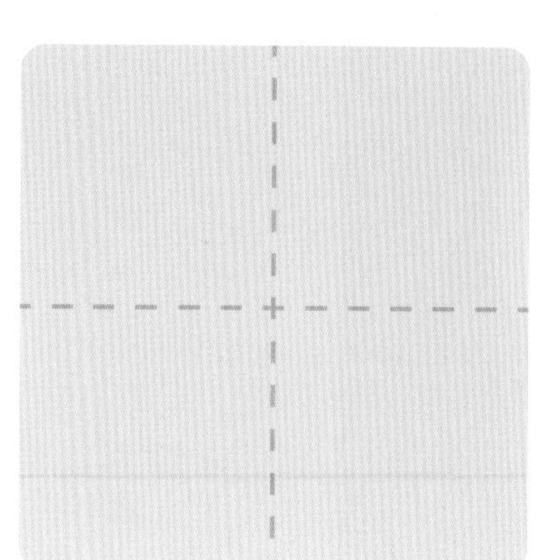
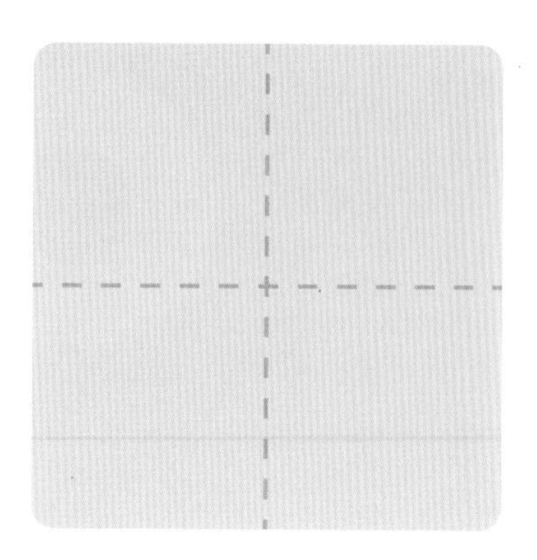

순서대로 쓰기!

획순에 맞춰서 받침 글자가 있는 글자를 써봐요.

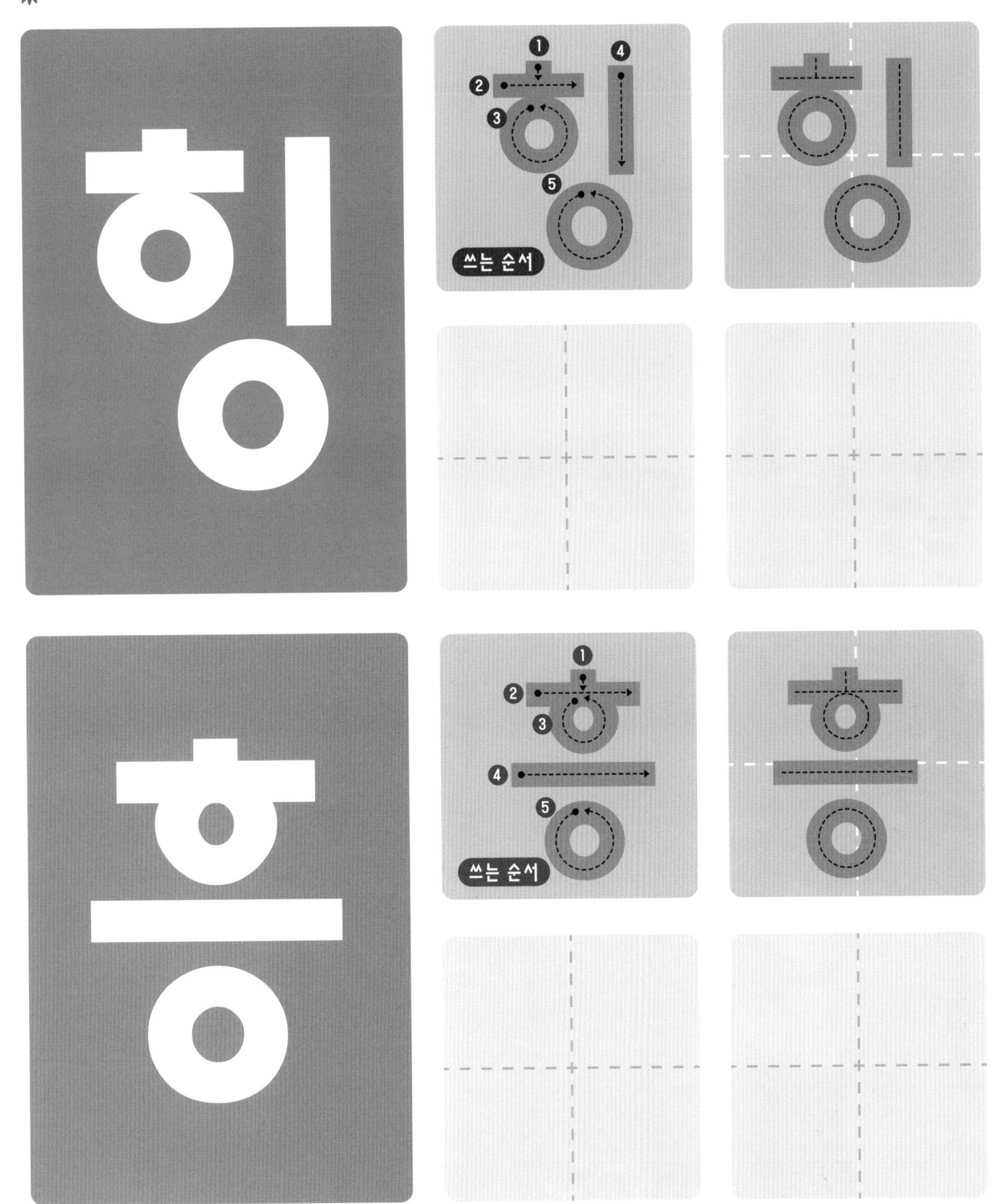

22화 퐁당퐁당

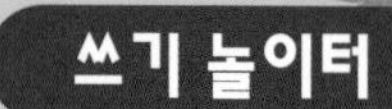

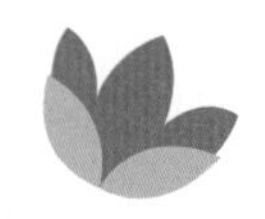

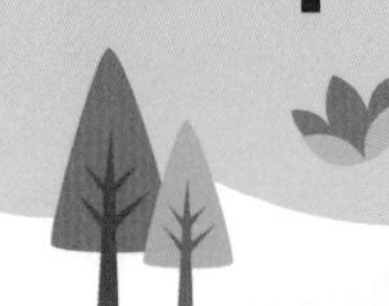

과자 먹기 달리기

동물들이 달리기를 해요.
자기 울음 소리가 적힌 글자를 따먹는 장애물 달리기예요.
어떤 동물이 어떤 과자를 먹어야 할까요? 과자에 동물 울음 소리를 써봐요.

멍멍

히힝히힝

야옹야옹

어흥어흥

22화 퐁당퐁당 쓰기 놀이터

한글이의 작은 그림책

그림책을 또박또박 읽고 빈 자리에 맞는 글자를 써서 그림책을 완성해봐요.

호랑이가 강가에서 낮잠을 자는데 아기 동물들이 몰려왔어.

삐악삐악 ＿＿＿＿. 야옹야옹 ＿＿＿＿.

멍멍멍멍 강아지. 음메음메 송아지. 히힝히힝 망아지.

호랑이와 아기 동물들은 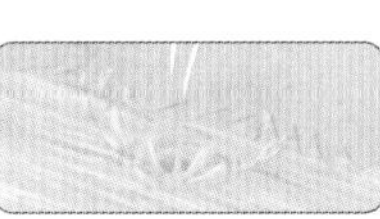 놀이를 하기로 했지.

병아리가 퐁당~. 고양이도 퐁당~.  가 퐁당~.
 도 퐁당~. 망아지가 퐁당~. 호랑이는 풍덩~.

깜짝 놀란 아기 동물들은 엉엉엉 엉엉엉.

 도 같이 슬퍼져서 엉엉엉 엉엉엉.

그 때 아이 하마가 물속에서 올라왔어.

"얘들아, 시원하게 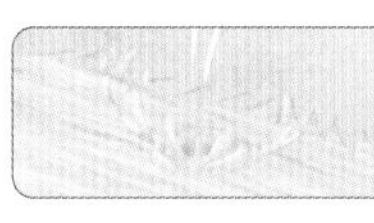 놀이 같이 하자."

병아리가 퐁당~. 고양이도 퐁당~. 강아지가 퐁당~. 송아지도 퐁당~.

 가 퐁당~.  도 풍덩~

 놀이 시원해서 모두 하하하 하하하.

재밌는 말놀이

처음엔 천천히. 점점점 빠르게.
'ㅇ'발음에 신경써서 빠르게 해봐요.

간장 공장 공장장은 강공장장이고
된장 공장 공장장은 장공장장이다.

퐁당퐁당 노래를 불러요.

퐁당퐁당 돌을 던지자
누나 몰래 돌을 던지자
냇물아 퍼져라 멀리 멀리 퍼져라
건너편에 앉아서 나물을 씻는
우리 누나 손등을 간지러 주어라.

공

5권

5권

콩콩콩

쿵쿵쿵

5권

퐁당퐁당

공

콩콩콩

쿵쿵쿵

퐁당퐁당

공

5권

5권

콩콩콩

쿵쿵쿵

5권

퐁당퐁당

워크북 스티커

페이지 15~24

강 공 방 병 봉

장 종 징 창 청

총 공 콩

페이지 29~30

ㅇ

페이지 31~34

강 방 성 용

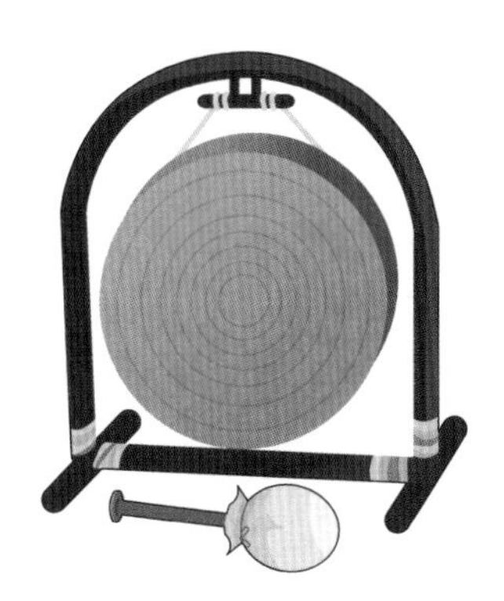

페이지 45~52

콩콩콩 쿵쿵쿵 동동동

둥둥둥 팅팅팅 퉁퉁퉁

앙앙앙 엉엉엉

페이지 71~82

퐁 당 강 양 망

병 송 강아지 고양이

망아지 병아리 송아지

페이지 89~90

멍멍

어흥

참 잘했어요!

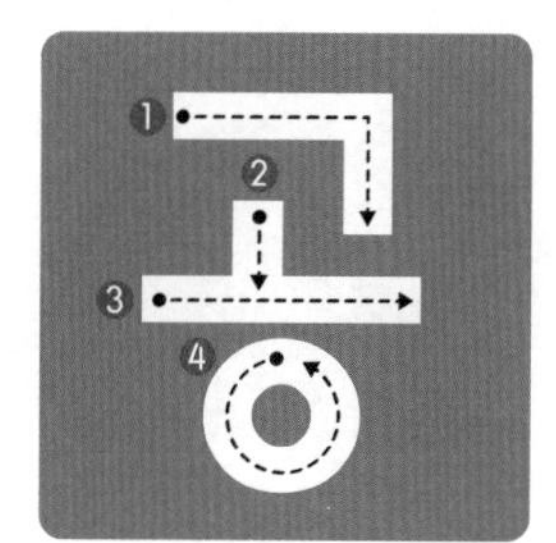
공

공

공

공

공

공

공

ㄱ

ㄱ

ㄱ

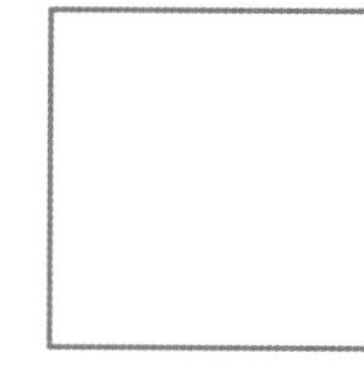

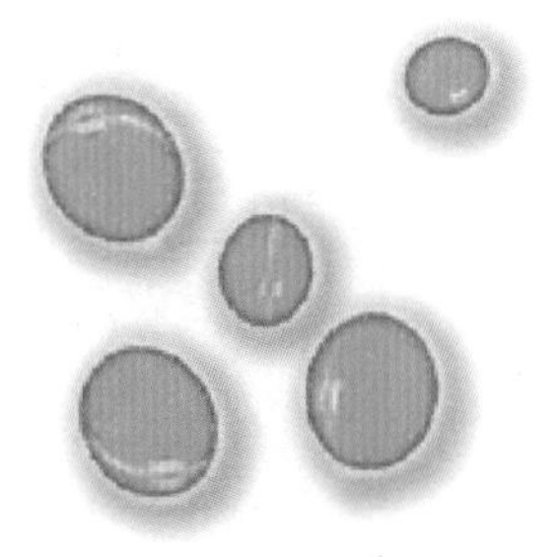
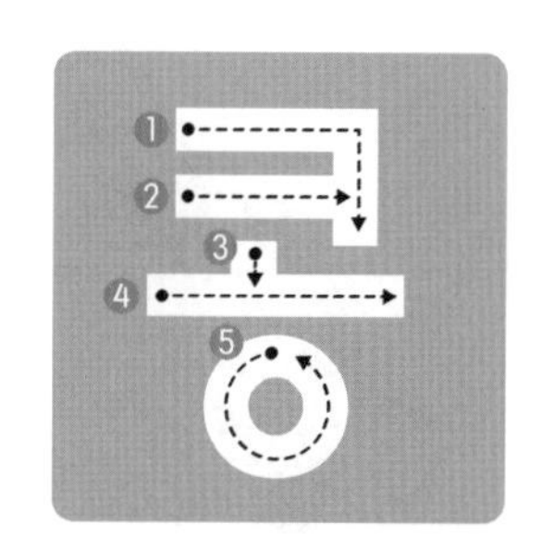
콩

콩

콩
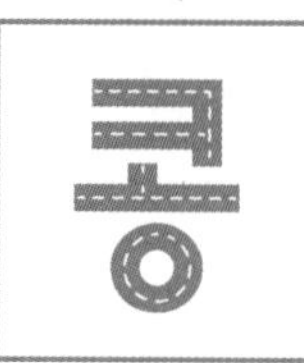
콩

콩

콩

콩

ㅋ

ㅋ

ㅋ

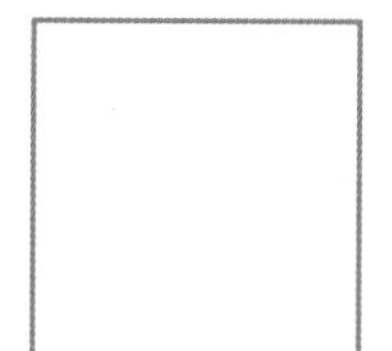

월 일

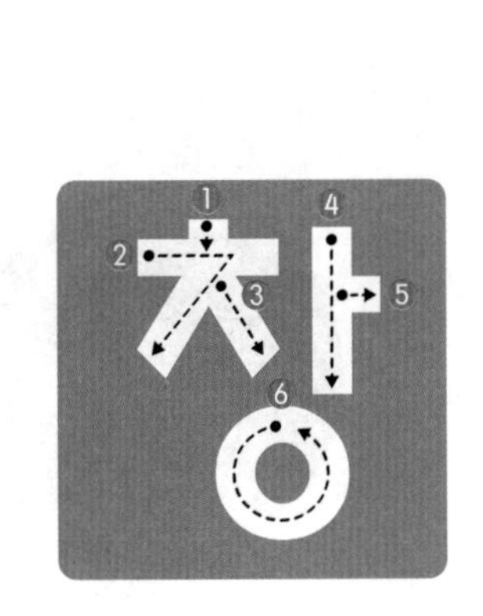

창	창	창	창	창	창
ㅊ	ㅊ	ㅊ			

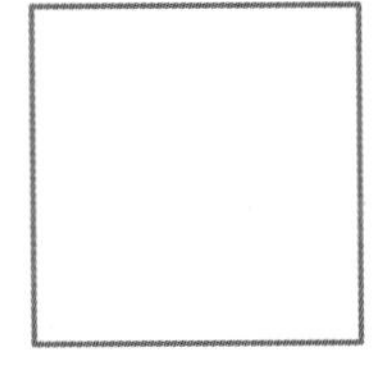
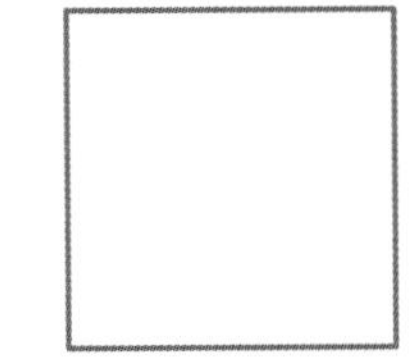

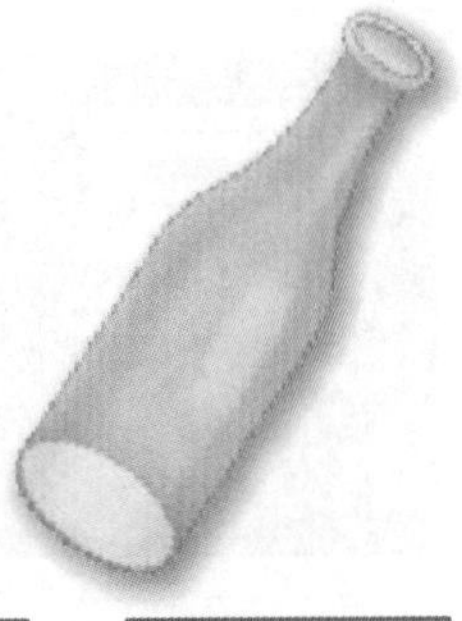

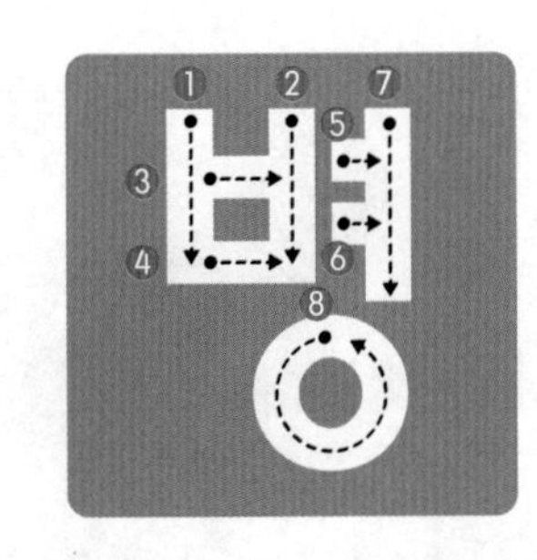

병	병	병	병	병	병
ㅂ	ㅂ	ㅂ			

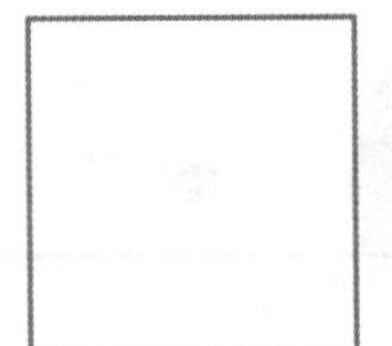

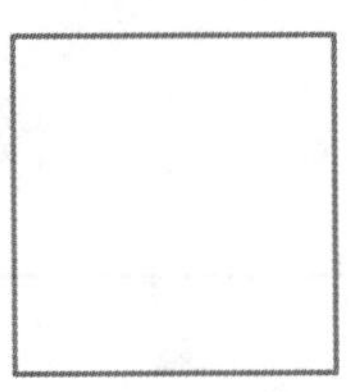
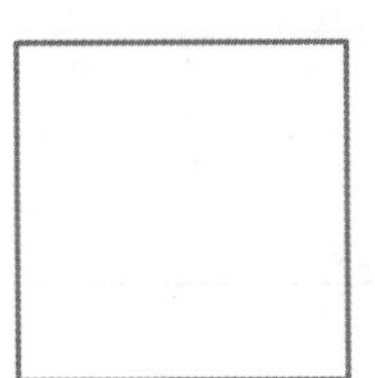
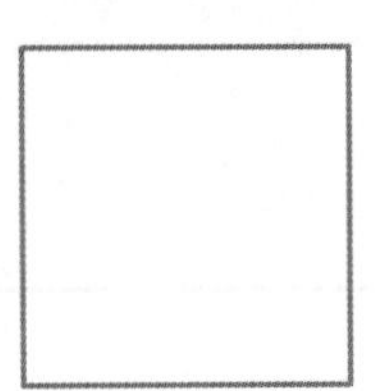
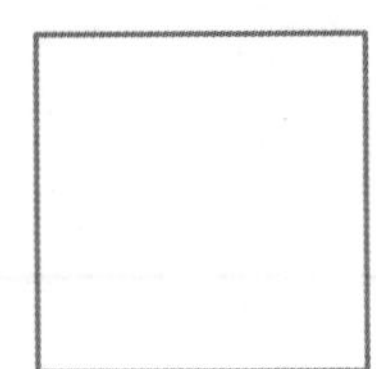

월 일

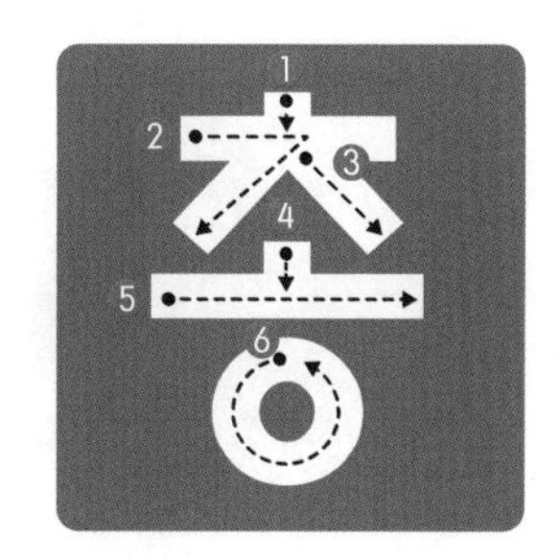

   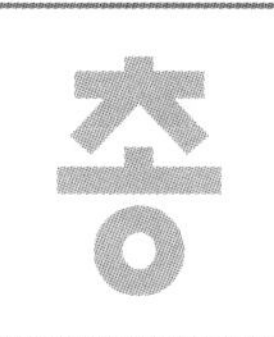 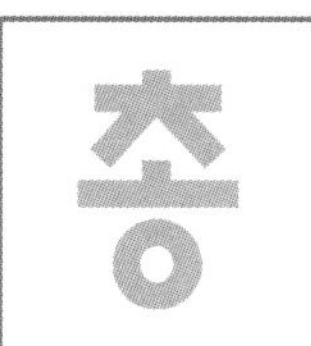 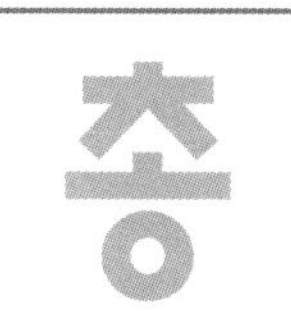

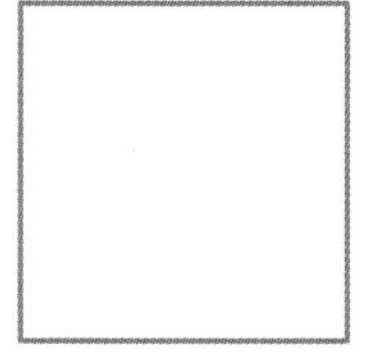     

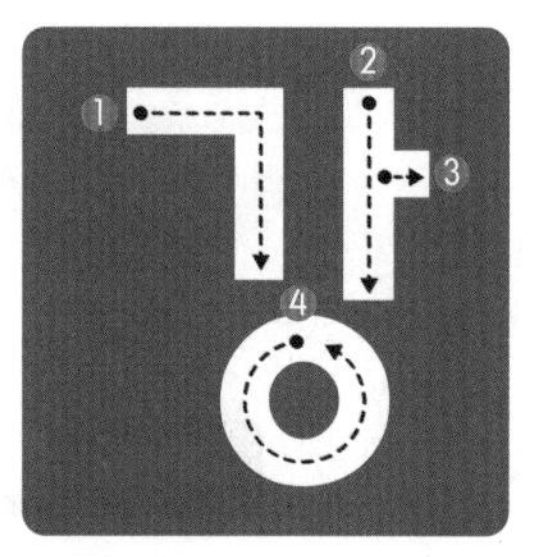

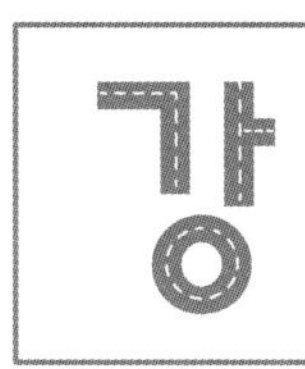 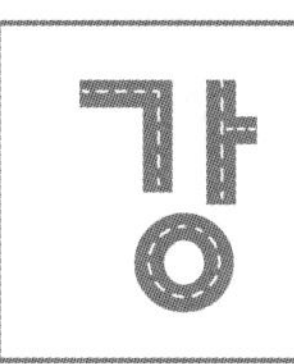   

 월  일

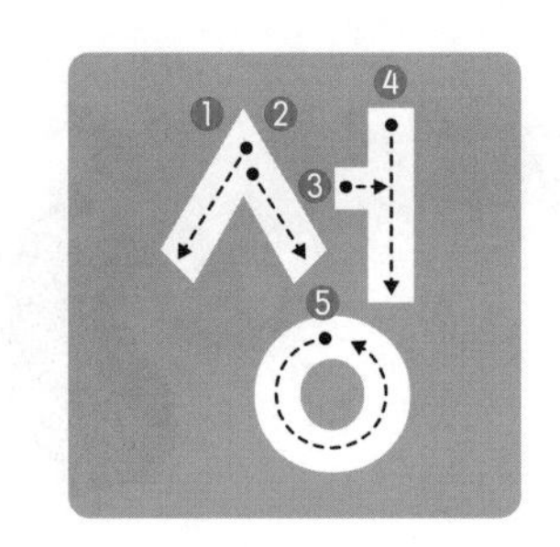

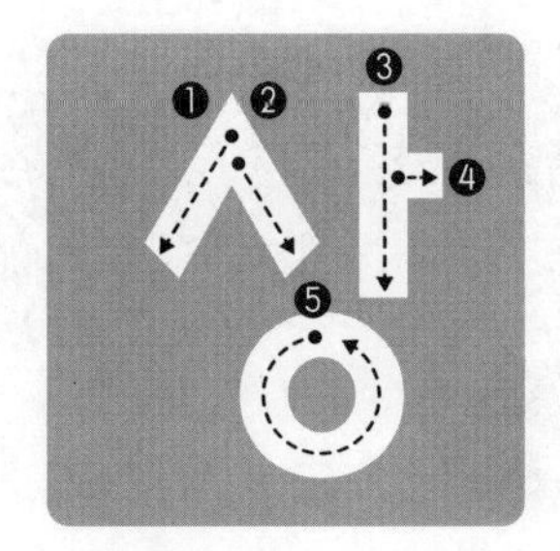

   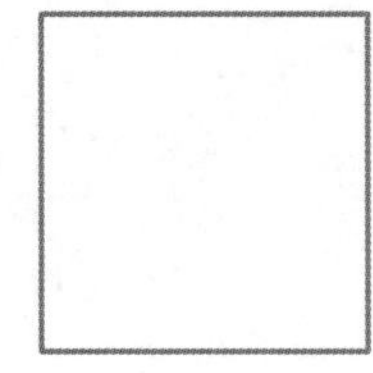  

  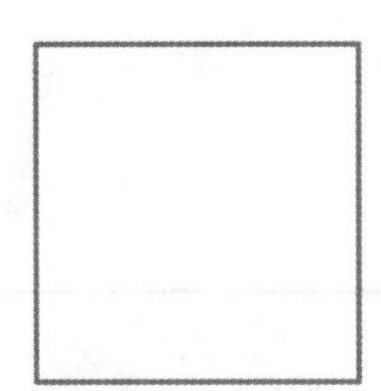 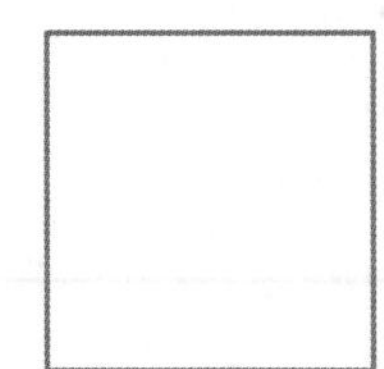 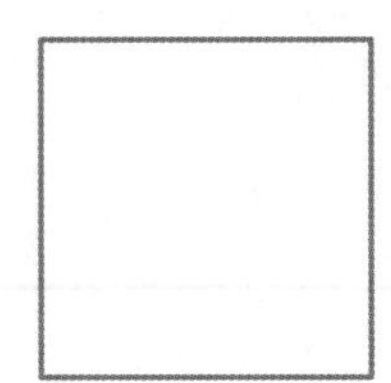 

월 일

참 잘했어요!

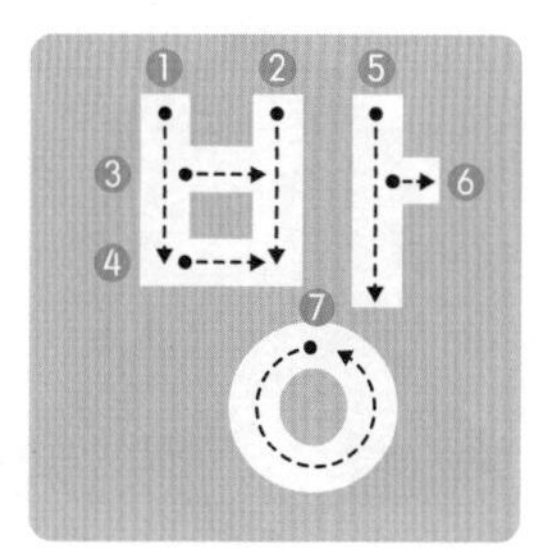

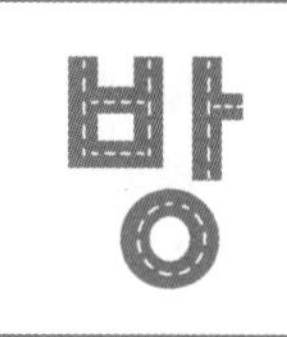

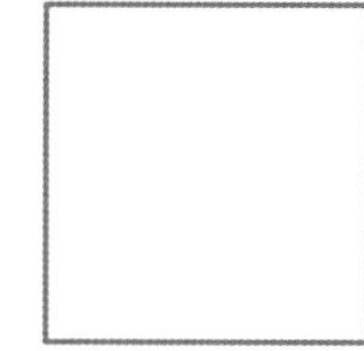

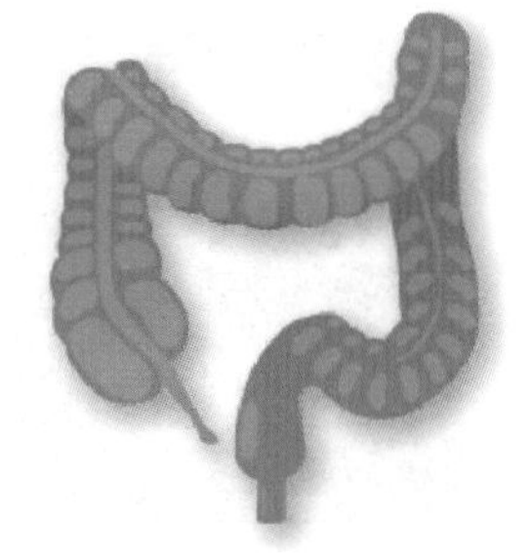
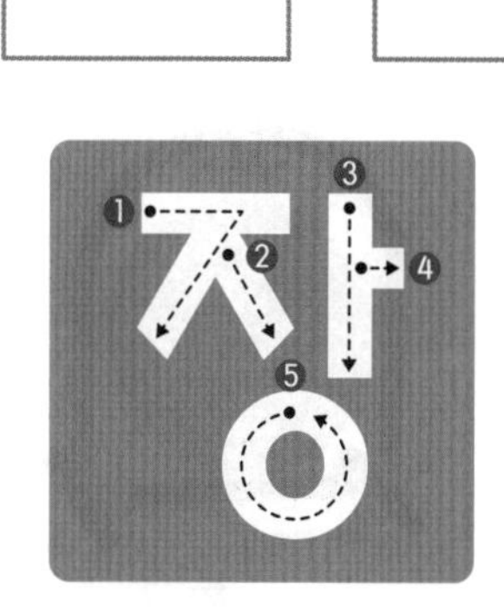

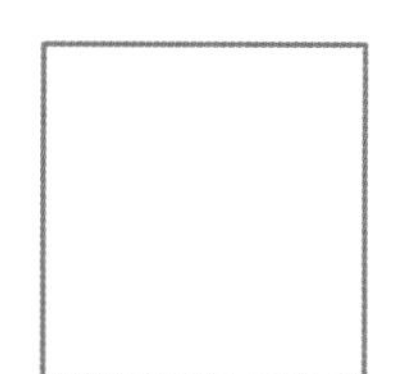

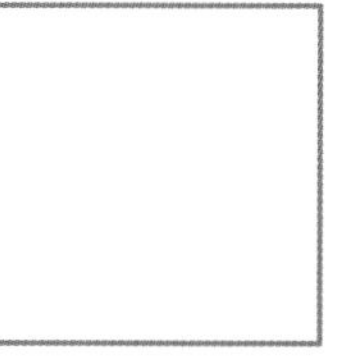

 월  일 

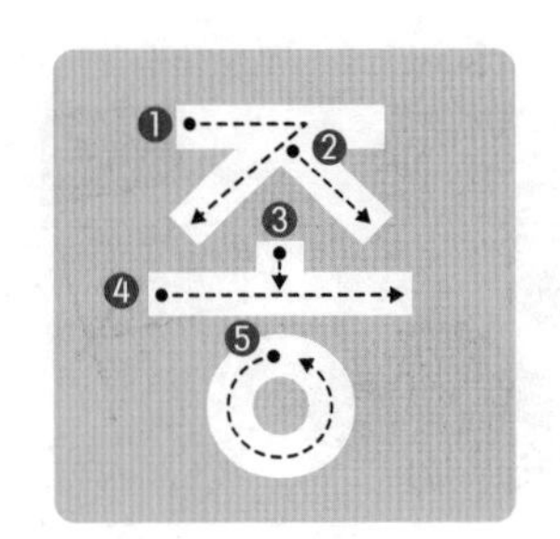

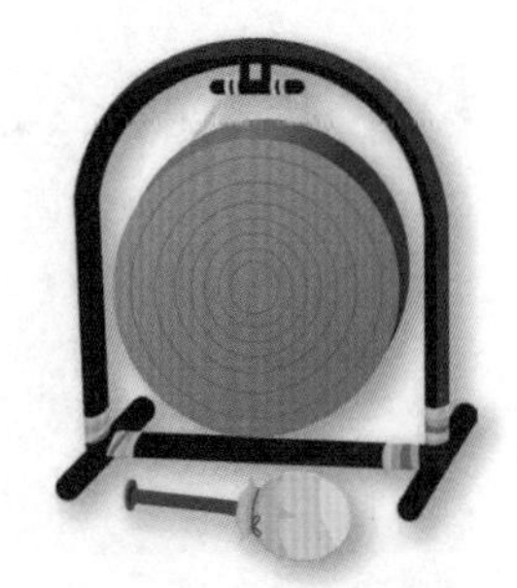

   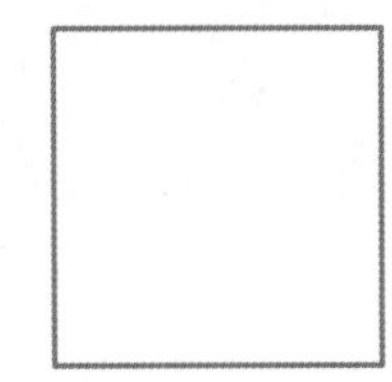  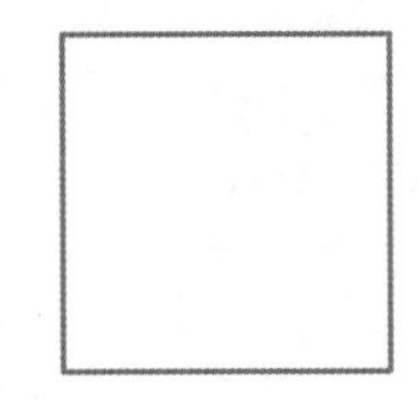

 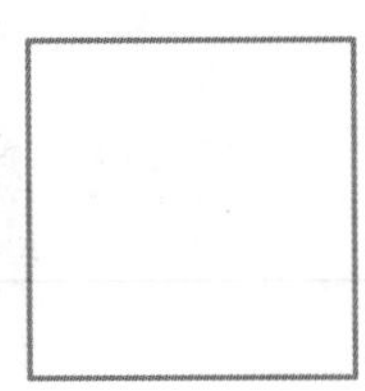    

월 일

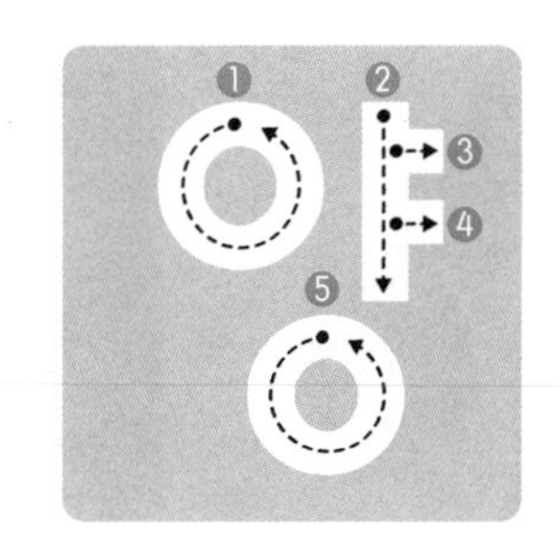

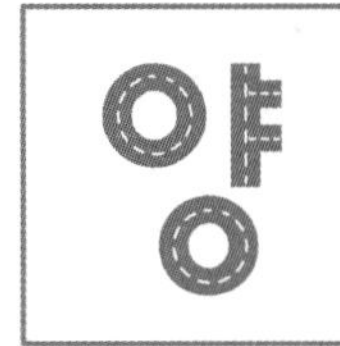
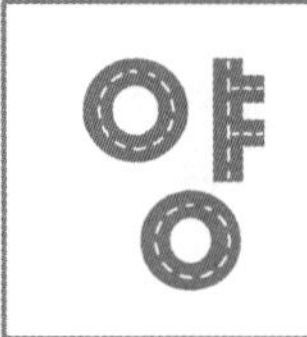

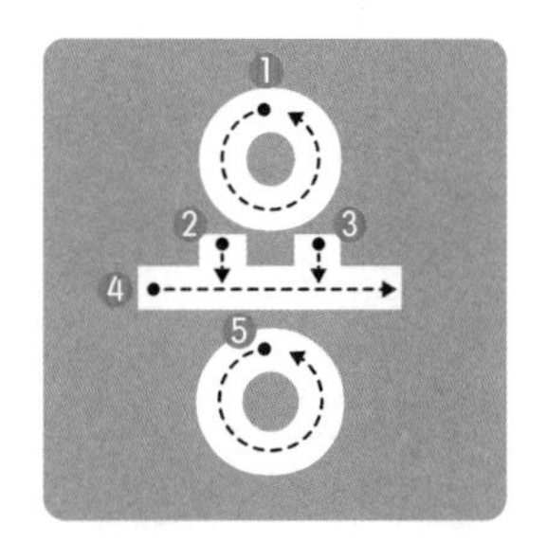

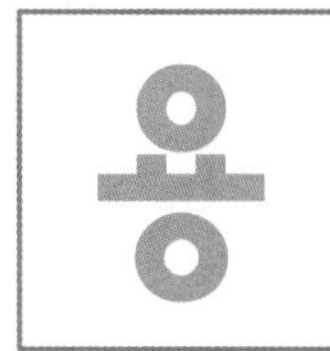
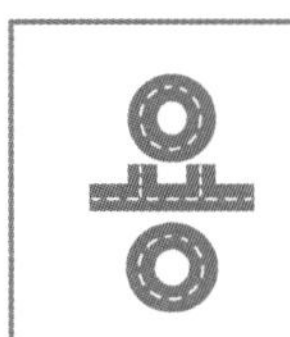

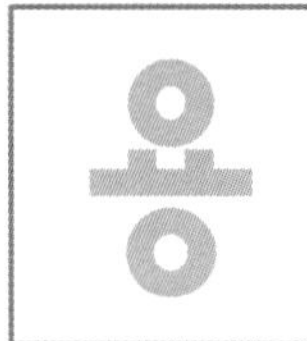
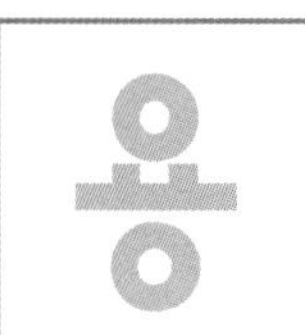

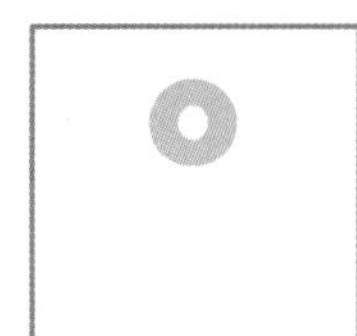

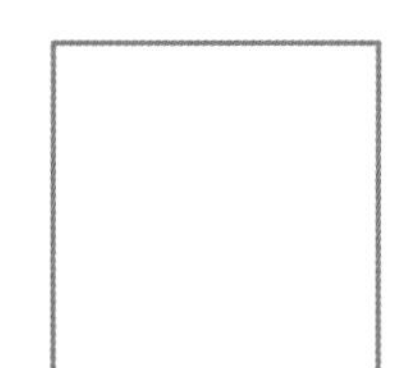

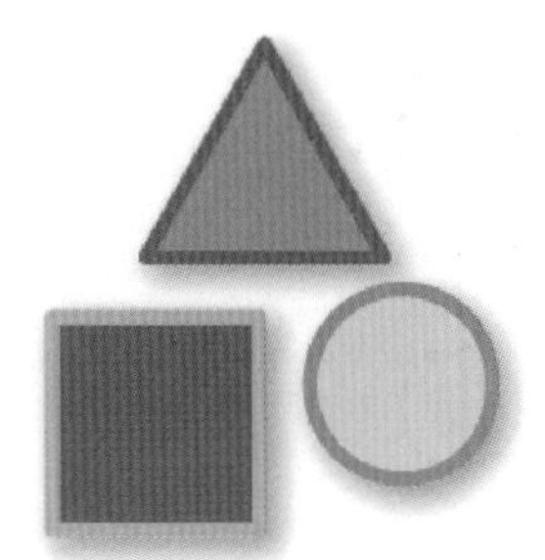

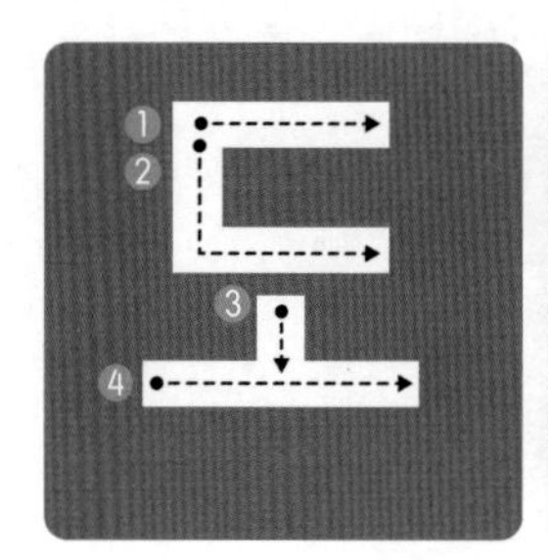

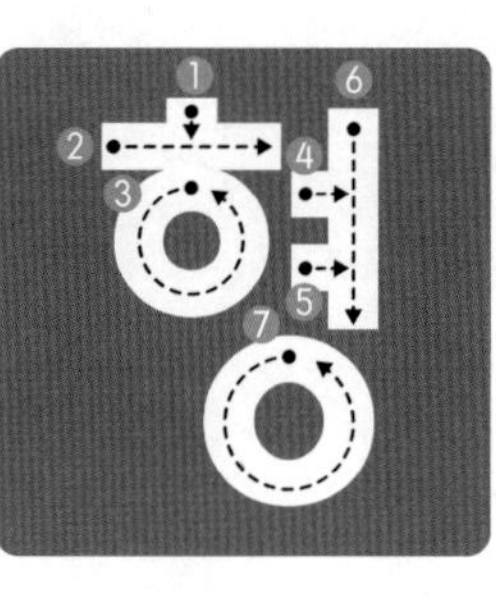

도	형	도	형	도	형	도	형
도	형	도	형	도	형	도	형
ㄷ	ㅎ	ㄷ	ㅎ	ㄷ	ㅎ	ㄷ	ㅎ

월 일 참 잘했어요!

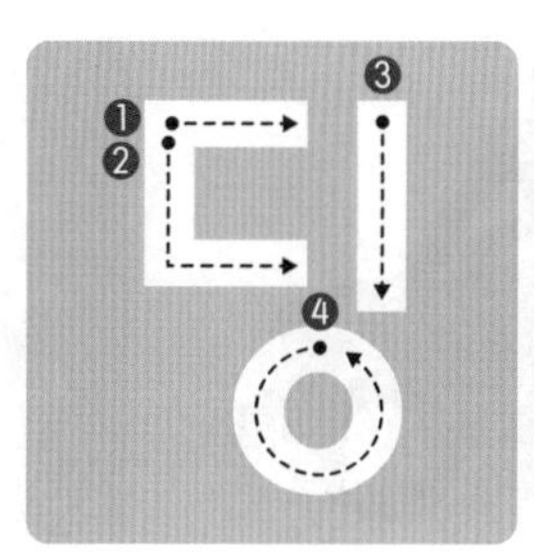

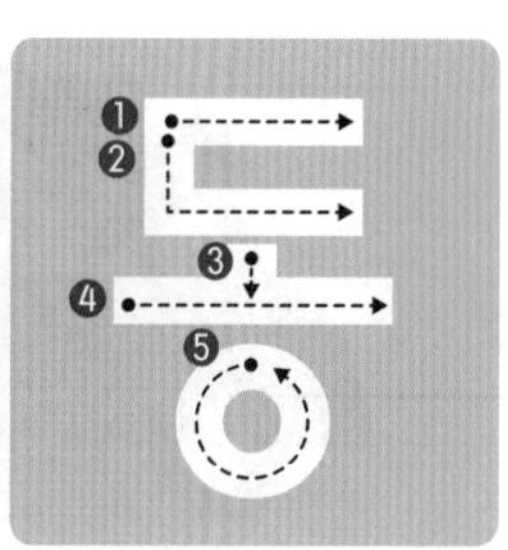

딩	동	딩	동	딩	동	딩	동
딩	동	딩	동	딩	동	딩	동
ㄷ	ㄷ	ㄷ	ㄷ	ㄷ	ㄷ	ㄷ	ㄷ

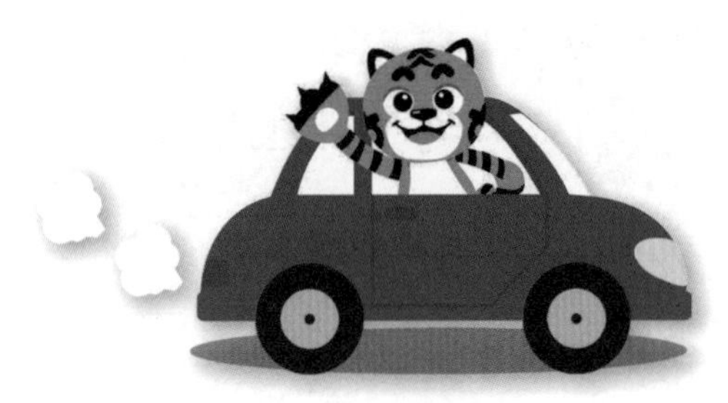
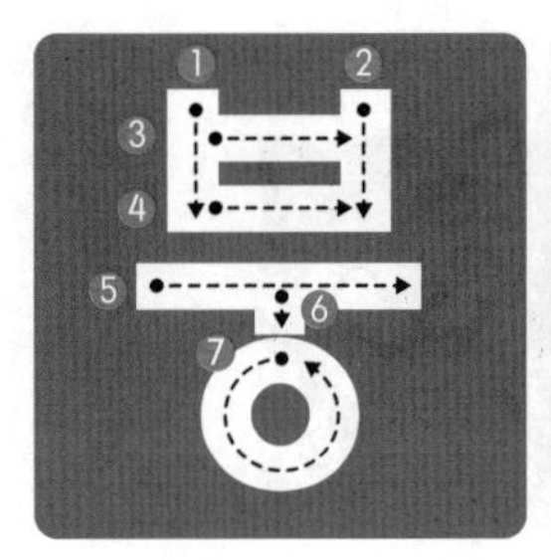
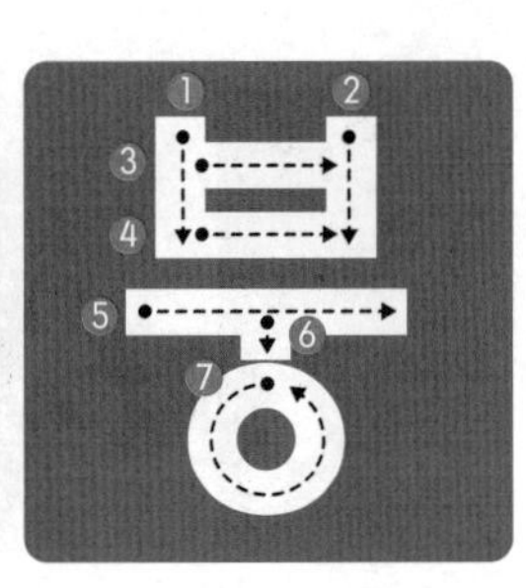

붕	붕	붕	붕	붕	붕	붕	붕
붕	붕	붕	붕	붕	붕	붕	붕
ㅂ	ㅂ	ㅂ	ㅂ	ㅂ	ㅂ	ㅂ	ㅂ

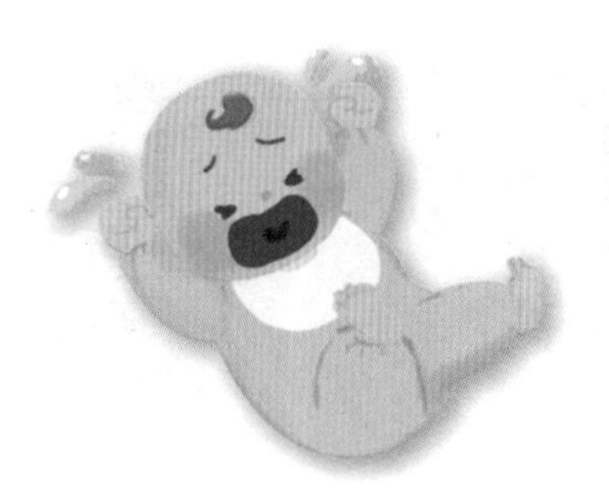

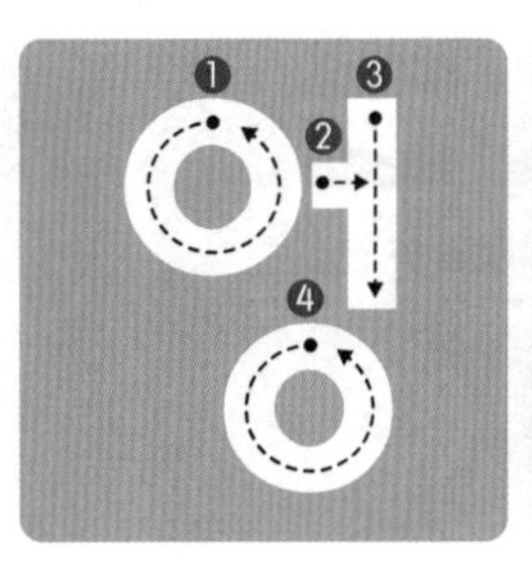

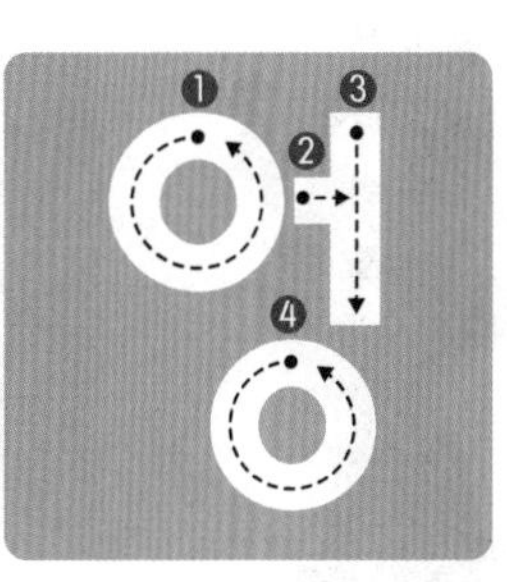

엉	엉	엉	엉	엉	엉	엉	엉
엉	엉	엉	엉	엉	엉	엉	엉
ㅇ	ㅇ	ㅇ	ㅇ	ㅇ	ㅇ	ㅇ	ㅇ

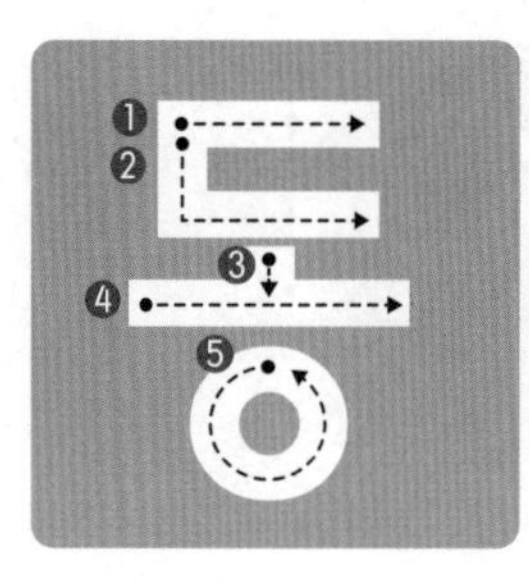

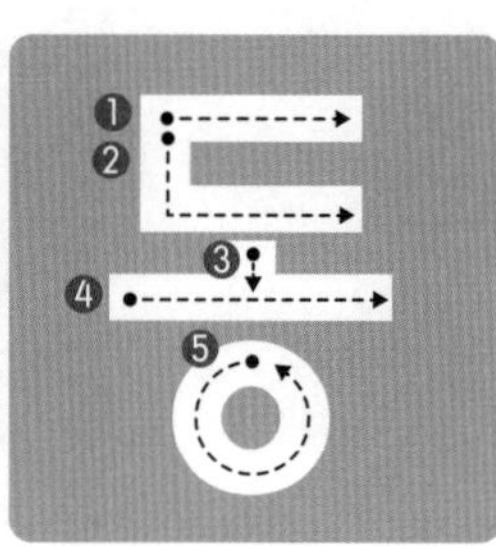

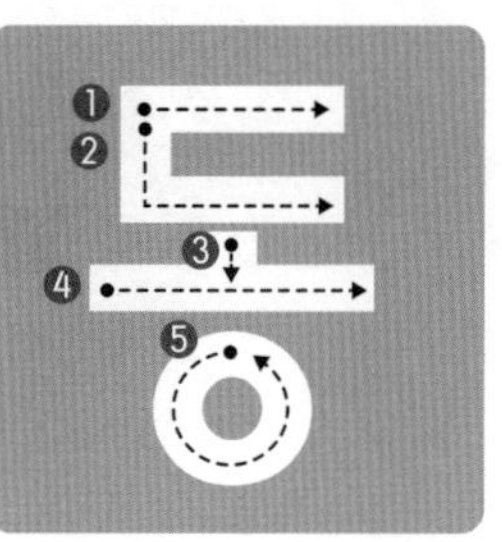

동	동	동

동	동	동

동	동	동

동	동	동

ㄷ	ㄷ	ㄷ

ㄷ	ㄷ	ㄷ

월 일

참 잘했어요!

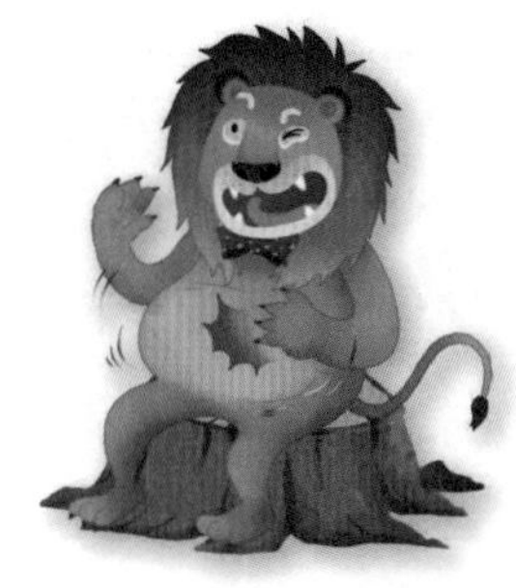

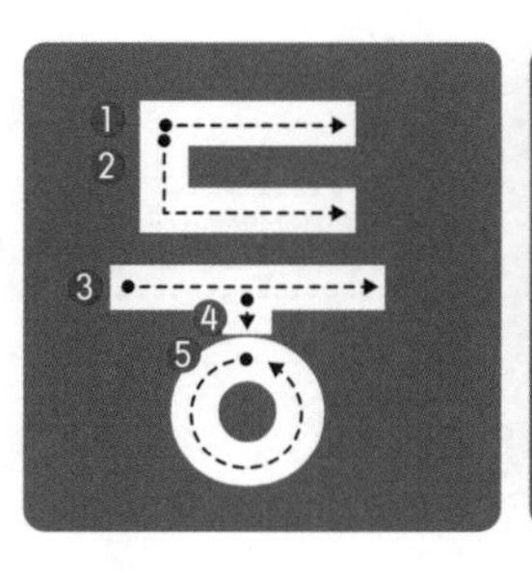

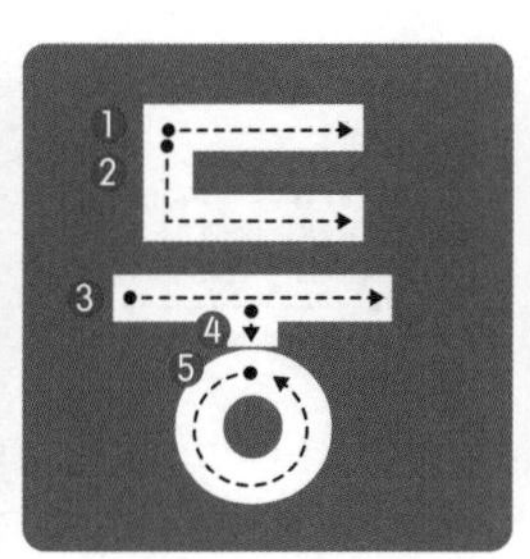

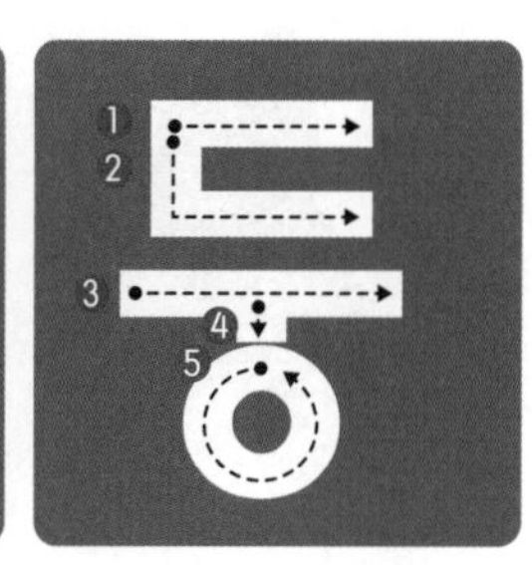

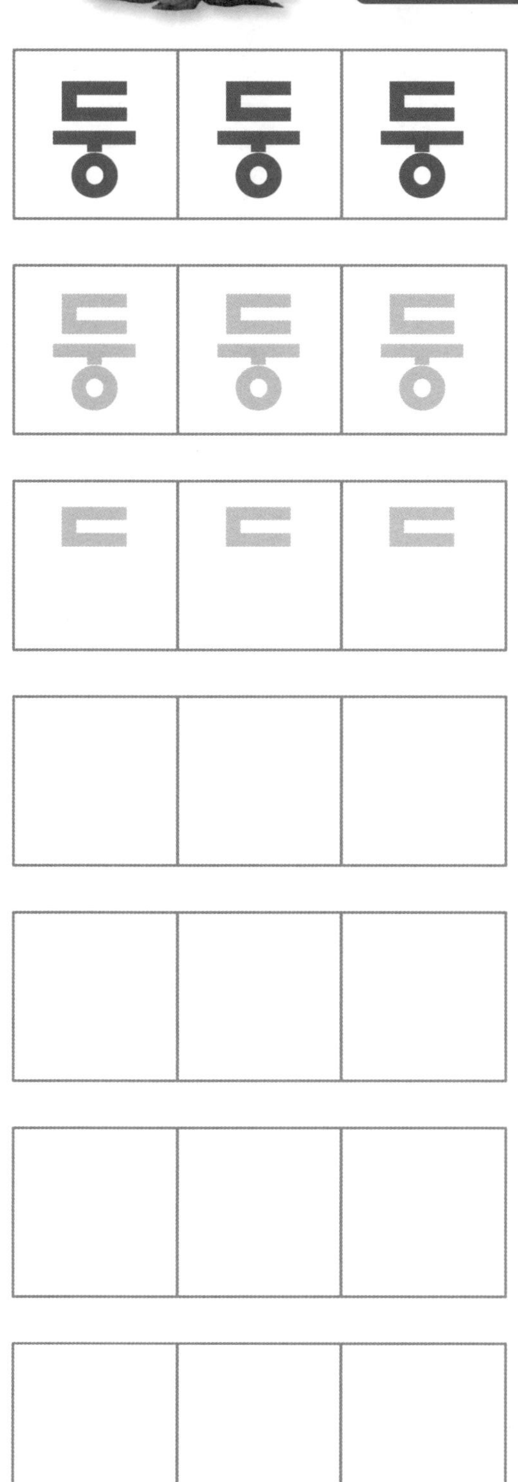

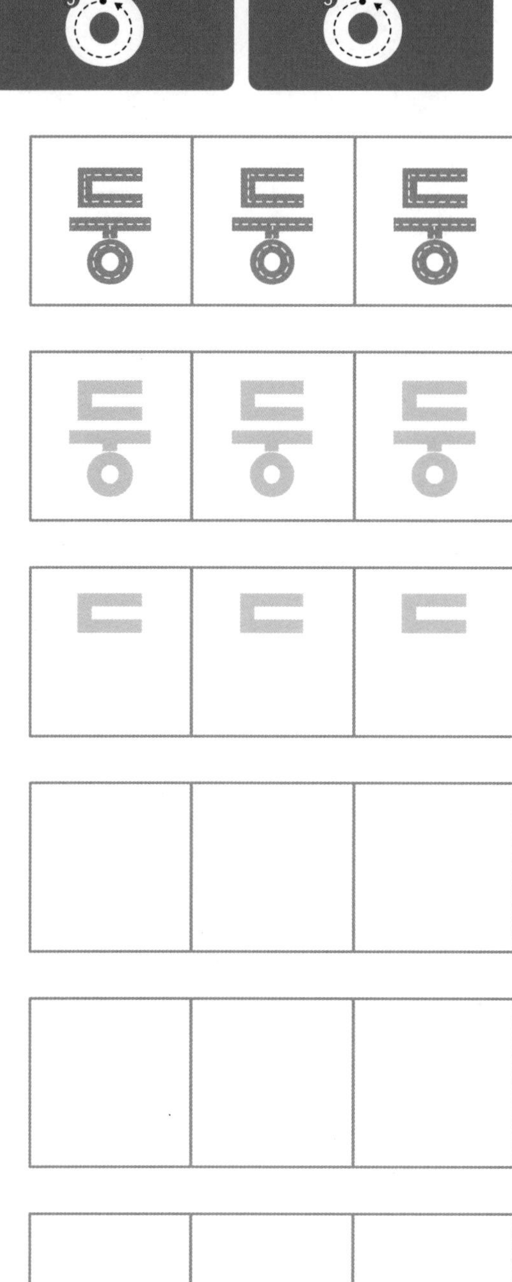

월

일

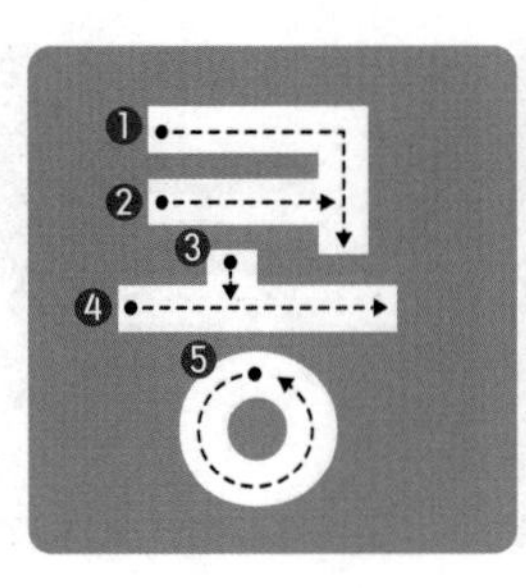
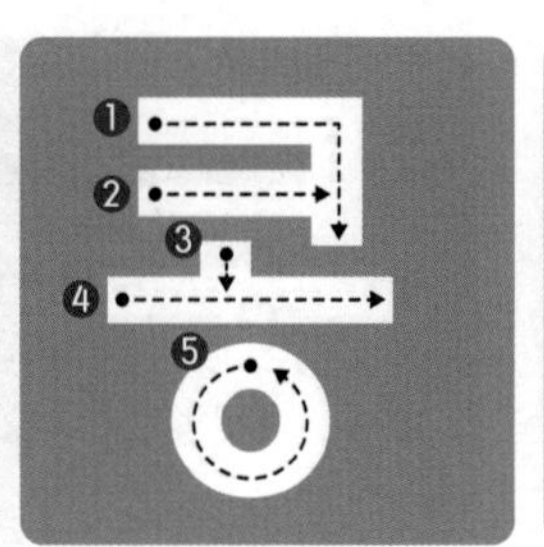
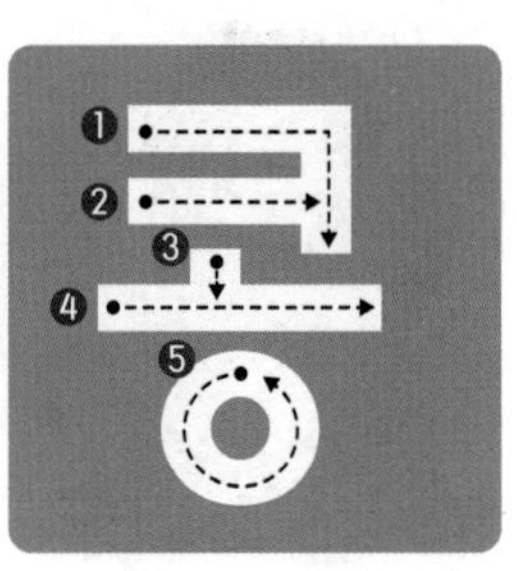

콩	콩	콩
콩	콩	콩
ㅋ	ㅋ	ㅋ

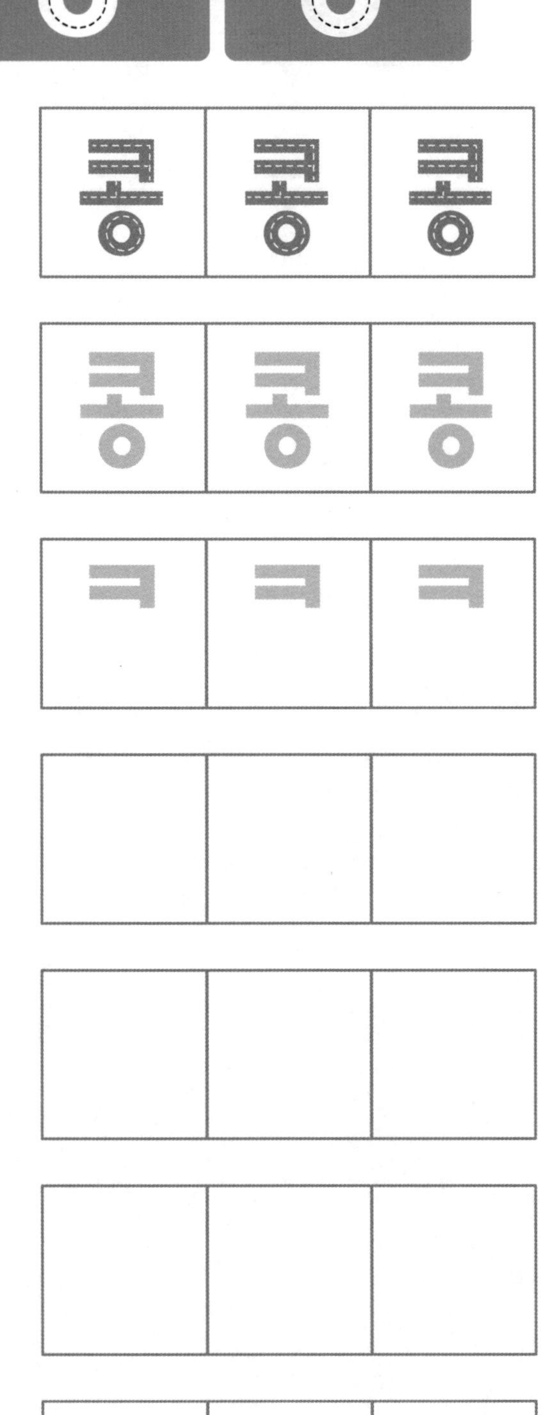

월 일

참 잘했어요!

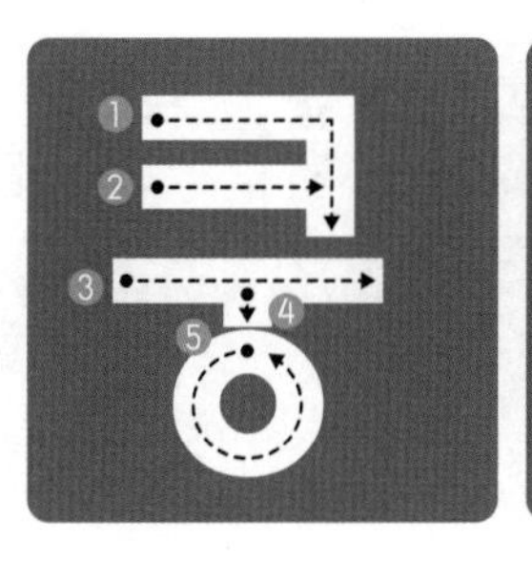

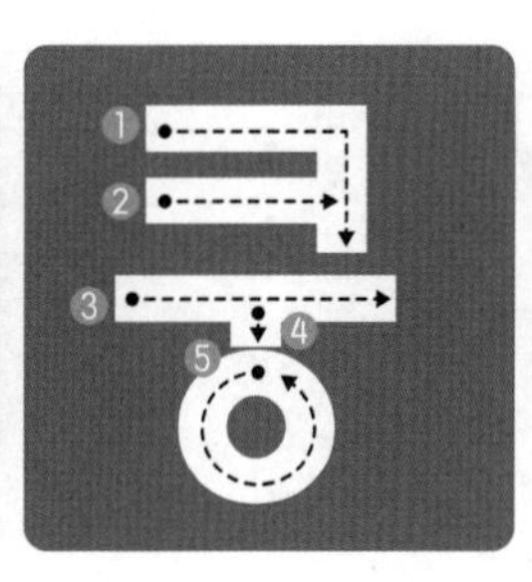

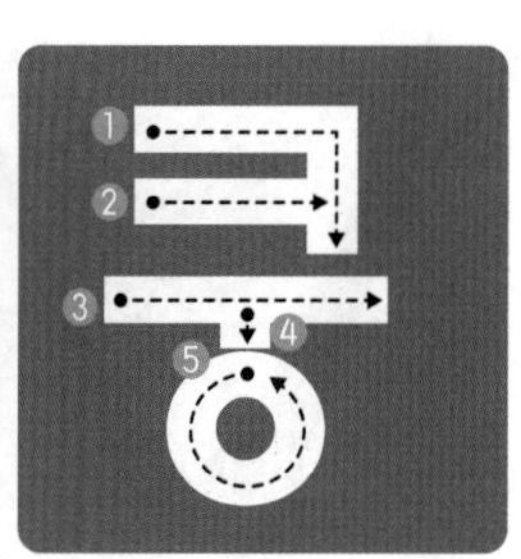

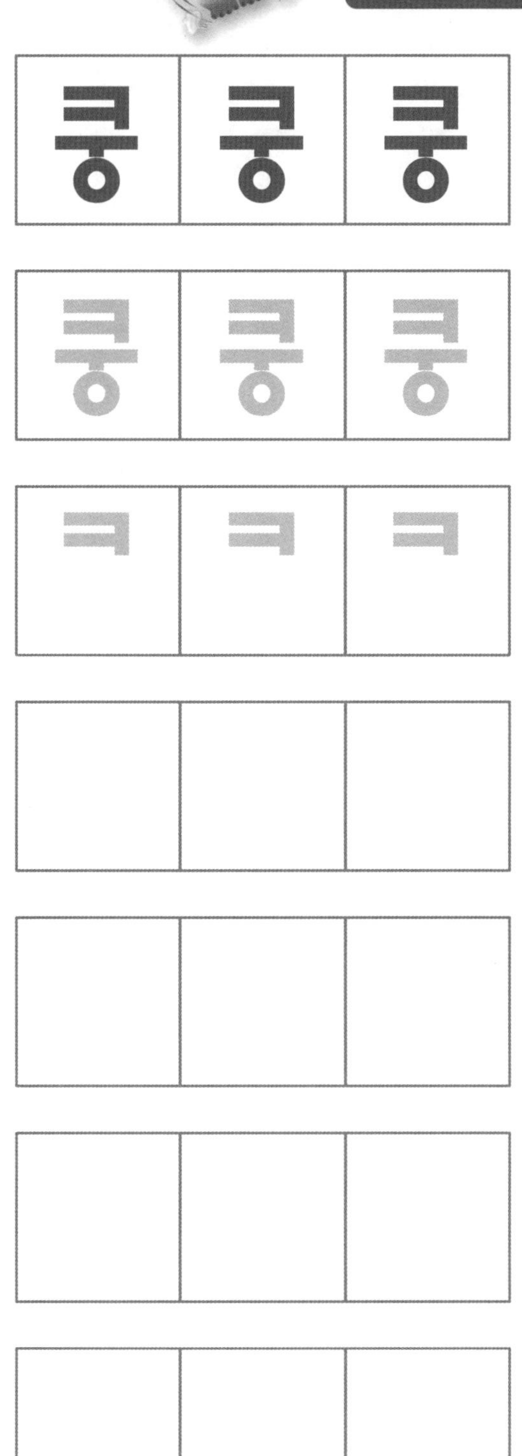

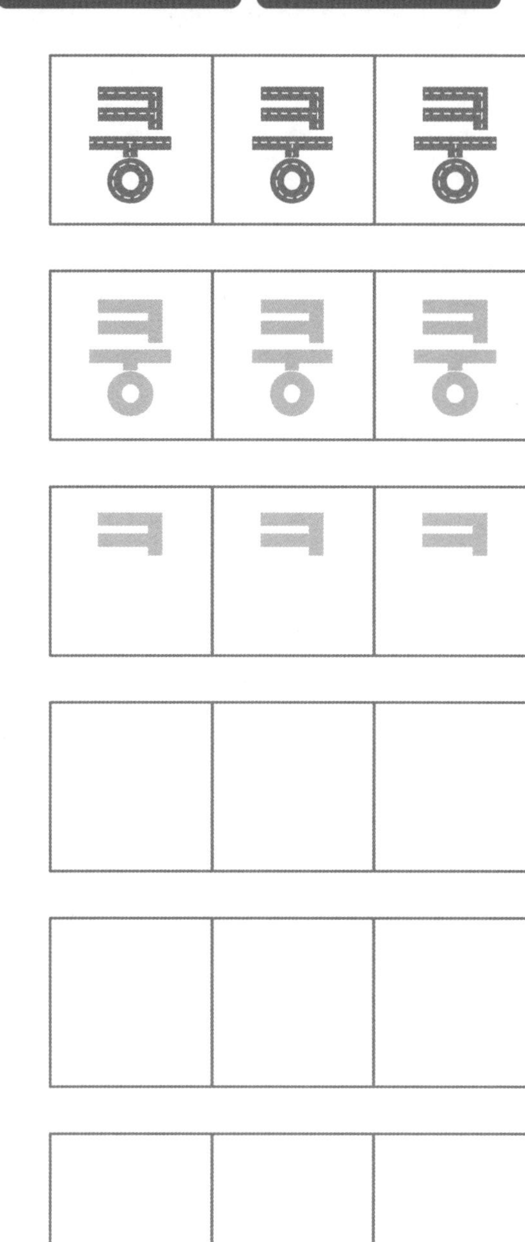

월

일

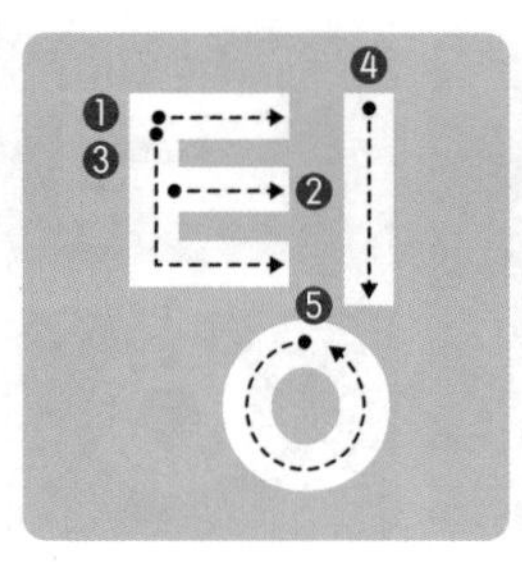

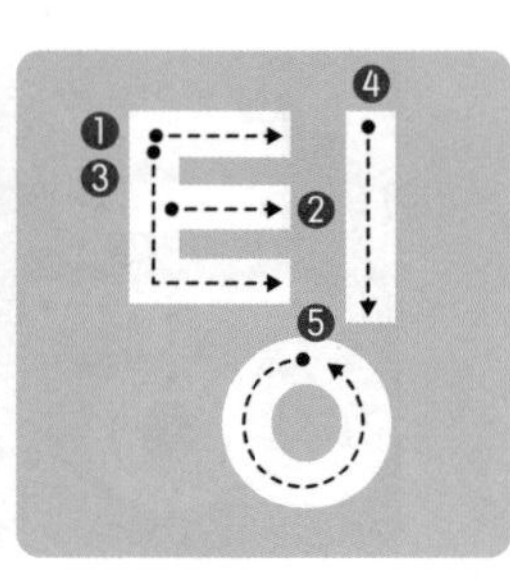

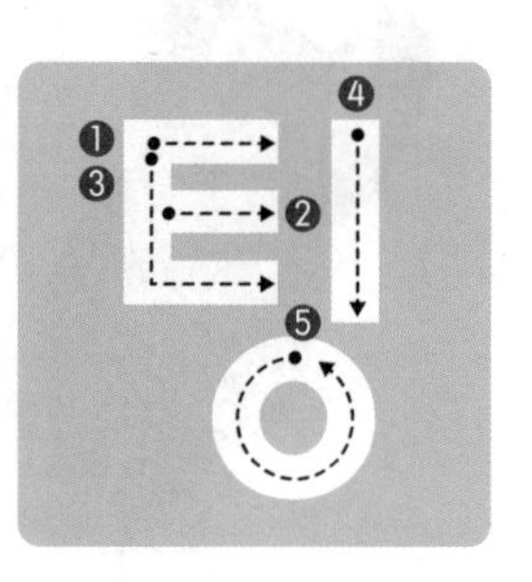

팅	팅	팅		팅	팅	팅
팅	팅	팅		팅	팅	팅
ㅌ	ㅌ	ㅌ		ㅌ	ㅌ	ㅌ

월
일
참 잘했어요!

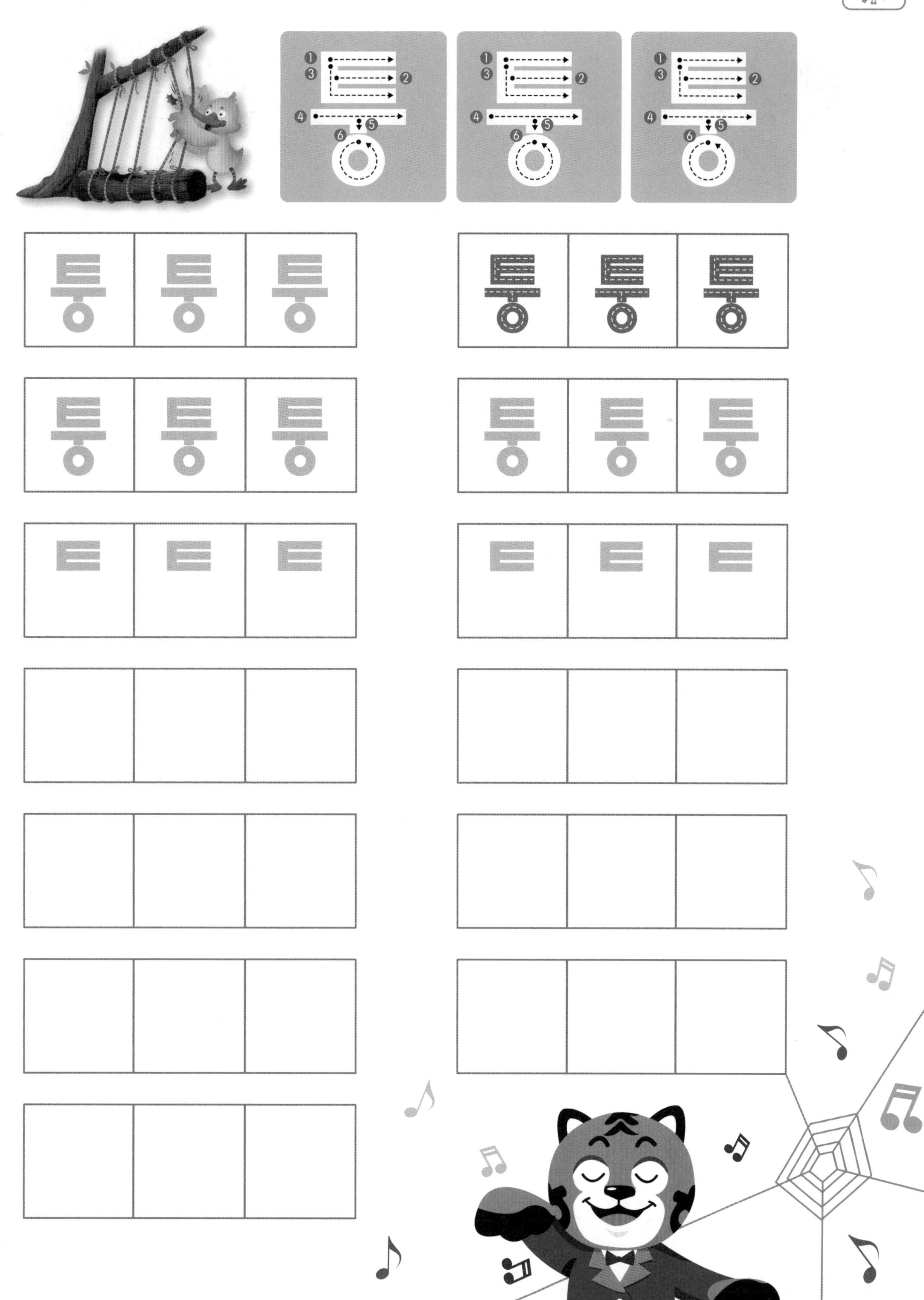
퉁 퉁 퉁 퉁 퉁 퉁
퉁 퉁 퉁 퉁 퉁 퉁
ㅌ ㅌ ㅌ ㅌ ㅌ ㅌ

 월  일 

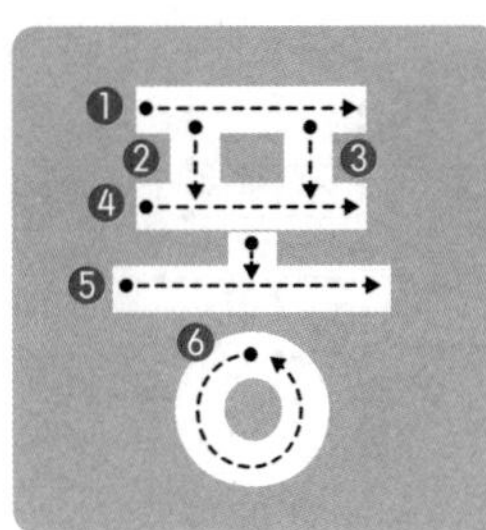

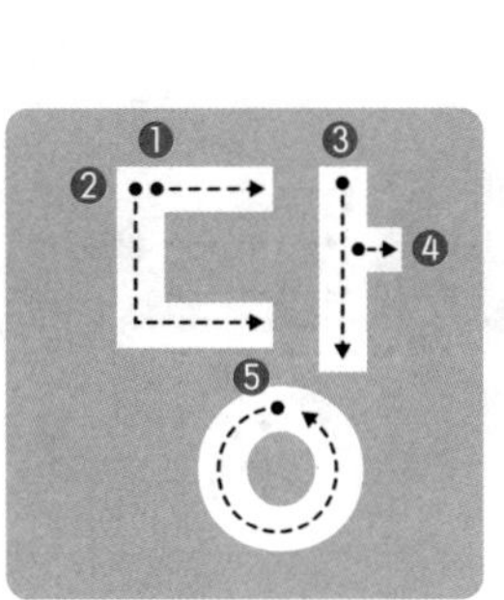

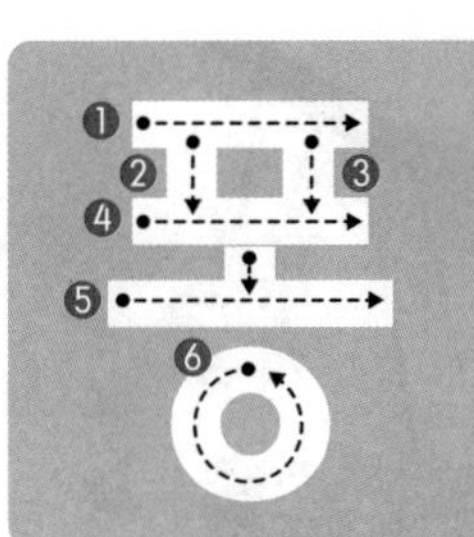

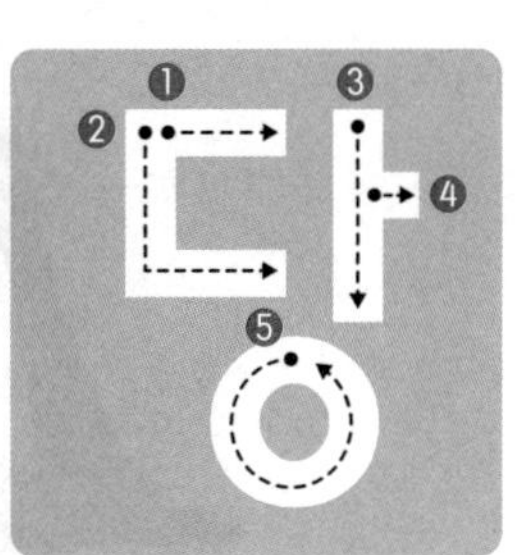

퐁	당	퐁	당	퐁	당	퐁	당
퐁	당	퐁	당	퐁	당	퐁	당
ㅍ	ㄷ	ㅍ	ㄷ	ㅍ	ㄷ	ㅍ	ㄷ

월 일

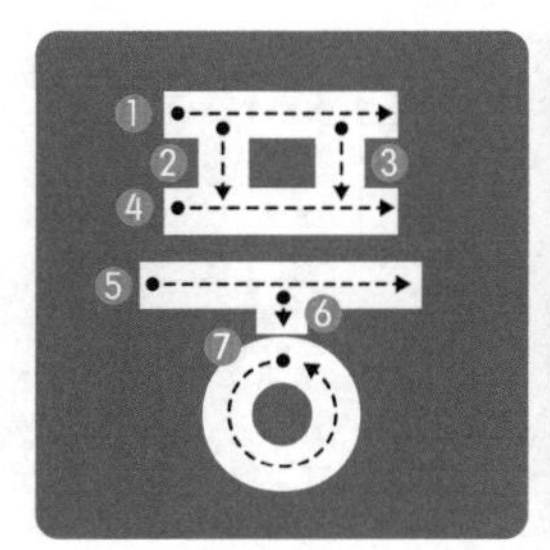
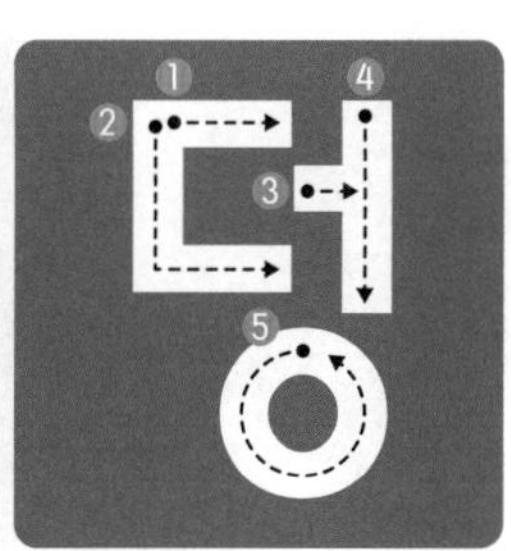

풍	덩	풍	덩	풍	덩	풍	덩
풍	덩	풍	덩	풍	덩	풍	덩
ㅍ	ㄷ	ㅍ	ㄷ	ㅍ	ㄷ	ㅍ	ㄷ

월
일
참 잘했어요!

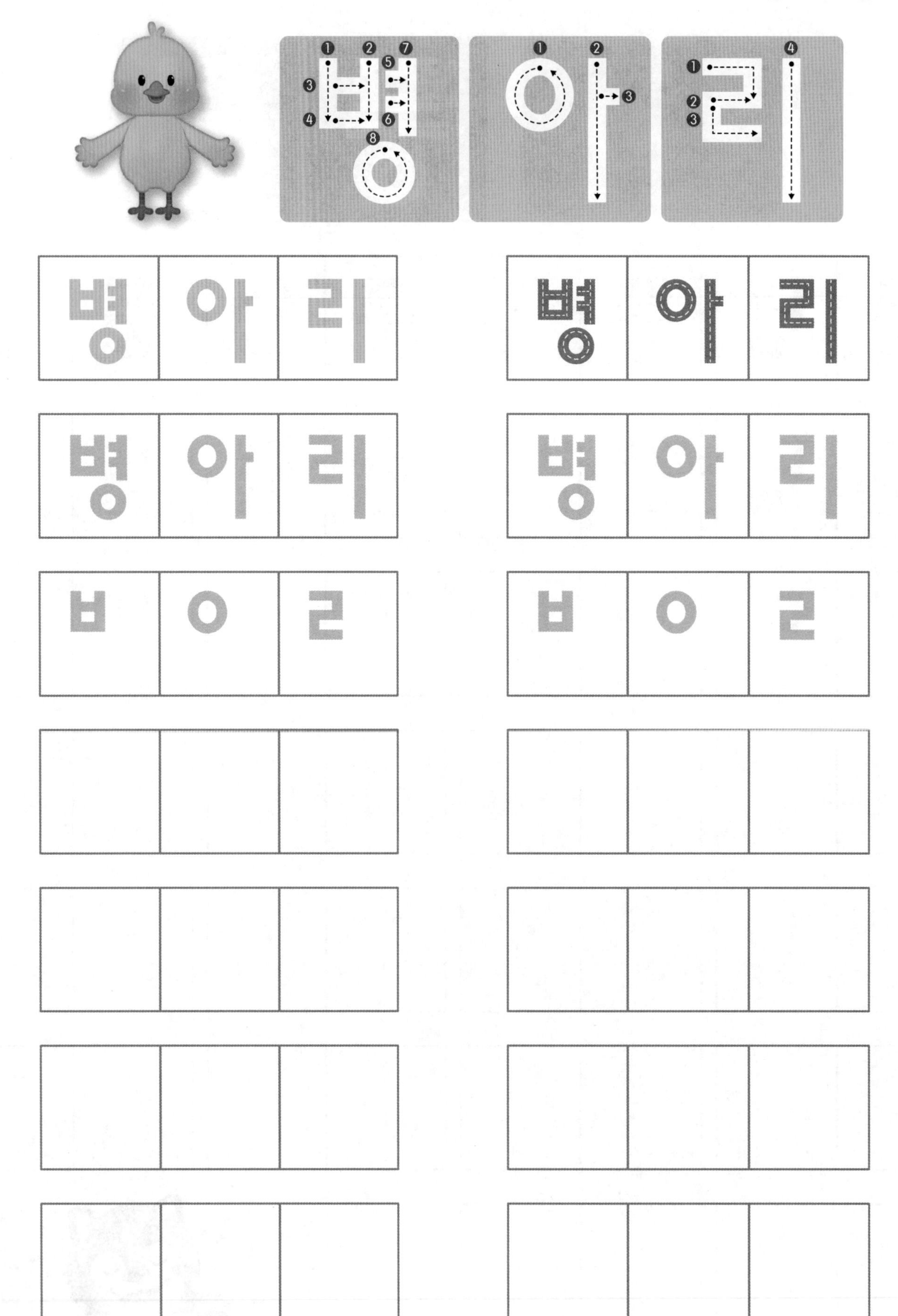
병 아 리
병 아 리
병 아 리
병 아 리
병 아 리
ㅂ ㅇ ㄹ
ㅂ ㅇ ㄹ

고양이

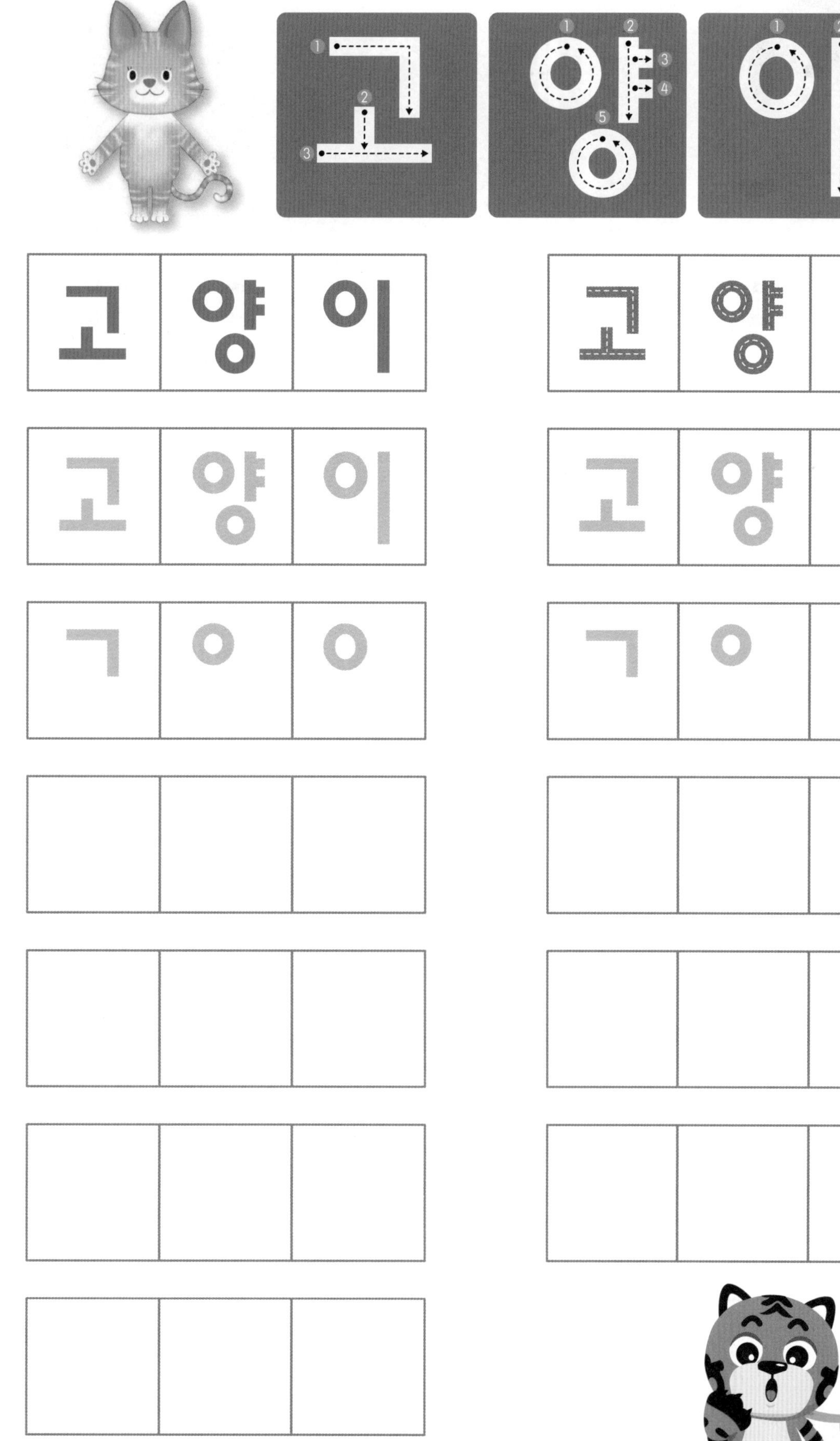

월 일

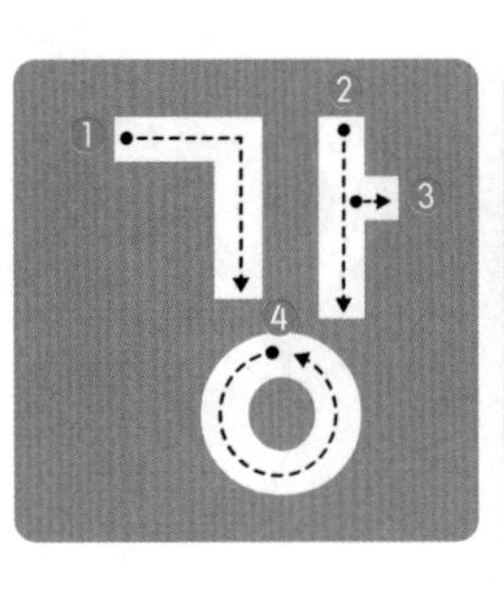

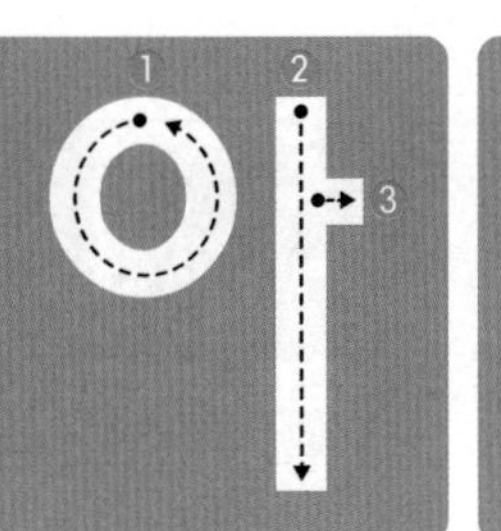

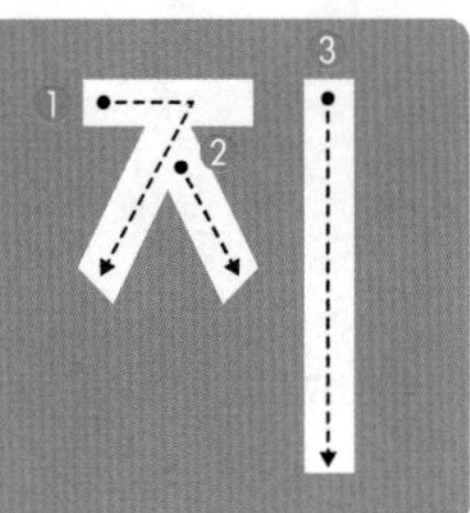

강	아	지
강	아	지
ㄱ	ㅇ	ㅈ

강	아	지
강	아	지
ㄱ	ㅇ	ㅈ

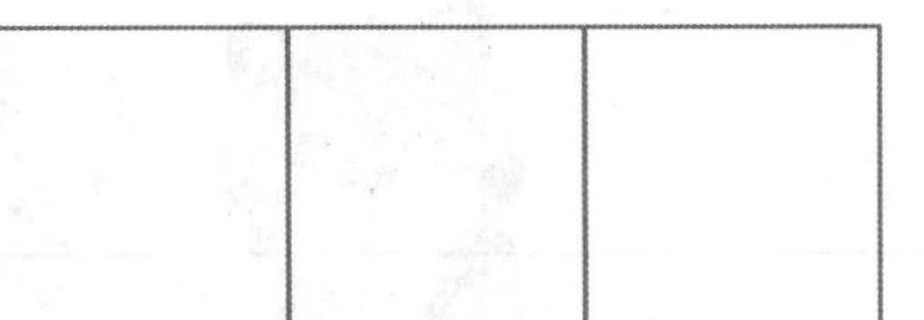

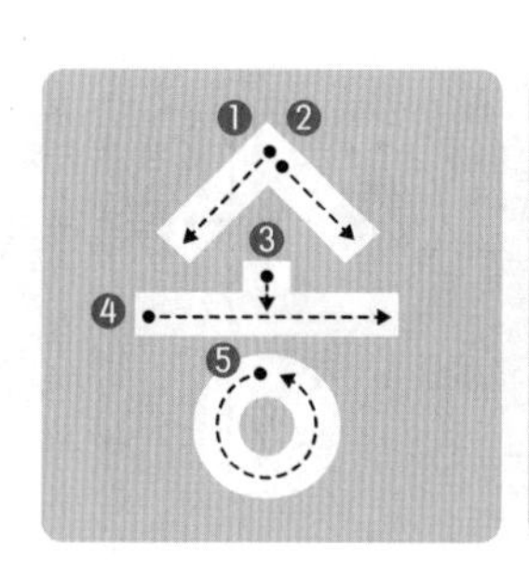

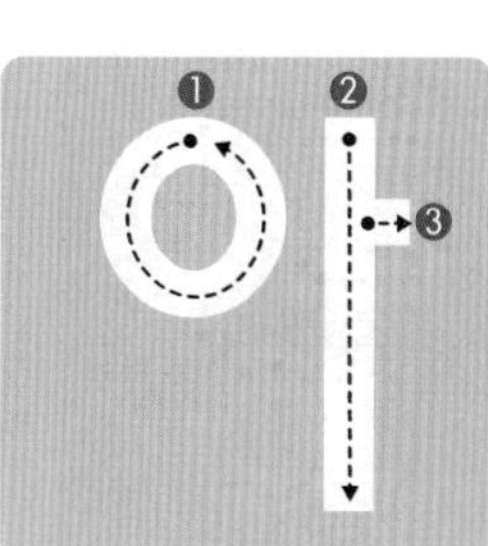

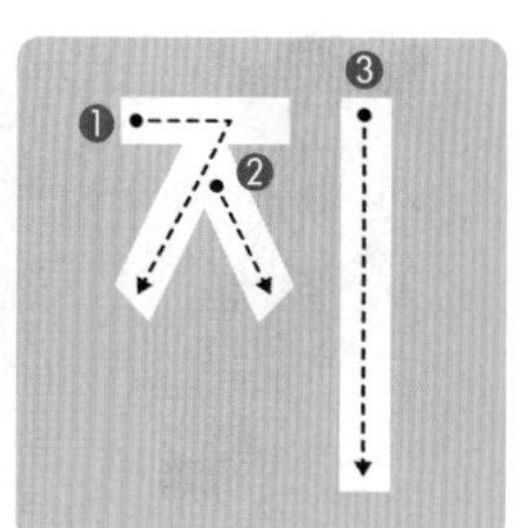

송	아	지
송	아	지
ㅅ	ㅇ	ㅈ

송	아	지
송	아	지
ㅅ	ㅇ	ㅈ

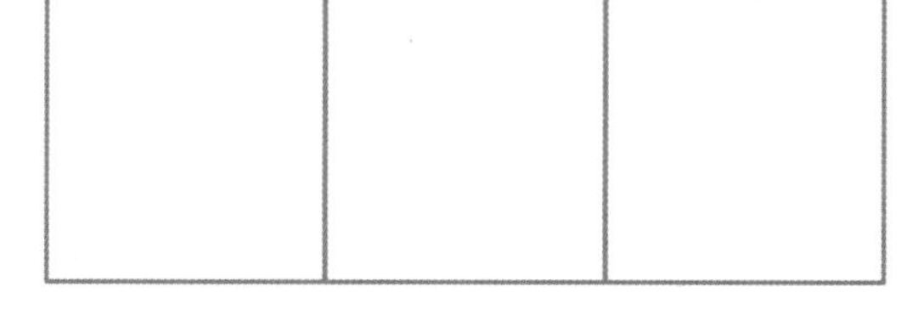

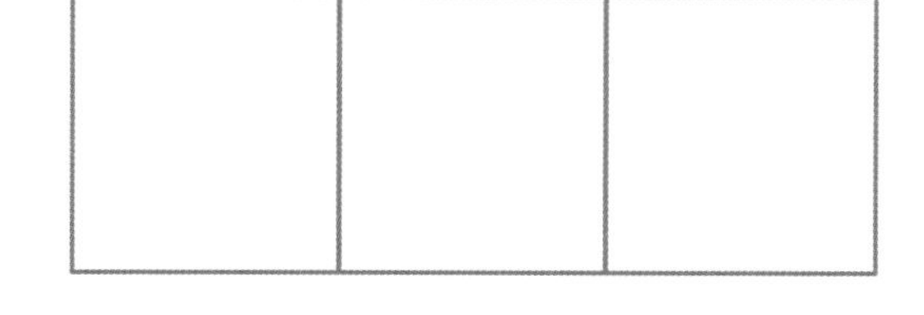

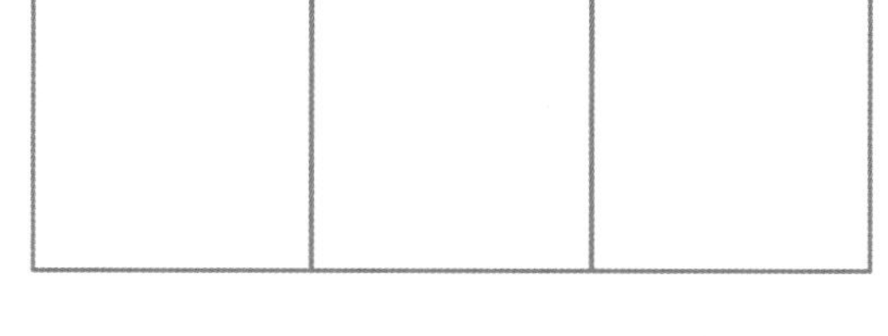

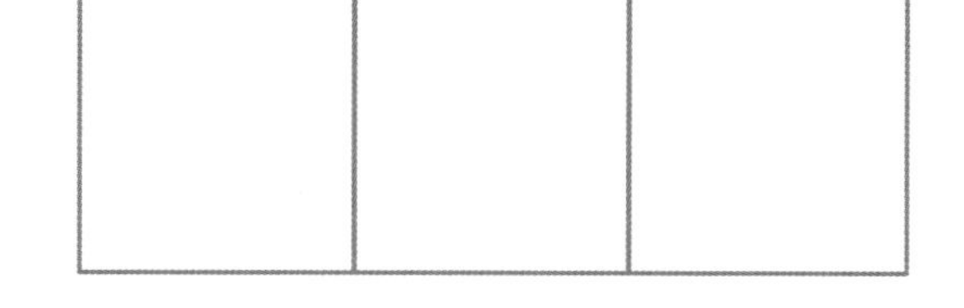

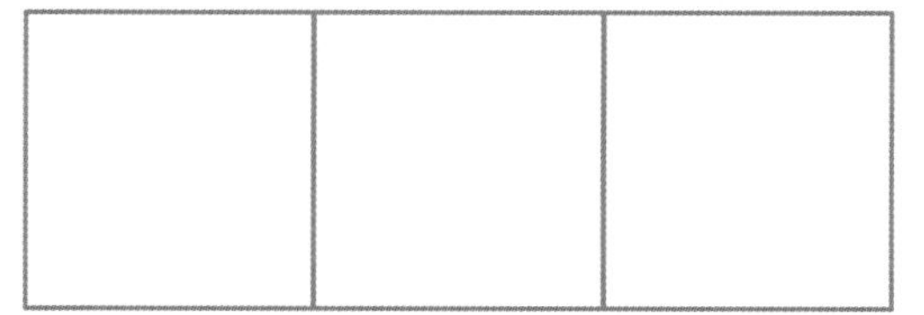

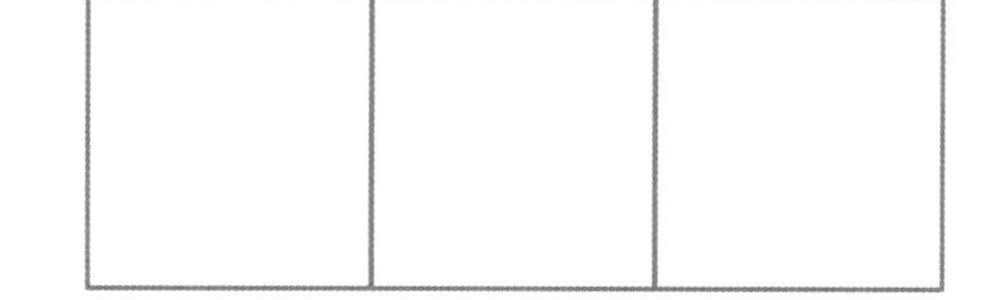

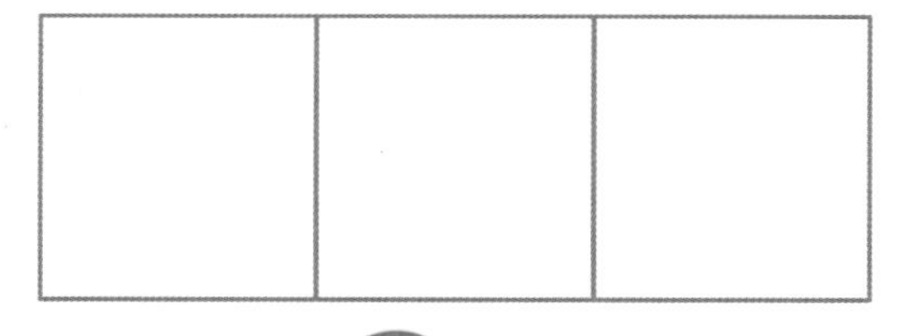

월
일
참 잘했어요!

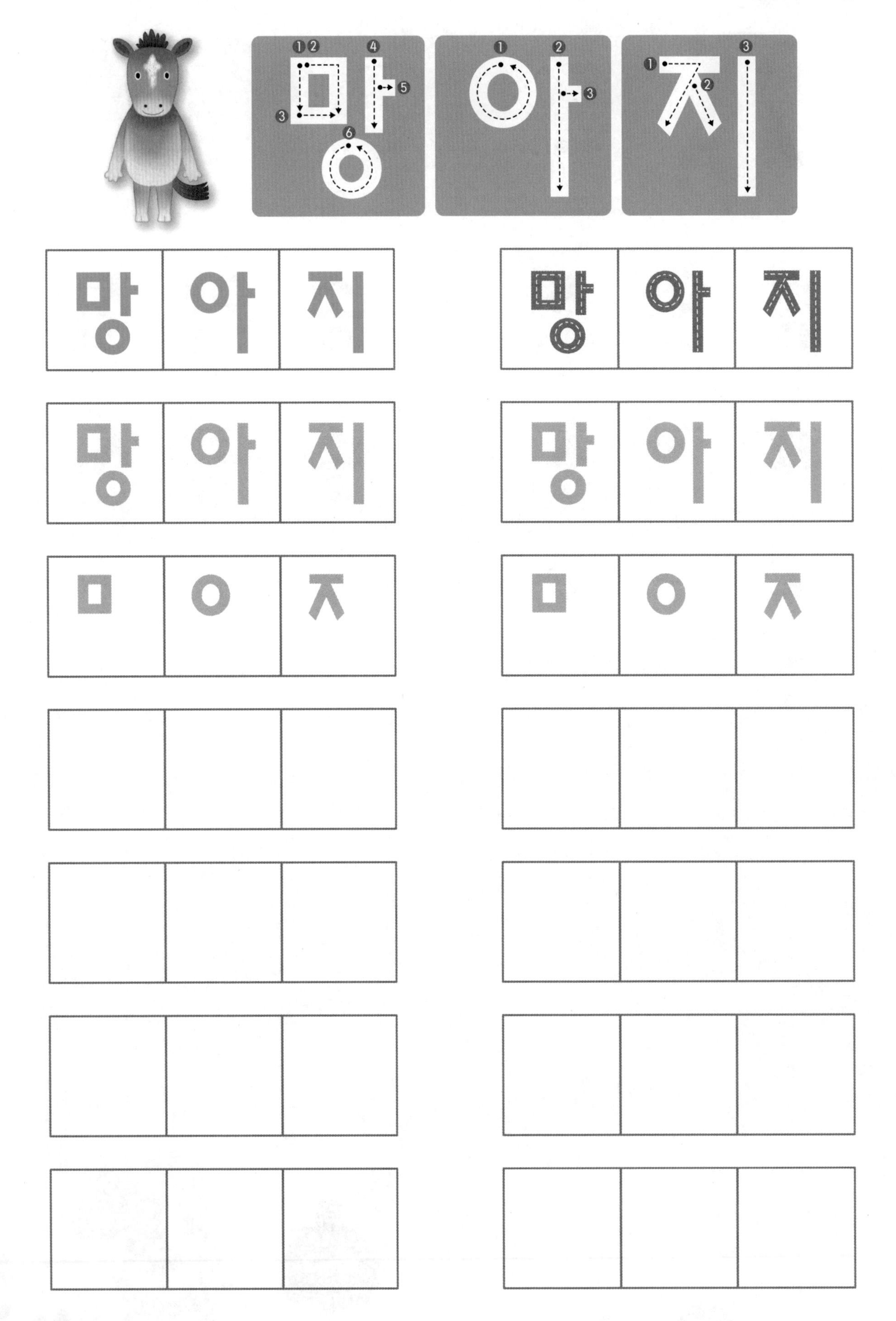
망 아 지
망 아 지
망 아 지
망 아 지
망 아 지
ㅁ ㅇ ㅈ
ㅁ ㅇ ㅈ

월 일 참 잘했어요!

호랑이

월
일
참 잘했어요!

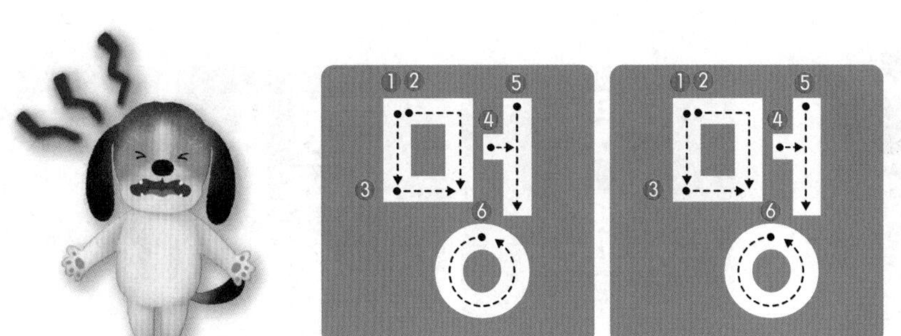
멍
멍

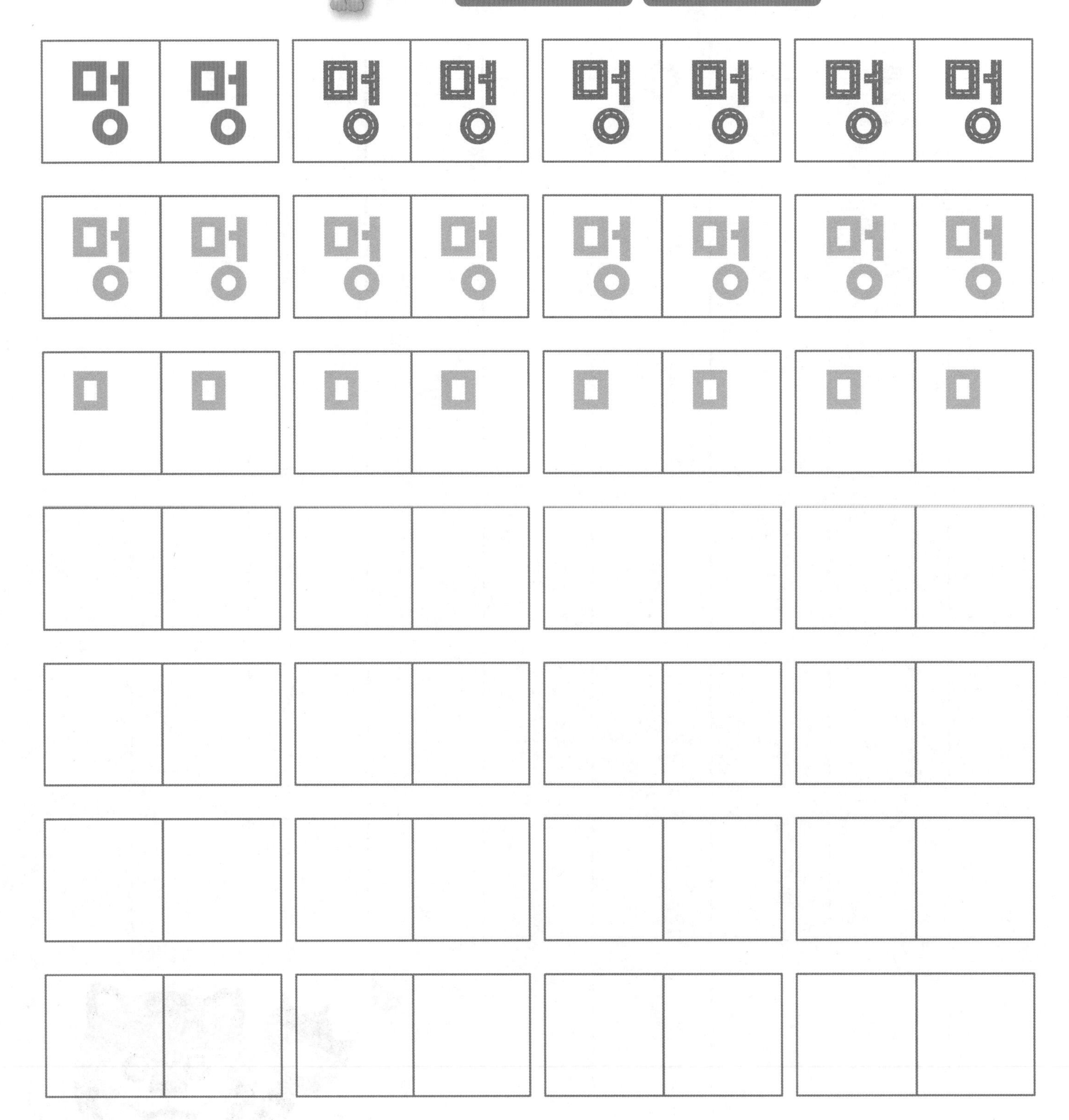
멍 멍 멍 멍 멍 멍 멍 멍
멍 멍 멍 멍 멍 멍 멍 멍
ㅁ ㅁ ㅁ ㅁ ㅁ ㅁ ㅁ ㅁ

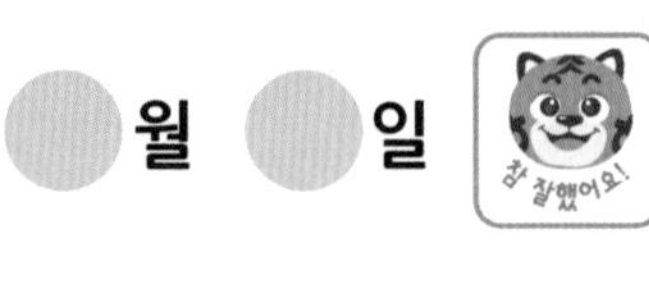
월
일
참 잘했어요!

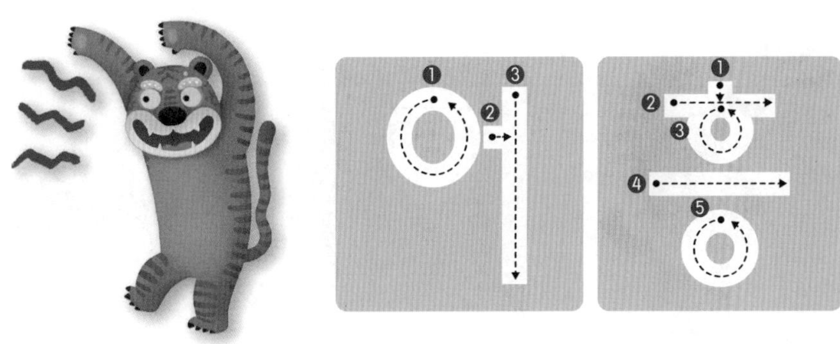
어
흥

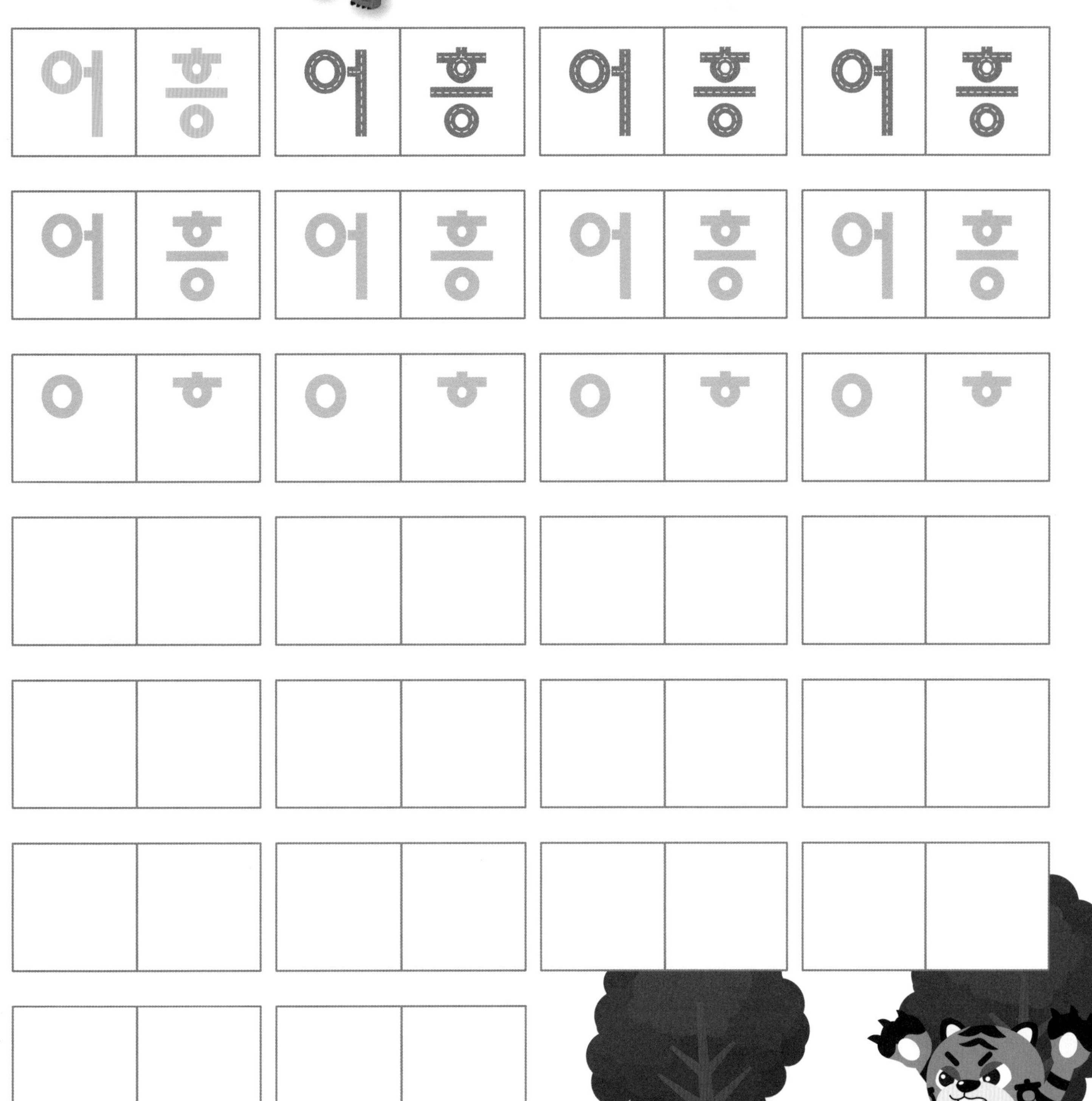
어 흥 어 흥 어 흥 어 흥
어 흥 어 흥 어 흥 어 흥
ㅇ ㅎ ㅇ ㅎ ㅇ ㅎ ㅇ ㅎ

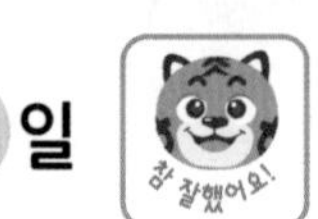

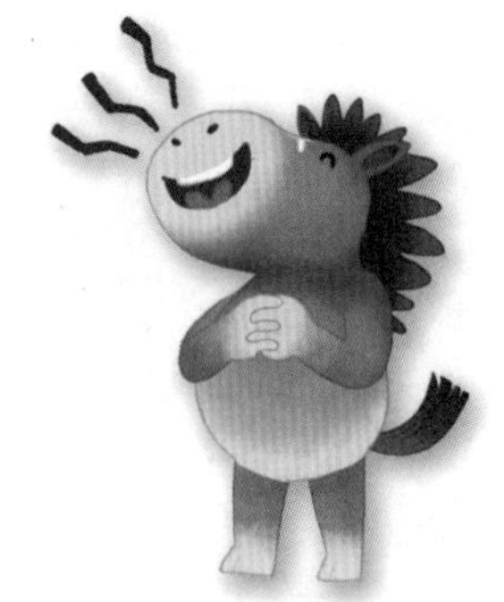

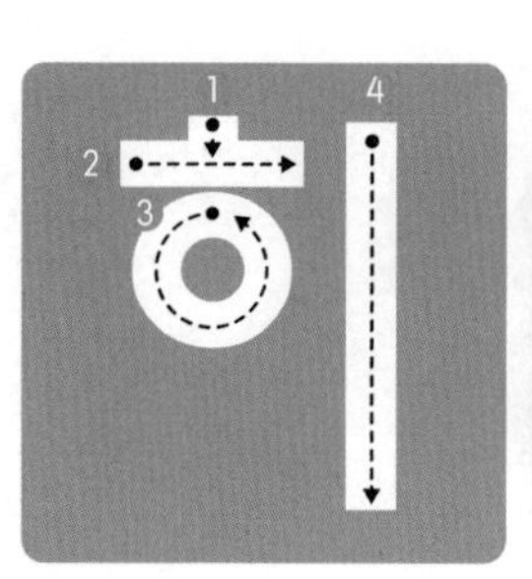

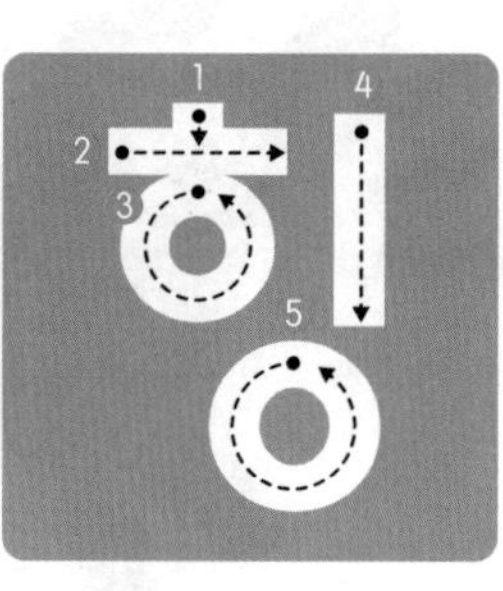

히	힝	히	힝	히	힝	히	힝
히	힝	히	힝	히	힝	히	힝
ㅎ	ㅎ	ㅎ	ㅎ	ㅎ	ㅎ	ㅎ	ㅎ

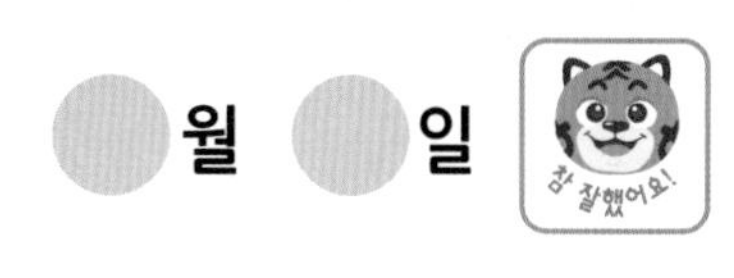

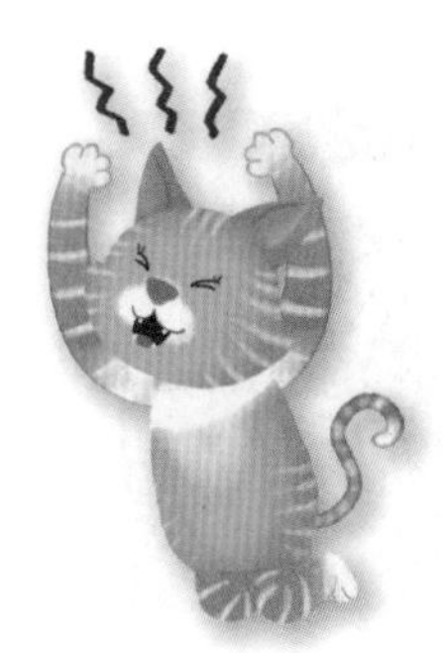

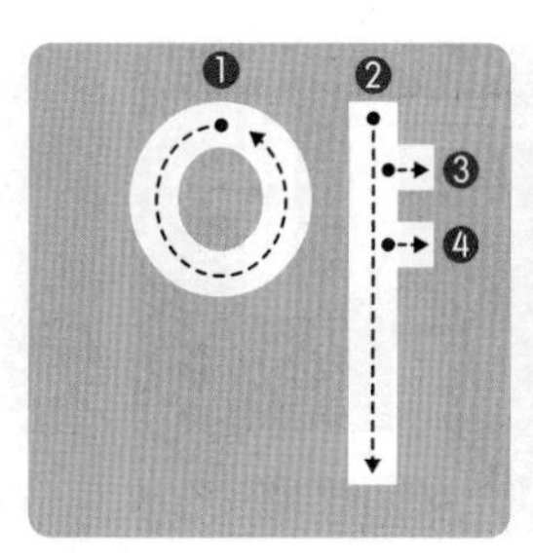

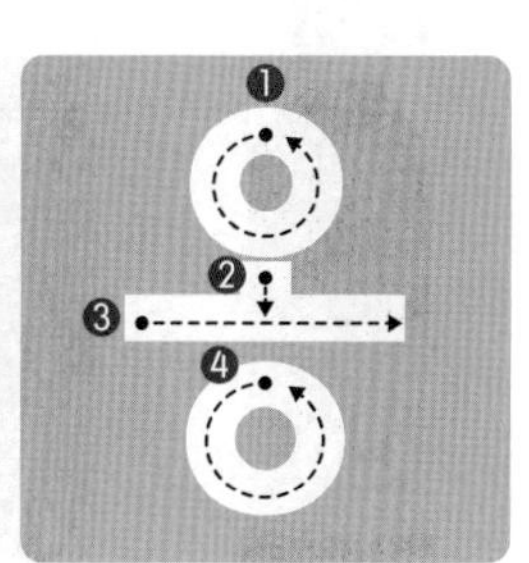

야	옹	야	옹	야	옹	야	옹
야	옹	야	옹	야	옹	야	옹
ㅇ	ㅇ	ㅇ	ㅇ	ㅇ	ㅇ	ㅇ	ㅇ

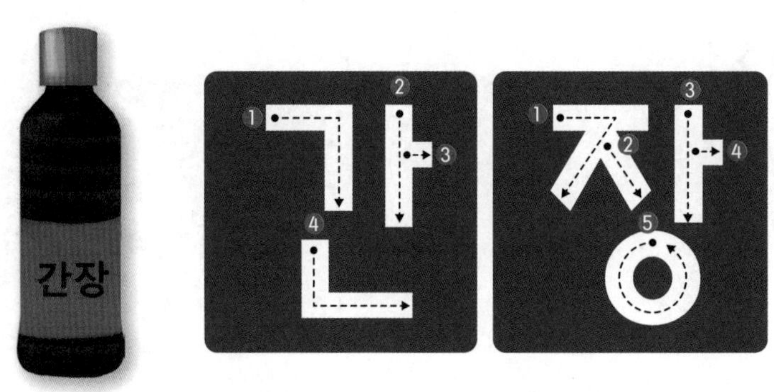

간	장	간	장	간	장	간	장
간	장	간	장	간	장	간	장
ㄱ	ㅈ	ㄱ	ㅈ	ㄱ	ㅈ	ㄱ	ㅈ

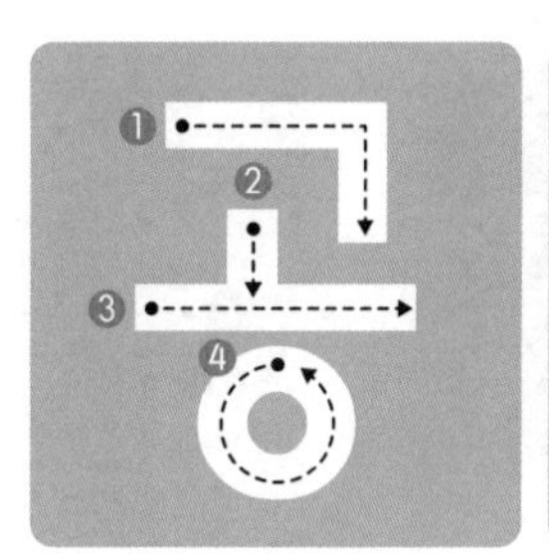

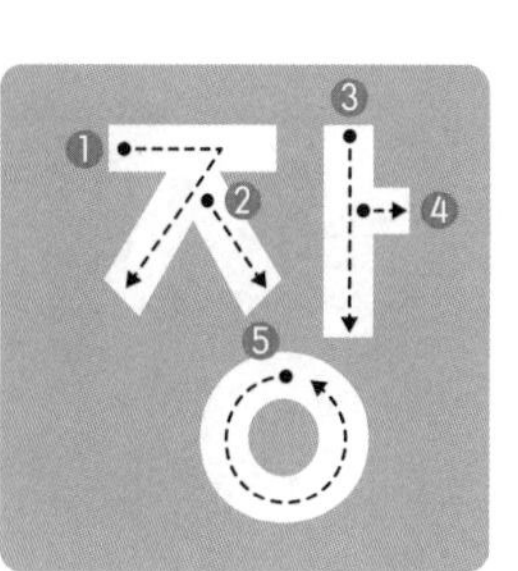

공	장	공	장	공	장	공	장
공	장	공	장	공	장	공	장
ㄱ	ㅈ	ㄱ	ㅈ	ㄱ	ㅈ	ㄱ	ㅈ

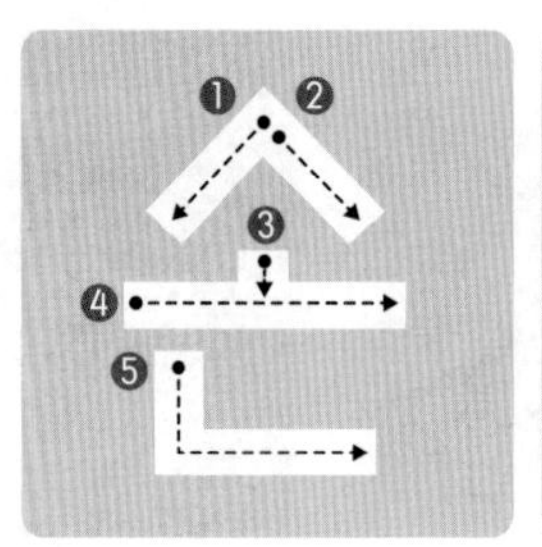

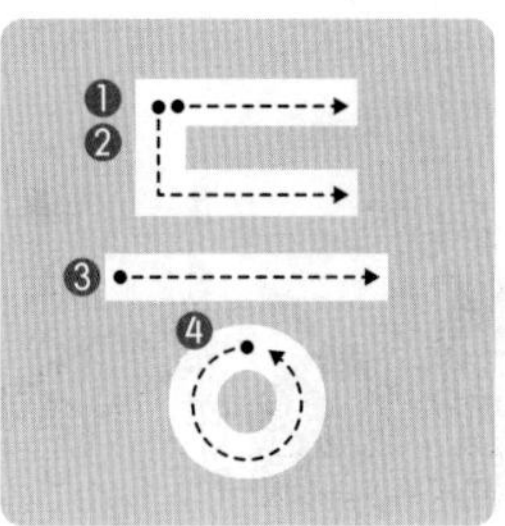

손	등	손	등	손	등	손	등
손	등	손	등	손	등	손	등
ㅅ	ㄷ	ㅅ	ㄷ	ㅅ	ㄷ	ㅅ	ㄷ

월
일
참 잘했어요!

월

일

참 잘했어요!

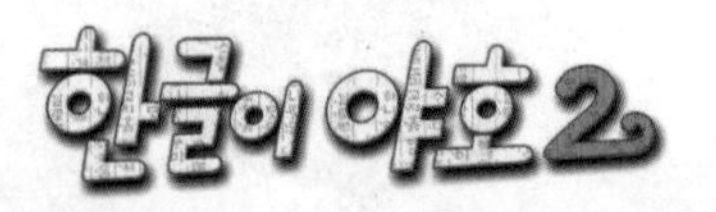
한글이 야호 2

월
일
참 잘했어요!

 월  일 

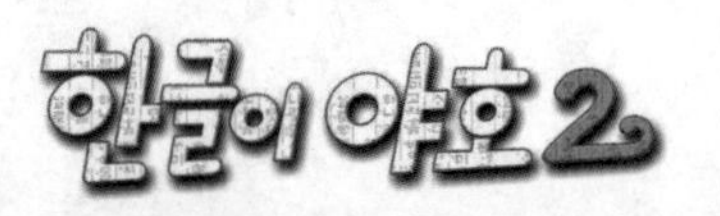

한글이아빠 지음 | 김보경 글

한글이 야호2 워크북 (받침글자 세트_6)

초판 19쇄 발행 ‖ 2024년 5월 8일

지은이 | 한글이아빠

발행처 | EBS 미디어
발행인 | 박성호
출판등록 | 2012년 6월 7일
주소 | 서울시 마포구 토정로 222 한국출판콘텐츠센터
대표전화 | 02-529-5566 팩스 | 070-4340-4796
일러스트 | 아이트리, BIGSTAR GLOBAL, grimsoop
편집 · 디자인 | 아이트리
인쇄 · 제본 | (주)재능인쇄

* 잘못된 책은 구입하신 곳에서 교환해 드립니다.
* 이 책에 실린 모든 내용, 디자인, 이미지, 편집 구성의 저작권은 EBS와 EBS미디어에 있습니다.
허락없이 복제하거나 다른 매체에 옮겨 실을 수 없습니다.
* 이 책에 사용된 글자 서체는 "EBS 한글이 야호" 서체로 EBS 홈페이지(www.ebs.co.kr)에서
다운로드 받아서 사용하실 수 있습니다.

ISBN : 979-11-5859-176-2
ISBN : 979-11-5859-183-0(세트)

기본 구성과 활용법

기본 구성

'한글이 야호'는 통합적인 말하기, 읽기, 쓰기 교육 이론을 바탕으로 두고 제작한 한글 교육 프로그램입니다. 읽기를 막 시작하는 단계부터 말하기를 완성하는 단계까지 체계적인 글자 떼기 커리큘럼을 적용, 높은 교육 효과를 얻을 수 있습니다. 기본 어휘를 활용한 이야기와 말놀이를 통해 말하기와 읽기를 자연스럽게 익히고 그림책으로 이야기를 정리하고 확장시킵니다.

▶ 음운 커리큘럼에 의거한 기본 어휘 제시

▶ 기본 어휘를 활용한 이야기 제시

▶ 이야기에서 파생한 말놀이 노래

▶ 부모와 함께 할 수 있는 한글 놀이로 어휘 및 의미 확장

▶ 그림책으로 기본 어휘 학습

▶ 쓰기 확장의 단계

이번 워크북부터는 기본 음절 140자를 통한 어휘 학습을 마치고 받침이 있는 글자를 학습하게 됩니다. 한글이 야호 방송과 워크북은 받침 글자마다 2~3편으로 나누어 구성했습니다. 첫 편에서는 받침이 있는 글자 중 뜻을 가진 한 글자 어휘를 통해 형태적인 특성과 음운적인 특성을 뿌미와 함께 알아봅니다. 두 번째 편과 세 번째 편에서는 해당 받침이 있는 두 음절 이상의 어휘로 확장해 의성어, 의태어의 말 재미, 발음과 뜻의 연결로 인한 말 놀이등을 습득합니다. 특히 받침 글자만을 전해주는 글자 심해어, 초롱이를 통해 받침 글자가 글자의 아래 부분에 위치하게 되는 형태적인 특성을 반복을 통해 재미있게 보여줍니다. 새 친구 초롱이를 반갑게 맞아주시고 받침 글자와도 친하게 지내면 더 많은 글자를 읽게 되어 성취 욕구를 충족시킬 수 있을 것입니다.

활용법

1 **뿌미 놀이터** 받침 글자의 형태와 음운적인 특성 파악, 글자 조립 원리 습득

2 **야호 놀이터** 낱글자와 단어 글자 읽기

3 **쓰기 놀이터** 낱글자와 단어 글자 쓰기

*** 색깔 표시 예시**

23회 〈 몸 〉 편 24회 〈 엄마 〉 편 25회 〈 그림자 〉 편

*** 🎧 방송에서 노래를 듣고 따라하세요.**

*** (스티커를 붙여주세요) 라는 문구를 찾아 알맞은 스티커를 붙이세요.**

한글이 야호 2

몸

모 바 자 추

몸 방 장 춤

차 례

23화 <몸>편

23화 몸

뿌미 놀이터

초롱아, 안녕?

뿌미에게 받침 글자를 전해주는 물고기 초롱이가 'ㅁ'받침을 찾고 있어요.
함께 네모 모양을 찾아서 표시해봐요.

●●가게

ㅁ

'ㅁ'(미음) 받침이랑 닮은 모양이
어디 있을까?

'ㅁ'의 이름

뿌미가 벽돌로 예쁜 집을 짓고 있어요.
벽돌로 쌓은 창틀을 예쁘게 색칠해봐요.

✸ 뿌미가 동그라미 모양의 지붕이 있는 예쁜 집을 짓고 있어요. 예쁘게 색칠해봐요.

ㅁ
어머나, 'ㅁ'의 이름이 됐어요.
큰 소리로 읽어봐요. 미음!!

23화 몸

뿌미 놀이터

이층집의 글자들

뿌미가 글자를 2층집에 초대했어요.
이층에 어떤 글자들이 있는지 큰 소리로 읽어봐요.

코
치
초
크레파스

23화 몸

뿌미 놀이터

이층집의 글자들

뿌미가 글자를 2층집에 초대했어요.
일층에 네모난 모양을 넣었더니 글자가 변신했어요.
일층에 네모 스티커를 붙여보아요.

보
(스티커를 붙여주세요)
치
(스티커를 붙여주세요)
추
(스티커를 붙여주세요)
봄
침
춤

23화 몸

뿌미 놀이터

깜짝 상자가 짜잔!

뿌미가 깜짝 상자를 열었더니 상자 안에 있던 글자들이 튀어나왔어요.
깜짝 상자에 붙어 있던 'ㅁ(미음)'이 글자를 마구 마구 변신시켜요.
상자에 있는 'ㅁ(미음)'을 예쁘게 색칠해봐요.

솜
곰

23화 몸

뿌미 놀이터

깜짝 상자가 짜잔!

뿌미가 깜짝 상자를 열었더니 상자 안에 있던 글자들이 튀어나왔어요.
깜짝 상자에 붙어 있던 'ㅁ(미음)'이 글자를 마구 마구 변신시켜요.
상자에 있는 'ㅁ(미음)'을 예쁘게 색칠해봐요.

님

점

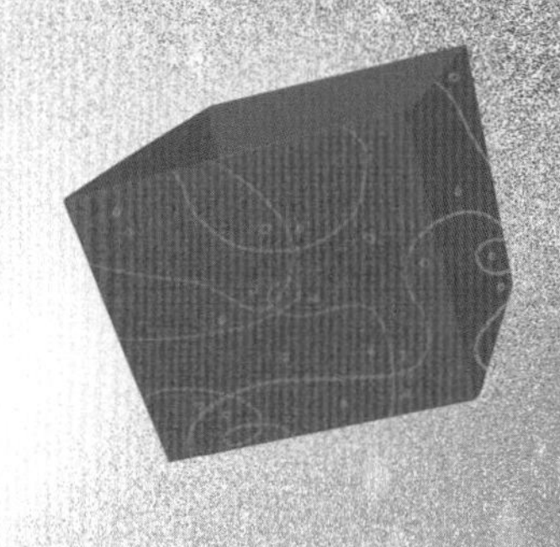

글자를 착착착!

뿌미가 글자에 'ㅁ(미음)' 받침을 붙여서 글자를 만들어요.
뿌미가 어떤 글자를 만들까요? 글자 스티커를 찾아서 붙이고 큰 소리로 읽어봐요.

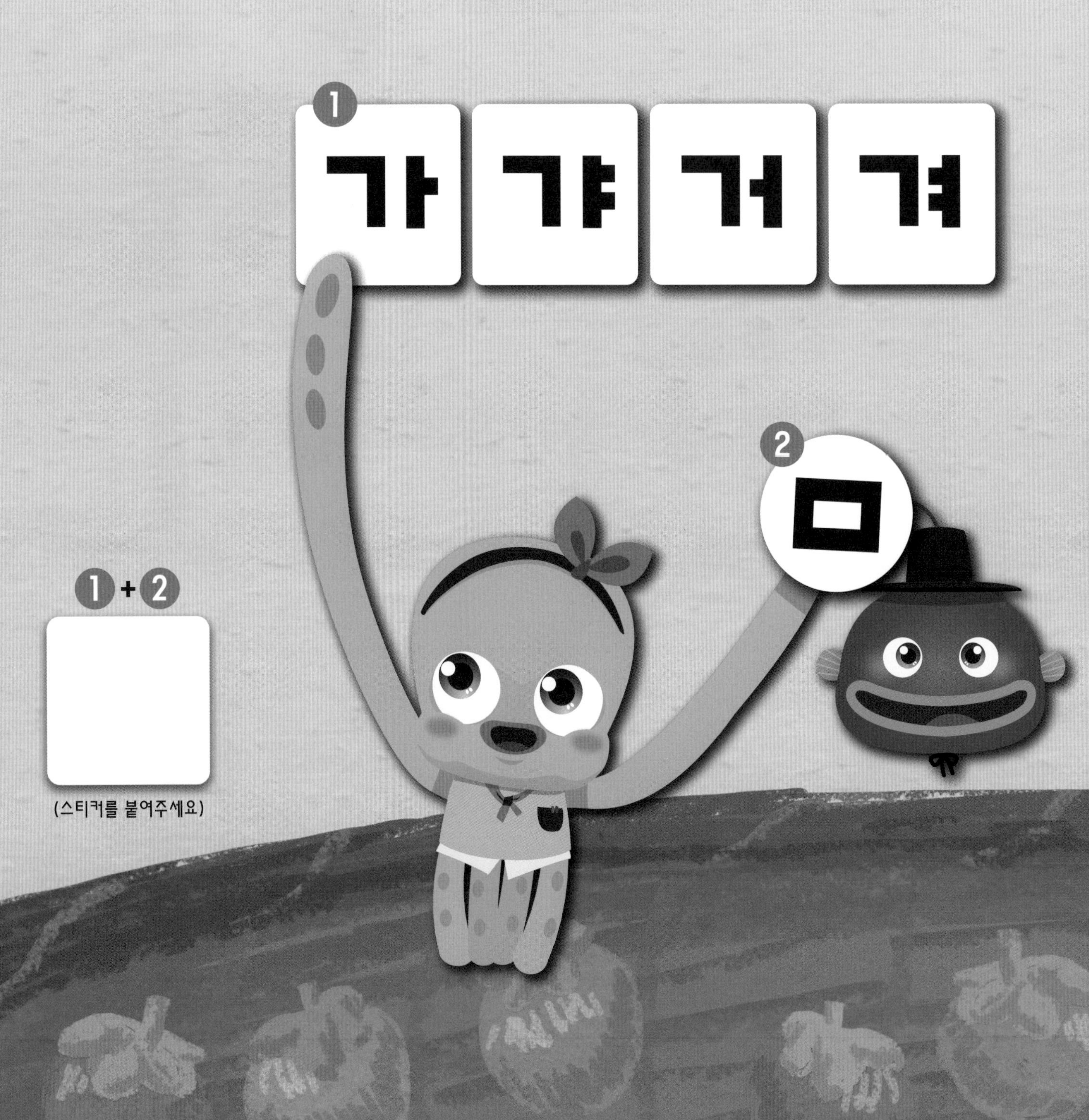

1
고 교 구 규 그 기
2
ㅁ
1+2
(스티커를 붙여주세요)

23화 몸

뿌미 놀이터

글자를 착착착!

뿌미가 글자에 'ㅁ(미음)' 받침을 붙여서 글자를 만들어요.
뿌미가 어떤 글자를 만들까요? 글자 스티커를 찾아서 붙이고 큰 소리로 읽어봐요.

노
뇨
누
뉴
느
1
니
2
ㅁ
1 + 2
(스티커를 붙여주세요)

23화 몸

뿌미 놀이터

글자를 착착착!

뿌미가 글자에 'ㅁ(미음)' 받침을 붙여서 글자를 만들어요.
뿌미가 어떤 글자를 만들까요? 글자 스티커를 찾아서 붙이고 큰 소리로 읽어봐요.

1
조
죠
주
쥬
즈
지
2
ㅁ
1 + 2
(스티커를 붙여주세요)

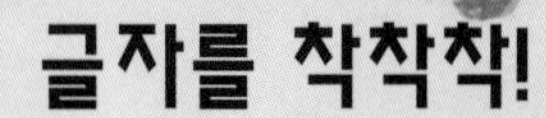

글자를 착착착!

뿌미가 글자에 'ㅁ(미음)' 받침을 붙여서 글자를 만들어요.
뿌미가 어떤 글자를 만들까요? 글자 스티커를 찾아서 붙이고 큰 소리로 읽어봐요.

1
1
초
쵸
추
츄
츠
치
2
ㅁ
2
ㅁ
1 + 2
(스티커를 붙여주세요)
1 + 2
(스티커를 붙여주세요)

글자를 착착착!

뿌미가 빨래줄에 글자 빨래를 널었더니, 'ㅁ(미음)' 구름이 다가와
'ㅁ(미음)' 받침이 붙어 있는 글자를 만들었어요. 글자 스티커를 찾아서 붙이고 큰 소리로 읽어봐요.

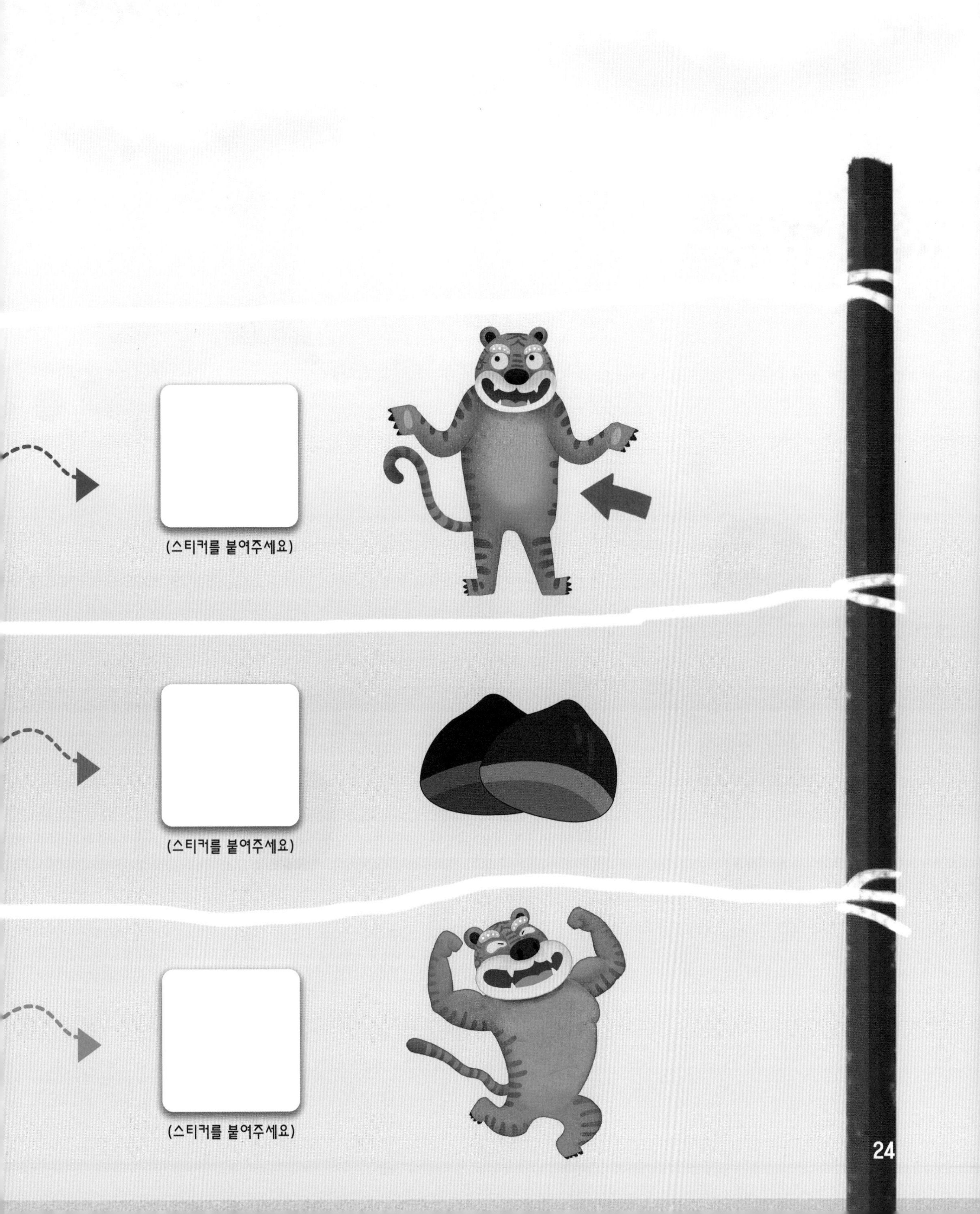
(스티커를 붙여주세요)
(스티커를 붙여주세요)
(스티커를 붙여주세요)

23화 몸

야호 놀이터

내 몸은?

야호는 몸이 튼튼해요. 힘도 세지요.
나는 어떤가요?
그림 중에서 골라서 줄을 그어 내 몸을 완성해봐요.

누구 몸일까?

야호가 동물 그림 퍼즐 조각을 찾아요.
어떤 몸이 바른 짝일까요?
줄로 이어서 찾아 주어요.

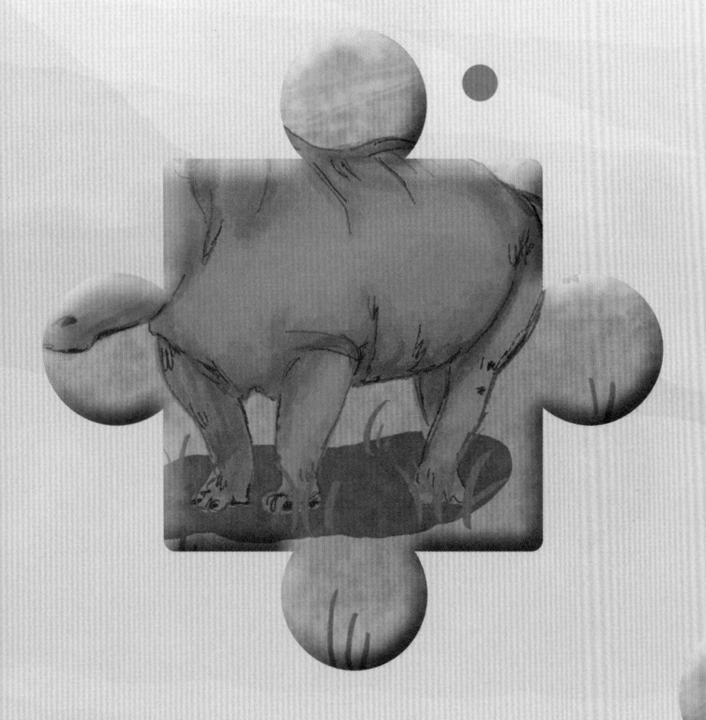

23화 몸

야호 놀이터

끼리 끼리

그림에 맞는 글자 짝을 찾아 줄을 그어요.

춤

곰

섬

힘

23화 몸

야호 놀이터

어떤 글자가 좋아요?

힘센 호랑이 야호는 '힘'이란 글자가 참 좋대요.
나는 어떤 글자가 좋은가요?
다음 글자중에서 좋아하는 글자가 되도록
하나만 골라서 밑에 'ㅁ' 받침 스티커를 붙여요.

힘
지
바
소

23화 몸

야호 놀이터

글자 종이 접기

야호가 글자 색종이를 찾아냈어요.
접혀진 종이를 펼치니까 'ㅁ'받침이 나타났어요. 완성된 글자 스티커를 붙이고 또박또박 읽어봐요.

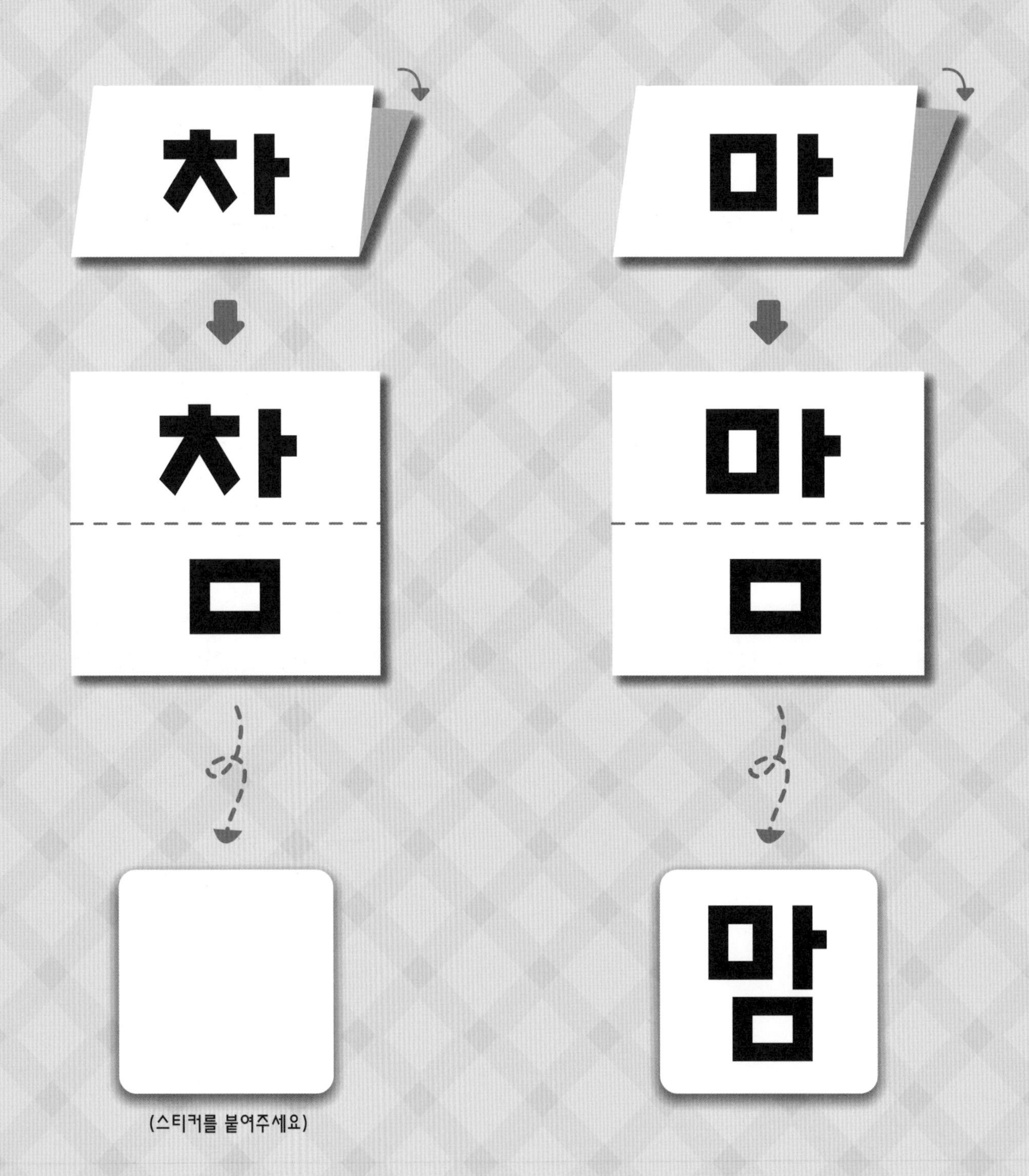

(스티커를 붙여주세요)

부
부
ㅁ
붐

글자 종이 접기

야호가 글자 색종이를 찾아냈어요.
접혀진 종이를 펼치니까 'ㅁ'받침이 나타났어요. 완성된 글자나 그림 스티커를 찾아 붙여요.

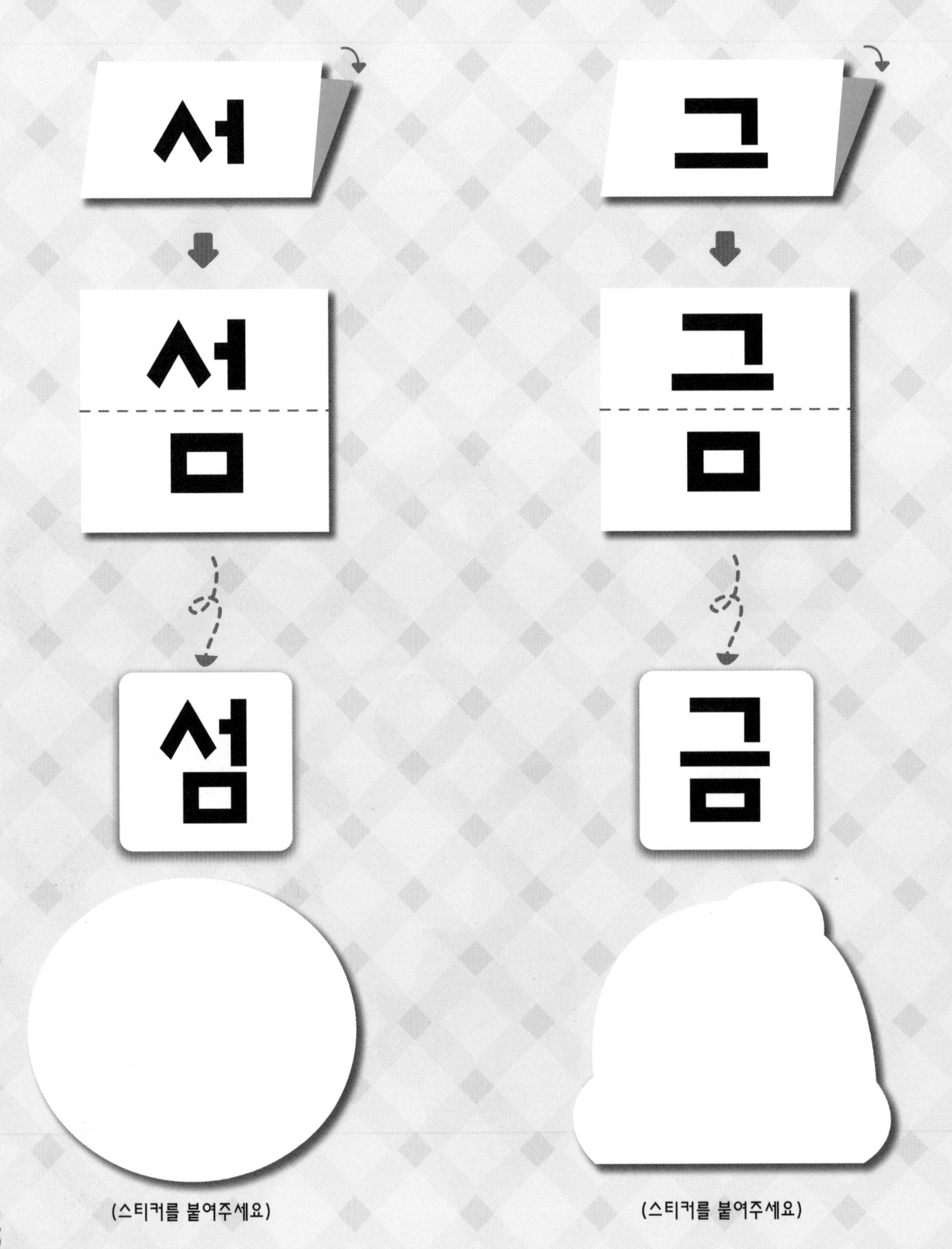

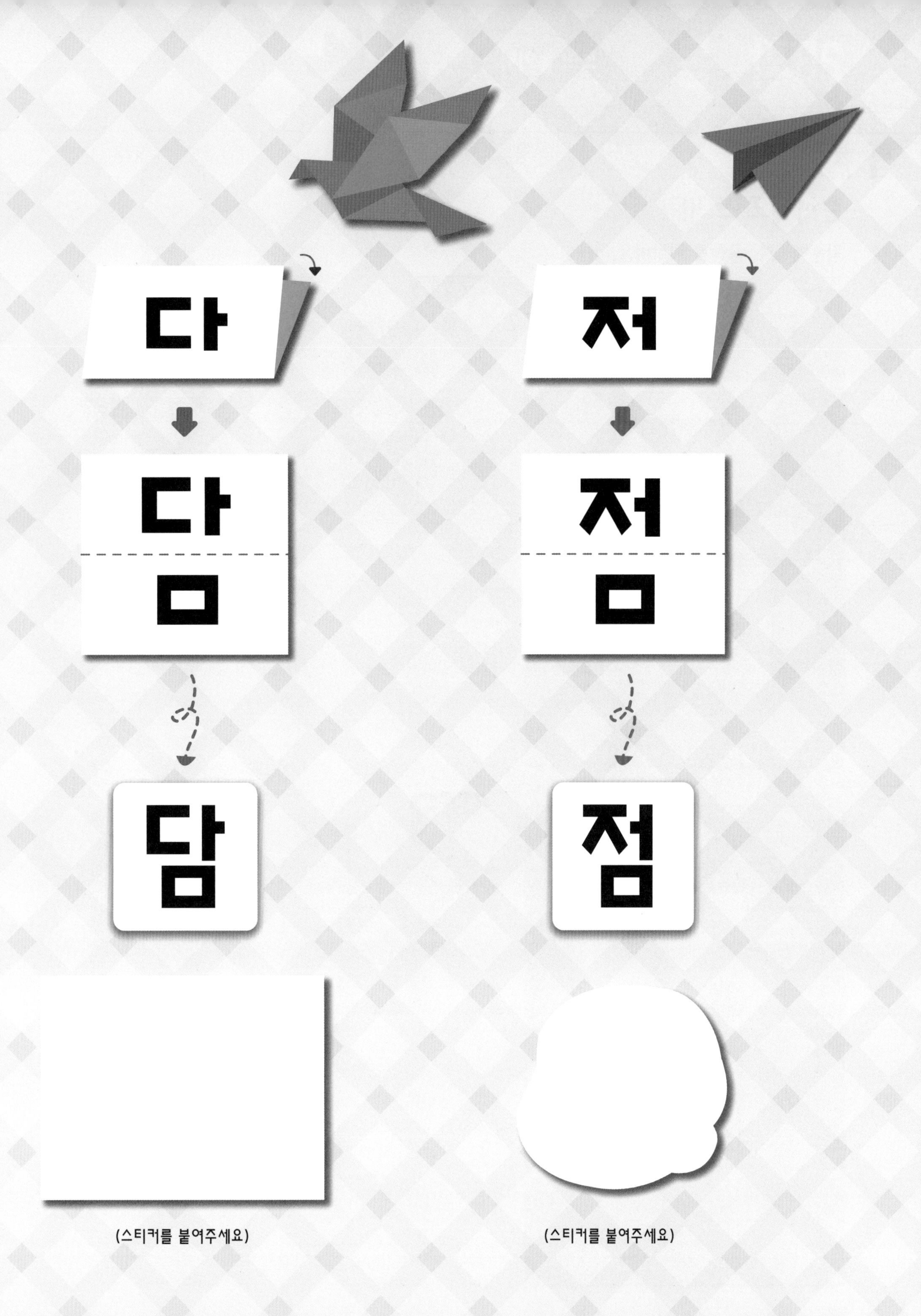
다
다
ㅁ
담
(스티커를 붙여주세요)
저
저
ㅁ
점
(스티커를 붙여주세요)

순서대로 쓰기!

획순에 맞춰 글자를 따라써요.

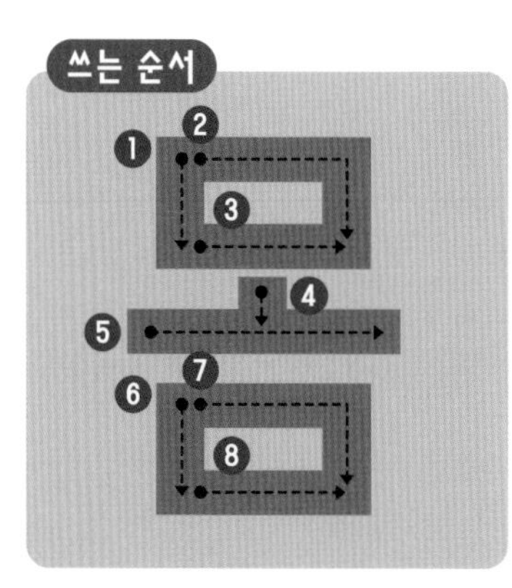

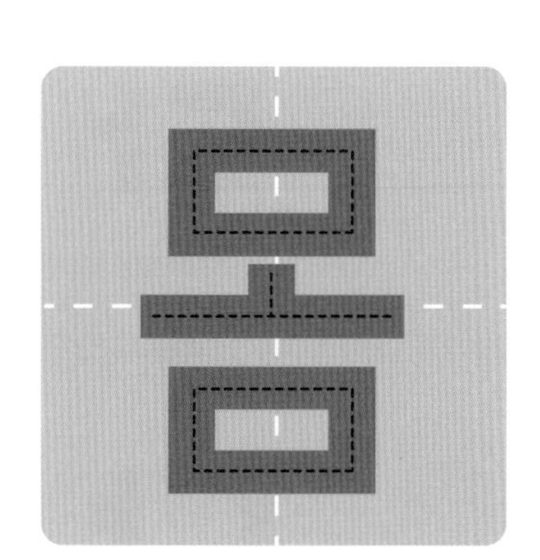

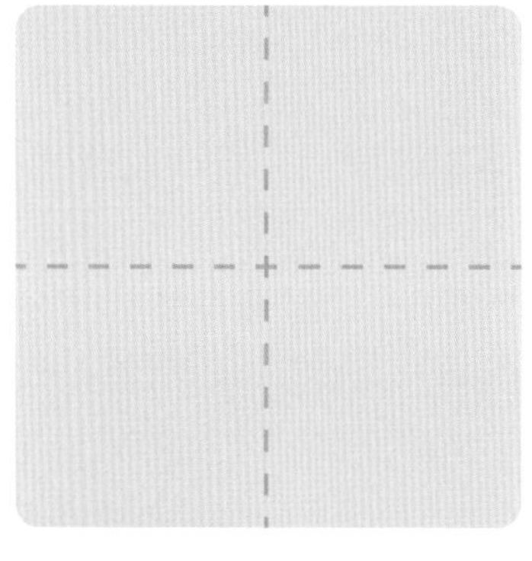

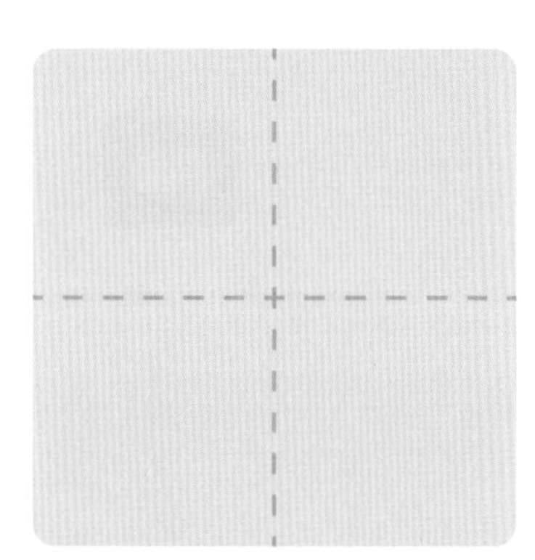

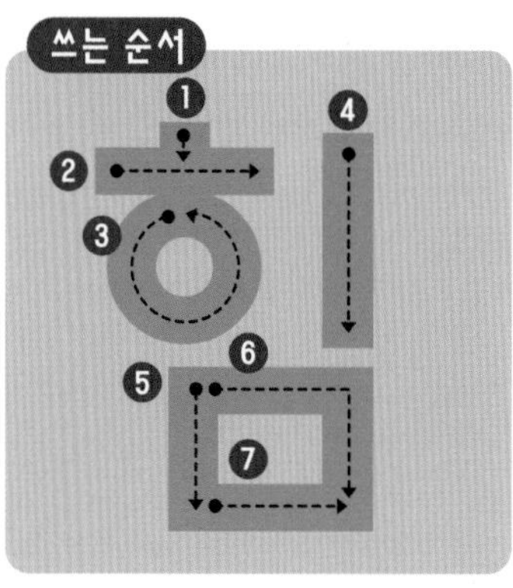

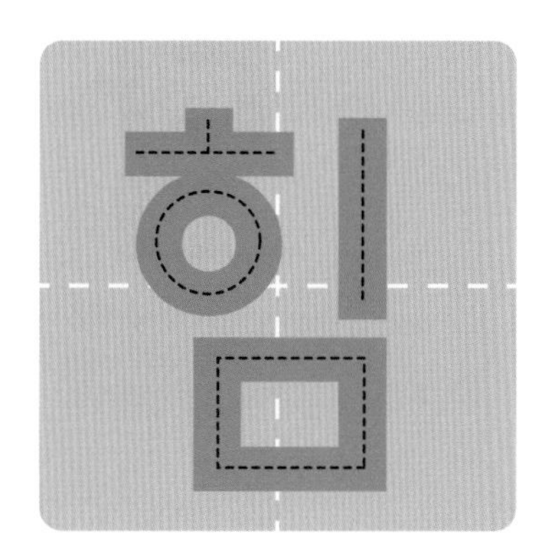

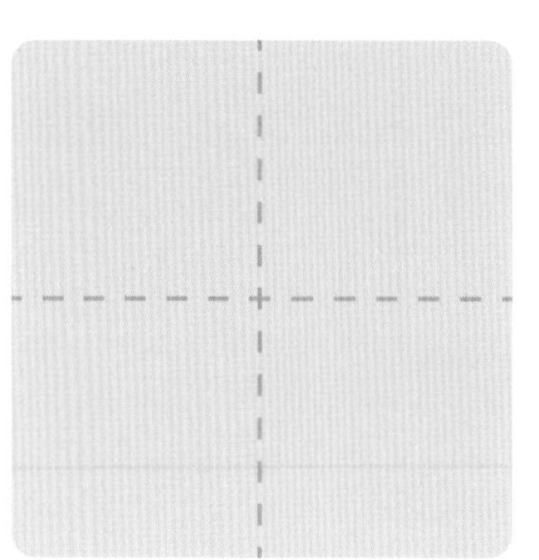

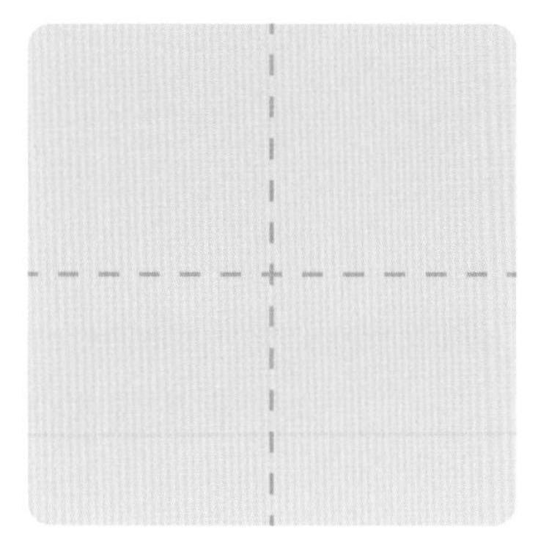

순서대로 쓰기!

획순에 맞춰 글자를 따라써요.

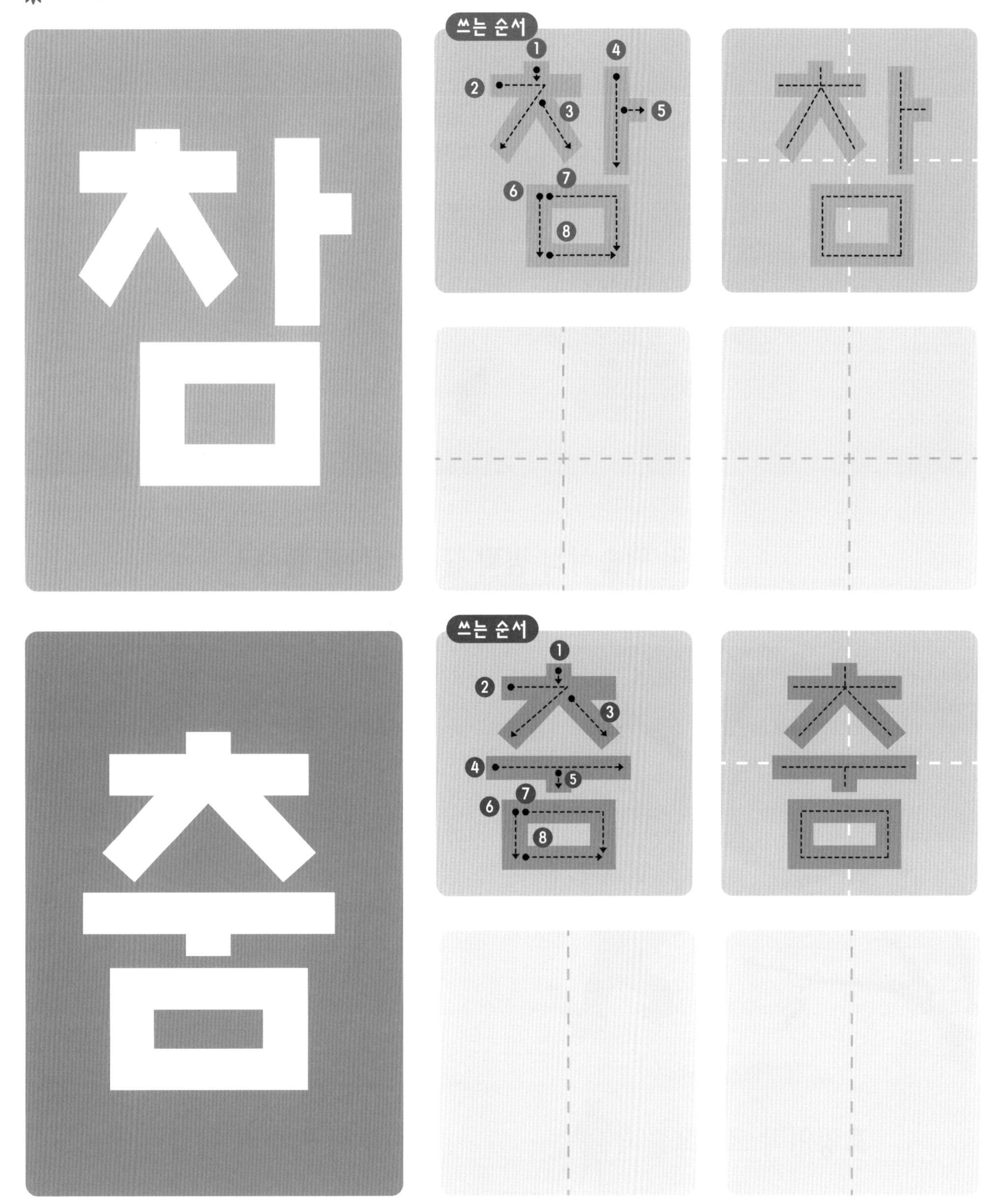

23화 몸

쓰기 놀이터

한글이의 작은 그림책

그림책을 또박또박 읽고 빈 자리에 맞는 글자를 써서 그림책을 완성해봐요.

꼬마 마술사의 깜짝 글자 상자를 볼래?

호랑이가 으슬으슬 [몸]. 수리수리 마수리 나와라 보-.

ㅁ 받침 붙여서  [봄] 아이 따뜻해.

호랑이가 배가 고파, 꼬르륵 꼬르륵. 수리수리 마수리 나와라 가- 바-

ㅁ 받침 붙여서 감 , 밤 아이 맛있어.

호랑이가 심심해. 아이 심심해. 수리수리 마수리 나와라 고- 추-.

ㅁ 받침 붙여서 춤 추는 곰 . 아이 신나라.

23화 몸

쓰기 놀이터

호랑이가 하품해. 아이 피곤해. 수리 수리 마수리 나와라 자-.

ㅁ 받침 붙여서  잠 . 드르렁 쿨~, 드르렁 쿨!

잘 먹고 잘 놀고 잘 자면

몸 이 튼튼해져요.  힘 이 세져요.

쉬어가는 페이지

랄라라 한글놀이

랄라라 한글놀이를 엄마와 함께 해 봐요.

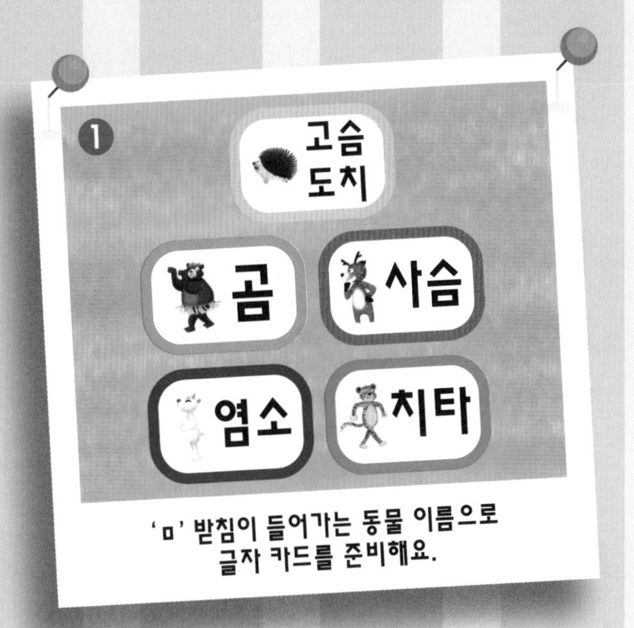

'ㅁ' 받침이 들어가는 동물 이름으로
글자 카드를 준비해요.

2
염소 세 마리가 한 집에 있어
아빠 염소, 엄마 염소, 애기 염소
아빠 염소는 뚱뚱해
엄마 염소는 날씬해

'곰 세 마리' 노래를 하면서 '곰'이 나오는 가사를
글자 카드에 나오는 동물 이름으로 바꾸어 불러요.

글자를 많이 알게 되면 노래 가사를
문장 카드나 스케치북에 써서 읽어 나가요.

예시

곰 세 마리가 한 집에 있어
아빠 곰, 엄마 곰, 애기 곰
아빠 곰은 뚱뚱해
엄마 곰은 날씬해
애기 곰은 너무 귀여워
으쓱 으쓱 잘 한다

사슴 세 마리가 한 집에 있어
아빠 사슴, 엄마 사슴, 애기 사슴
아빠 사슴은 멋져요
엄마 사슴은 예뻐요
애기 사슴은 너무 귀여워
으쓱 으쓱 잘 한다

한글이 야호 2

엄마

엄마 오줌
소금 감자
구름 바람

차례

24화 <엄마>편

24화 엄마 뿌미 놀이터

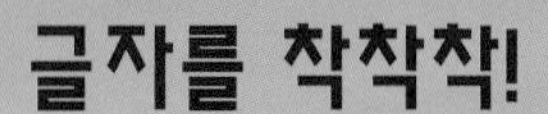

글자를 착착착!

뿌미가 글자에 'ㅁ(미음)' 받침을 붙여서 글자를 만들어요.
뿌미가 어떤 글자를 만들까요? 글자 스티커를 찾아서 붙이고 큰 소리로 읽어봐요.

오 요 우 유 으 이

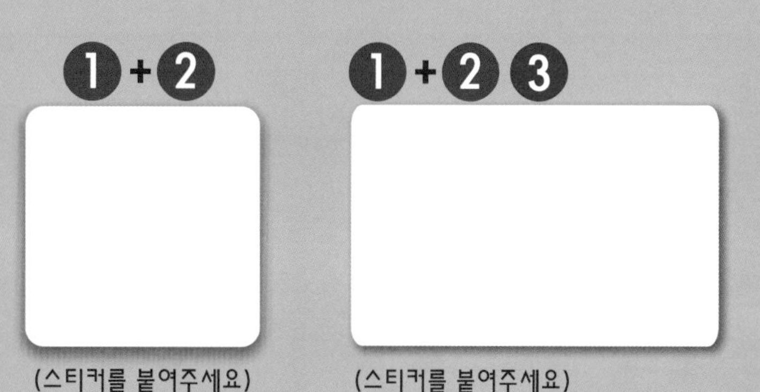

(스티커를 붙여주세요)
(스티커를 붙여주세요)

모 묘 무 뮤 므 미

24화 엄마 뿌미 놀이터

글자를 착착착!

뿌미가 글자에 'ㅁ(미음)' 받침을 붙여서 글자를 만들어요.
뿌미가 어떤 글자를 만들까요? 글자 스티커를 찾아서 붙이고 큰 소리로 읽어봐요.

사 샤 서 셔

가 갸 거 겨

❶❷+❸

(스티커를 붙여주세요)

❶
소 쇼 수 슈 스 시
❷
고 교 구 규 그 기
❷+❸
(스티커를 붙여주세요)
❸
ㅁ

글자를 착착착!

뿌미가 글자에 'ㅁ(미음)' 받침을 붙여서 글자를 만들어요.
뿌미가 어떤 글자를 만들까요? 글자 스티커를 찾아서 붙이고 큰 소리로 읽어봐요.

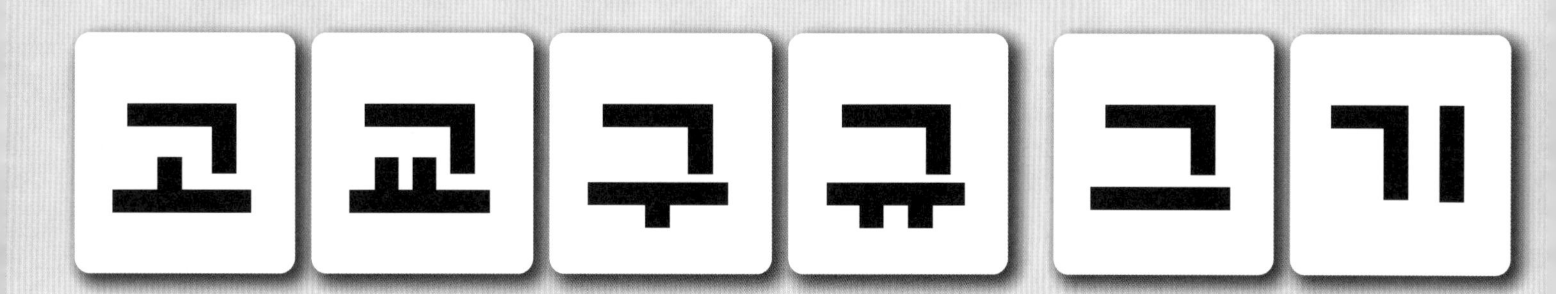

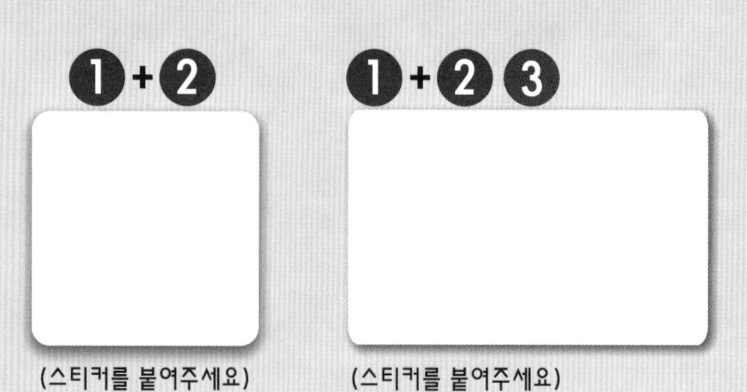

조 죠 주 쥬 즈 지

24화 엄마

뿌미 놀이터

글자를 착착착!

뿌미가 글자에 'ㅁ(미음)' 받침을 붙여서 글자를 만들어요.
뿌미가 어떤 글자를 만들까요? 글자 스티커를 찾아서 붙이고 큰 소리로 읽어봐요.

아 야 어 여

자 쟈 저 져

❷+❸

(스티커를 붙여주세요)

❶❷+❸

(스티커를 붙여주세요)

1
오 요 우 유 으 이
2
조 죠 주 쥬 즈 지
3
ㅁ

24화 엄마

뿌미 놀이터

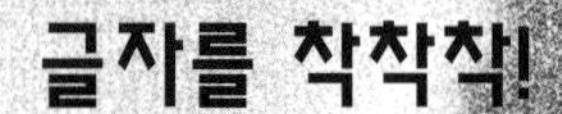

뿌미가 글자에 'ㅁ(미음)' 받침을 붙여서 글자를 만들어요.
뿌미가 어떤 글자를 만들까요?
글자 스티커를 찾아서 붙이고 큰 소리로 읽어봐요.

1

2

라 랴 러 려

3

ㅁ

보 뵤 부 뷰 브 비

로 료 루 류 르 리

2 + 3

(스티커를 붙여주세요)

1 2 + 3

(스티커를 붙여주세요)

글자를 착착착!

뿌미가 글자에 'ㅁ(미음)' 받침을 붙여서 글자를 만들어요.
뿌미가 어떤 글자를 만들까요? 글자 스티커를 찾아서 붙이고 큰 소리로 읽어봐요.

1
소
쇼
수
슈
스
시
2
ㅁ
1+2
(스티커를 붙여주세요)
토
툐
투
튜
트
티
1+2 3 4+5
(스티커를 붙여주세요)

24화 엄마

야호 놀이터

야호의 심부름

야호가 심부름을 가요.
이름에 'ㅁ(미음)' 받침이 있는 물건을 사야 한 대요.
장바구니에 어떤 걸 넣어야 할지 골라서 동그라미를 해요.

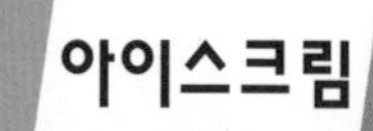

메론

참기름
토마토
솜사탕
호두
참기름
소금
포도
소금
고추
시금치

야호의 일기예보

야호가 일기예보를 해요.
'ㅁ(미음)' 받침이 있는 날씨를 찾아서 동그라미를 해요.

구름

눈

24화 엄마 야호 놀이터

엄마는 멋쟁이

야호가 'ㅁ(미음)'받침 모양의 액세서리를 주었어요.
'ㅁ' 받침이 있는 액세서리 스티커를 붙여서 엄마를 멋쟁이로 꾸며 주어요.

(스티커를 붙여주세요)

24화 엄마 야호 놀이터

우리 엄마

야호에게 우리 엄마를 그림으로 소개해요.
엄마는 무엇을 좋아할까요?

엄마 얼굴

✵ 엄마가 좋아하는 사람

✵ 엄마가 좋아하는 구름

✵ 엄마가 좋아하는 아이스크림

24화 엄마 야호 놀이터

야호의 길찾기

야호가 글자를 들고 꼬불꼬불 길을 찾아가요.
중간에 '름'이라고 써 있는 상자를 통과하면 어떤 글자가 될까요?
바른 짝이 되도록 길을 찾아서 선을 그어요.

1 기

2 고

3 보

4 거

5 구

름

름

름

름

름

고름

보름

기름

구름

거름

24화 엄마 야호 놀이터

'ㅁ(미음)' 아이스크림

아이스크림 속에 글자가 숨어 있어요.
아이스크림을 다 먹으면 어떤 글자가 나올까요?
숨어 있는 글자를 찾아서 색칠해요.

림

달콤한 솜사탕

야호가 솜사탕을 만들어 준대요.
어떤 솜사탕이 먹고 싶나요?
예쁘게 색칠해서 꾸며요.

솜사탕

24화 엄마 야호 놀이터

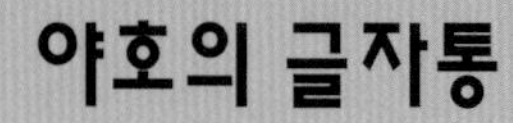

야호의 글자통

야호와 함께 그림에 맞는 글자를 찾아서 동그라미를 해요.

솜사탕
오줌
바람
구름
구릉
기름

24화 엄마

야호 놀이터

야호는 오줌싸개

야호가 이불에 오줌을 쌌어요.
키를 쓰고 무엇을 얻으러 가야 할까요?
골라서 동그라미를 해요.

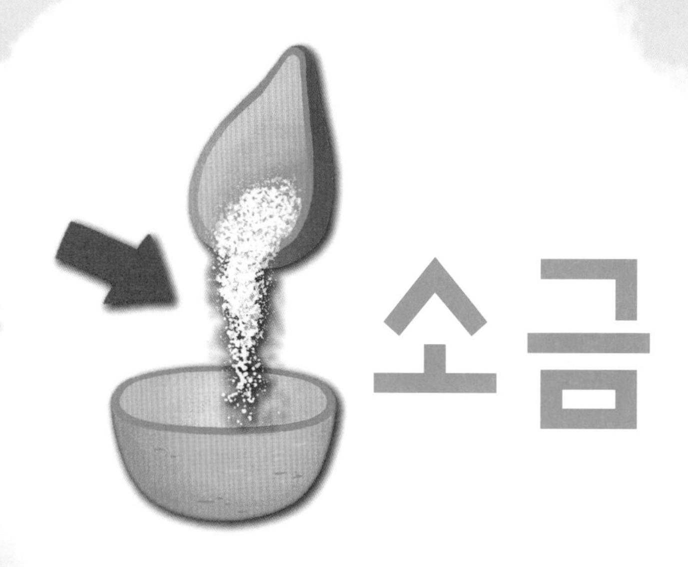

후추

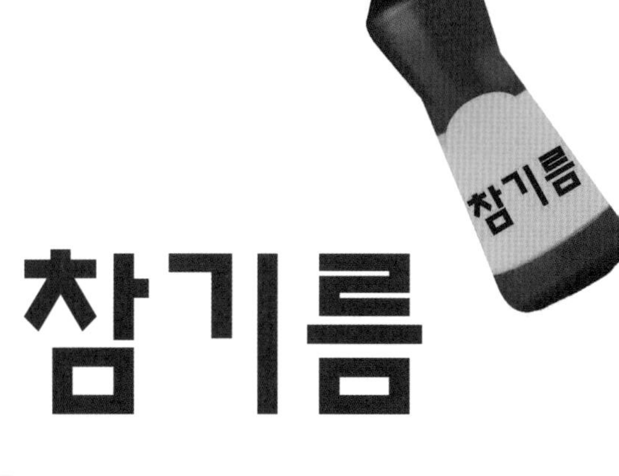

참기름

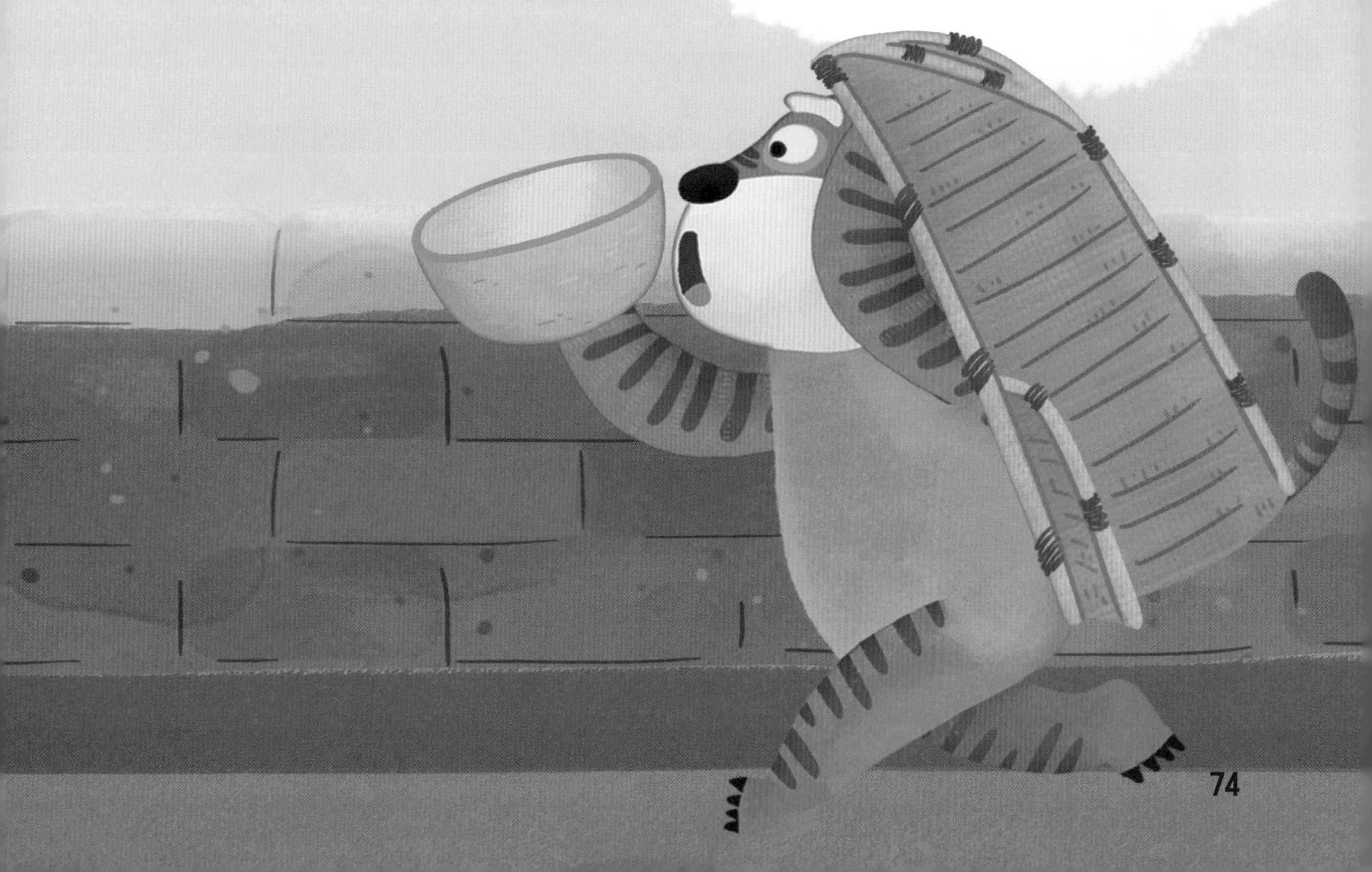

순서대로 쓰기!

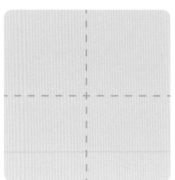

획순에 맞춰서 받침 글자가 있는 글자를 써봐요.

쓰는 순서

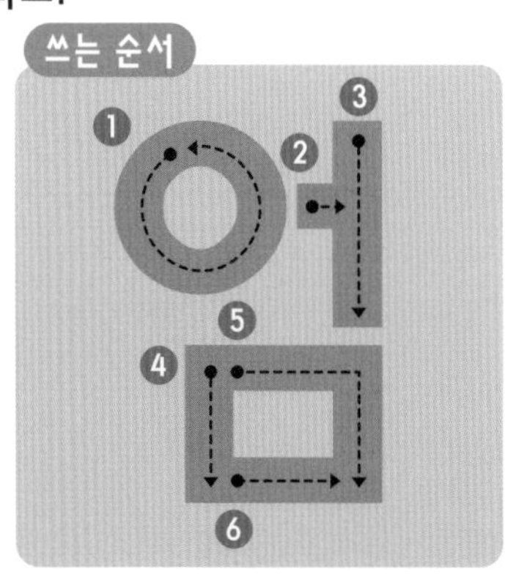

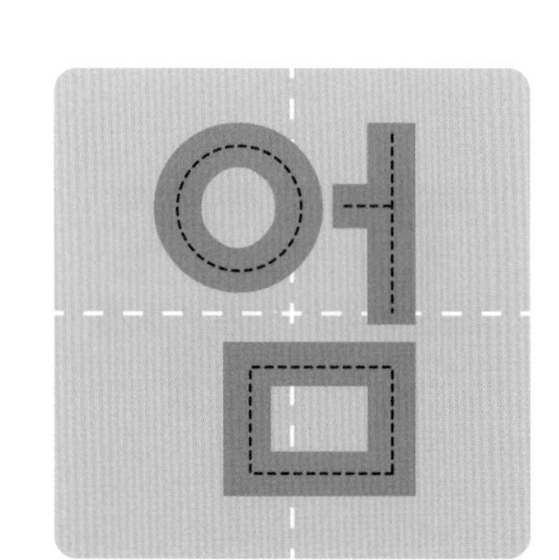

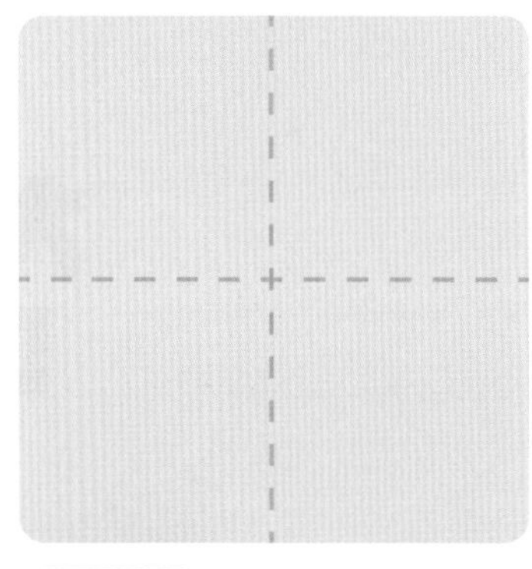

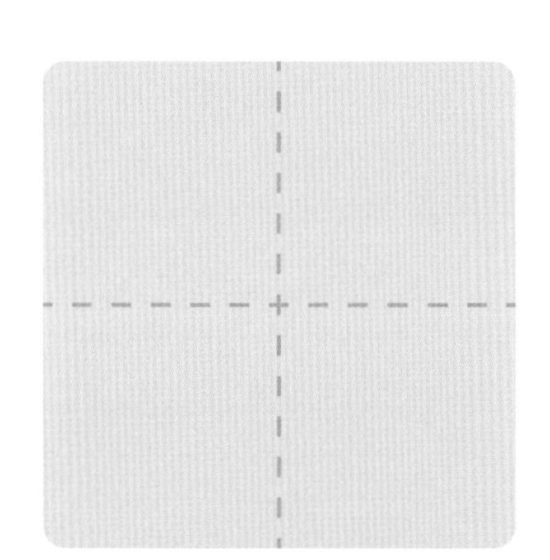

쓰는 순서

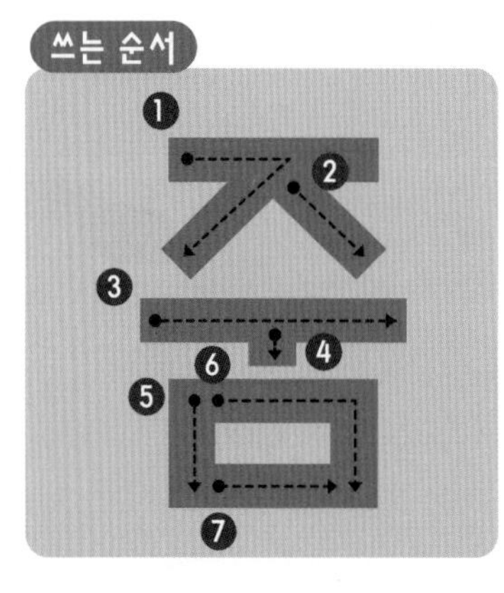

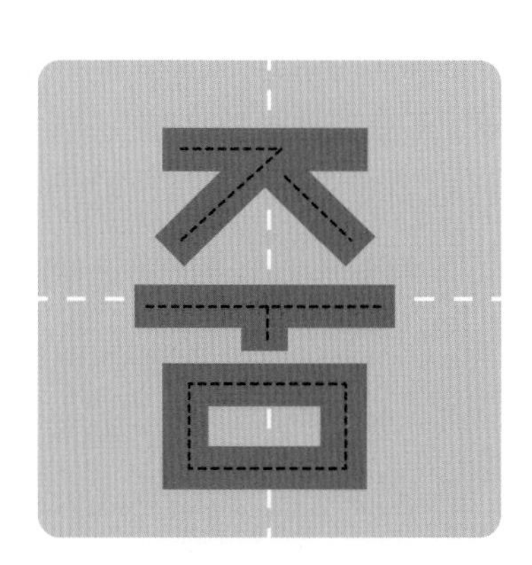

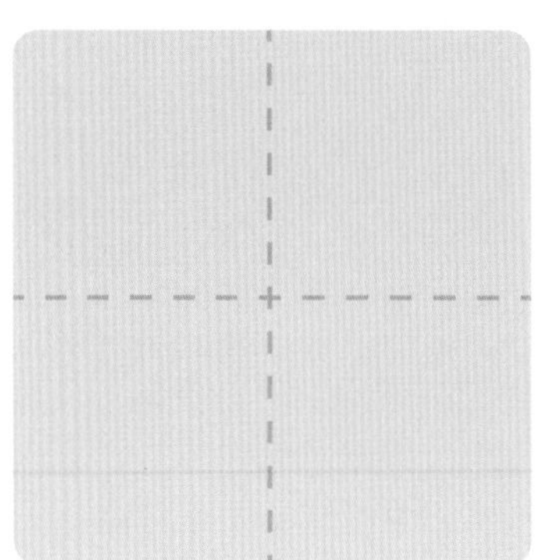

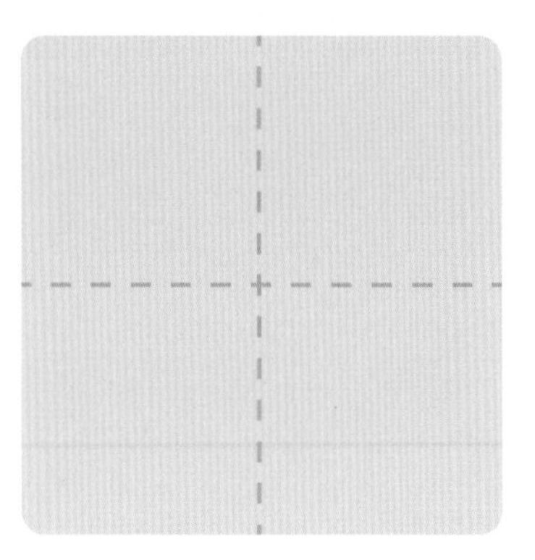

순서대로 쓰기!

획순에 맞춰서 받침 글자가 있는 글자를 써봐요.

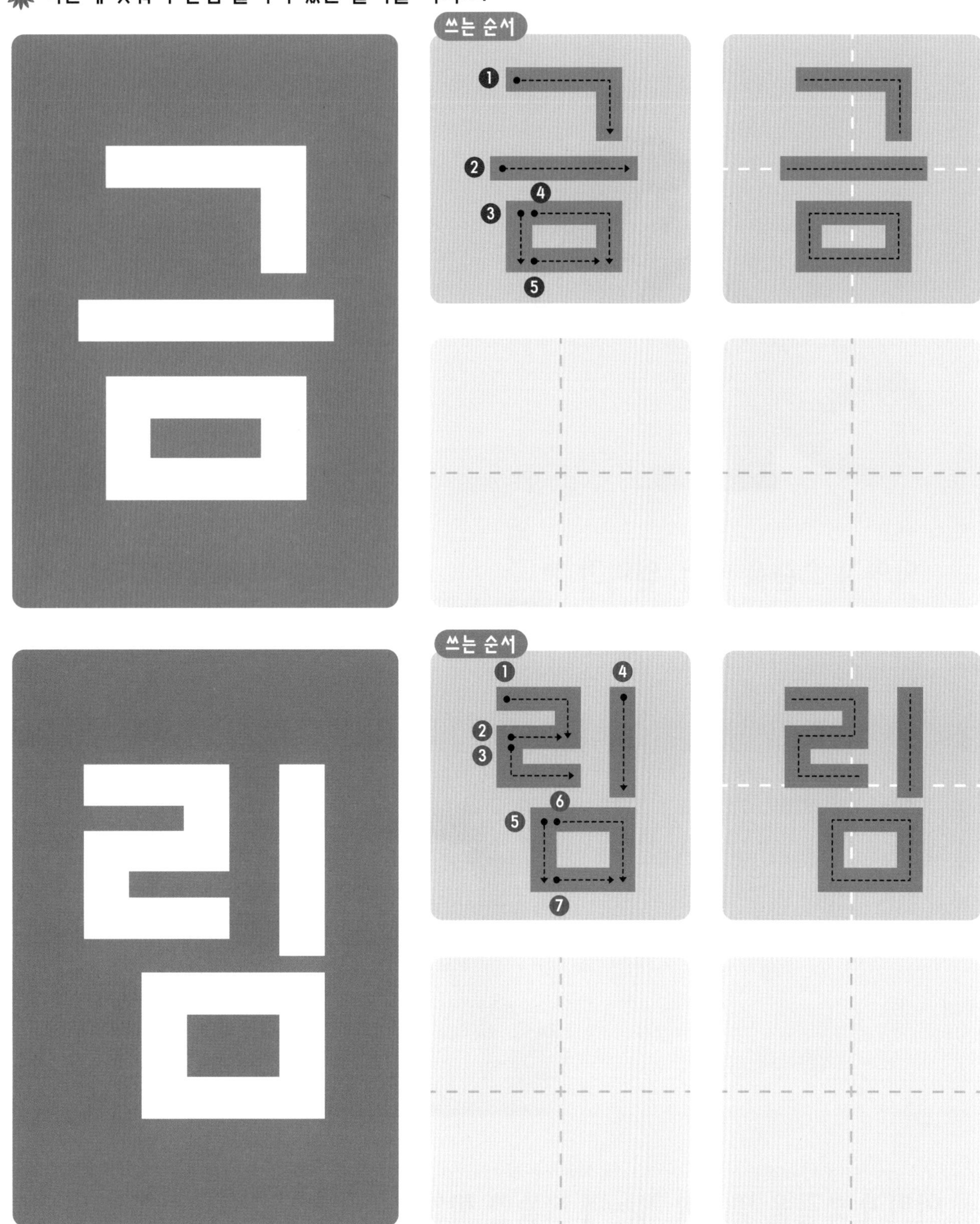

24화 엄마

쓰기 놀이터

한글이의 작은 그림책

그림책을 또박또박 읽고 빈 자리에 맞는 글자를 써서 그림책을 완성해봐요.

아이가 오줌을 싸서, 엄마가  소금 을 얻어 오라고 하셨어.

아이가 소금을 얻으러 가는데 하늘엔 하얀  구름 이 흘러갔어.

구름이 꼭 솜사탕 같아. 구름이 꼭 아이스크림 같아.

구름이 꼭 감자 같아.

바람 이 솔솔 불어와 아이는 잠이 들었지.

24화 엄마

쓰기 놀이터

아이가 [잠] 에서 깼을 때 비바람이 불었어.

아이는 무서워서 덜덜 떨었어.

그 때, 다정한 [엄마] 목소리가 들렸어.

"얘야, 얘야. 감기 들라. 집으로 가자."

아이는 엄마 가 세상에서 제일 좋았어.

“ 엄마 ,  사랑 해요.”

한글이 야호 2

그림자

그림자 표범

고슴도치

염소 잠자리

사슴

차 례

25화 <그림자>편

25화 그림자

글자를 착착착!

뿌미가 글자에 'ㅁ(미음)' 받침을 붙여서 글자를 만들어요.
뿌미가 어떤 글자를 만들까요? 글자 스티커를 찾아서 붙이고 큰 소리로 읽어봐요.

2
소
쇼
수
슈
스
시
3
ㅁ
2 + 3
(스티커를 붙여주세요)

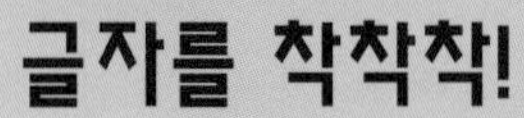

글자를 착착착!

뿌미가 글자에 'ㅁ(미음)' 받침을 붙여서 글자를 만들어요.
뿌미가 어떤 글자를 만들까요? 글자 스티커를 찾아서 붙이고 큰 소리로 읽어봐요.

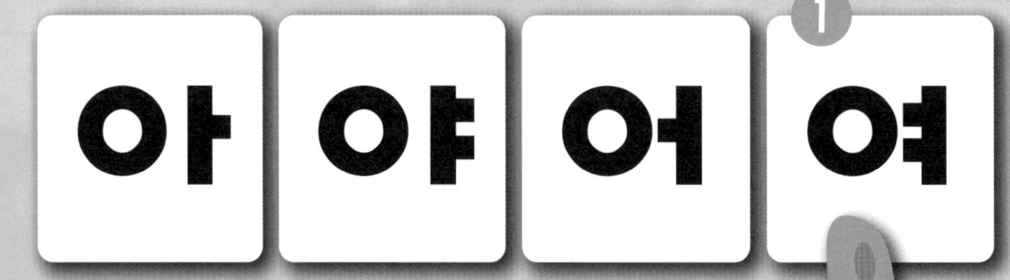

(스티커를 붙여주세요)

사 샤 서 셔

오 요 우 유 으 이
1 + 2 3
(스티커를 붙여주세요)
3
소 쇼 수 슈 스 시

25화 그림자

뿌미 놀이터

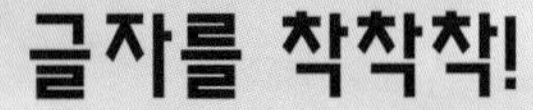

글자를 착착착!

뿌미가 글자에 ‘ㅁ(미음)’ 받침을 붙여서 글자를 만들어요.
뿌미가 어떤 글자를 만들까요? 글자 스티커를 찾아서 붙이고 큰 소리로 읽어봐요.

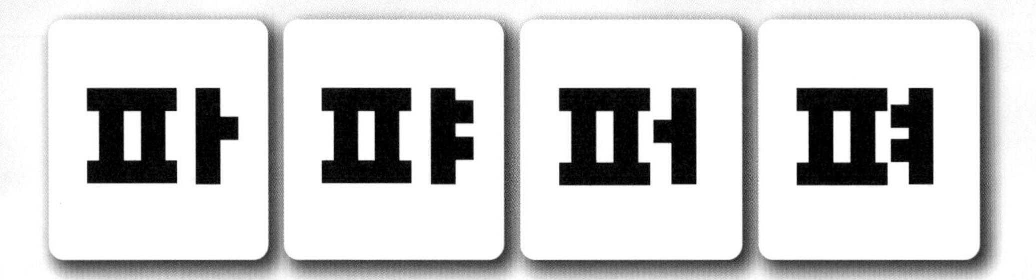

(스티커를 붙여주세요)

1
포 표 푸 퓨 프 피
1 2+3
(스티커를 붙여주세요)
보 뵤 부 뷰 브 비

25화 그림자

글자를 착착착!

뿌미가 글자에 'ㅁ(미음)' 받침을 붙여서 글자를 만들어요.
뿌미가 어떤 글자를 만들까요? 글자 스티커를 찾아서 붙이고 큰 소리로 읽어봐요.

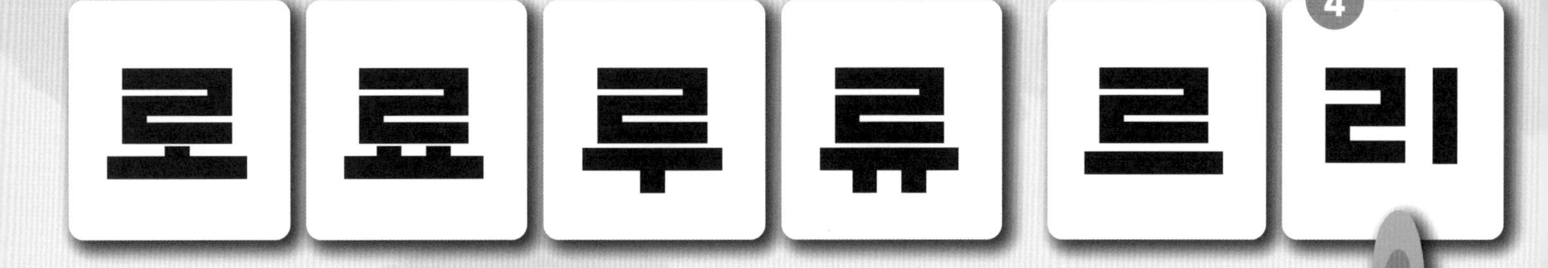

1 + 2 3 4

(스티커를 붙여주세요)

조 죠 주 쥬 즈 지

25화 그림자

글자를 착착착!

뿌미가 글자에 'ㅁ(미음)' 받침을 붙여서 글자를 만들어요.
뿌미가 어떤 글자를 만들까요? 글자 스티커를 찾아서 붙이고 큰 소리로 읽어봐요.

라 랴 러 려
로 료 루 류 르 리
2
3
ㅁ
2 + 3
(스티커를 붙여주세요)
4
자 쟈 저 져
조 죠 주 쥬 즈 지

25화 그림자 뿌미 놀이터

글자를 착착착!

뿌미가 글자에 'ㅁ(미음)' 받침을 붙여서 글자를 만들어요.
뿌미가 어떤 글자를 만들까요? 글자 스티커를 찾아서 붙이고 큰 소리로 읽어봐요.

사 샤 서 셔

소 쇼 수 슈 ②스 시

③ㅁ

②+③

(스티커를 붙여주세요)

가 갸 거 겨

①고 교 구 규 그 기

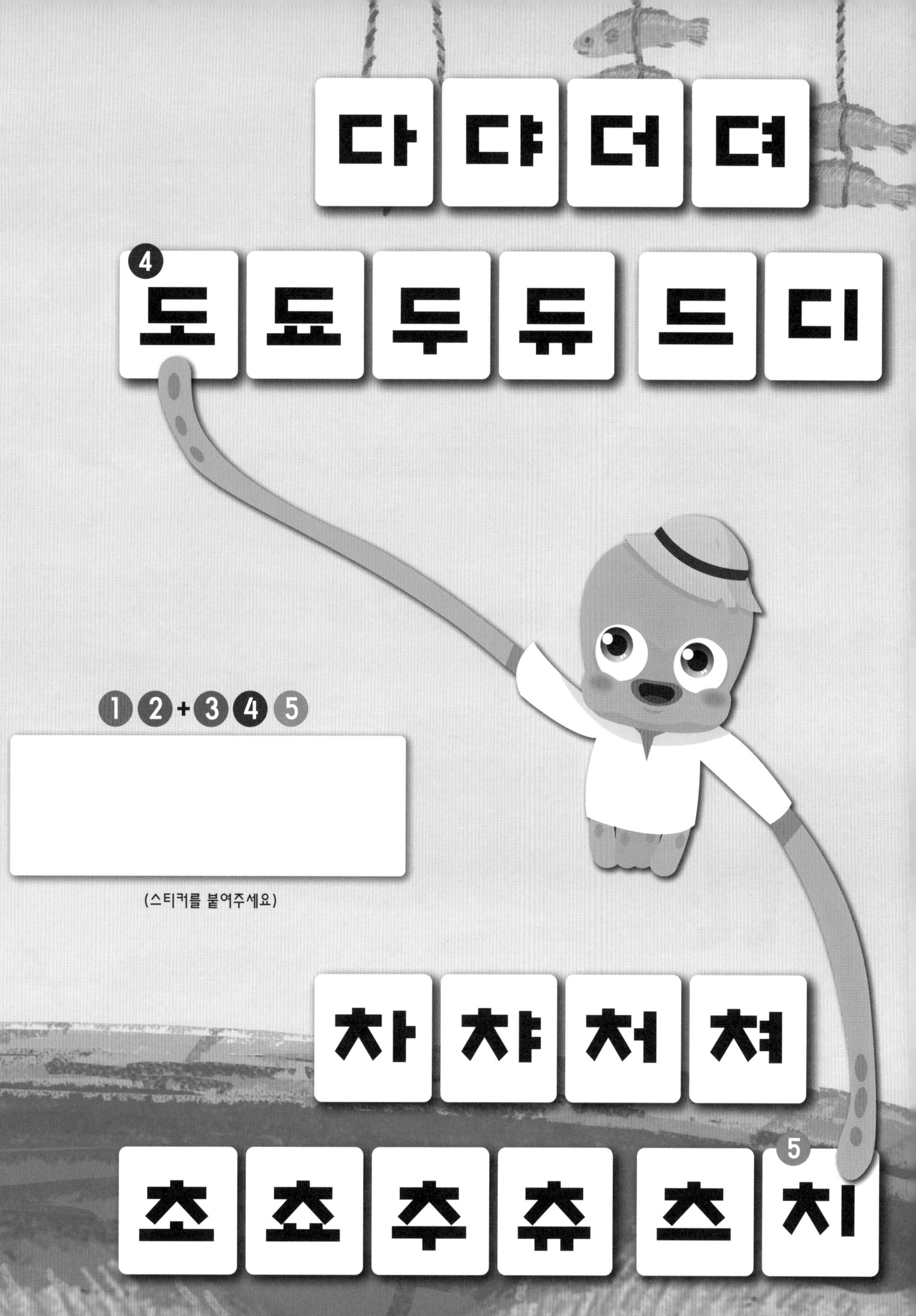
다 댜 더 뎌
4
도 됴 두 듀 드 디
1 2 + 3 4 5
(스티커를 붙여주세요)
차 챠 처 쳐
5
초 쵸 추 츄 츠 치

끼리 끼리

그림에 맞는 글자 짝을 찾아 줄을 그어요.

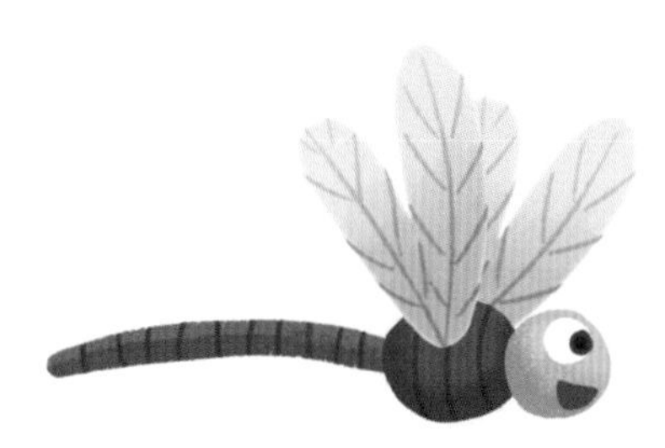

그림자

잠자리

고슴도치

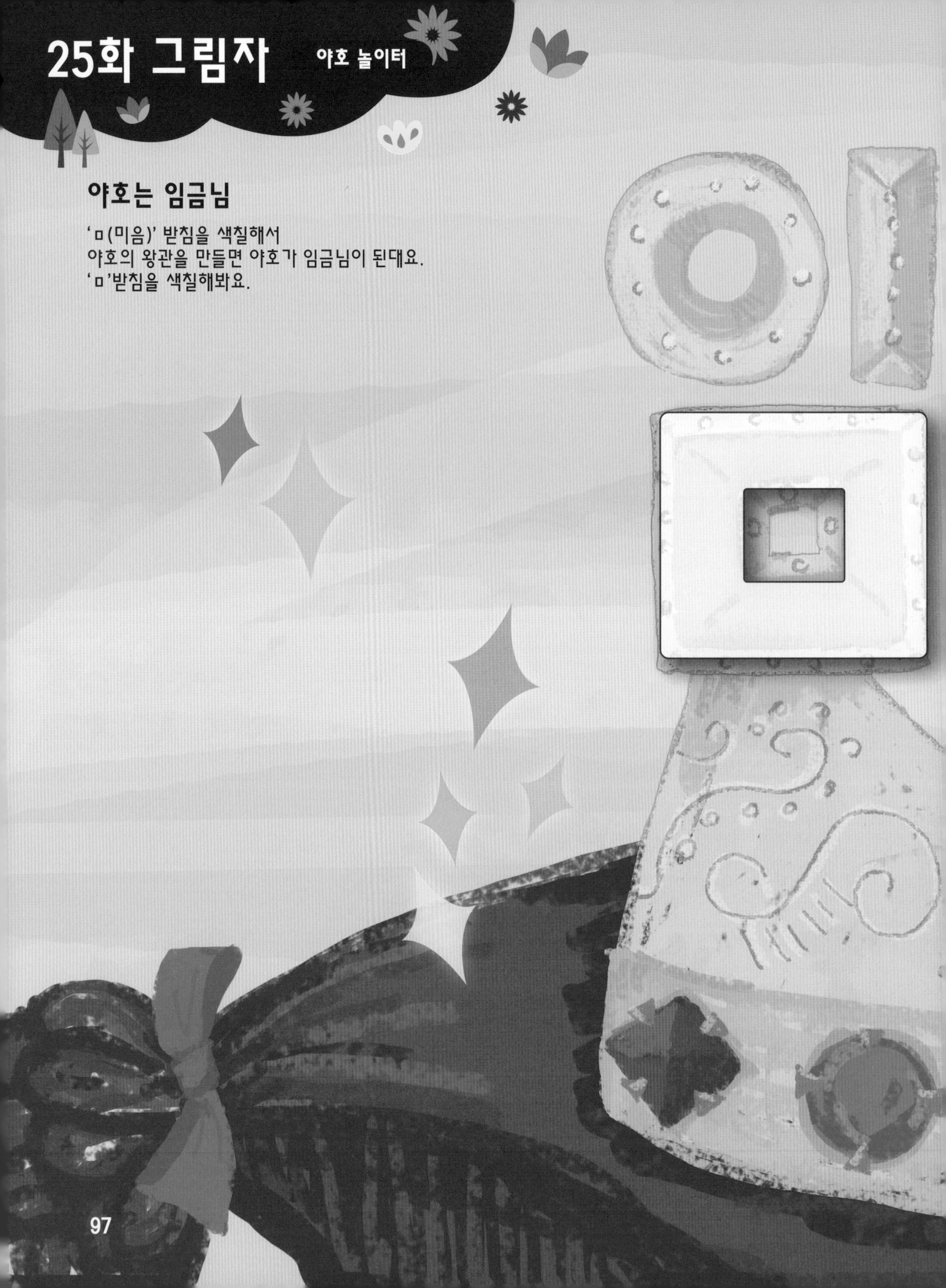

25화 그림자

야호 놀이터

야호는 임금님

'ㅁ(미음)' 받침을 색칠해서
야호의 왕관을 만들면 야호가 임금님이 된대요.
'ㅁ'받침을 색칠해봐요.

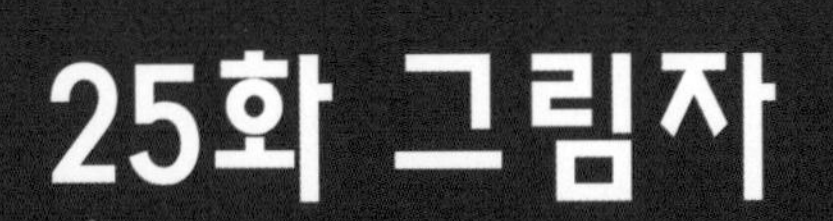

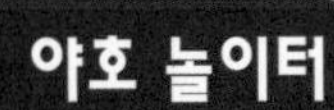

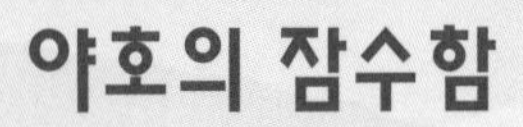

야호가 'ㅁ(미음)'잠수함을 타고 바다속을 여행해요.
잠수함 이름 글자를 색칠해봐요.

하

25화 그림자

야호 놀이터

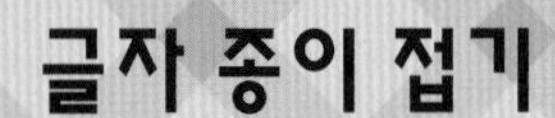

글자 종이 접기

야호가 글자 색종이를 찾아냈어요.
접혀진 종이를 펼치니까 'ㅁ'받침이 나타났어요. 완성된 글자나 그림 스티커를 찾아 붙여요.

기치

기치

ㅁ

사라

사라

ㅁ

(스티커를 붙여주세요)

(스티커를 붙여주세요)

고드르
이그니
고드르
ㅁ
이그니
ㅁ ㅁ ㅁ
(스티커를 붙여주세요)
(스티커를 붙여주세요)

25화 그림자

야호 놀이터

글자를 뽑아요.

'ㅁ'받침이 들어간 글자들이예요.
그림과 맞는 글자는 어느 것일까요?
동그라미를 해요.

금리자

그림자

그리잠

사마귀

순서대로 쓰기!

획순에 맞춰 글자를 따라써요.

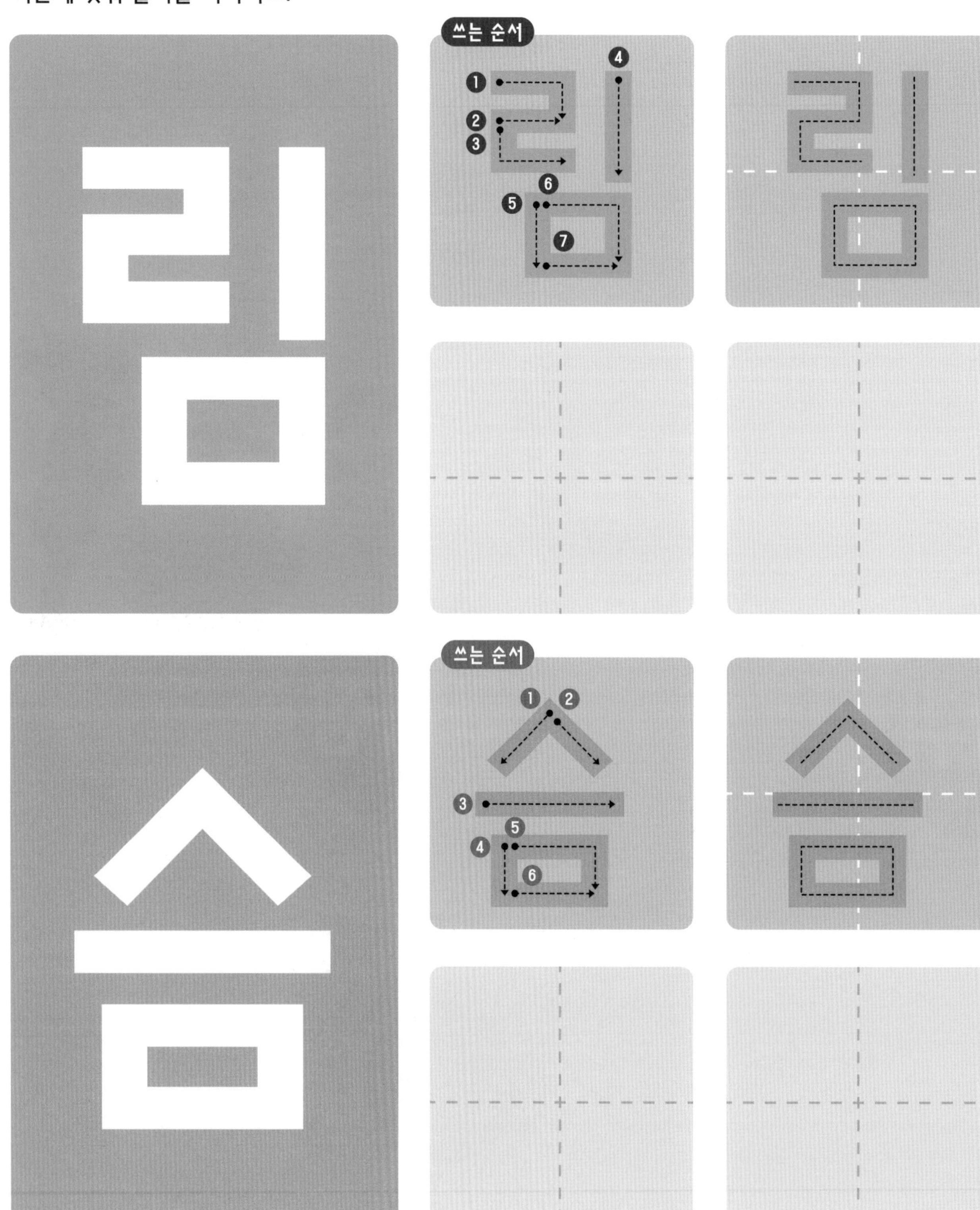

순서대로 쓰기!

✹ 획순에 맞춰 글자를 따라써요.

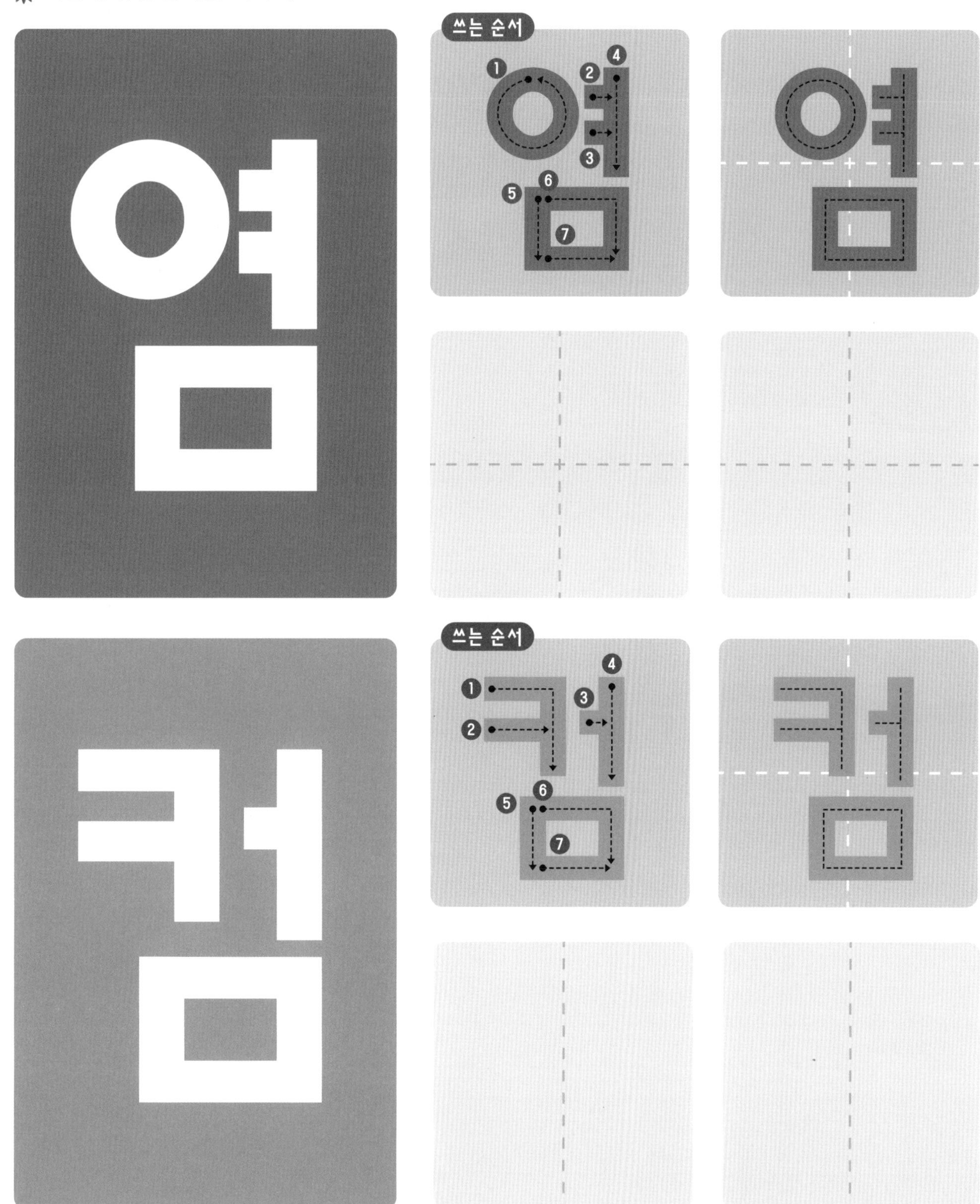

25화 그림자

쓰기 놀이터

과자 먹기 달리기

동물들이 달리기를 해요.
그림을 보고 시상대에 맞게 올라가도록 이름을 써 주세요.

3
4

한글이의 작은 그림책

그림책을 또박또박 읽고 빈 자리에 맞는 글자를 써서 그림책을 완성해봐요.

 표범 이 힘이 세다고 자랑을 했어.

어느 달빛 비치는 날에 표범은  그림자 를 보았어.

뾰족뾰족 가시 달린 그림자는  고슴도치 그림자.

뿔이 달린 그림자는   염소 그림자.

25화 그림자 쓰기 놀이터

큰 비행기 그림자인줄 알았더니  잠자리 그림자.

그림자 때문에 놀란 표범은 약이 올랐어.

"다시는  그림자 에 속지 말아야지."

그런데 괴물같은 그림자를 또 만난 거야.

 표범 은 걸음아 살려라 도망을 갔지.

표범을 놀라게 한 건 정말 괴물의   그림자 였을까?

6권 몸

6권 엄마

6권 그림자

워크북 스티커

페이지 9~10

페이지 15~24

감 곰 남 냠 님

잠 점 짐 참 춤

침 몸 밤 힘

페이지 31~32

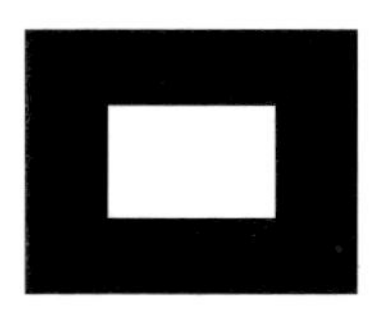

페이지 33~34

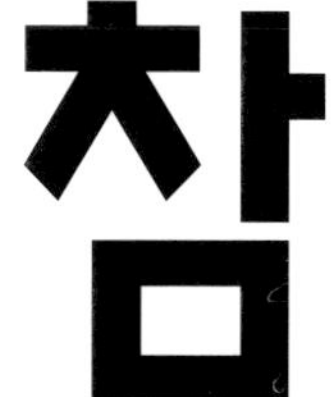

페이지 35~36

페이지 45~56

엄 엄마 금 소금

감 감자 줌 오줌

람 바람 솜 탕

솜사탕

페이지 61~62

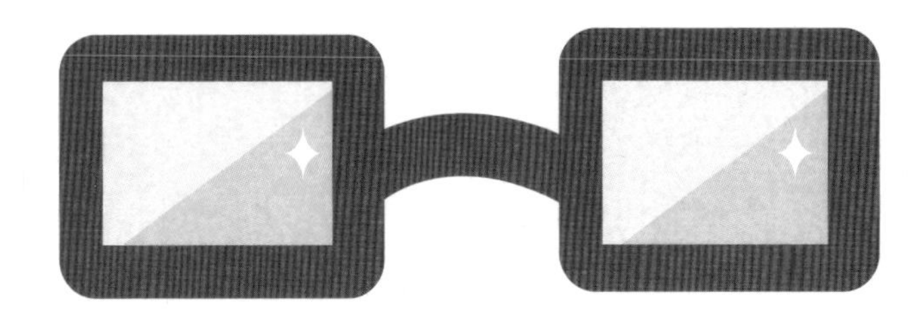

페이지 83~94

슴 사슴 염 염소

범 표범 잠 잠자리

림 그림자

슴 고슴도치

페이지 101~102

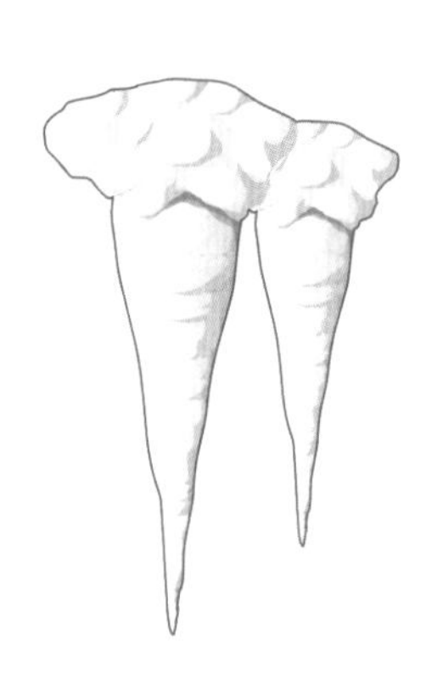

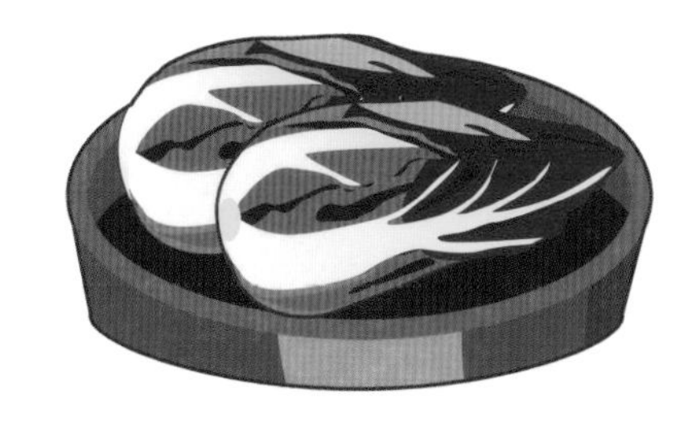

재미있는 유아수학 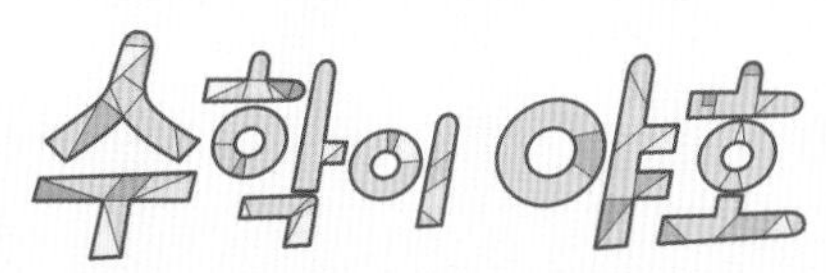

「 수학이 야호 」는 유아들이 생활 속에서 접하기 쉬운 수학적 경험을 통해 어려운 수학 개념을 재미있고 자연스럽게 익힐 수 있도록 도와줍니다.
「 수학이 야호 」는 유아기의 발달 특성에 맞춰 애니메이션, 노래와 놀이로 구성하여 유아들의 호기심을 사고력과 창의력 발달로 이어주는 징검다리가 될 것입니다.

우리 아이를 위한 수학 즐기기 프로젝트!

「EBS 수학이 야호」 워크북으로 매일매일 수학 놀이해요!

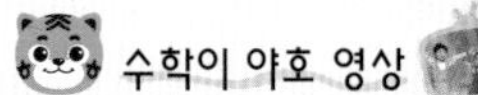
수학이 야호 영상 을 통해 재미있는 수학을 만나요.

흥미진진한 수학동화 그림책  을 보며
수학 개념을 익혀요.

영상과 그림책에서 만난 수학 개념을
워크북 의 다양한 응용 문제 풀이와
놀이 활동을 통해 익히고, 수학적 사고력을 키웁니다.

한글이 야호 2

몸 / 엄마 / 그림자

1. 제조자명 : EBS 미디어 (주)
2. 주 소 : 서울특별시 마포구 토정로 222 한국출판콘텐츠센터 4층
3. 전화번호 : 02-529-5566
4. 제조년월 : 2024년 5월 8일
5. 제조국명 : 한국
6. 사용연령 : 4세 이상
7. 주의사항 : 용도 외 사용하지 마세요. 불에 가까이하지 마세요.

값 6,900원

74710

9 791158 591762

ISBN 979-11-5859-176-2
ISBN 979-11-5859-183-0 (세트)

▢▢▢▢의

한글이 야호 2 쓰기 놀이터

받침글자 몸 | 엄마 | 그림자

한글이아빠 지음

6권

몸
엄마
그림자

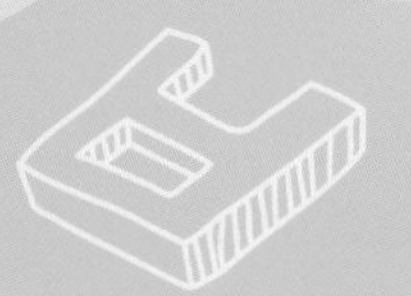

한글이 야호 2 받침글자

쓰기 놀이터 학습 진도표

1권	2권	3권	4권	5권	6권	7권	8권	9권	10권	11권	12권
기본음절				받침글자					쌍자음 · 이중모음		

	회차	학습 내용	쓰기 연습 단어
5권	20회 : 공	받침 'ㅇ'의 활용	공, 콩, 창, 병, 총, 강, 성, 상, 방, 장, 종, 징, 양, 용, 도형
	21회 : 콩콩콩 쿵쿵쿵	받침 'ㅇ' / 의태어와 의성어	딩동, 붕붕, 엉엉, 동동동, 둥둥둥, 콩콩콩, 쿵쿵쿵, 팅팅팅, 퉁퉁퉁
	22회 : 퐁당 퐁당	받침 'ㅇ' / 동물	퐁당퐁당, 풍덩, 병아리, 고양이, 강아지, 송아지, 망아지, 호랑이, 멍멍, 어흥, 히힝, 야옹, 간장, 공장, 손등
6권	23회 : 몸	받침 'ㅁ'의 활용	봄, 밤, 감, 곰, 춤, 잠, 몸, 힘, 짐, 담, 김, 솜, 섬, 금, 점, 삼
	24회 : 엄마	받침 'ㅁ' / 확장	엄마, 소금, 구름, 솜사탕, 아이스크림, 감자, 바람, 시금치, 남자, 침대, 참기름, 밤하늘, 남색
	25회 : 그림자	받침 'ㅁ'의 동물	사슴, 염소, 표범, 잠자리, 고슴도치, 그림자, 잠수함, 사람, 임금님, 고드름, 음표
7권	26회 : 신비한 손	받침 'ㄴ'의 활용	손, 눈, 연, 돈, 눈, 산, 선, 핀, 반, 천, 문, 은, 간, 잔
	27회 : 편지요, 편지	받침 'ㄴ'의 활용	인사, 편지, 기린, 주전자, 우산, 만두, 라면, 인어, 사진, 친구
	28회 : 눈사람 자전거	받침 'ㄴ'의 확장	눈사람, 삼촌, 풍선, 당근, 안경, 단추, 자전거, 눈송이, 핸드폰, 고무신, 천사, 선녀, 난로, 송편, 신발
8권	29회 : 복 주는 북	받침 'ㄱ'의 활용	학, 목, 약, 죽, 박, 북, 복, 국, 먹, 독, 역, 벽
	30회 : 수박 박수	받침 'ㄱ'의 확장	축구, 수박, 박수, 국수, 거북이, 칙칙폭폭, 악수
	31회 : 미운 말, 고운 말	받침 'ㄹ'의 활용	말, 벌, 달, 별, 알, 물, 불, 풀, 귤, 발, 줄, 길
	32회 : 얼굴	바침 'ㄹ'의 확장	얼굴, 마술, 구슬, 거울, 불고기, 불가사리, 물고기, 보름달, 눈물, 미술, 심술마녀, 가을, 겨울
9권	33회 : 바 바 밥 밥집	받침 'ㅂ'의 활용	밥, 입, 집, 톱, 삽
	34회 : 손톱 발톱	받침 'ㅂ'의 확장	손톱, 발톱, 장갑, 입술, 말굽, 지갑
	35회 : 무엇이든 붓	받침 'ㅅ'의 활용	붓, 갓, 낫, 옷, 빗, 못
	36회 : 멋진 빗자루	받침 'ㅅ'의 확장	빗자루, 밧줄, 비옷, 옷걸이, 로봇, 그릇, 젓가락, 깃털
	37회 : 탐험 이야기	받침 글자 복습	탐험, 동굴, 망치, 바닷가, 낙지, 오징어, 공룡, 공주님, 건전지, 털옷, 바늘, 실, 그물

월 일

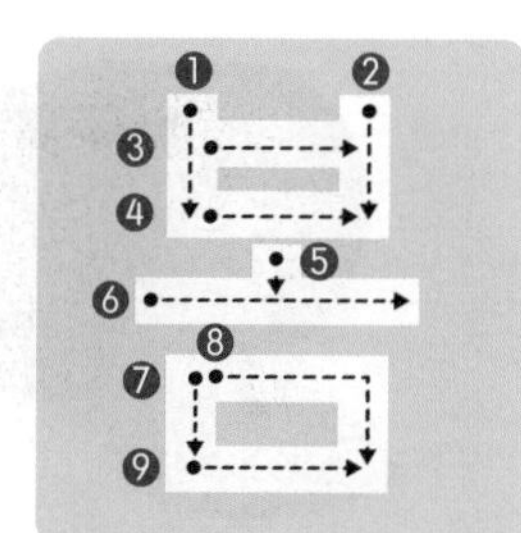

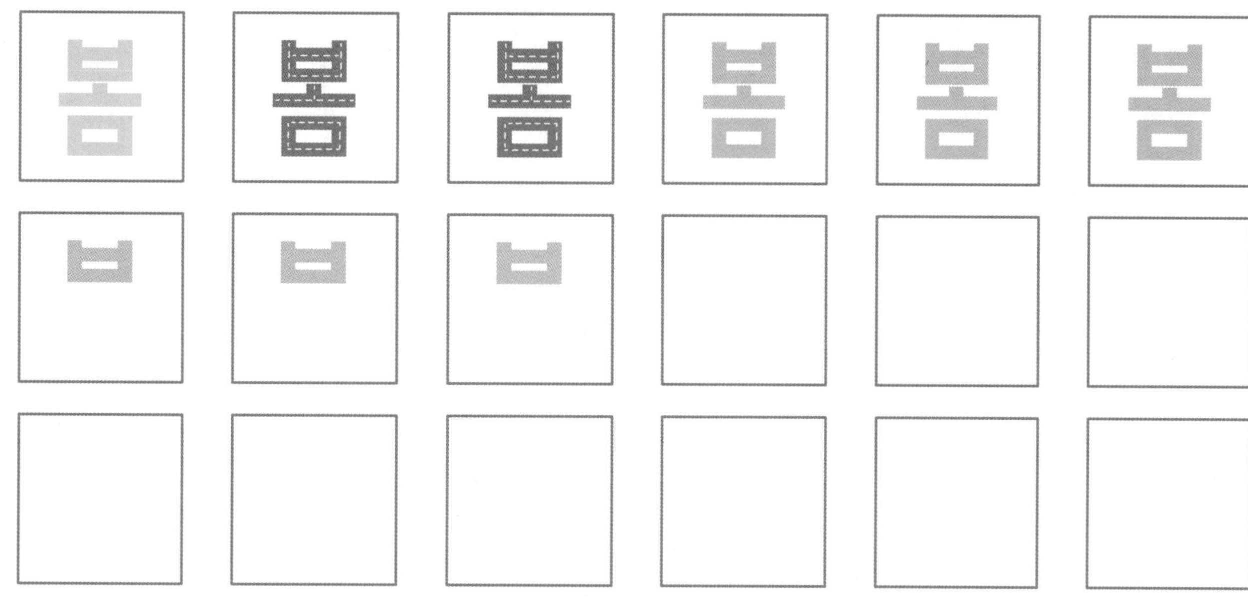

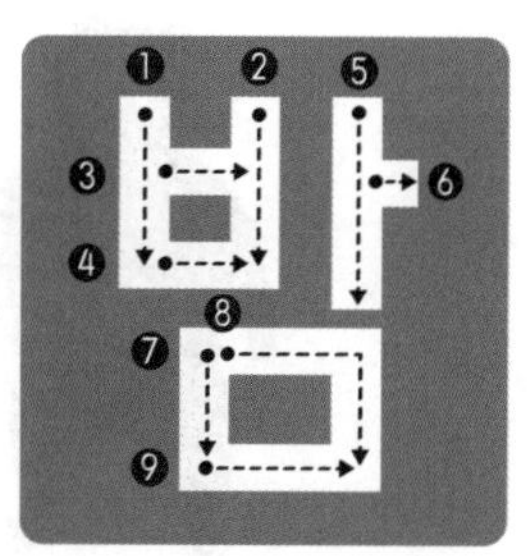

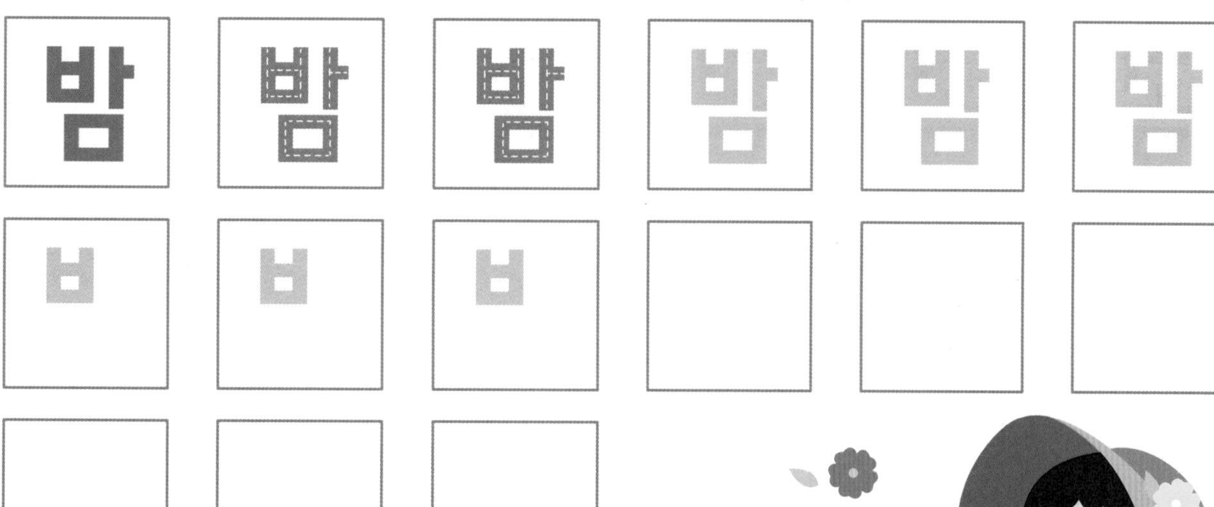

월 일

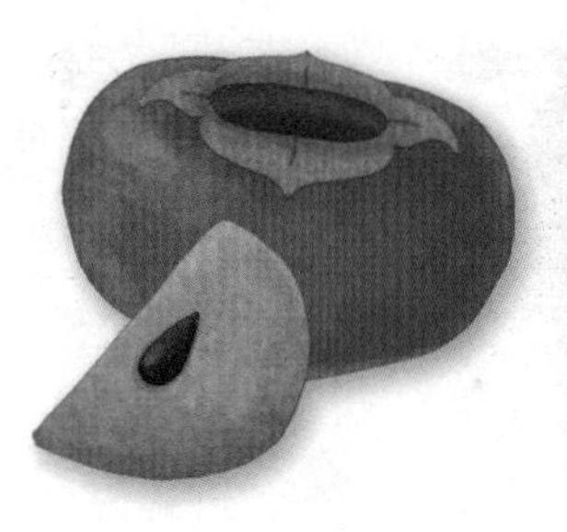

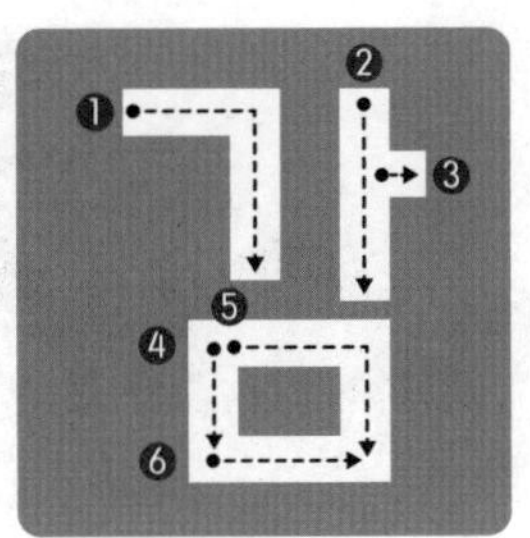

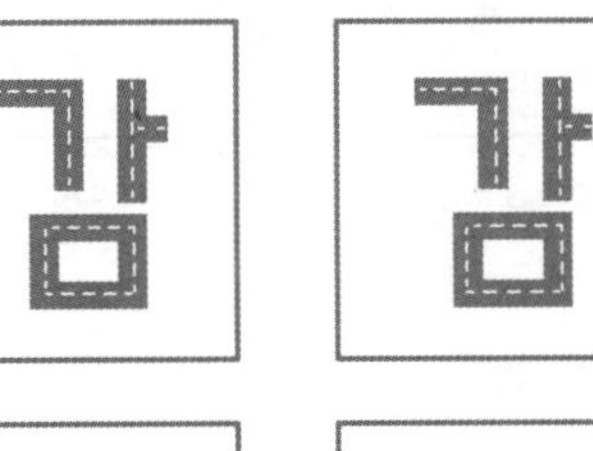

감	감	감	감	감	감
ㄱ	ㄱ	ㄱ			

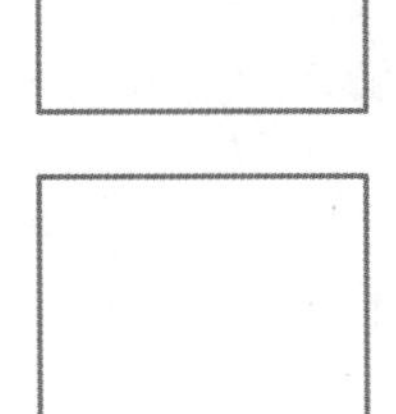
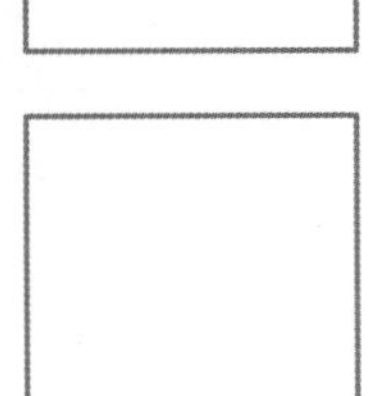
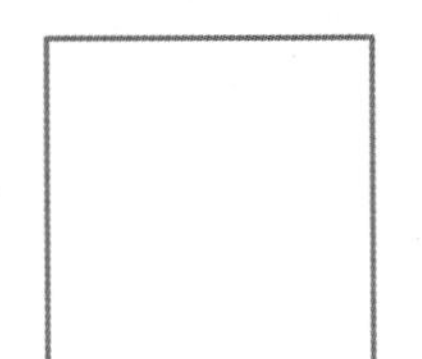

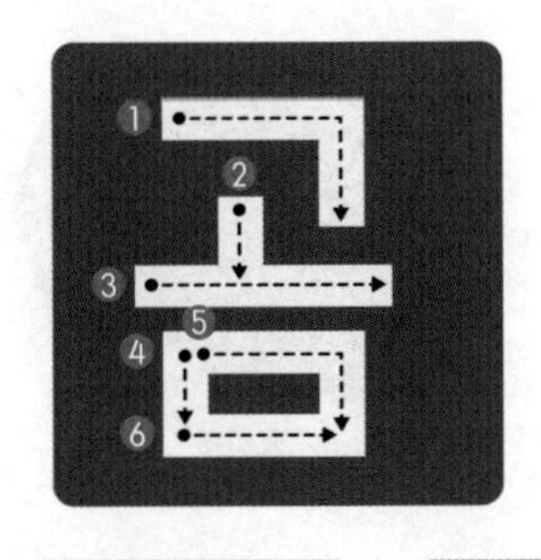

곰	곰	곰	곰	곰	곰
ㄱ	ㄱ	ㄱ			

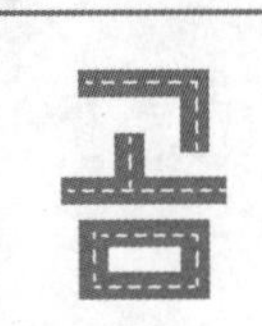

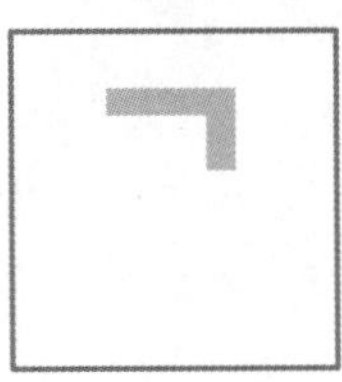

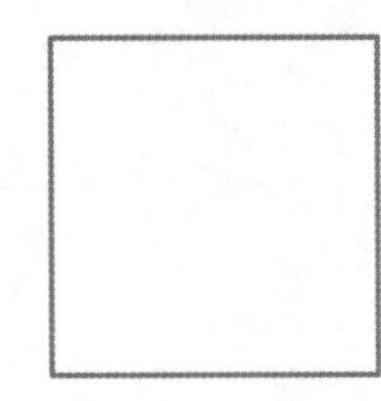
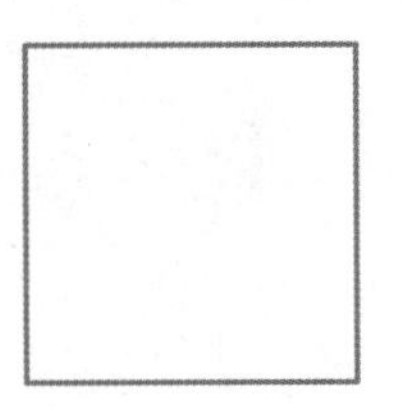

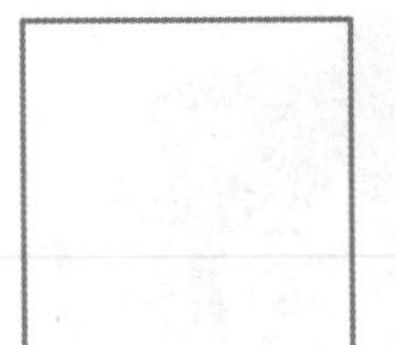

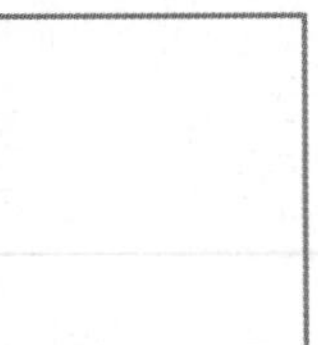

월 일

참 잘했어요!

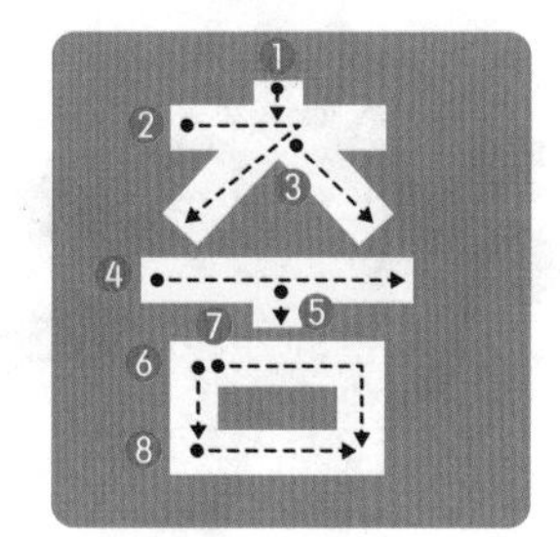

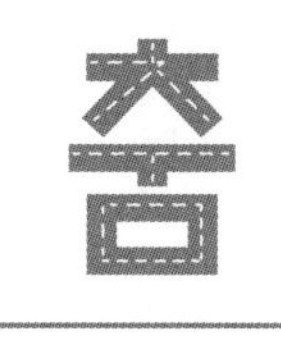

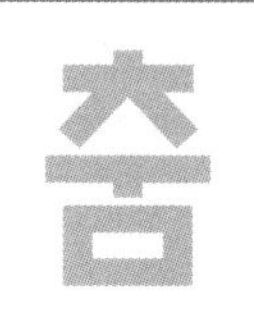

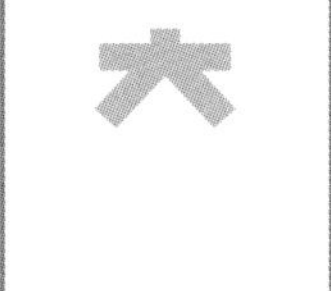

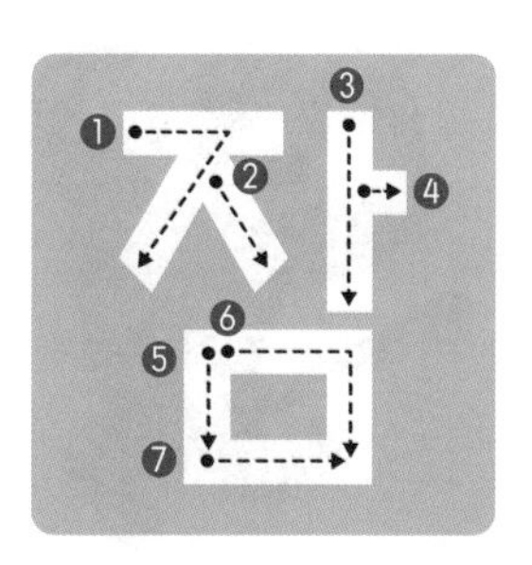

 월  일 

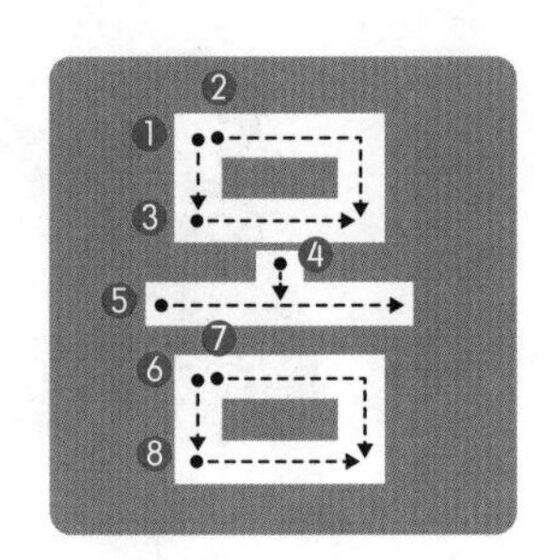

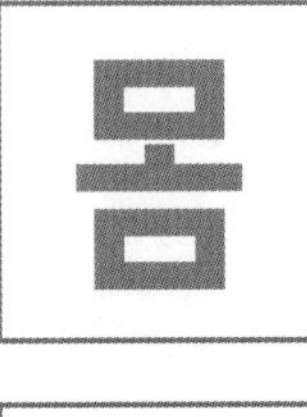

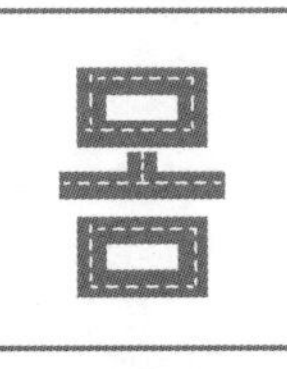

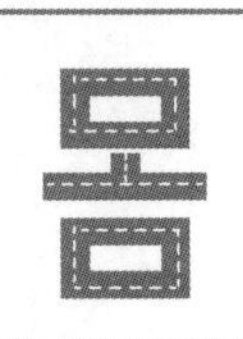

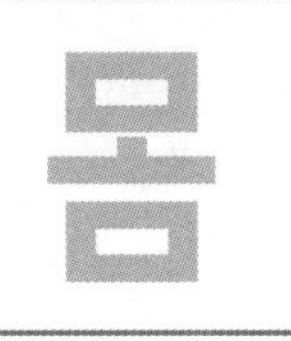

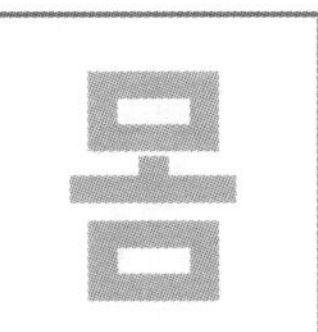

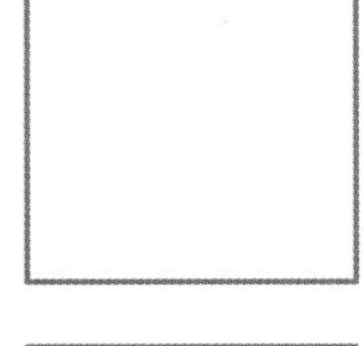

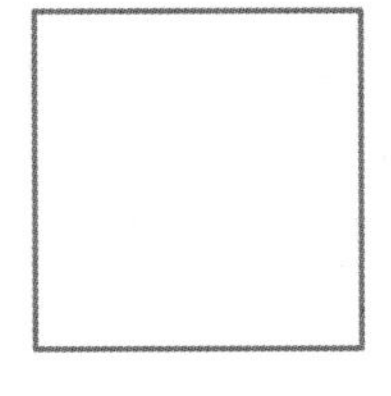

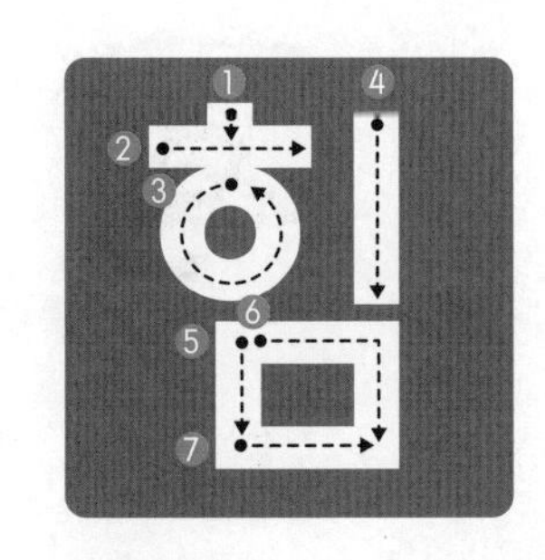

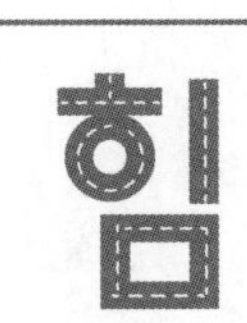

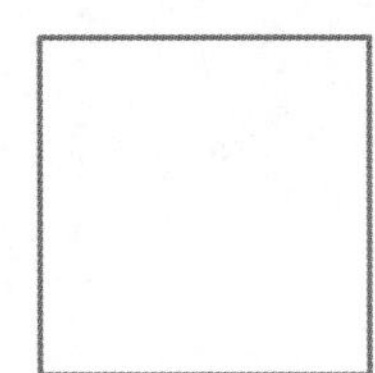
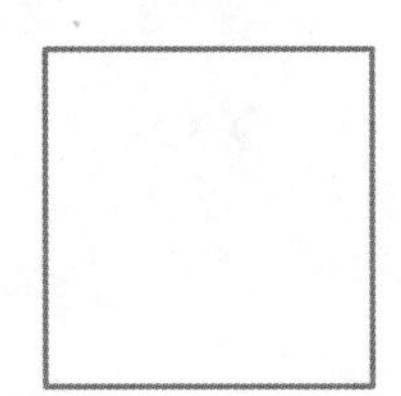

월
일
참 잘했어요!

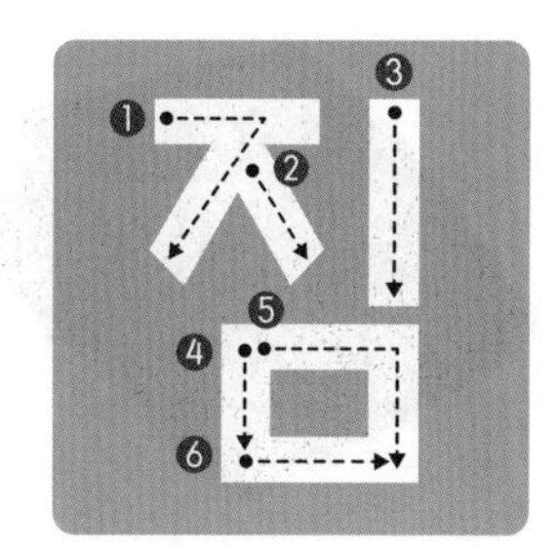

짐

짐

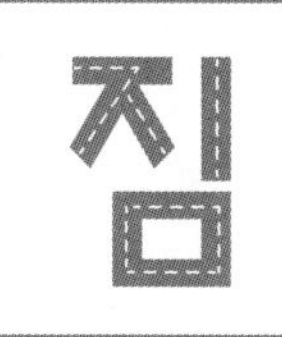

짐

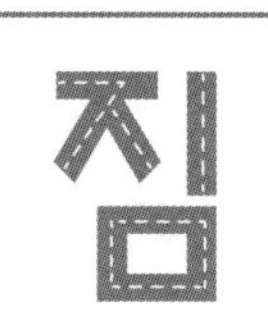

짐

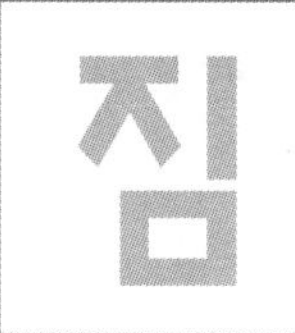

짐

짐

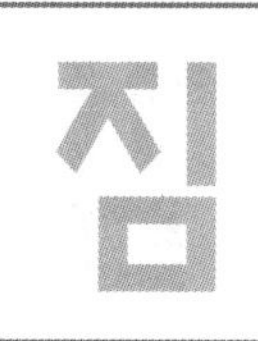

짐

ㅈ

ㅈ

ㅈ

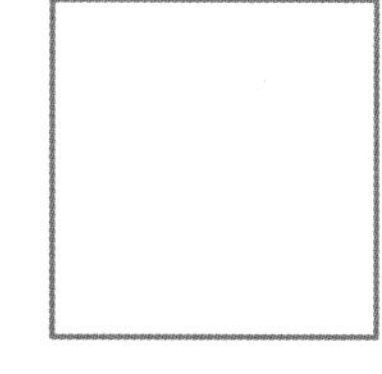
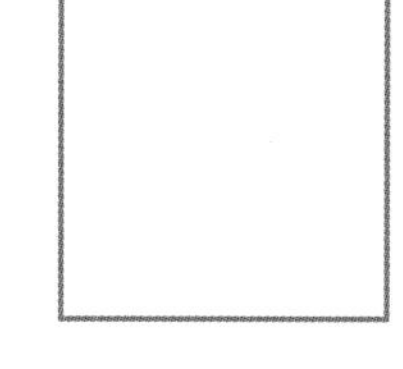

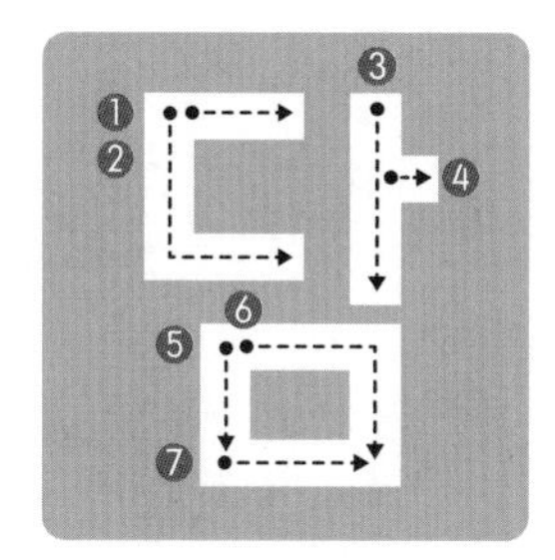

담

담

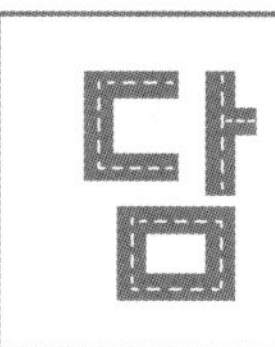

담

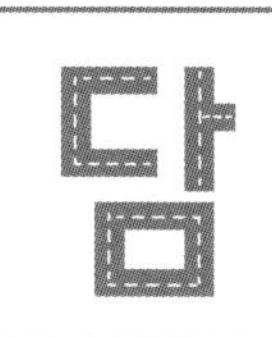

담

담

담

담

ㄷ

ㄷ

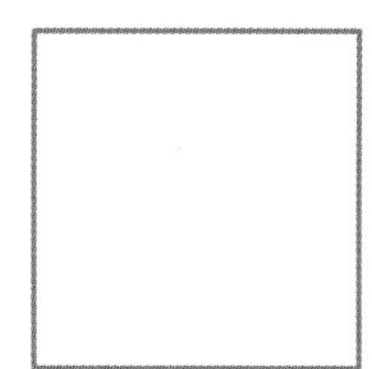

ㄷ

월 일

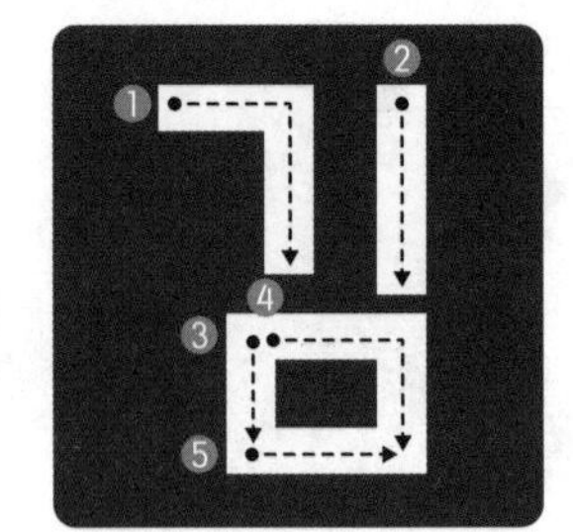

   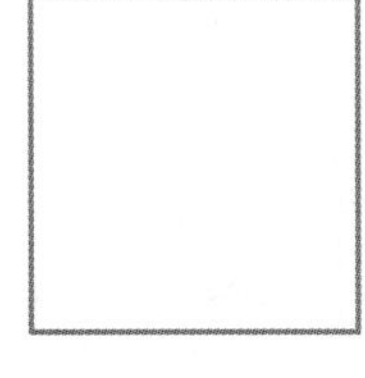  

     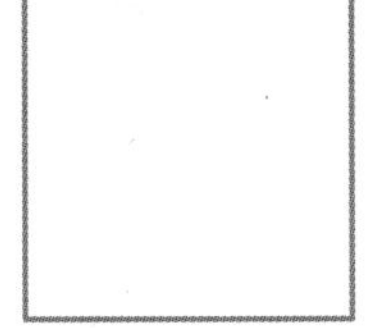

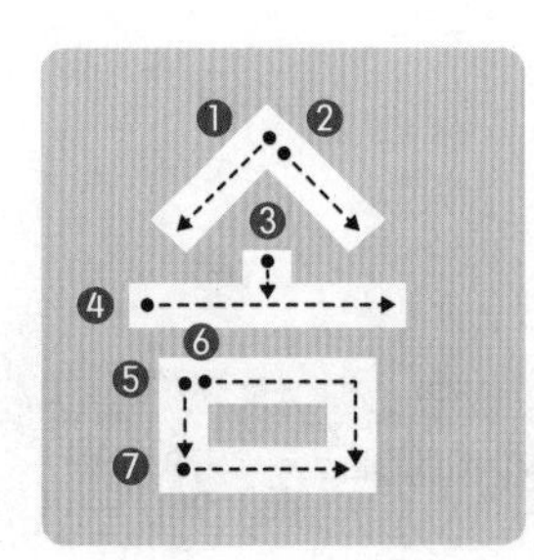

  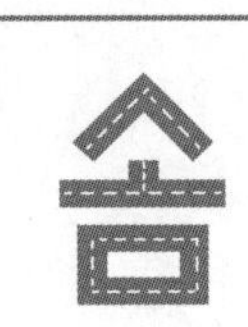   

월
일
참 잘했어요!

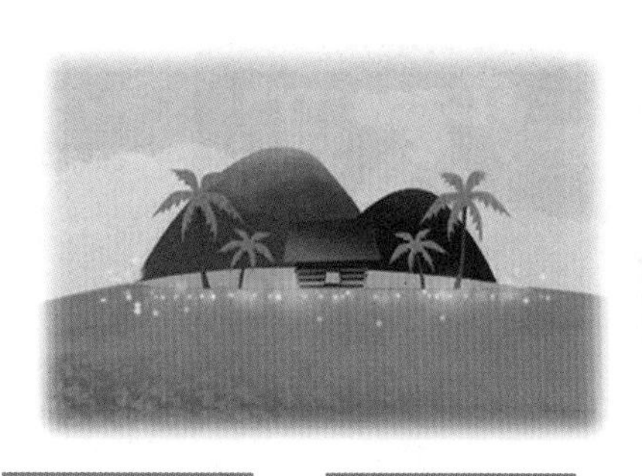

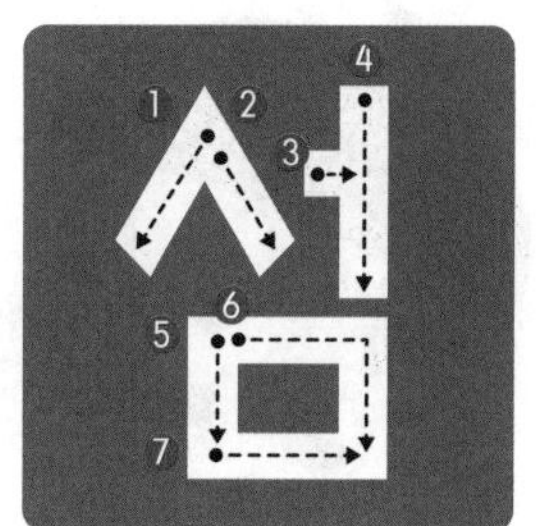
섬

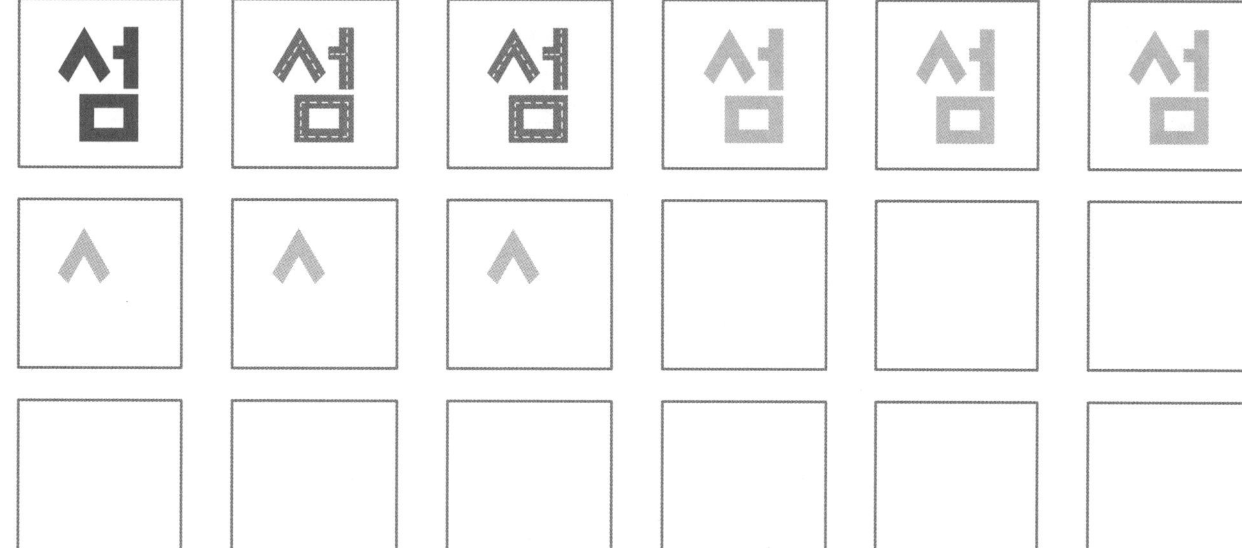
섬 섬 섬 섬 섬 섬
ㅅ ㅅ ㅅ

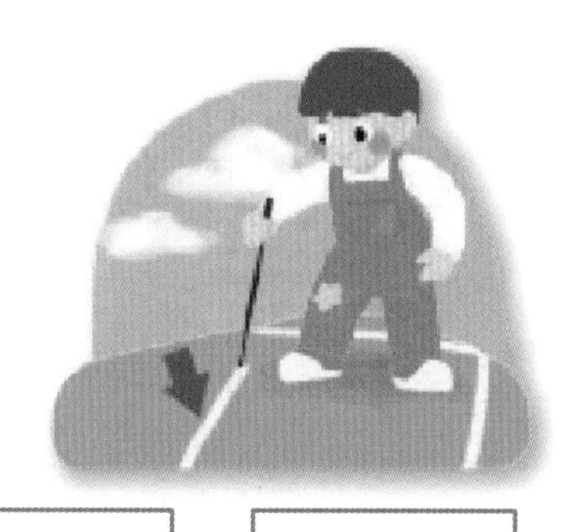

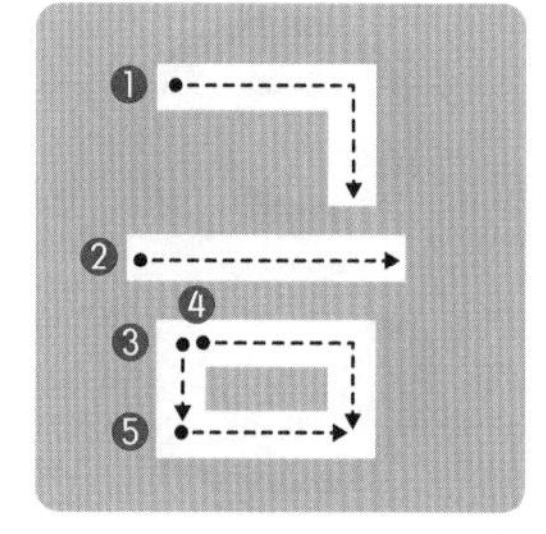
금

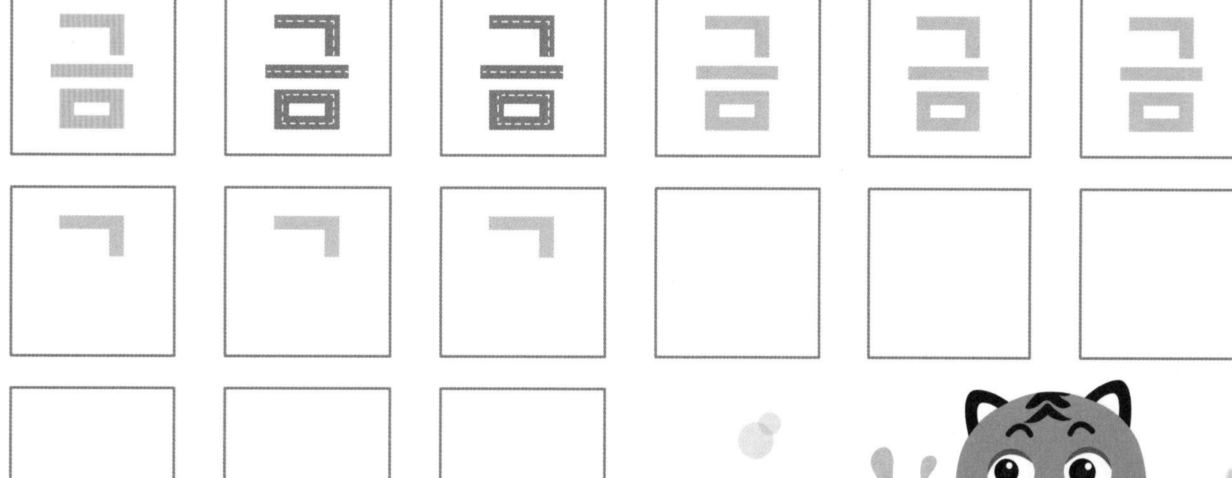
금 금 금 금 금 금
ㄱ ㄱ ㄱ

 월  일

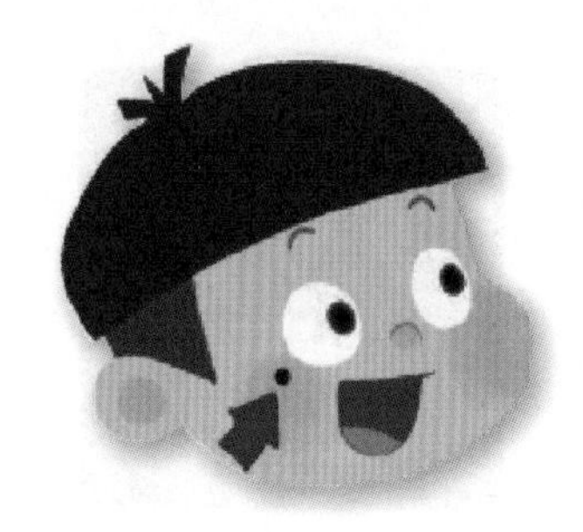

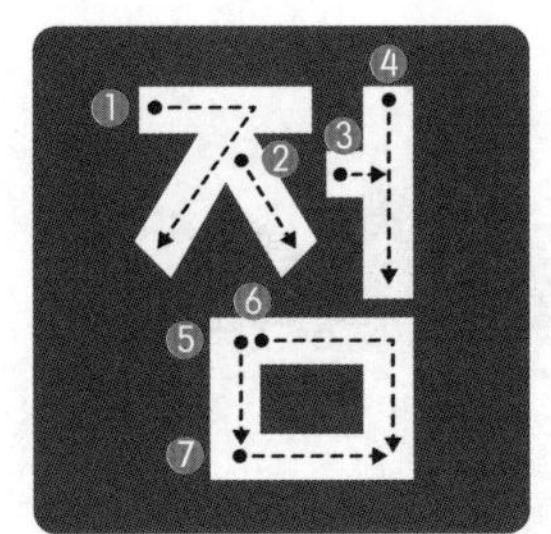

점	점	점	점	점	점
ㅈ	ㅈ	ㅈ			

3 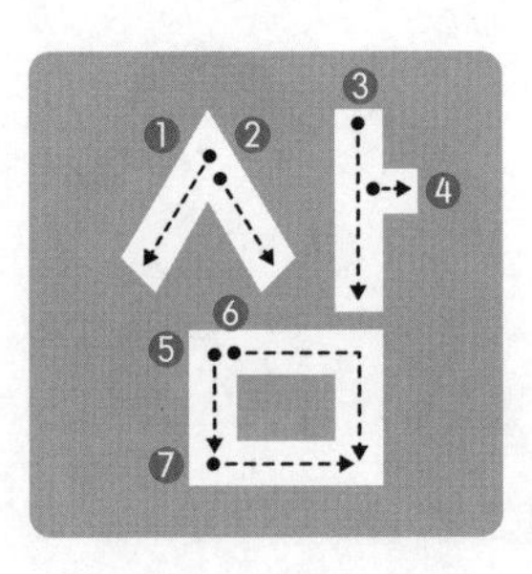

삼	삼	삼	삼	삼	삼
ㅅ	ㅅ	ㅅ			

  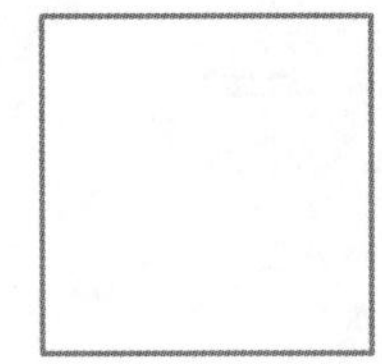 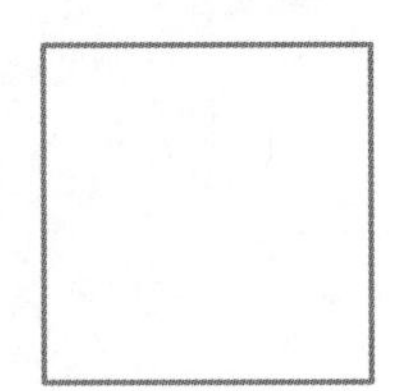 

 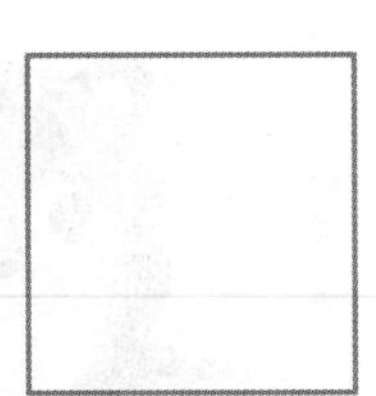   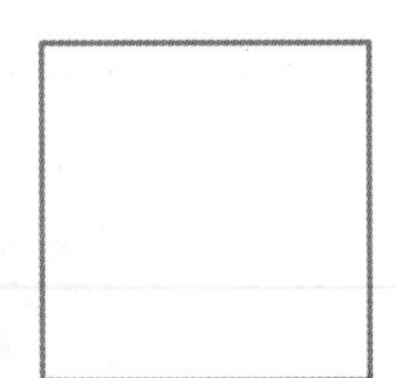 

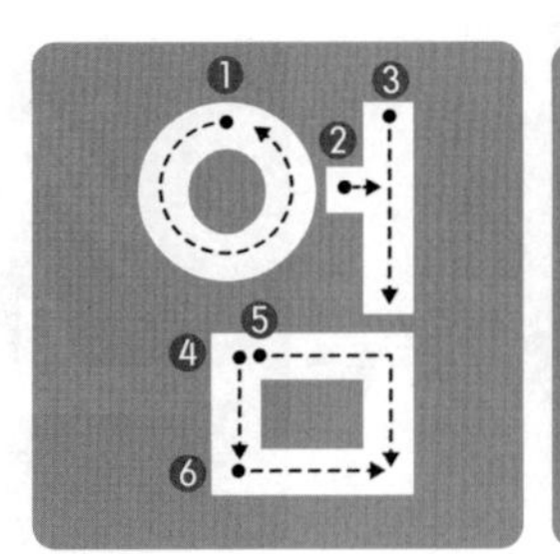

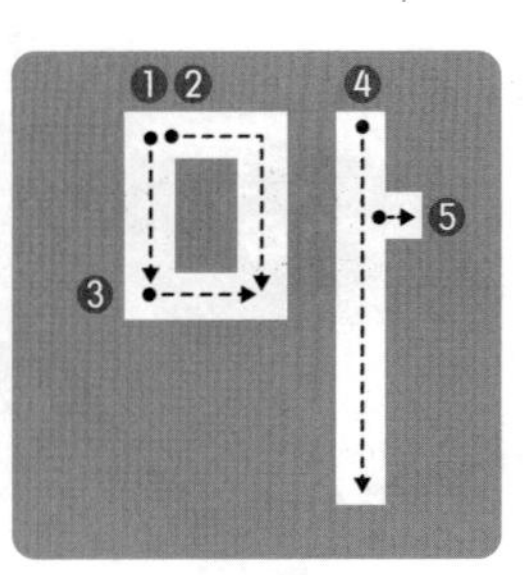

엄	마	엄	마	엄	마	엄	마
엄	마	엄	마	엄	마	엄	마
ㅇ	ㅁ	ㅇ	ㅁ	ㅇ	ㅁ	ㅇ	ㅁ

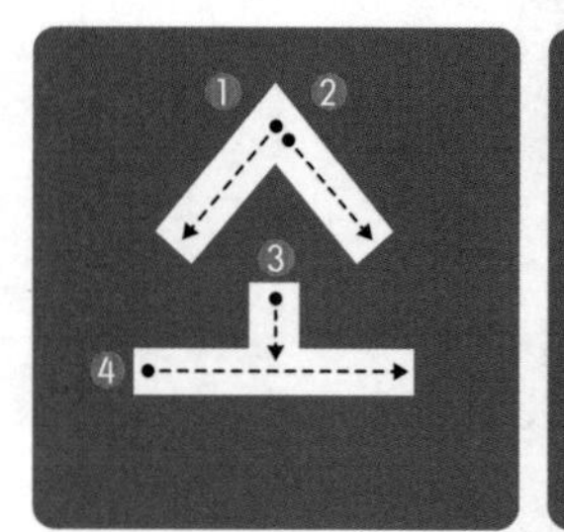
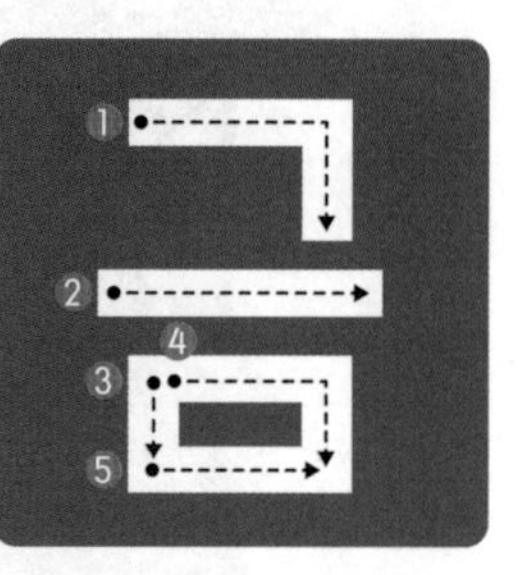

소	금	소	금	소	금	소	금
소	금	소	금	소	금	소	금
ㅅ	ㄱ	ㅅ	ㄱ	ㅅ	ㄱ	ㅅ	ㄱ

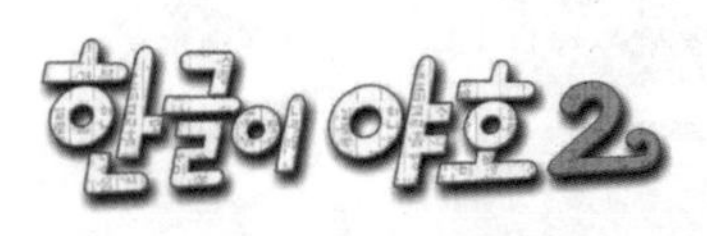

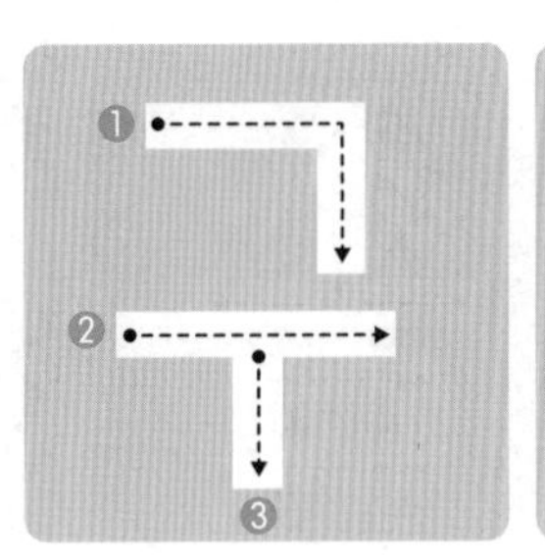

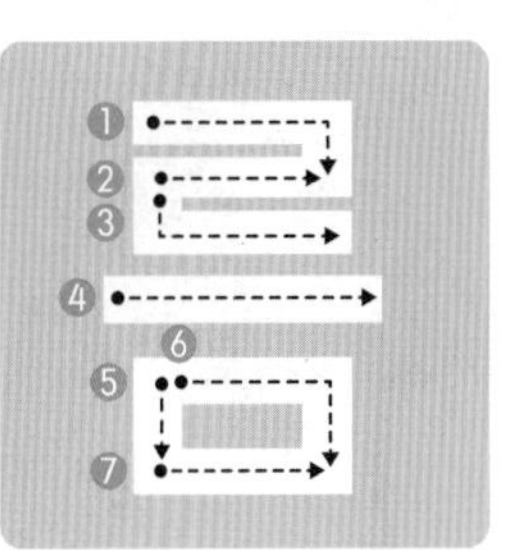

구	름	구	름	구	름	구	름
구	름	구	름	구	름	구	름
ㄱ	ㄹ	ㄱ	ㄹ	ㄱ	ㄹ	ㄱ	ㄹ

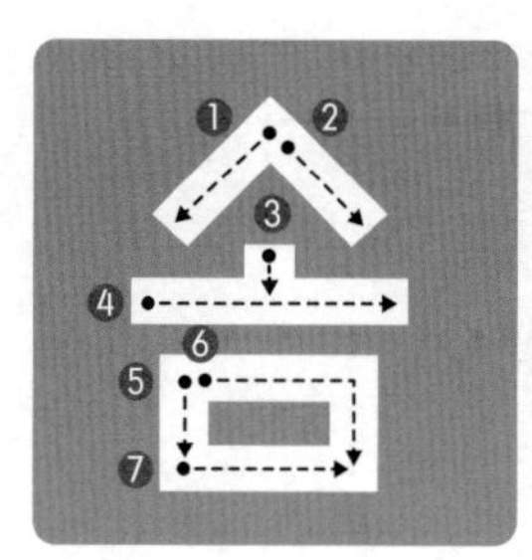

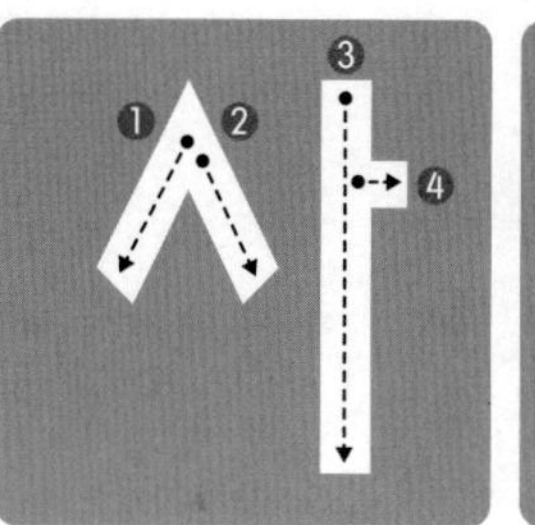

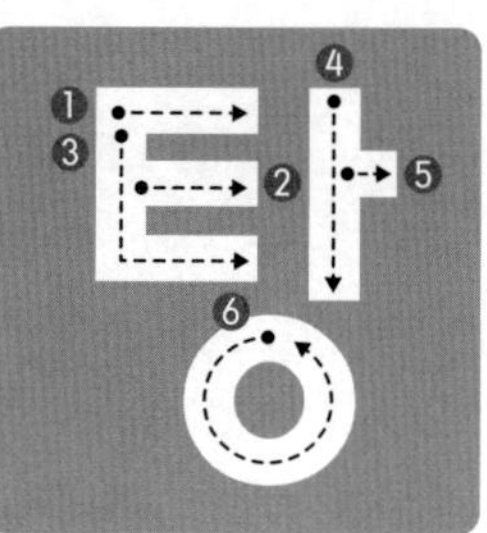

솜	사	탕
솜	사	탕
솜	사	탕
ㅅ	ㅅ	ㅌ

솜	사	탕
솜	사	탕
솜	사	탕
ㅅ	ㅅ	ㅌ

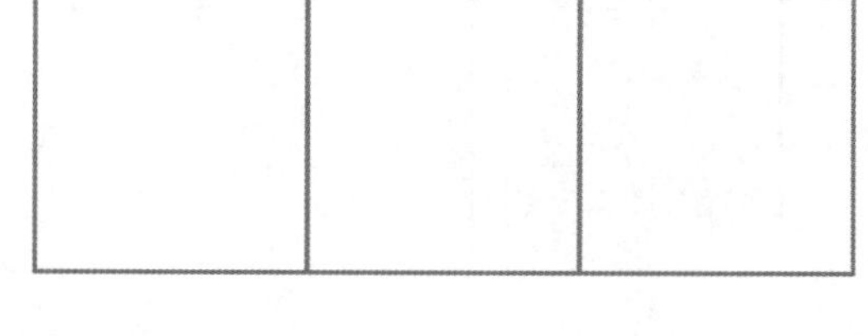

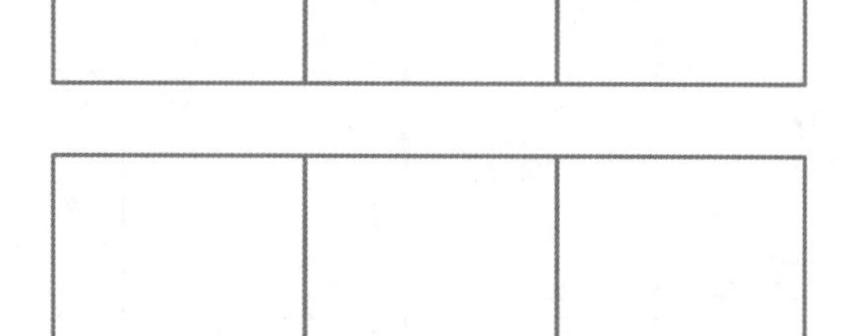

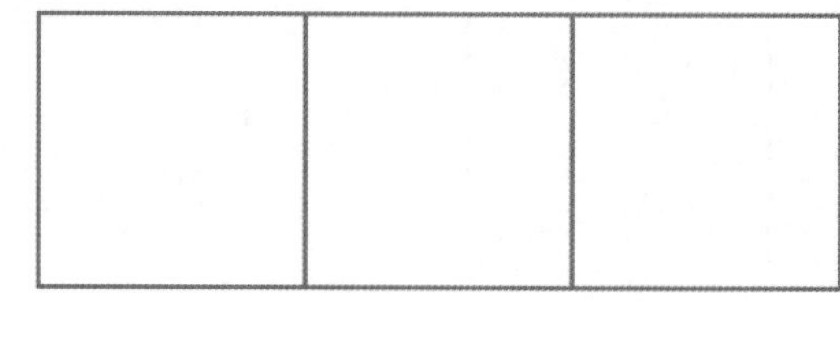

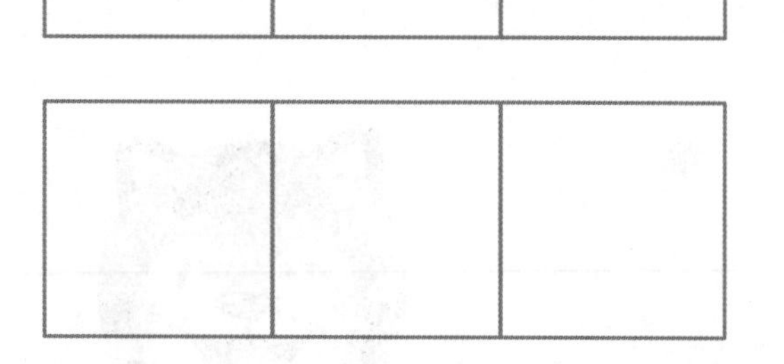

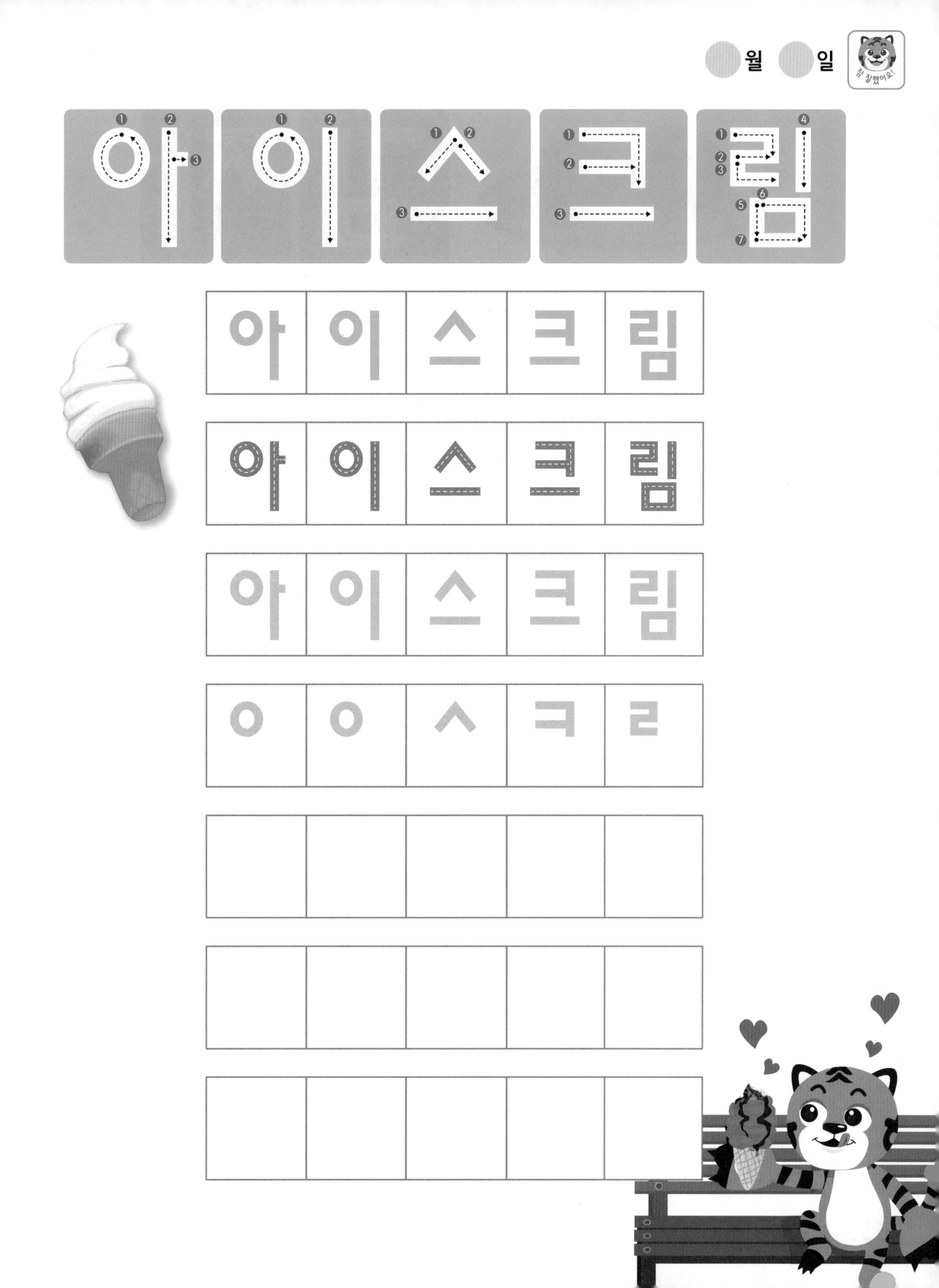
월
일
참 잘했어요!
아 이 스 크 림
아 이 스 크 림
아 이 스 크 림
아 이 스 크 림
ㅇ ㅇ ㅅ ㅋ ㄹ

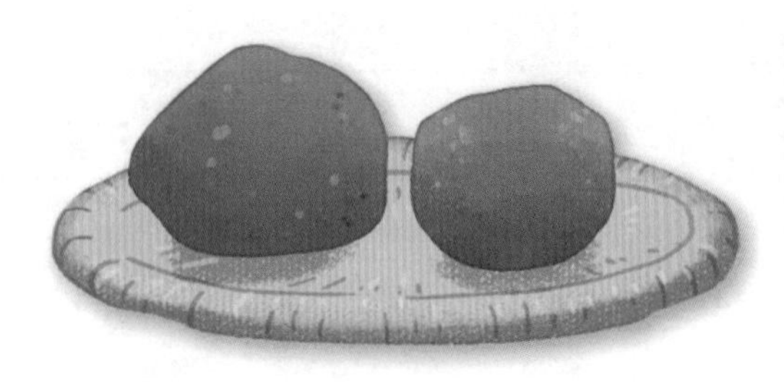

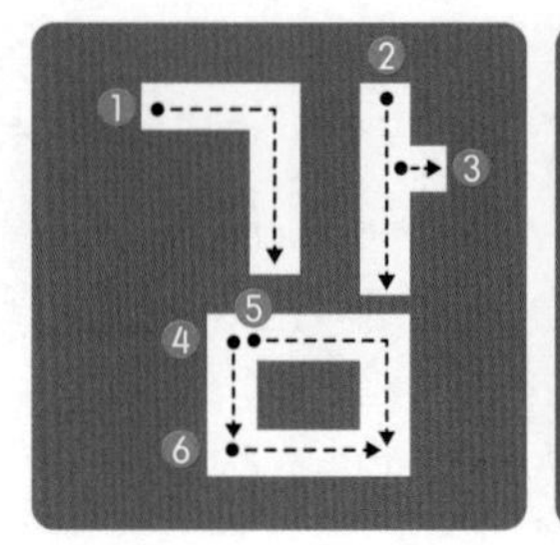

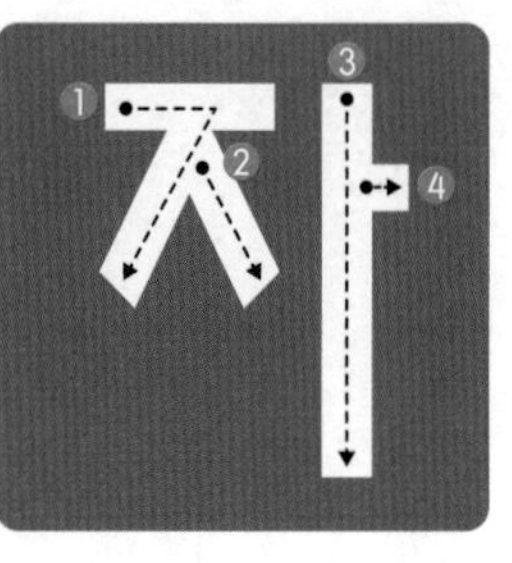

감	자	감	자	감	자	감	자
감	자	감	자	감	자	감	자
ㄱ	ㅈ	ㄱ	ㅈ	ㄱ	ㅈ	ㄱ	ㅈ

월 일

참 잘했어요!

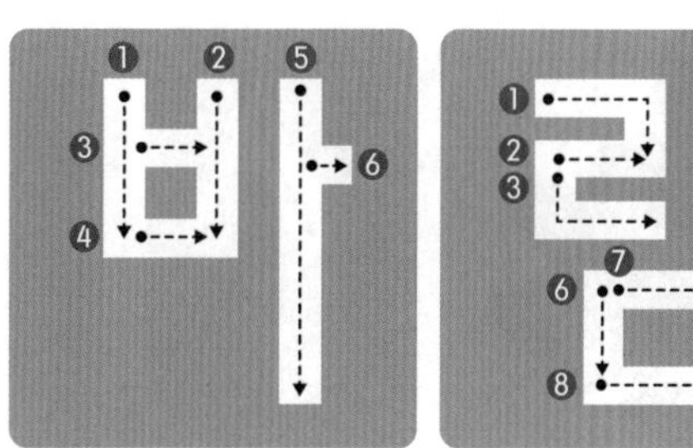

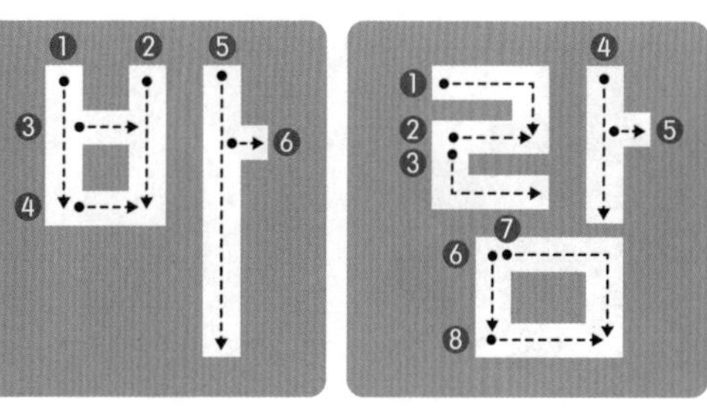

바	람	바	람	바	람	바	람
바	람	바	람	바	람	바	람
ㅂ	ㄹ	ㅂ	ㄹ	ㅂ	ㄹ	ㅂ	ㄹ

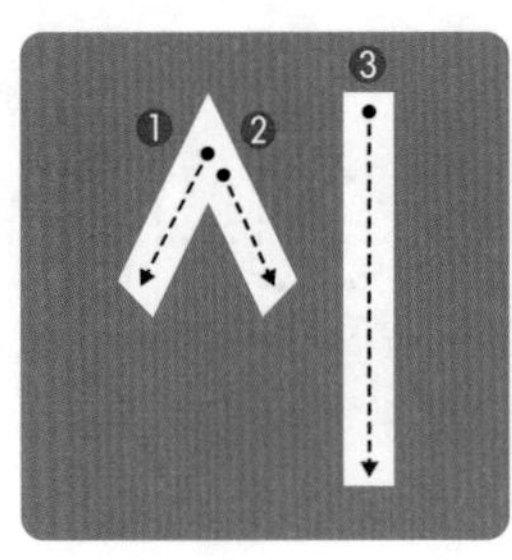
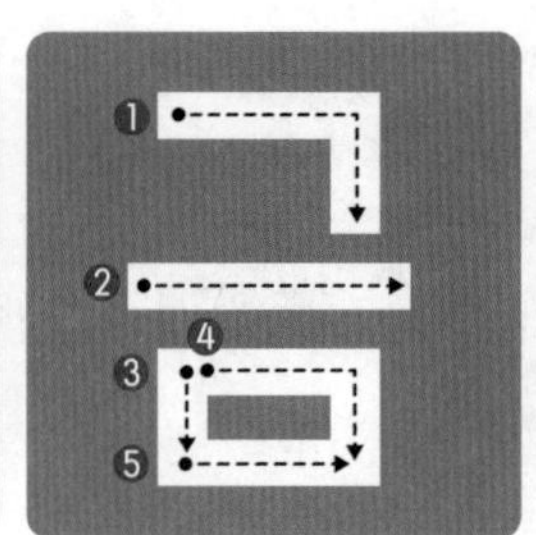
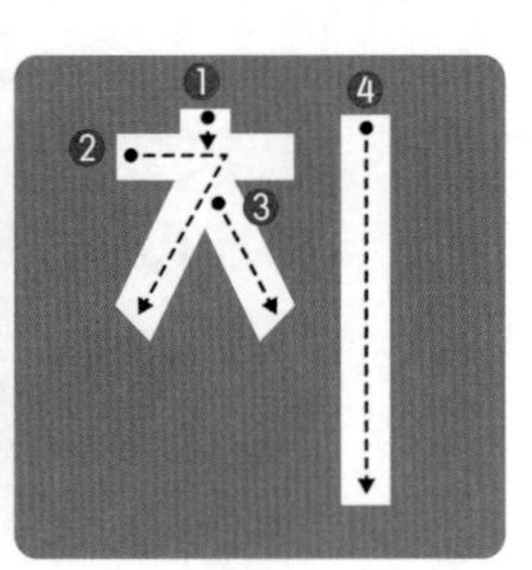

시	금	치
시	금	치
ㅅ	ㄱ	ㅊ

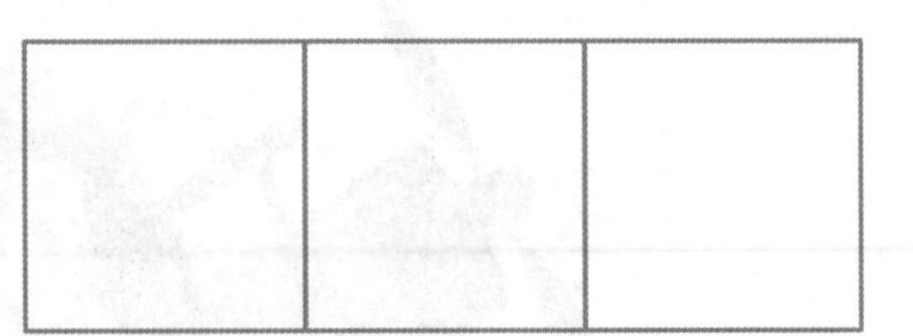

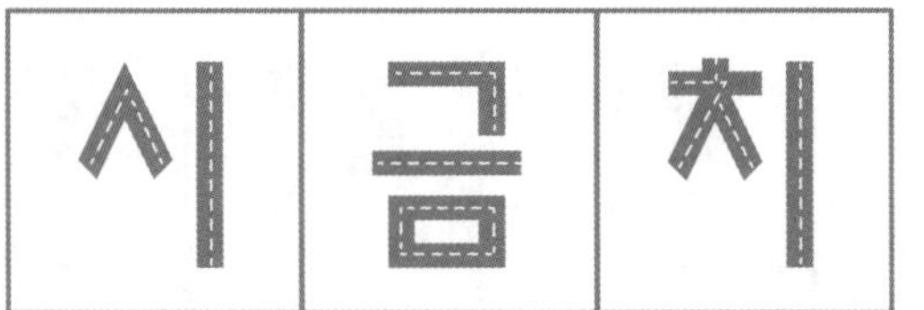

시	금	치
시	금	치
ㅅ	ㄱ	ㅊ

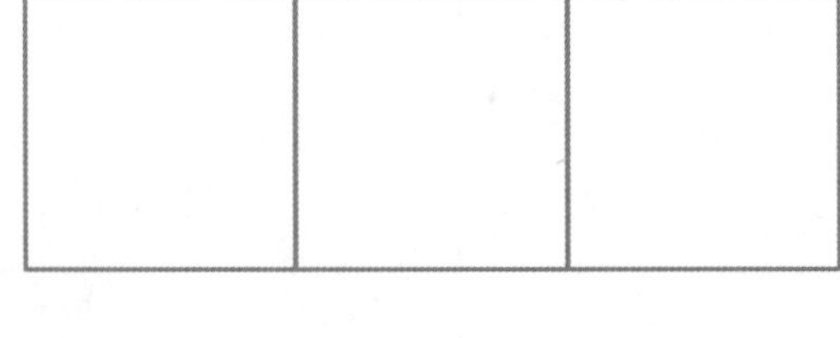
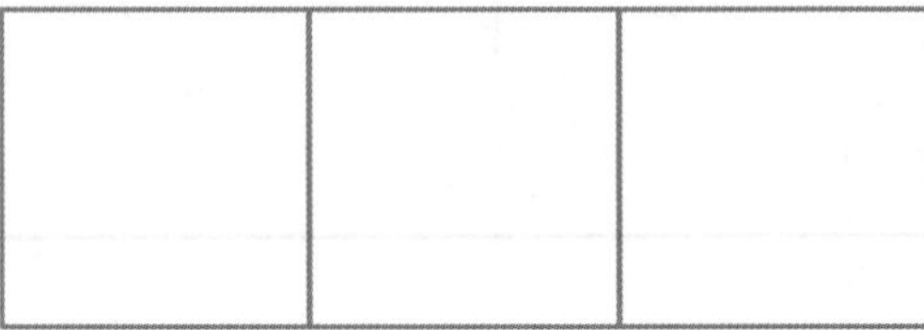

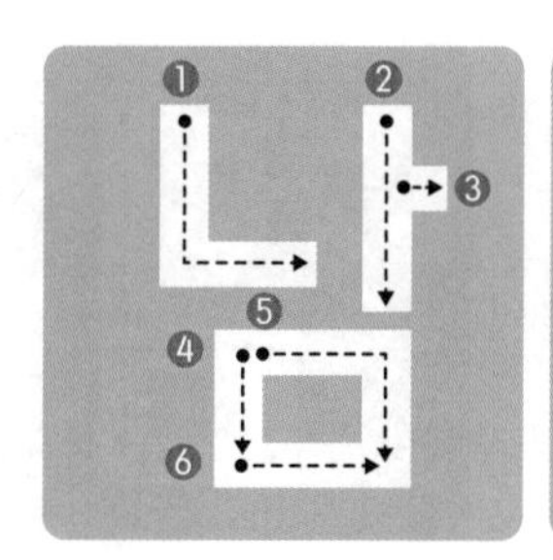

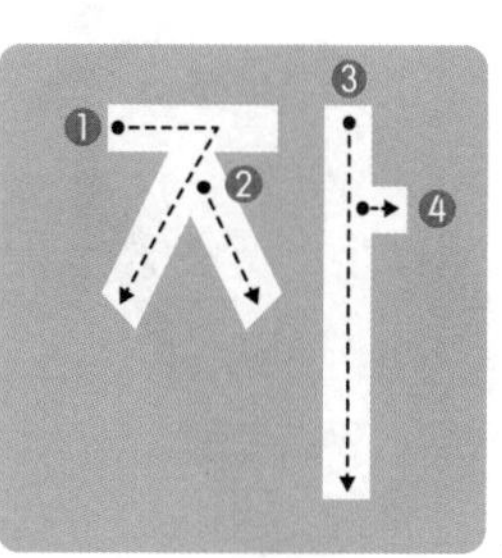

남	자	남	자	남	자	남	자
남	자	남	자	남	자	남	자
ㄴ	ㅈ	ㄴ	ㅈ	ㄴ	ㅈ	ㄴ	ㅈ

 월  일 

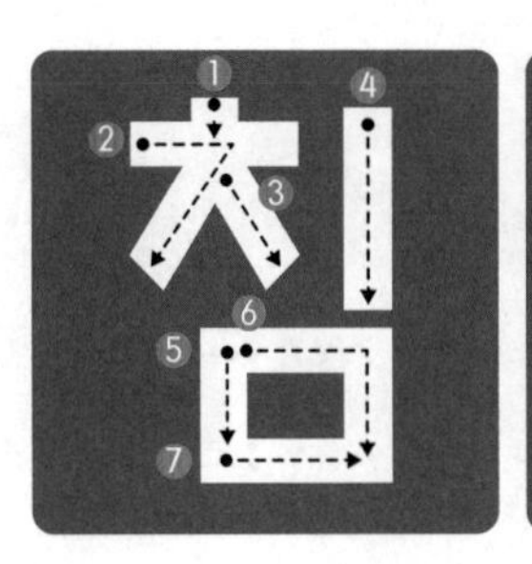

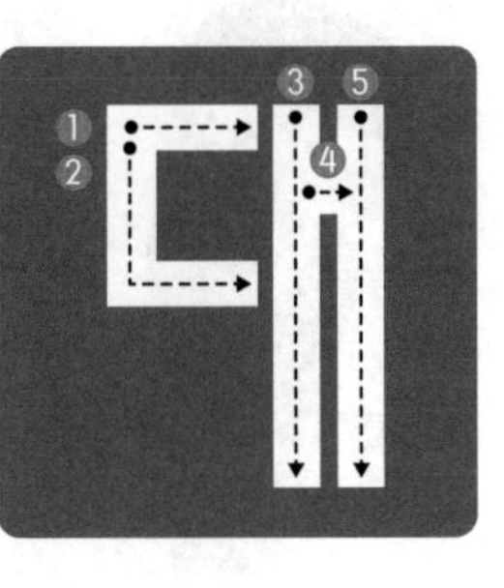

침	대	침	대	침	대	침	대
침	대	침	대	침	대	침	대
ㅊ	ㄷ	ㅊ	ㄷ	ㅊ	ㄷ	ㅊ	ㄷ

월 일

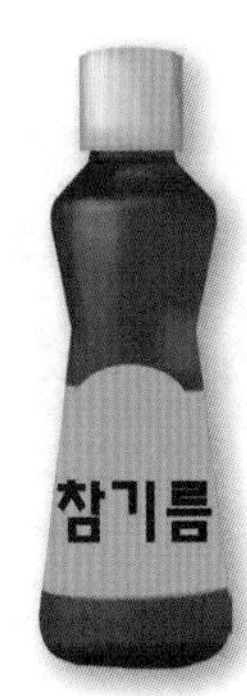

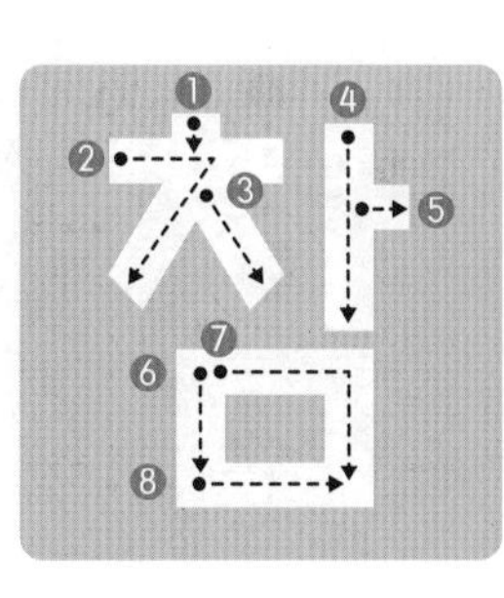

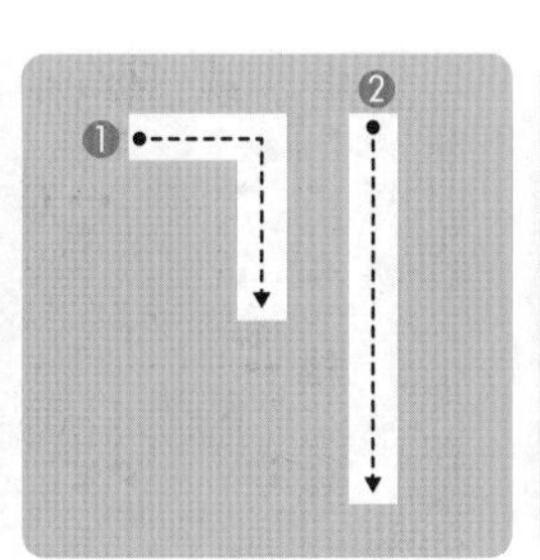

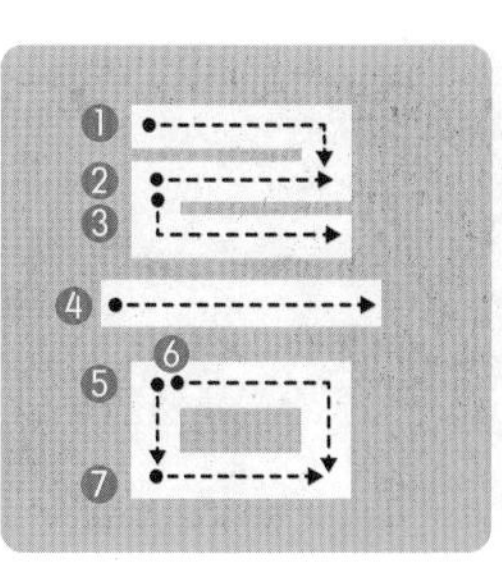

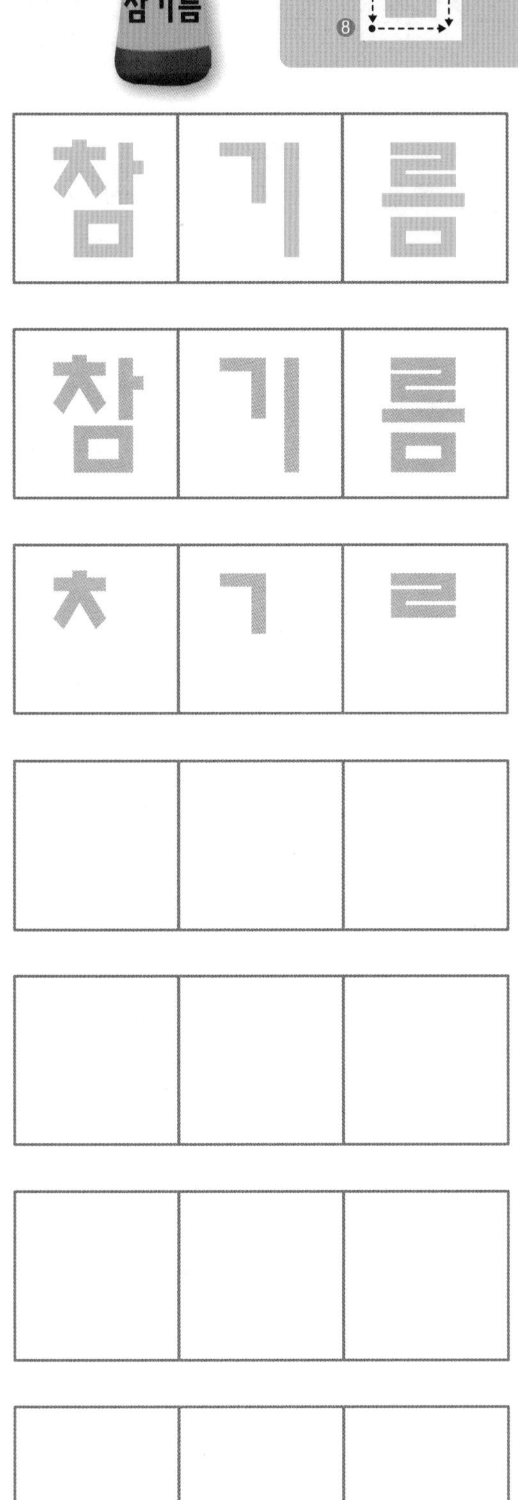

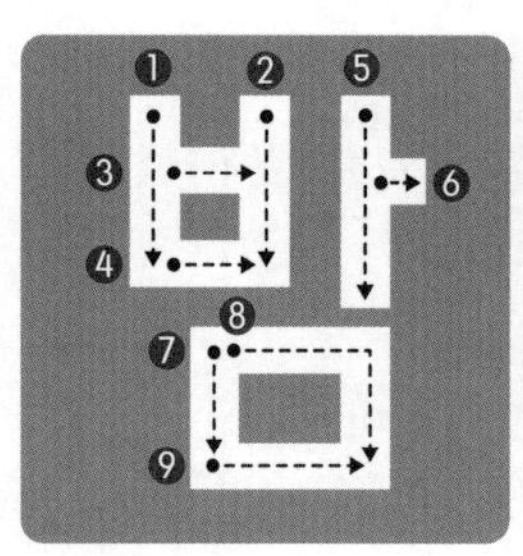

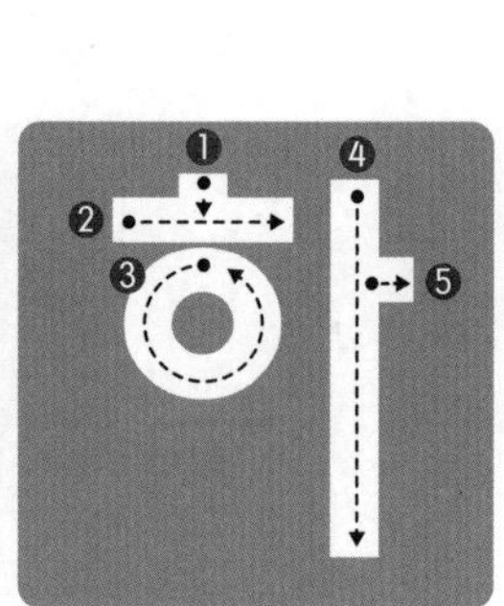

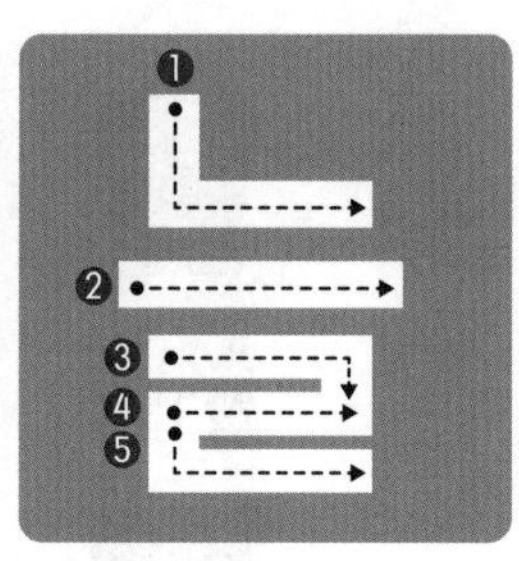

밤	하	늘		밤	하	늘
밤	하	늘		밤	하	늘
ㅂ	ㅎ	ㄴ		ㅂ	ㅎ	ㄴ

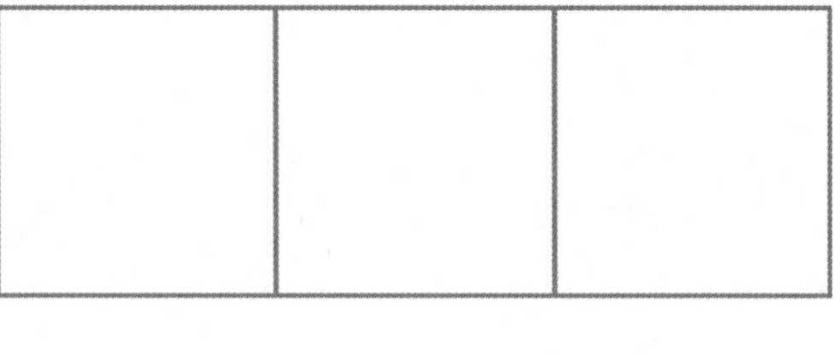

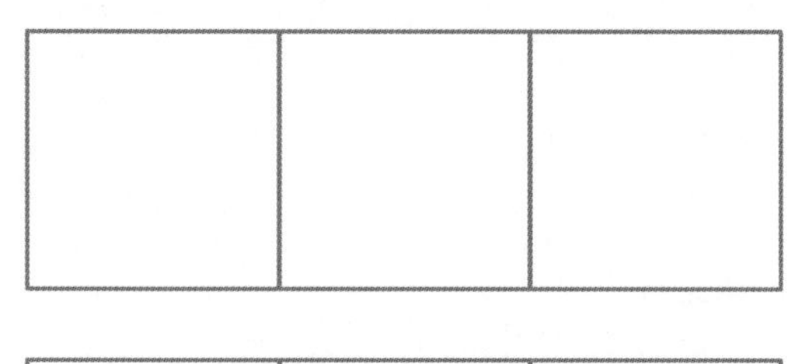

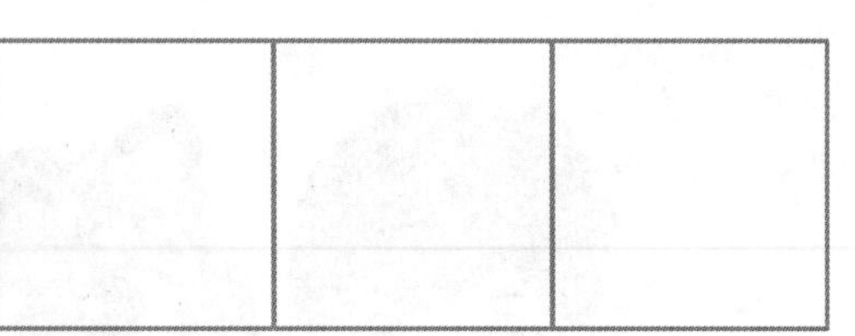

월 일

참 잘했어요!

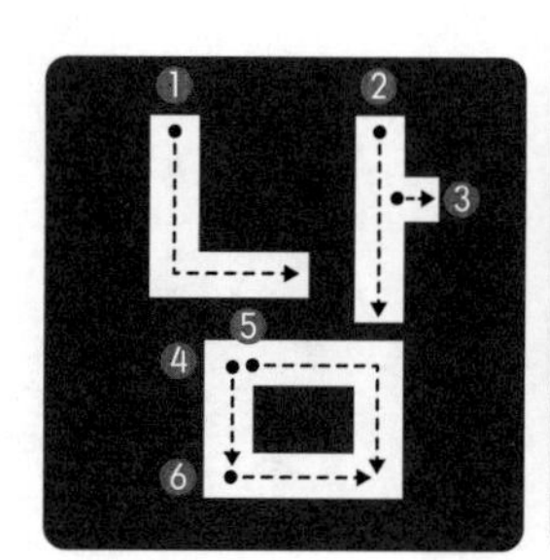

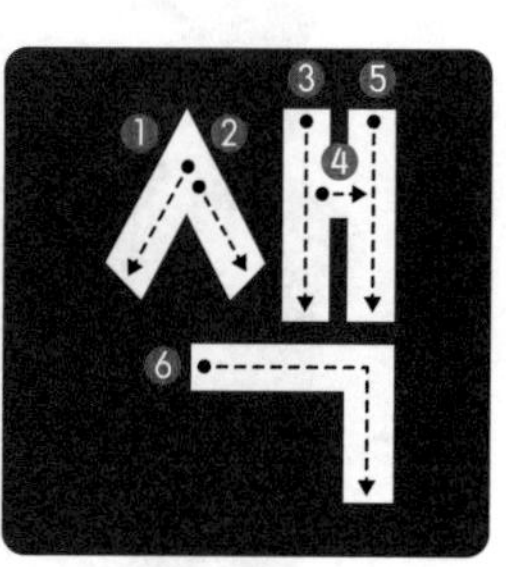

남	색	남	색	남	색	남	색
남	색	남	색	남	색	남	색
ㄴ	ㅅ	ㄴ	ㅅ	ㄴ	ㅅ	나	ㅅ

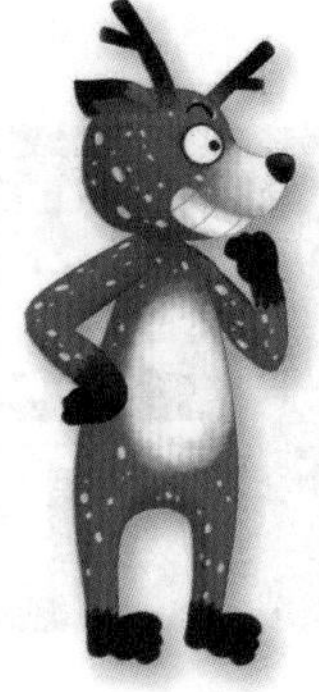
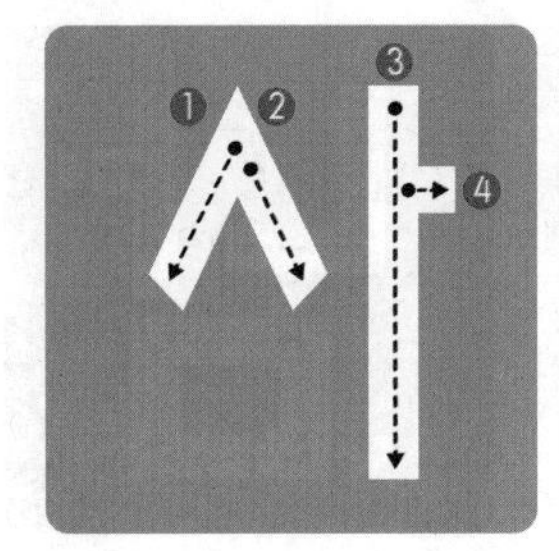

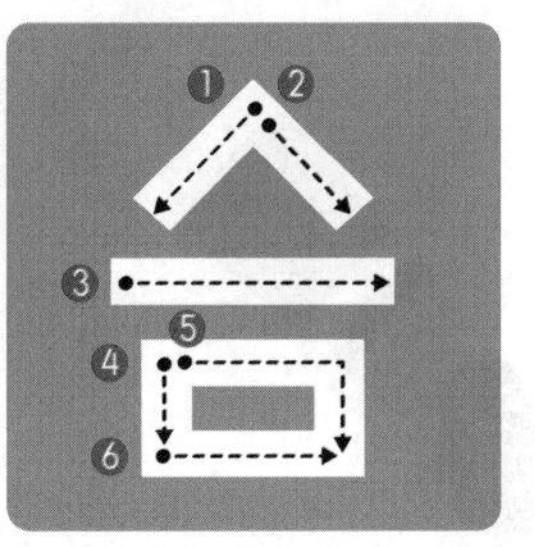

사	슴	사	슴	사	슴	사	슴
사	슴	사	슴	사	슴	사	슴
ㅅ	ㅅ	ㅅ	ㅅ	ㅅ	ㅅ	ㅅ	ㅅ

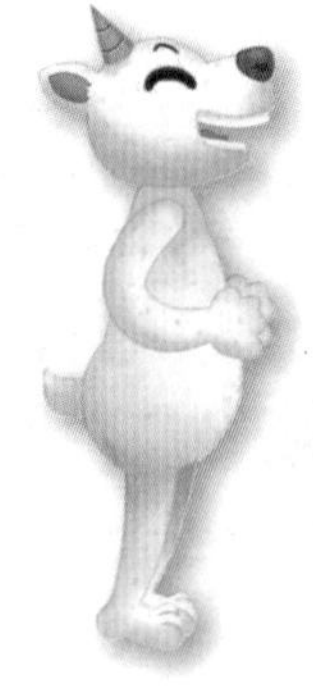

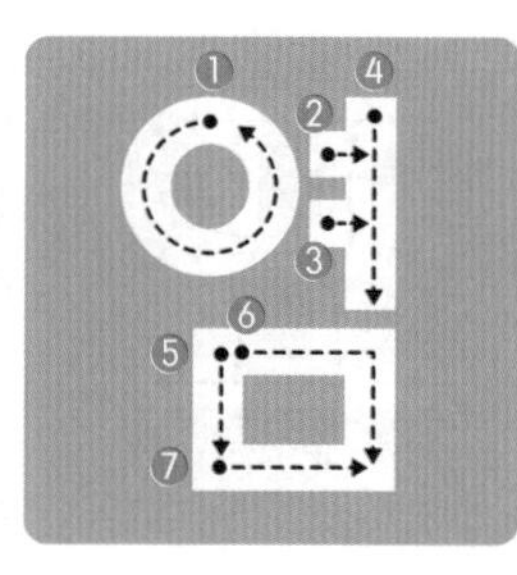

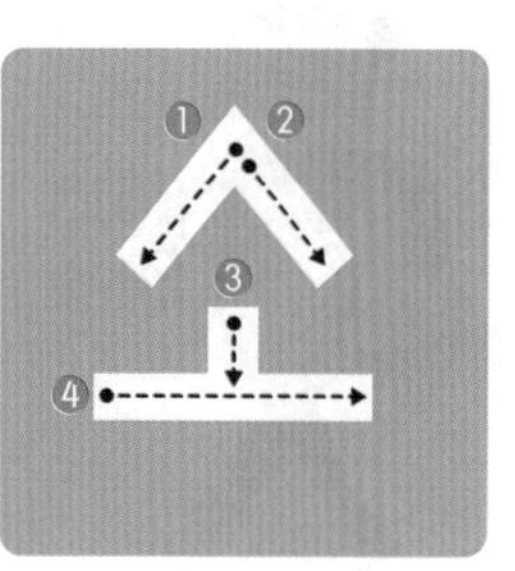

염	소	염	소	염	소	염	소
염	소	염	소	염	소	염	소
ㅇ	ㅅ	ㅇ	ㅅ	ㅇ	ㅅ	ㅇ	ㅅ

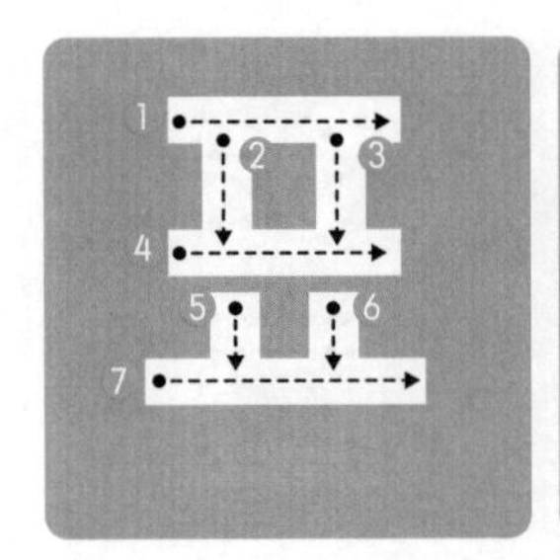

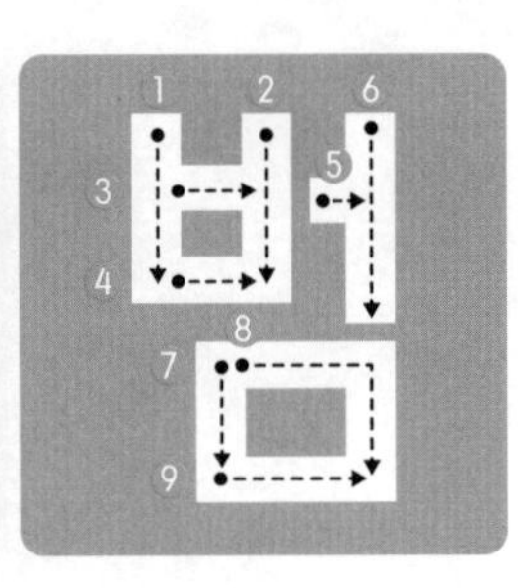

표	범	표	범	표	범	표	범
표	범	표	범	표	범	표	범
ㅍ	ㅂ	ㅍ	ㅂ	ㅍ	ㅂ	ㅍ	ㅂ

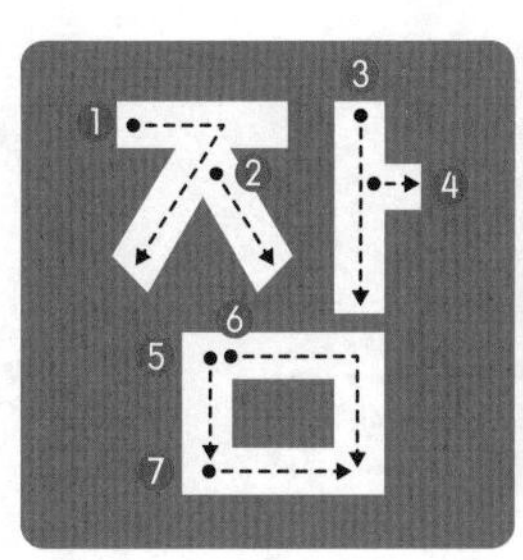

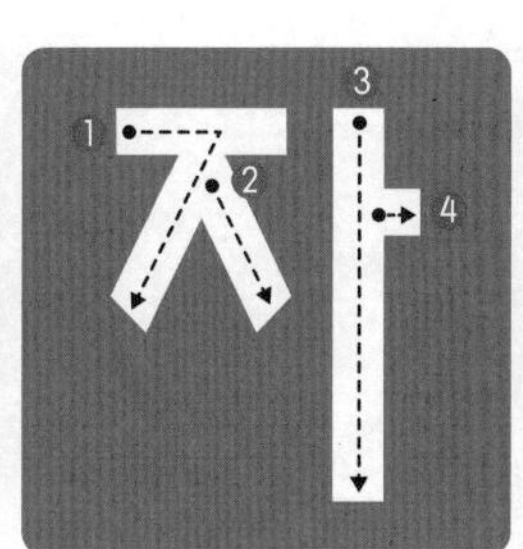

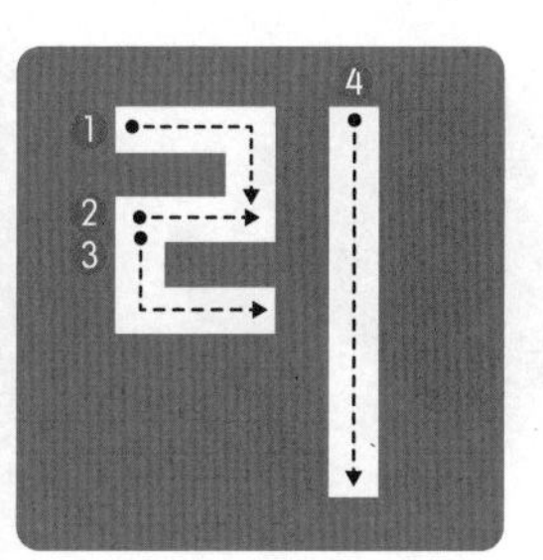

잠	자	리

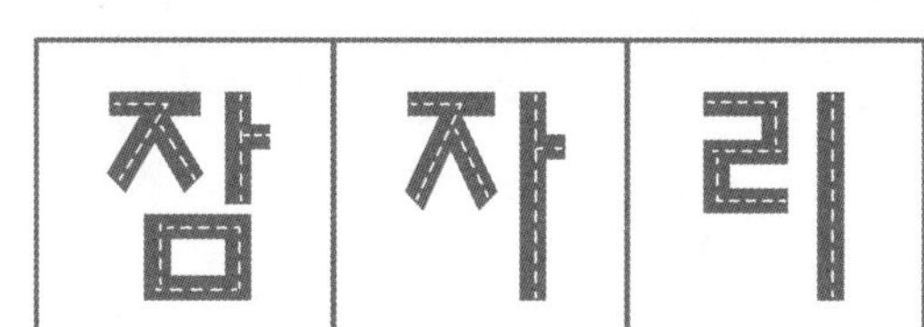

잠	자	리

잠	자	리

ㅈ	ㅈ	ㄹ

ㅈ	ㅈ	ㄹ

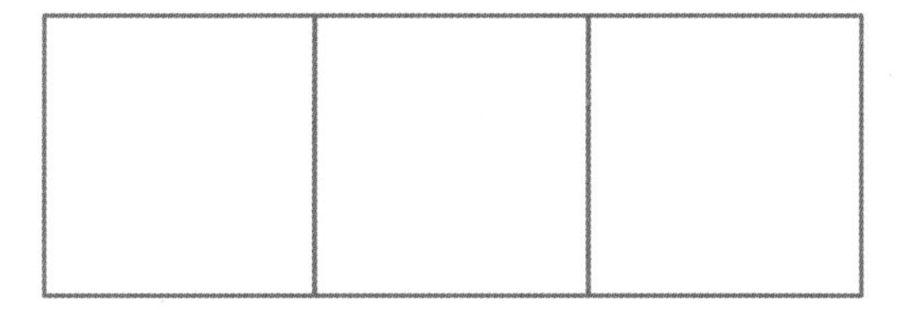

월
일
참 잘했어요!

고슴도치
고 슴 도 치 고 슴 도 치
고 슴 도 치 고 슴 도 치
ㄱ ㅅ ㄷ ㅊ ㄱ ㅅ ㄷ ㅊ

월 일

그림자

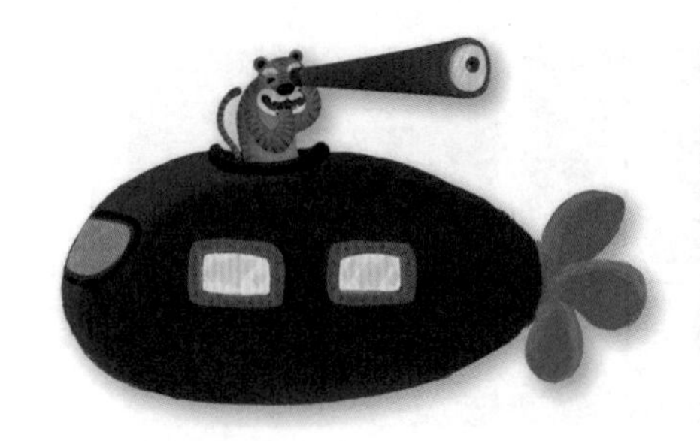

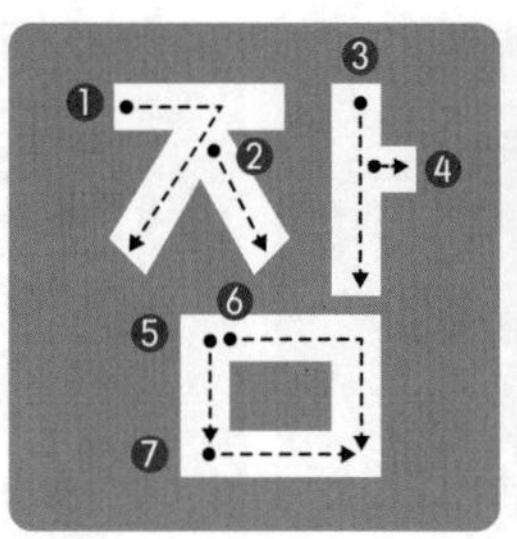

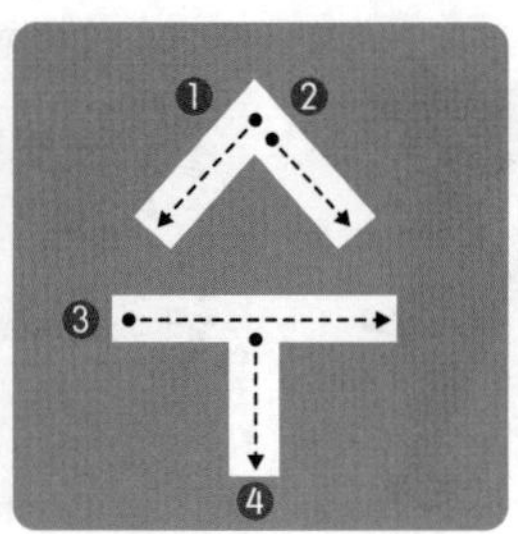

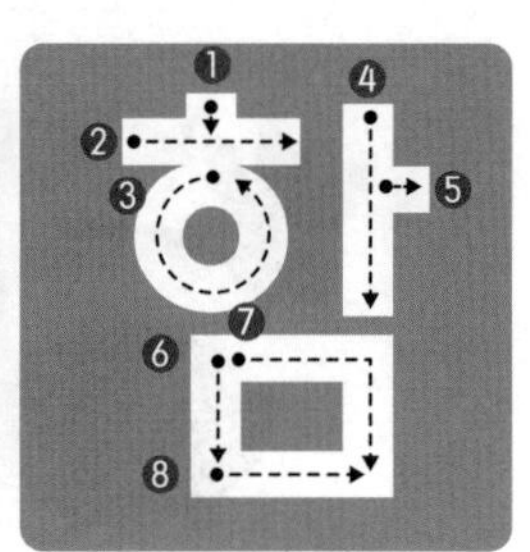

잠	수	함	잠	수	함
잠	수	함	잠	수	함
ㅈ	ㅅ	ㅎ	ㅈ	ㅅ	ㅎ

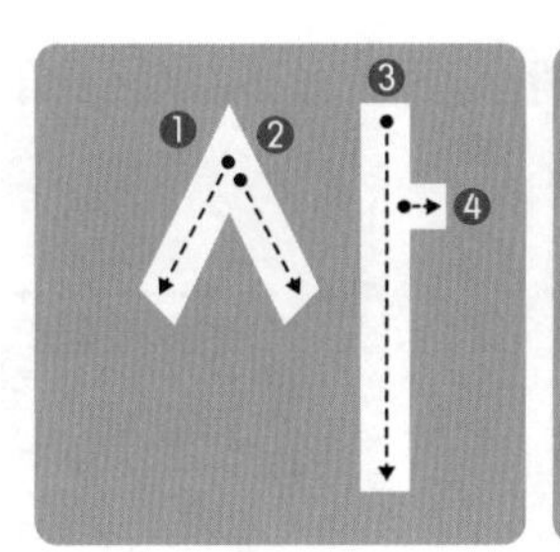

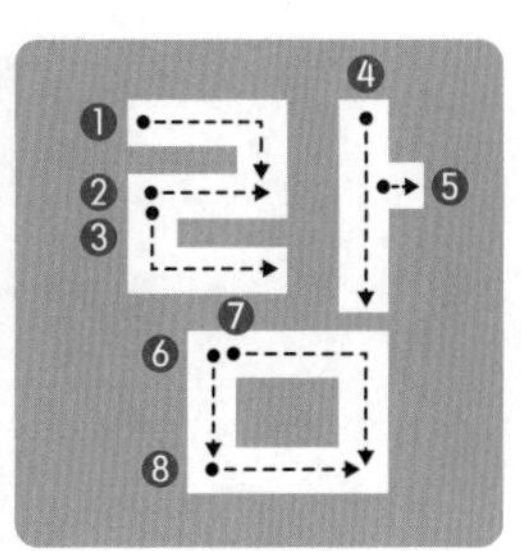

사	람	사	람	사	람	사	람
사	람	사	람	사	람	사	람
ㅅ	ㄹ	ㅅ	ㄹ	ㅅ	ㄹ	ㅅ	ㄹ

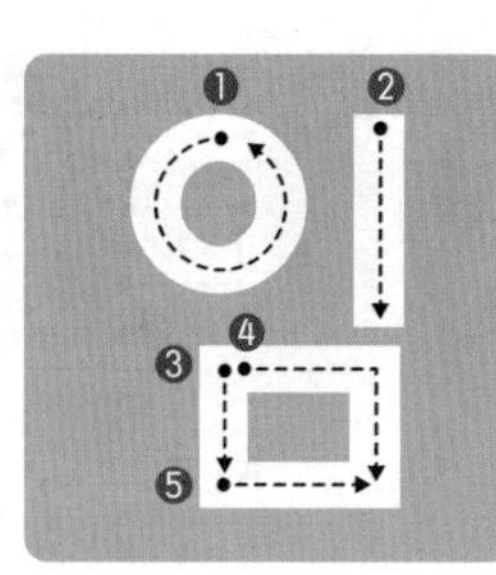

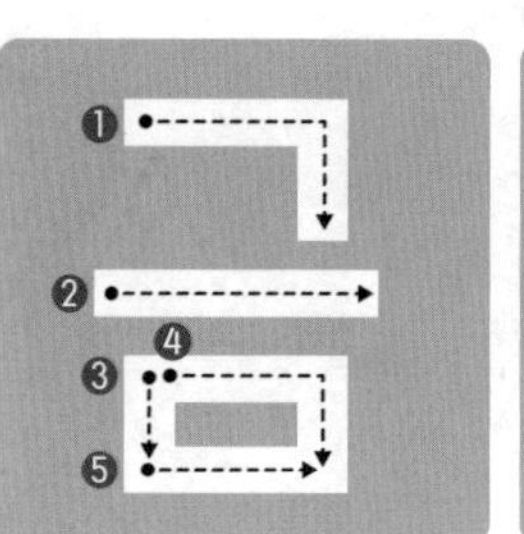

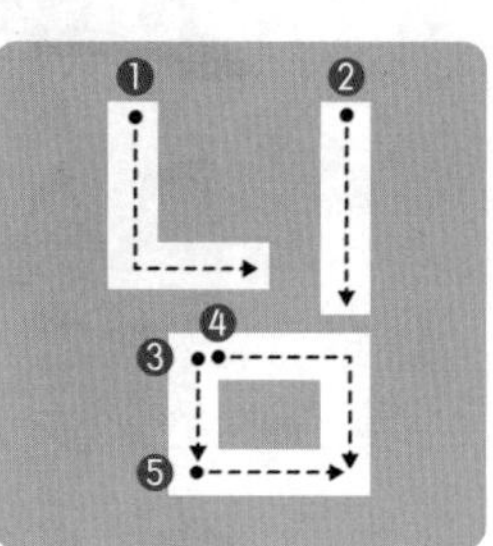

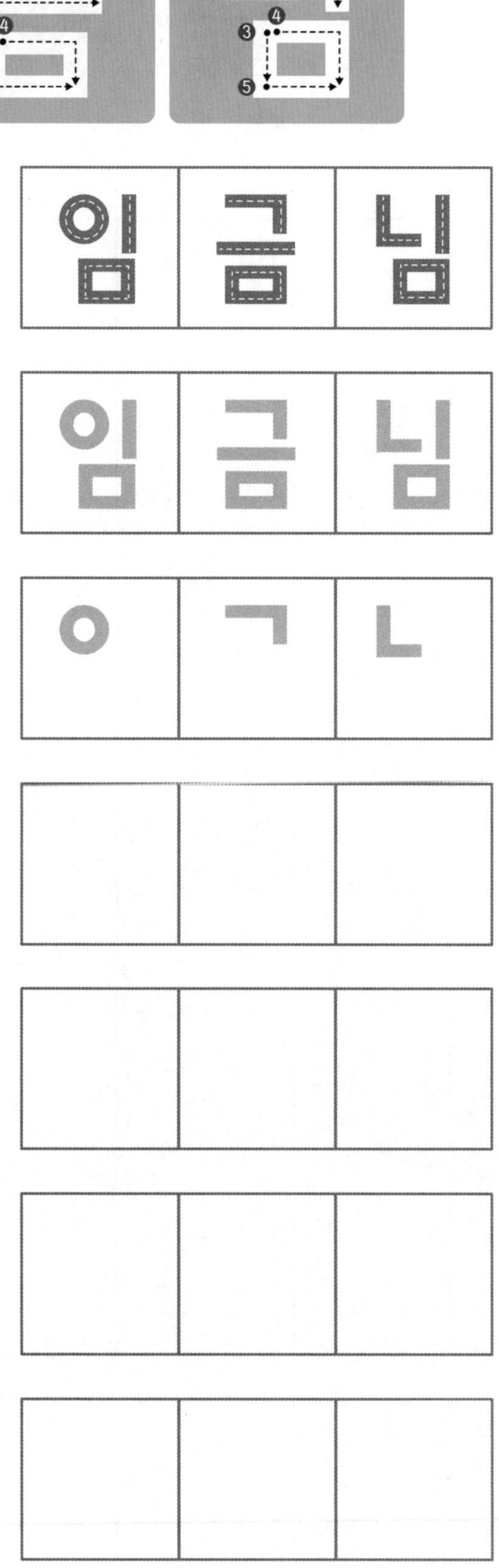

임	금	님

임	금	님

임	금	님

임	금	님

ㅇ	ㄱ	ㄴ

ㅇ	ㄱ	ㄴ

월 일 참 잘했어요!

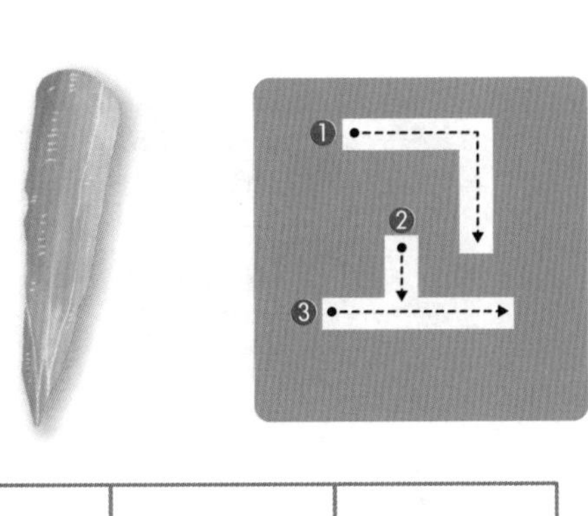

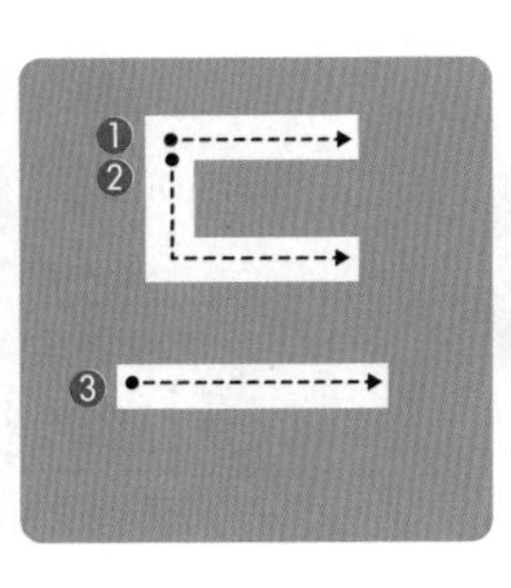

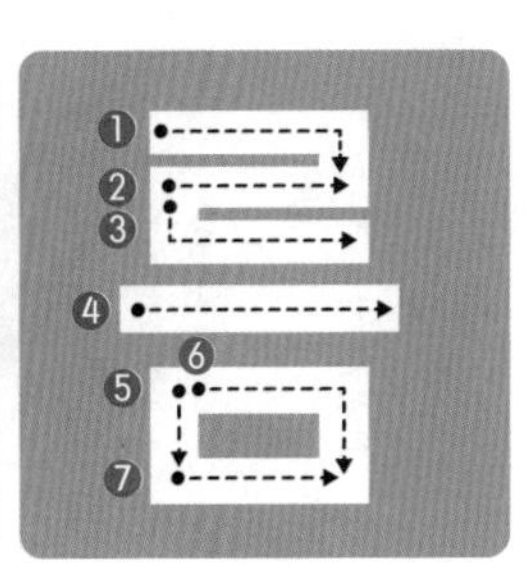

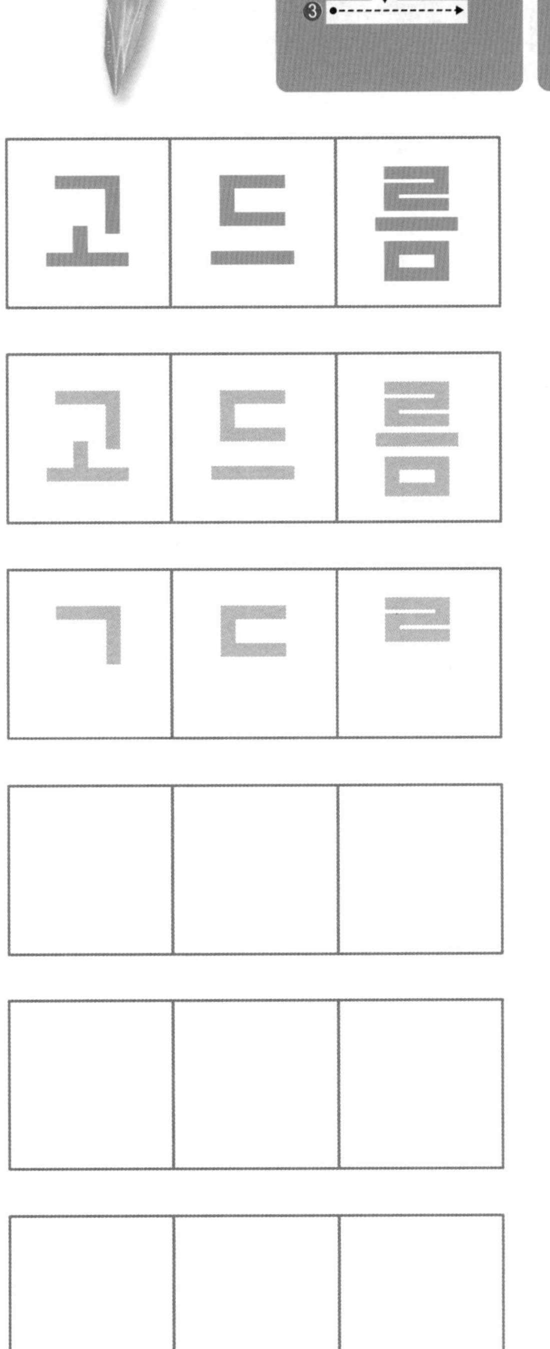

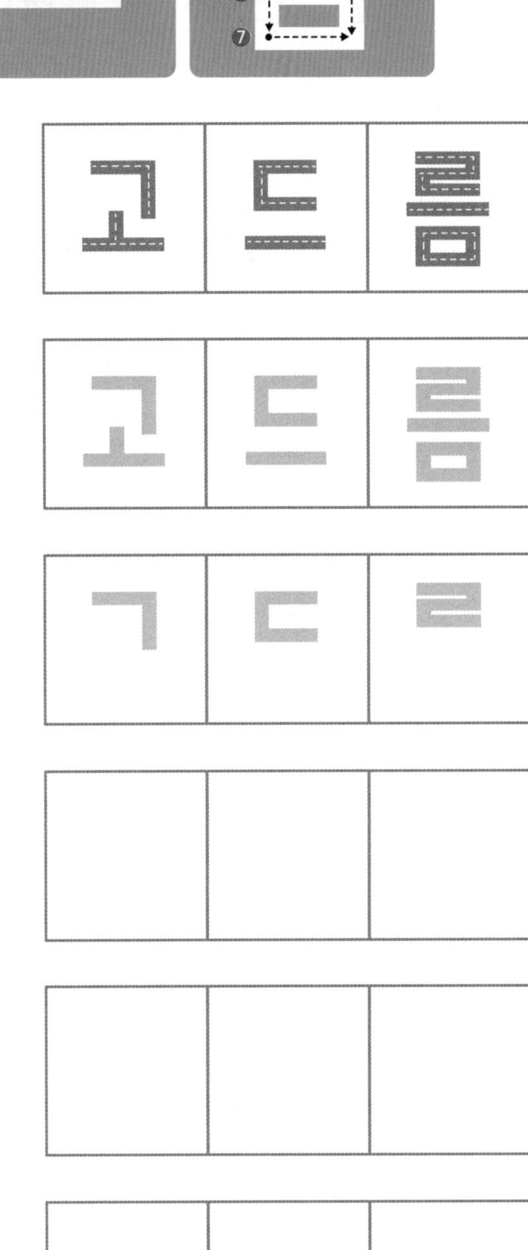

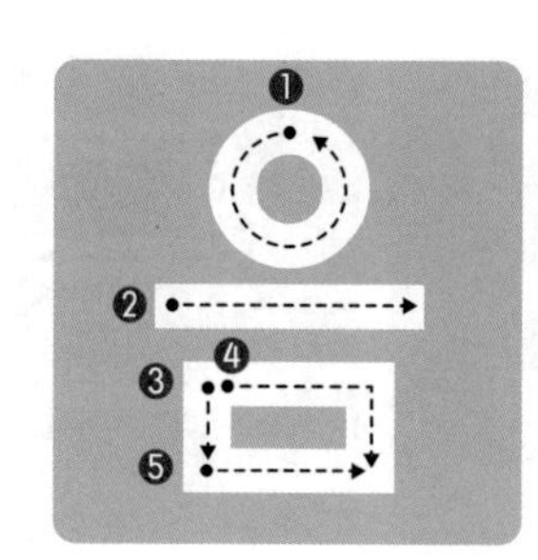

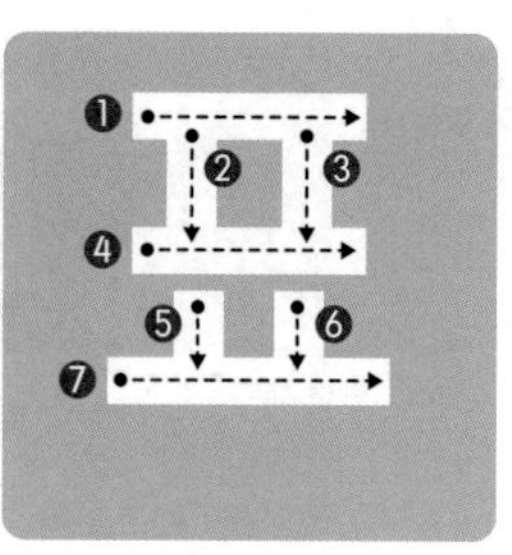

음	표	음	표	음	표	음	표
음	표	음	표	음	표	음	표
ㅇ	ㅍ	ㅇ	ㅍ	ㅇ	ㅍ	ㅇ	ㅍ

월

일

참 잘했어요!

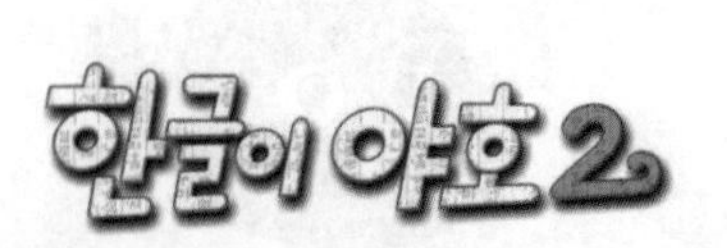
한글이 야호 2

월 일 참 잘했어요!

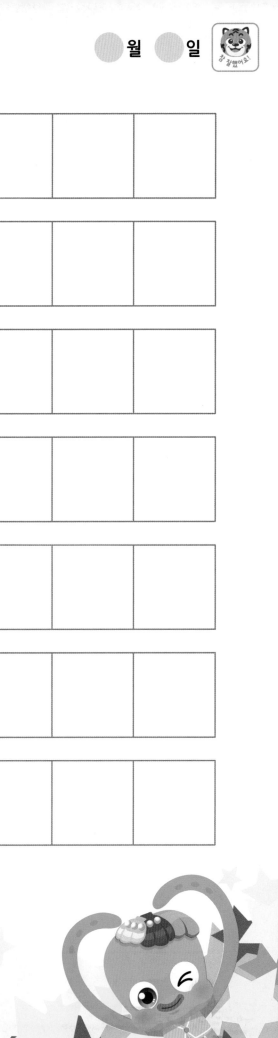

 월  일 

한글이
야호2
받침글자 신비한 손 | 편지요, 편지 | 눈사람 자전거
한글이아빠 지음 | 김보경 글

EBS
미디어

한글이 야호2 워크북 (받침글자 세트_7)

초판 19쇄 발행 ‖ 2024년 5월 8일

지은이 | 한글이아빠

발행처 | EBS 미디어
발행인 | 박성호
출판등록 | 2012년 6월 7일
주소 | 서울시 마포구 토정로 222 한국출판콘텐츠센터
대표전화 | 02-529-5566 팩스 | 070-4340-4796
일러스트 | 아이트리, BIGSTAR GLOBAL, grimsoop
편집 · 디자인 | 아이트리
인쇄 · 제본 | (주)재능인쇄

* 잘못된 책은 구입하신 곳에서 교환해 드립니다.
* 이 책에 실린 모든 내용, 디자인, 이미지, 편집 구성의 저작권은 EBS와 EBS미디어에 있습니다.
허락없이 복제하거나 다른 매체에 옮겨 실을 수 없습니다.
* 이 책에 사용된 글자 서체는 "EBS 한글이 야호" 서체로 EBS 홈페이지(www.ebs.co.kr)에서
다운로드 받아서 사용하실 수 있습니다.

ISBN : 979-11-5859-177-9
ISBN : 979-11-5859-183-0(세트)

기본 구성과 활용법

기본 구성

'한글이 야호'는 통합적인 말하기, 읽기, 쓰기 교육 이론을 바탕으로 두고 제작한 한글 교육 프로그램입니다. 읽기를 막 시작하는 단계부터 말하기를 완성하는 단계까지 체계적인 글자 떼기 커리큘럼을 적용, 높은 교육 효과를 얻을 수 있습니다. 기본 어휘를 활용한 이야기와 말놀이를 통해 말하기와 읽기를 자연스럽게 익히고 그림책으로 이야기를 정리하고 확장시킵니다.

▶ 음운 커리큘럼에 의거한 기본 어휘 제시

▶ 기본 어휘를 활용한 이야기 제시

▶ 이야기에서 파생한 말놀이 노래

▶ 부모와 함께 할 수 있는 한글 놀이로 어휘 및 의미 확장

▶ 그림책으로 기본 어휘 학습

▶ 쓰기 확장의 단계

이번 워크북부터는 기본 음절 140자를 통한 어휘 학습을 마치고 받침이 있는 글자를 학습하게 됩니다. 한글이 야호 방송과 워크북은 받침 글자마다 2~3편으로 나누어 구성했습니다. 첫 편에서는 받침이 있는 글자 중 뜻을 가진 한 글자 어휘를 통해 형태적인 특성과 음운적인 특성을 뿌미와 함께 알아봅니다. 두 번째 편과 세 번째 편에서는 해당 받침이 있는 두 음절 이상의 어휘로 확장해 의성어, 의태어의 말 재미, 발음과 뜻의 연결로 인한 말 놀이등을 습득합니다. 특히 받침 글자만을 전해주는 글자 심해어, 초롱이를 통해 받침 글자가 글자의 아래 부분에 위치하게 되는 형태적인 특성을 반복을 통해 재미있게 보여줍니다. 새 친구 초롱이를 반갑게 맞아주시고 받침 글자와도 친하게 지내면 더 많은 글자를 읽게 되어 성취 욕구를 충족시킬 수 있을 것입니다.

활용법

1 **뿌미 놀이터** 받침 글자의 형태와 음운적인 특성 파악, 글자 조립 원리 습득

2 **야호 놀이터** 낱글자와 단어 글자 읽기

3 **쓰기 놀이터** 낱글자와 단어 글자 쓰기

*** 색깔 표시 예시**

26회 〈 신비한 손 〉 편 27회 〈 편지요, 편지 〉 편 28회 〈 눈사람 자전거 〉 편

*** 🎧 방송에서 노래를 듣고 따라하세요.**

*** (스티커를 붙여주세요) 라는 문구를 찾아 알맞은 스티커를 붙이세요.**

한글이 야호 2

신비한 손

소 노 여 도 시

손 논 연 돈 신

차 례

26화 <신비한 손>편

뿌미 놀이터

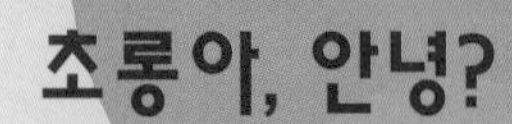

뿌미에게 받침 글자를 전해주는 물고기 초롱이가 'ㄴ'받침을 찾고 있어요.
함께 'ㄴ'을 닮은 모양을 찾아서 표시 해봐요.

ㄴ
'ㄴ'(니은) 받침 모양에
쓱쓱쓱~색칠해요.

26화 신비한 손
뿌미 놀이터
'ㄴ'의 이름
뿌미가 조각 모양 맞추기 게임을 해요
어떤 이름일까요? 색칠하고 큰 소리로 읽어봐요.

" 'ㄴ'받침이 붙은 글자를 읽으면
'~은' 이란 소리가 나요."

ㄴ

"어머나, 'ㄴ'의 이름이 됐어요.
큰 소리로 읽어봐요." "니은!"

26화 신비한 손

뿌미 놀이터

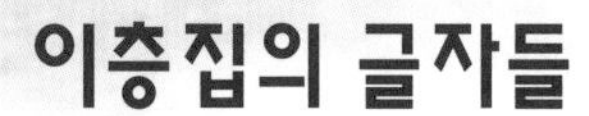

이층집의 글자들

뿌미가 글자를 2층집에 초대했어요.
이층에 어떤 글자들이 있는지 큰 소리로 읽어봐요.

여
시
도

26화 신비한 손

뿌미 놀이터

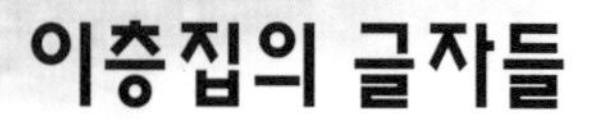

이층집의 글자들

뿌미가 글자를 2층집에 초대했어요.
일층에 'ㄴ'모양 부메랑이 들어갔더니 글자가 변신했어요.
일층에 'ㄴ' 스티커를 붙여보아요.

연
시
도
(스티커를 붙여주세요)
(스티커를 붙여주세요)
(스티커를 붙여주세요)
연
신
돈

26화 신비한 손
뿌미 놀이터
변신 의자 짜잔!
변신 의자에 글자가 앉으면 'ㄴ(니은)'받침이 생겨요.
의자에 있는 'ㄴ(니은)'을 예쁘게 색칠해서 글자를 변신시켜 봐요.
사
ㄴ
소
ㄴ

변신한 글자는 어떻게 읽을까요?
아래에 있는 그림을 보고 생각해서 읽어봐요.

서

시

변신 의자 짜잔!

변신 의자에 글자가 앉으면 'ㄴ(니은)'받침이 생겨요.
의자에 있는 'ㄴ(니은)'을 예쁘게 색칠해서 글자를 변신시켜 봐요.

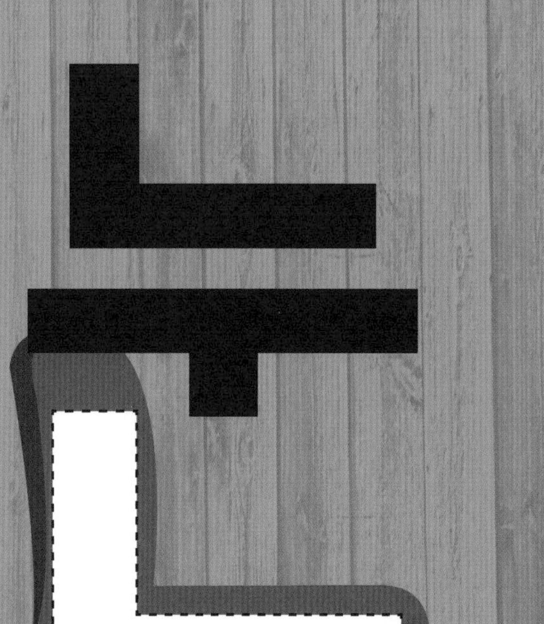

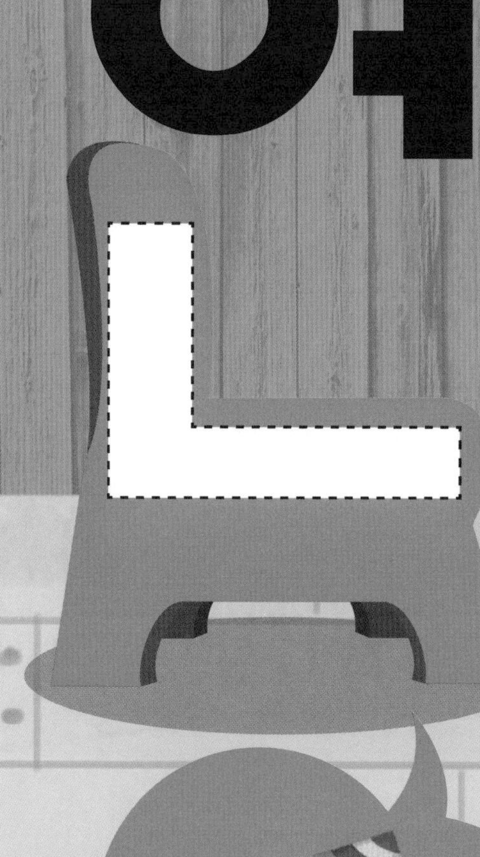

변신한 글자는 어떻게 읽을까요?
아래에 있는 그림을 보고 생각해서 읽어봐요.
도
피

26화 신비한 손

뿌미 놀이터

글자를 착착착!

뿌미가 글자에 'ㄴ(니은)' 받침을 붙여서 글자를 만들어요.
글자 스티커를 찾아서 붙이고 큰 소리로 읽어봐요.

나 냐 너 녀

1+2

(스티커를 붙여주세요)

1+2

(스티커를 붙여주세요)

1
노
1
뇨
누
1
뉴
느
니
2
ㄴ
2
ㄴ

26화 신비한 손

뿌미 놀이터

글자를 착착착!

뿌미가 글자에 'ㄴ(니은)' 받침을 붙여서 글자를 만들어요.
글자 스티커를 찾아서 붙이고 큰 소리로 읽어봐요.

모 묘 무 뮤 므 미
2
ㄴ
1 + 2
(스티커를 붙여주세요)

글자를 착착착!

뿌미가 글자에 'ㄴ(니은)' 받침을 붙여서 글자를 만들어요.
글자 스티커를 찾아서 붙이고 큰 소리로 읽어봐요.

마 먀 머 며

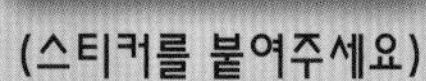

모 묘 무 뮤 므 미

1

1

2

ㄴ

1 + 2

(스티커를 붙여주세요.)

뿌미가 글자에 'ㄴ(니은)' 받침을 붙여서 글자를 만들어요.
글자 스티커를 찾아서 붙이고 큰 소리로 읽어봐요.

2
ㄴ

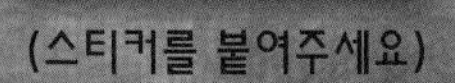

(스티커를 붙여주세요)

26화 신비한 손

뿌미 놀이터

글자를 착착착!

뿌미가 빨래줄에 글자 빨래를 널었더니,‘ㄴ(니은)’ 부메랑이 다가와
‘ㄴ(니은)’ 받침이 붙어 있는 글자를 만들었어요. 글자 스티커를 찾아서 붙이고 큰 소리로 읽어봐요.

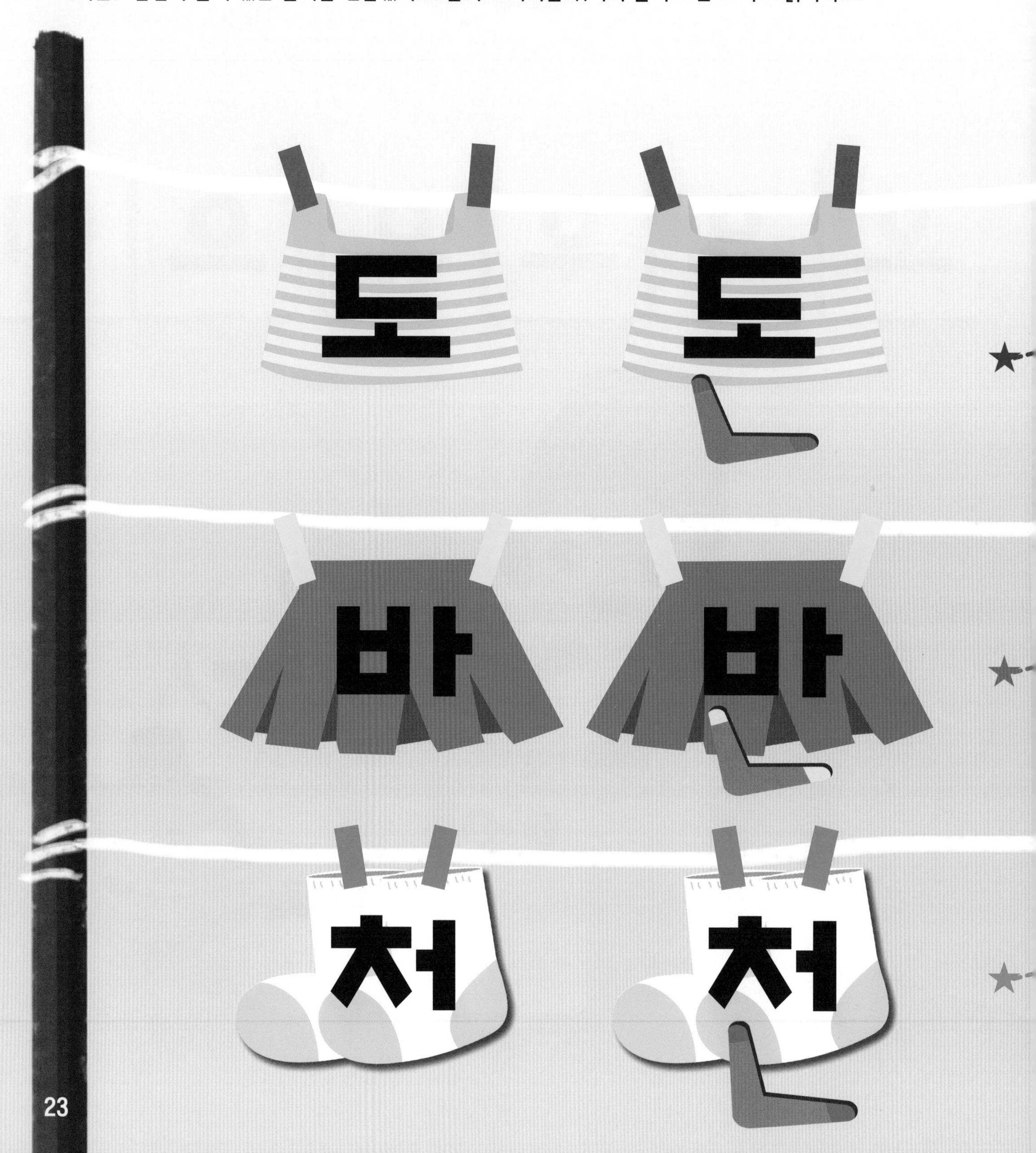

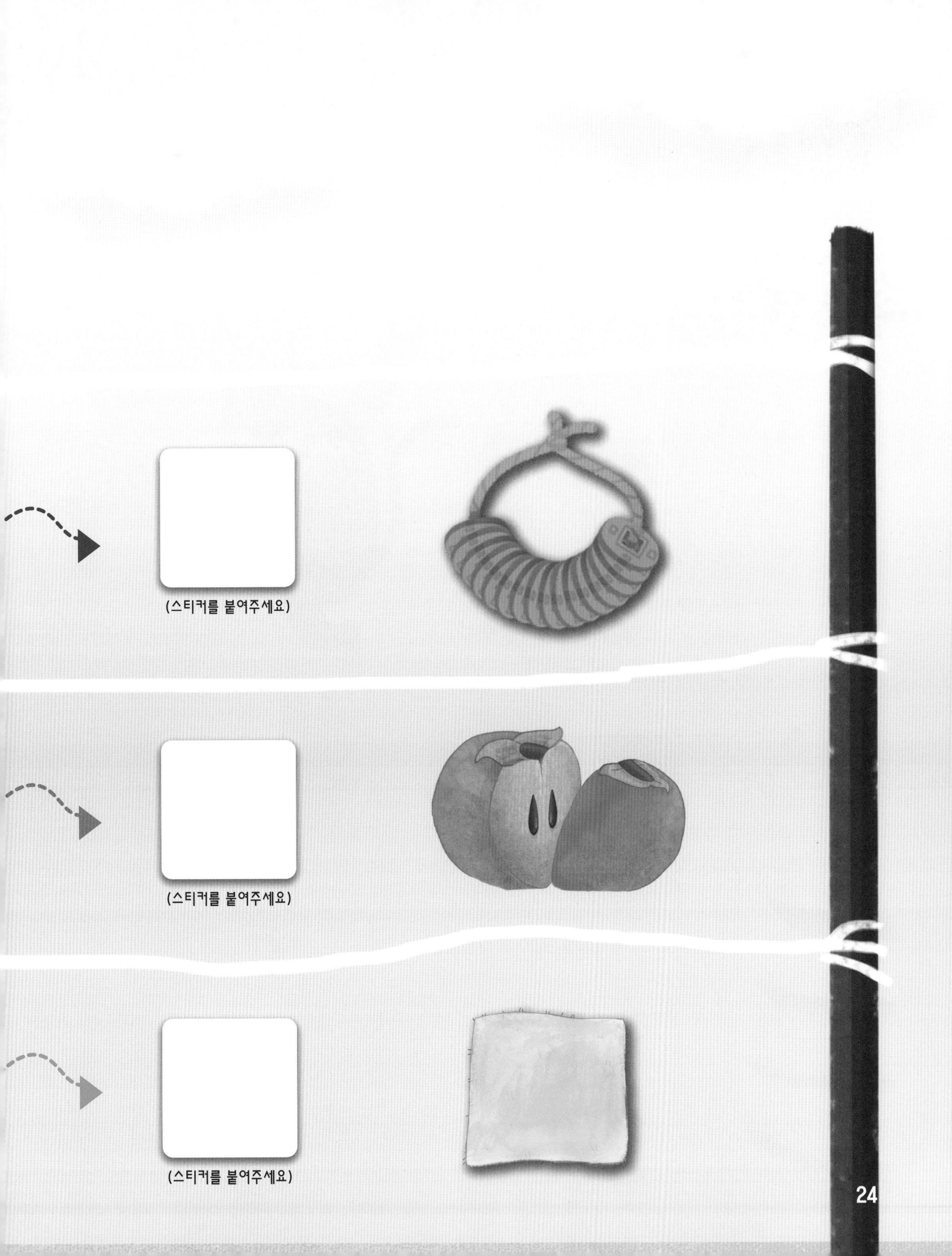
(스티커를 붙여주세요)
(스티커를 붙여주세요)
(스티커를 붙여주세요)

26화 신비한 손

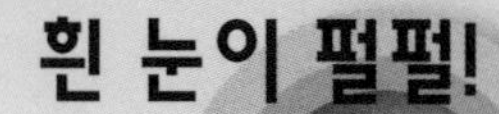

야호 놀이터

흰 눈이 펄펄!

야호는 눈 내리는 걸 좋아해요.
나는 눈을 좋아하나요? 싫어하나요?
글자 '눈'을 색칠하고, 야호랑 눈싸움 하는 나를 그려보아요.

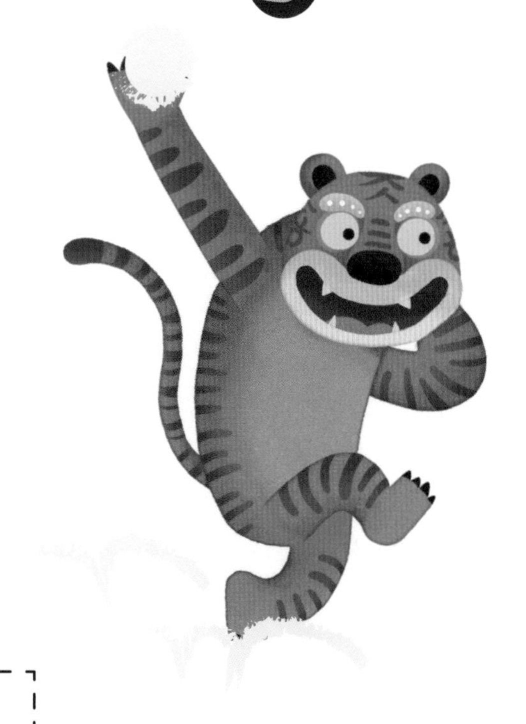

26화 신비한 손

야호 놀이터

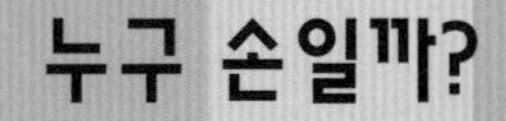

누구 손일까?

야호에게 악수하러 내미는 손을 대고 그려봐요.

귀여운 내 손

멋있는 아빠 손

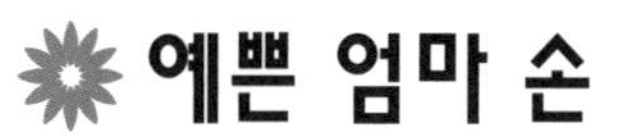

예쁜 엄마 손

26화 신비한 손

야호 놀이터

신을 디자인해요.

내가 좋아하는 신발은 어떤 모양이에요?
신고 싶은 모양의 신발을 꾸며 보아요.

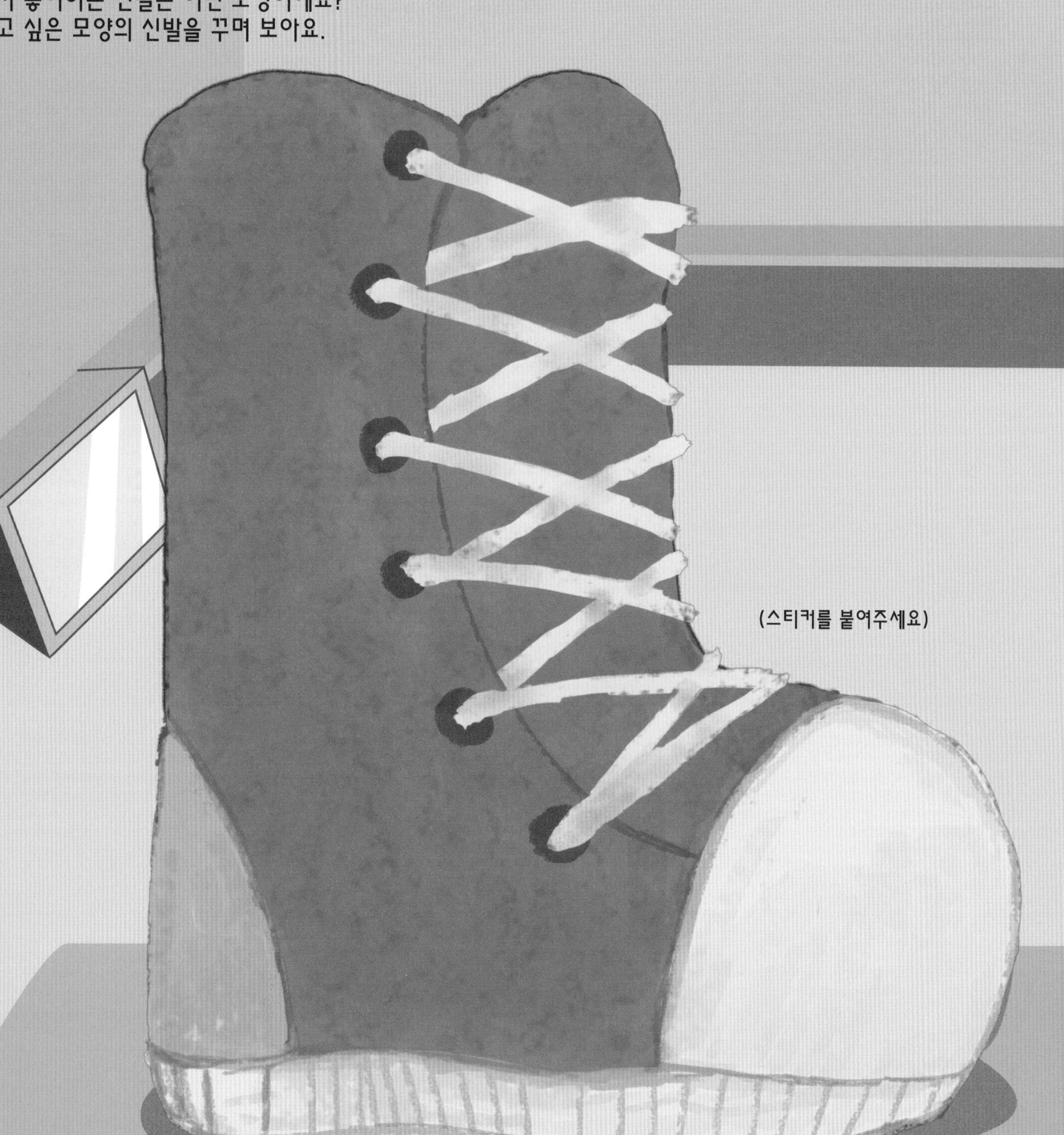

26화 신비한 손

야호 놀이터

그림에 맞는 글자 짝을 찾아 줄을 그어요.

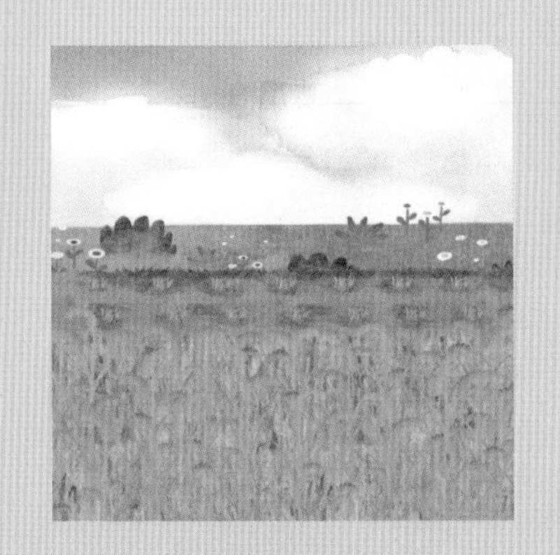

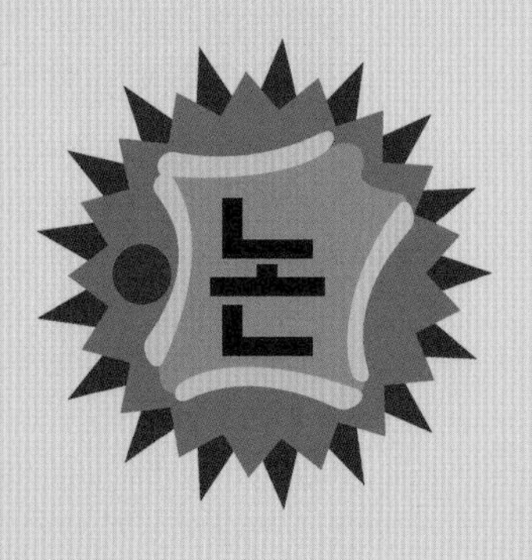

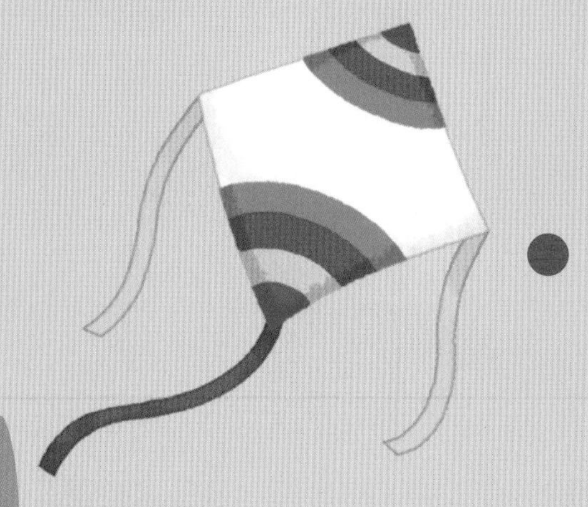

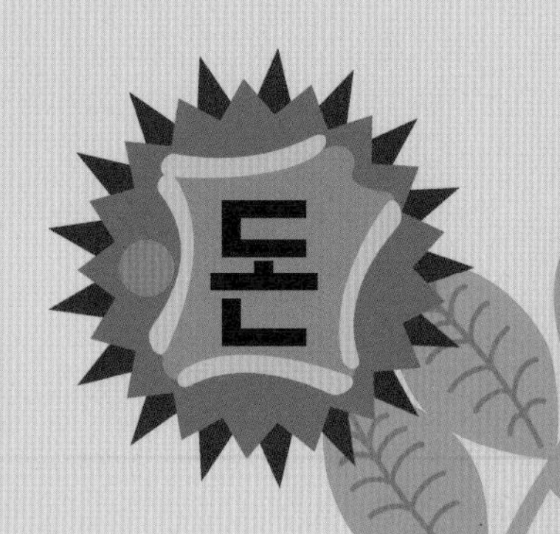

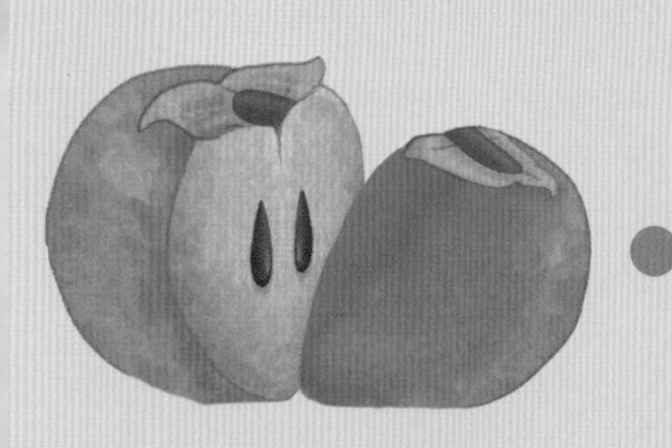

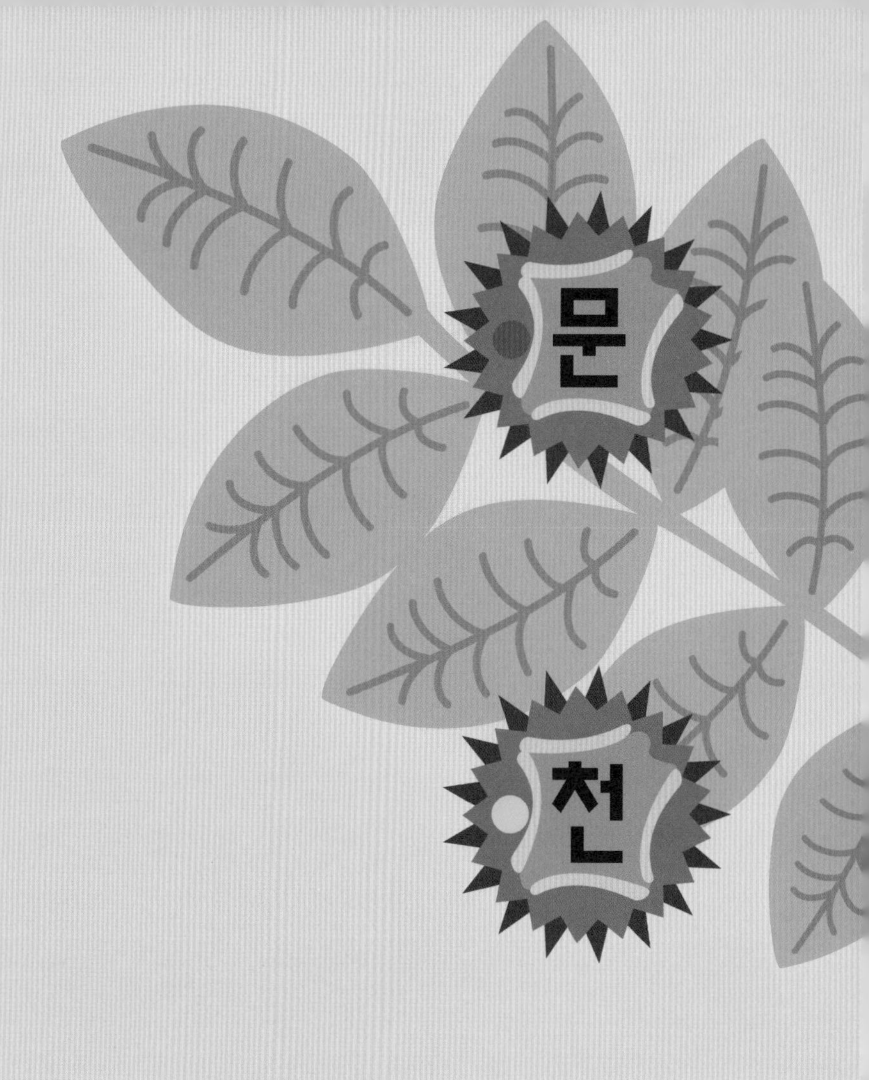
문
천

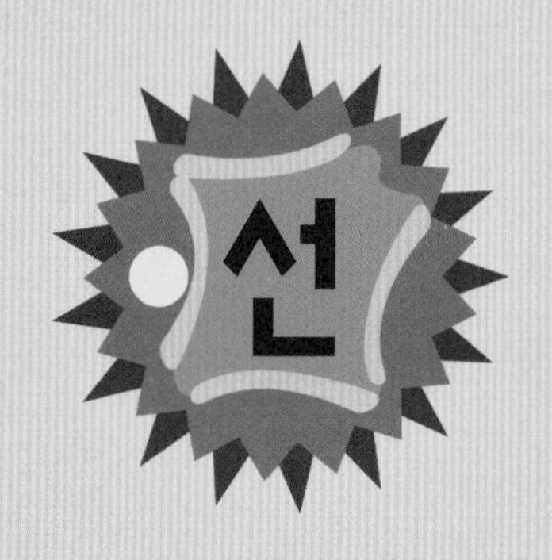
선

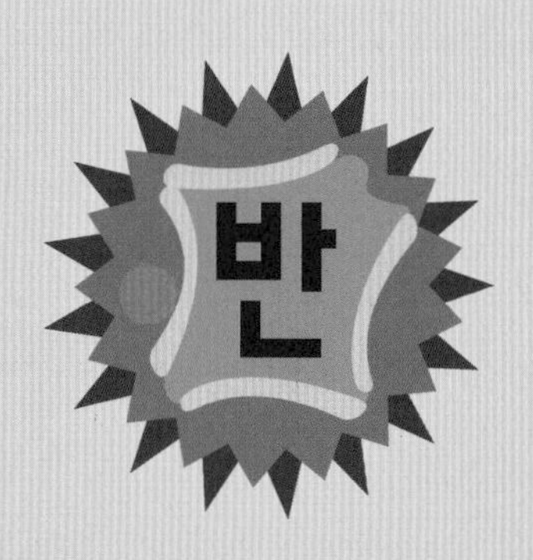
반

26화 신비한 손

쓰기 놀이터

한글이의 작은 그림책

한글이랑 야호와 함께 그림책을 또박또박 읽어봐요.

난 게으른 . 일하기 싫어.

나한테 신비한 일이 일어났어.  이 나타나고,

뿔이 'ㄴ(니은)' 모양으로 자라더니, 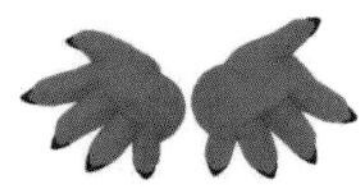 까지 생긴 거야.

농부 아이가  에서 걱정을 하네.

벼가 잘 익었는데 추수할  이 모자란 거야.

난 신비한 [손]을 가진 'ㄴ'야수.

세상에서 가장 빠른 [손]이 돼서 금방 다 해줄게.

아이가 [목걸이]을 강물에 빠뜨리고 엉엉 울고 있어.

26화 신비한 손

쓰기 놀이터

난 신비한 [손 그림] 을 가진 'ㄴ' 야수.

쑤욱 쑥 늘어나는 커다란 [손 그림] 으로 금세 꺼내줬지.

만들기가 어려워 힘들어하는 아이가 있네.

난 신비한 손을 가진 'ㄴ' 야수.

척척 손으로 금방 연 하나를 만들어줬지.

난 이제 아이들을 도와주는 신비한 'ㄴ'야수.

신비한 손을 가진 'ㄴ'야수.

26화 신비한 손

순서대로 쓰기!

획순에 맞춰서 받침 글자가 있는 글자를 써봐요.

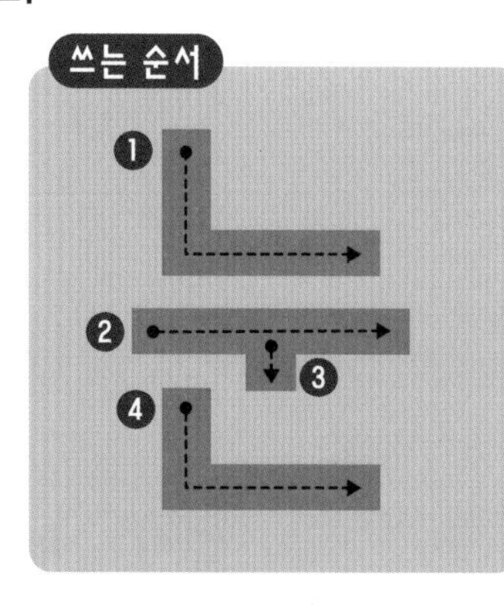

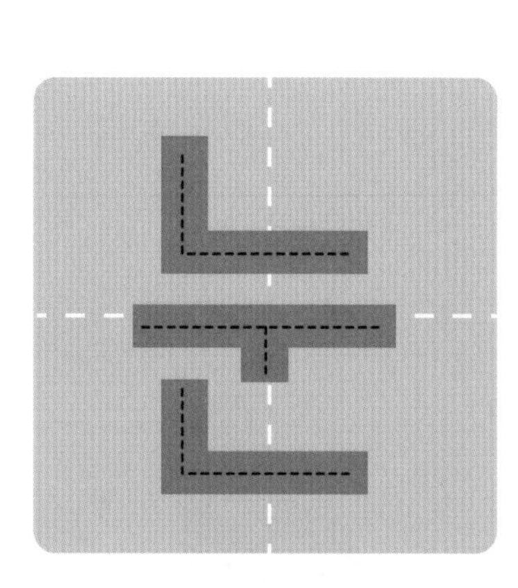

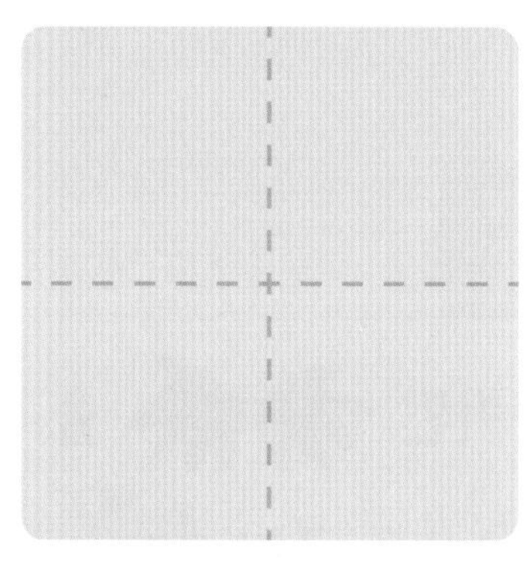

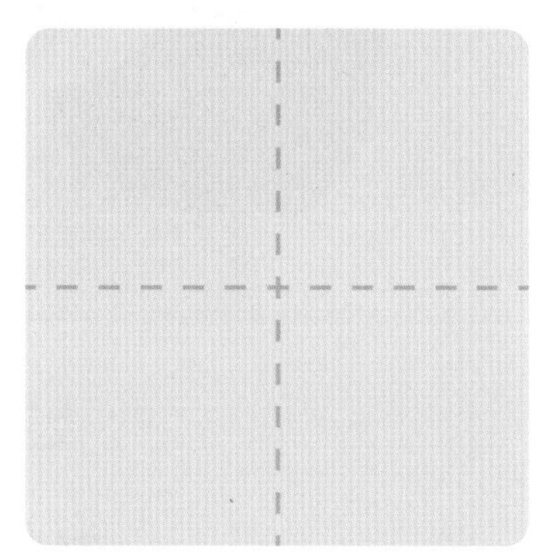

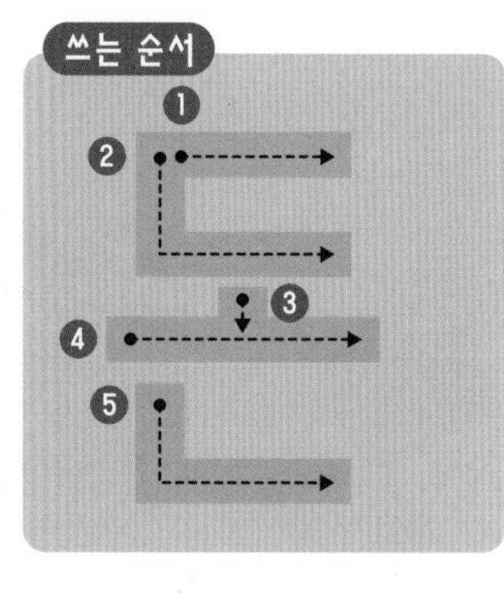

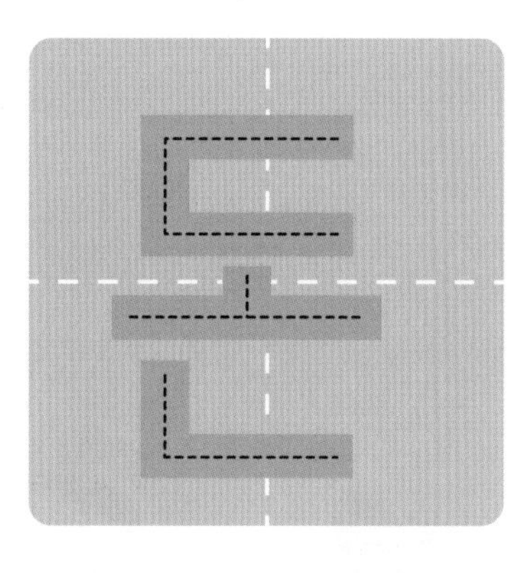

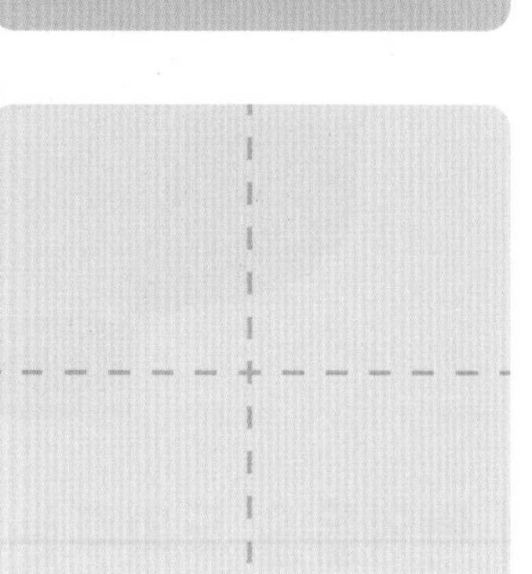

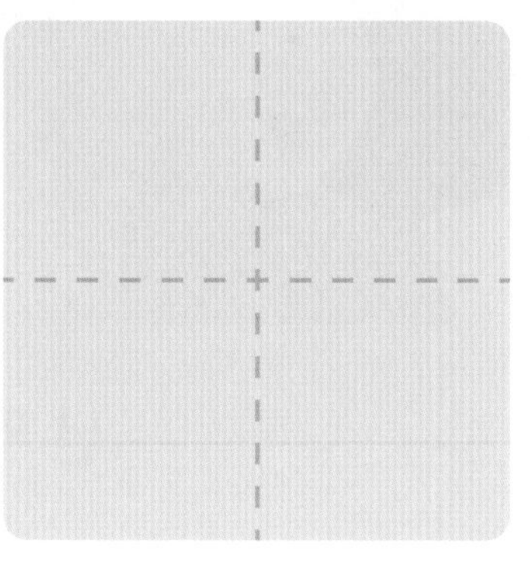

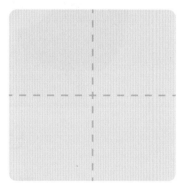

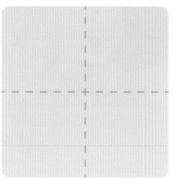

순서대로 쓰기!

획순에 맞춰 글자를 따라써요.

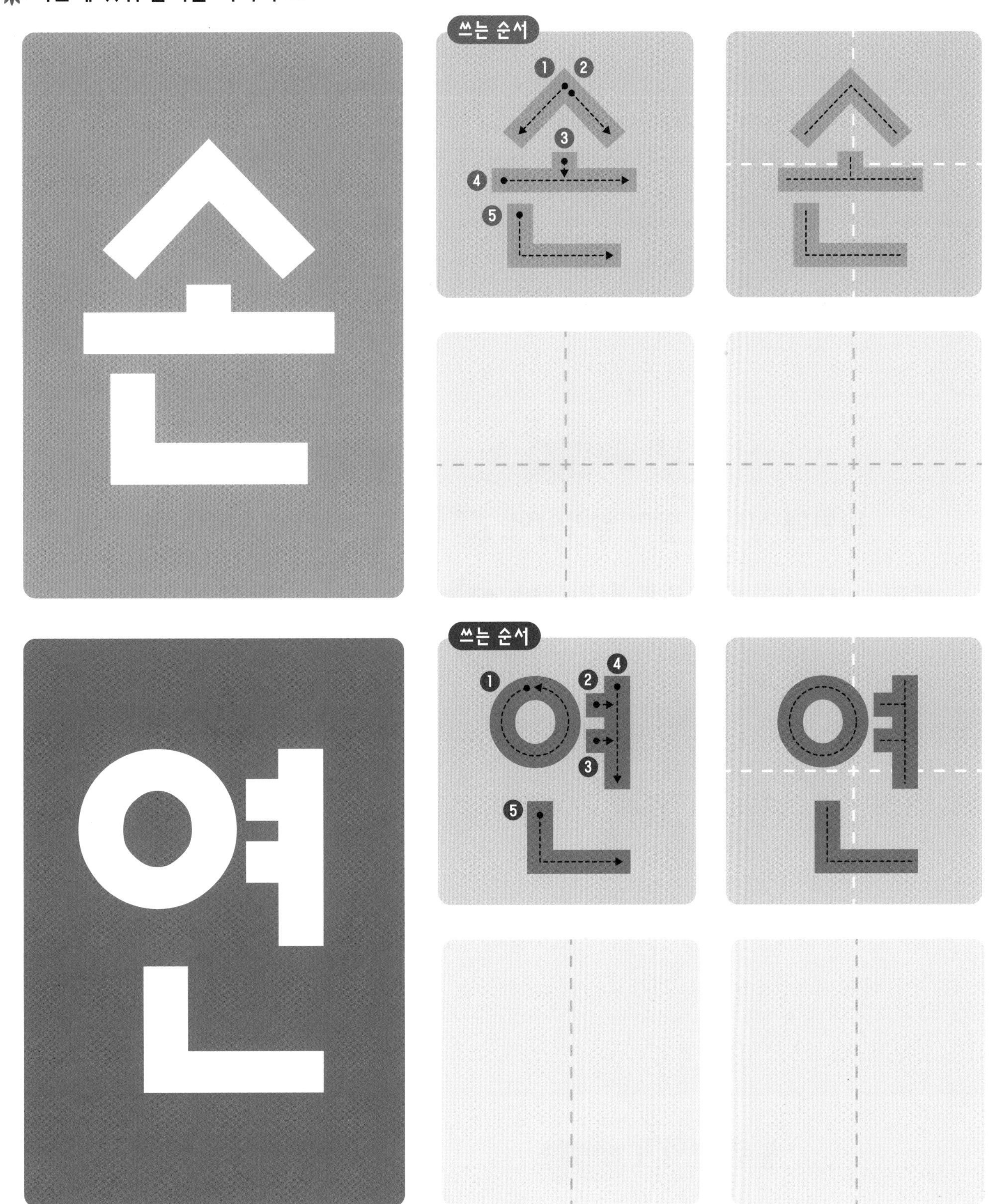

26화 신비한 손

쓰기 놀이터

한글이의 작은 그림책

한글이랑 야호와 함께 빈자리에 맞는 글자를 써서 그림책을 완성 해봐요.

난 게으른 (소) [   ]. 일하기 싫어.

나한테 신비한 일이 일어났어. (발) [   ]이 나타나고,

뿔이 'ㄴ(니은)' 모양으로 자라더니, (손) [   ]까지 생긴 거야.

농부 아이가 (논) [   ]에서 걱정을 하네.

벼가 잘 익었는데 추수할 (손) [   ]이 모자란 거야.

난 신비한 [ ] 을 가진 'ㄴ'야수.

세상에서 가장 빠른 [ ] 이 돼서 금방 다 해줄게.

아이가 [ ] 을 강물에 빠뜨리고 엉엉 울고 있어.

26화 신비한 손

쓰기 놀이터

난 신비한 [ ] 을 가진 'ㄴ' 야수.

쑤욱 쑥 늘어나는 커다란 [ ] 으로 금세 꺼내줬지.

만들기가 어려워 힘들어하는 아이가 있네.

난 신비한 을 가진 'ㄴ' 야수.

척척 손으로 금방 하나를 만들어줬지.

난 이제 아이들을 도와주는 신비한 'ㄴ'야수.

한글이 야호 2

편지요, 편지

인사 편지 기린

주전자 만두

우산

라면 사진

인어

차 례

27화 <편지요, 편지>편

27화 편지요, 편지

뿌미 놀이터

글자를 착착착!

뿌미가 글자에 'ㄴ(니은)' 받침을 붙여서 글자를 만들어요.
글자 스티커를 찾아서 붙이고 큰 소리로 읽어봐요.

가 갸 거 겨

❷+❸ (스티커를 붙여주세요)

❶❷+❸ (스티커를 붙여주세요)

라 랴 러 려

고 교 구 규 그 기

로 료 루 류 르 리

ㄴ

27화 편지요, 편지

뿌미 놀이터

글자를 착착착!

뿌미가 글자에 'ㄴ(니은)' 받침을 붙여서 글자를 만들어요.
글자 스티커를 찾아서 붙이고 큰 소리로 읽어봐요.

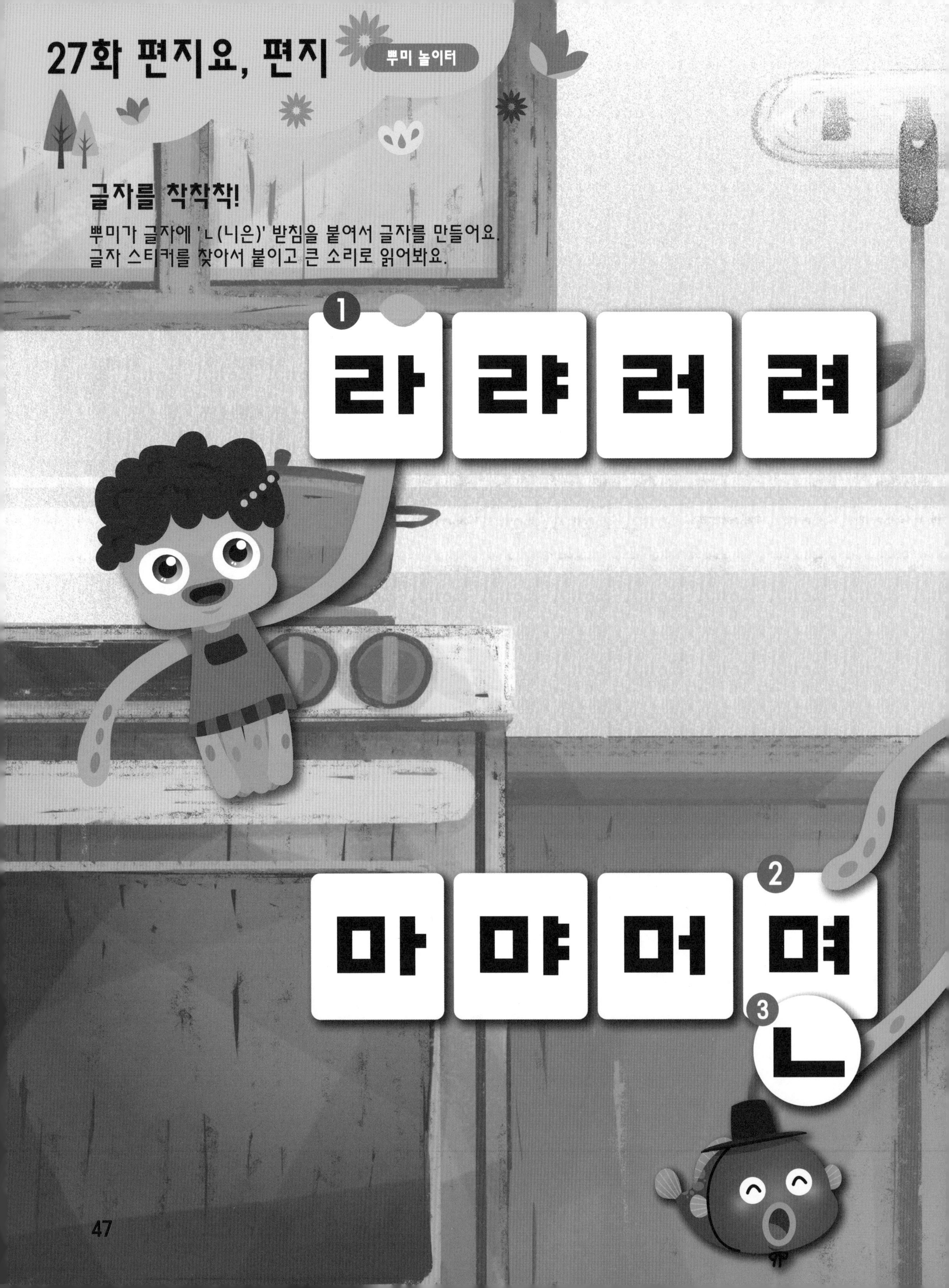

로
료
루
류
르
리
②+③
①②+③
(스티커를 붙여주세요)
(스티커를 붙여주세요)
모
묘
무
뮤
므
미

27화 편지요, 편지

뿌미가 글자에 'ㄴ(니은)' 받침을 붙여서 글자를 만들어요.
글자 스티커를 찾아서 붙이고 큰 소리로 읽어봐요.

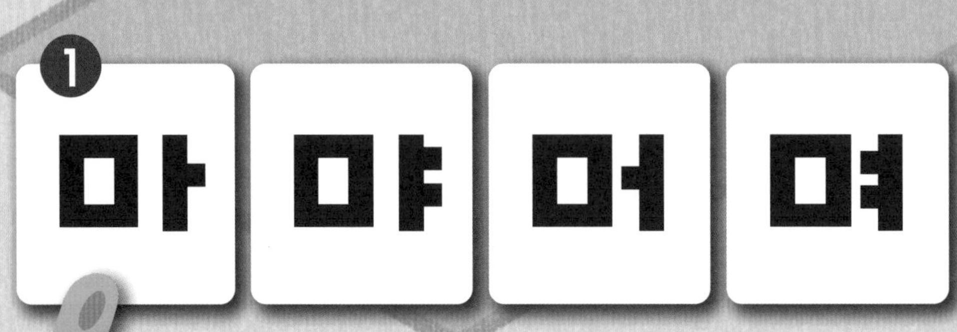

다 댜 더 뎌

모 묘 무 뮤 므 미
1+2
1+2 3
(스티커를 붙여주세요)
(스티커를 붙여주세요)
3
도 됴 두 듀 드 디

27화 편지요, 편지

뿌미 놀이터

글자를 착착착!

뿌미가 글자에 'ㄴ(니은)' 받침을 붙여서 글자를 만들어요.
글자 스티커를 찾아서 붙이고 큰 소리로 읽어봐요.

1

사 샤 서 셔

2 + 3

(스티커를 붙여주세요)

1 2 + 3

(스티커를 붙여주세요)

자 쟈 저 져

소 쇼 수 슈 스 시
조 죠 주 쥬 즈 지
2
3
ㄴ

27화 편지요, 편지

뿌미 놀이터

글자를 착착착!

뿌미가 글자에 'ㄴ(니은)' 받침을 붙여서 글자를 만들어요.
글자 스티커를 찾아서 붙이고 큰 소리로 읽어봐요.

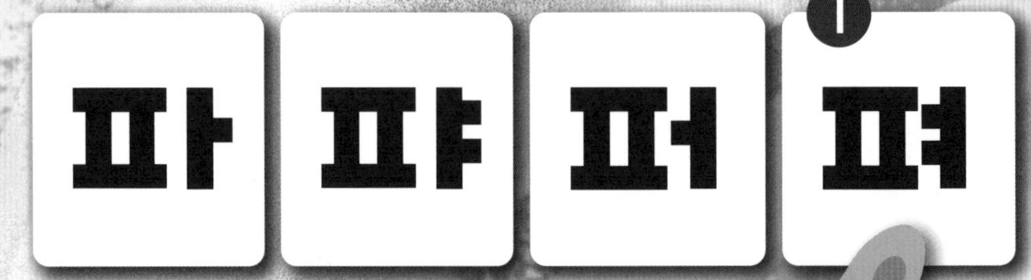

자 쟈 저 져

포 표 푸 퓨 프 피

❶+❷

(스티커를 붙여주세요)

❶+❷❸

(스티커를 붙여주세요)

❸

조 죠 주 쥬 즈 지

27화 편지요, 편지

뿌미 놀이터

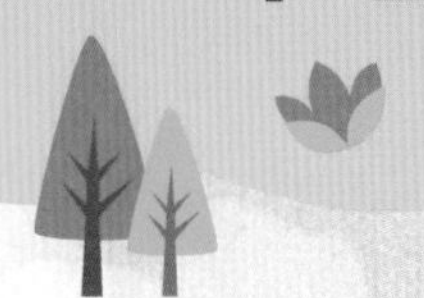

글자를 착착착!

뿌미가 글자에 'ㄴ(니은)' 받침을 붙여서 글자를 만들어요.
글자 스티커를 찾아서 붙이고 큰 소리로 읽어봐요.

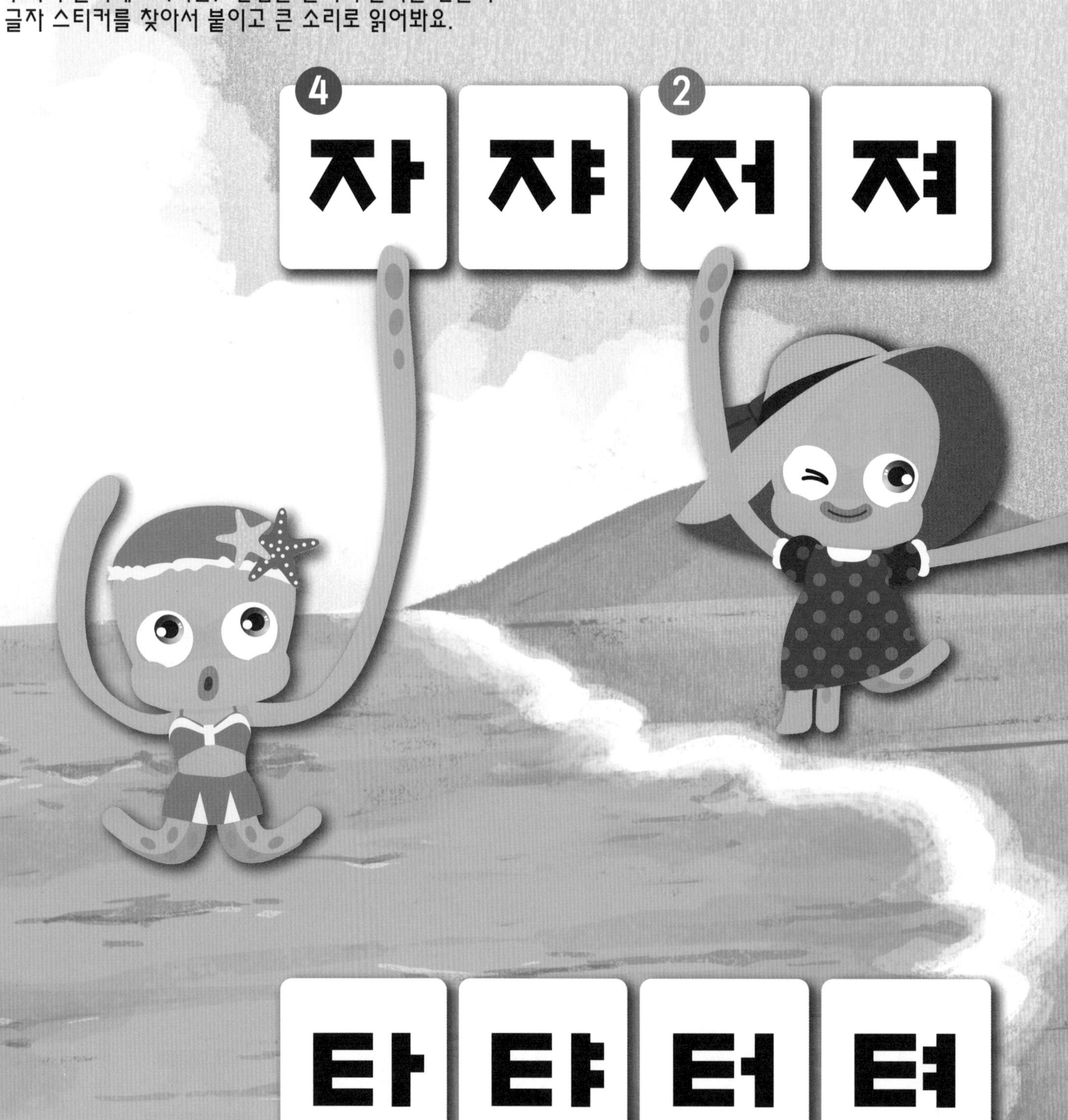

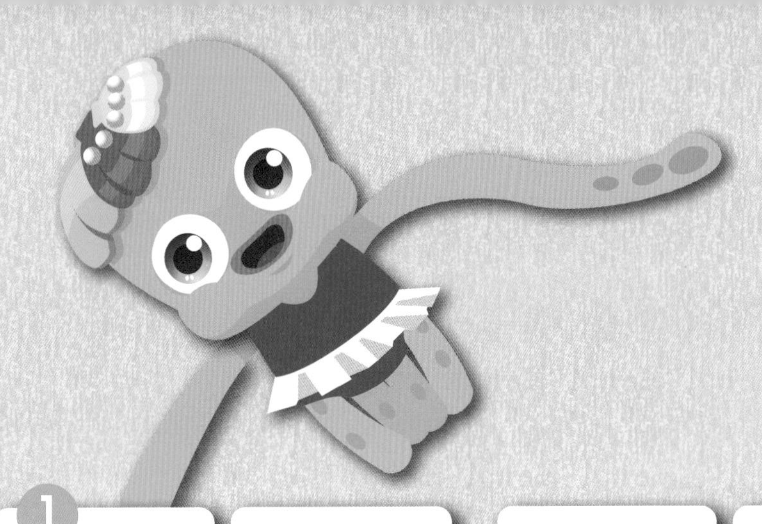

①

조 죠 주 쥬 즈 지

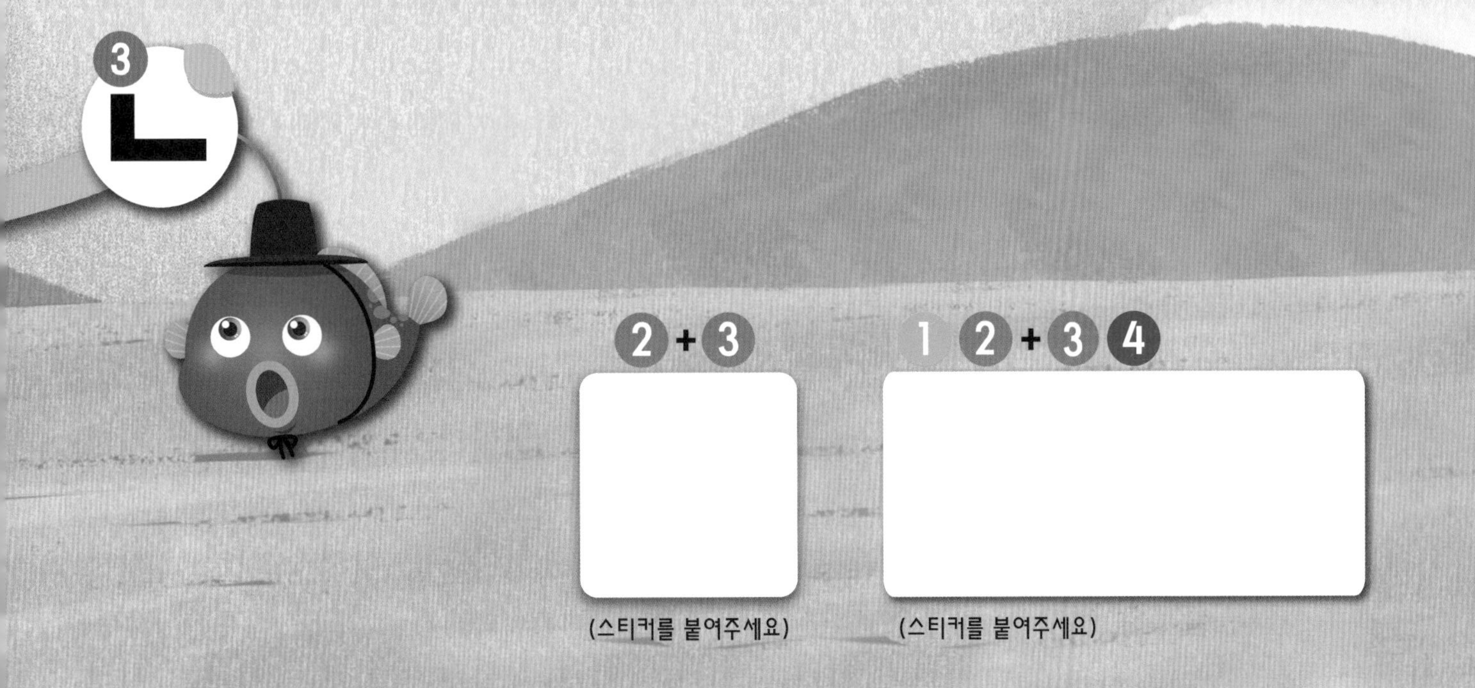

②+③

(스티커를 붙여주세요)

① ②+③ ④

(스티커를 붙여주세요)

토 툐 투 튜 트 티

27화 편지요, 편지

야호 놀이터

야호에게 편지를 써요.

야호에게 편지를 쓰면 어떤 말을 쓰고 싶은가요?

에게

안녕? 내 이름은 ____ 야.

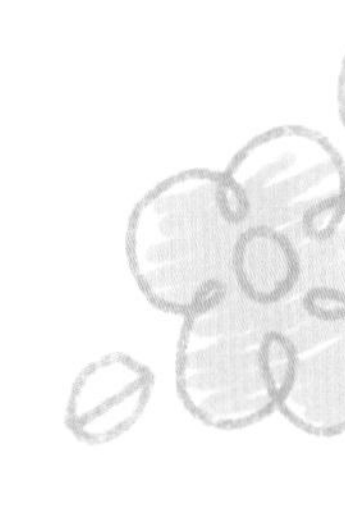

20 년 월 일

27화 편지요, 편지

야호 놀이터

야호는 요리사

야호가 친구들이 좋아하는 걸 요리해 준대요.
좋아하는 먹을거리 스티커를 찾아 붙여 주어요.

(스티커를 붙여주세요)

27화 편지요, 편지

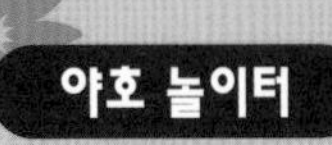

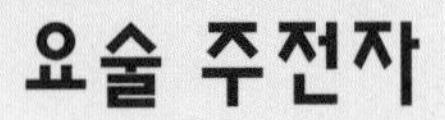

요술 주전자

야호가 친구들하고 차를 마셔요.
주전자에서 뭐가 나올까요? 색칠 해봐요.

전
자

27화 편지요, 편지

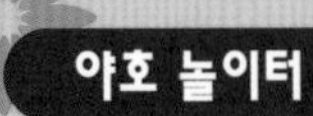

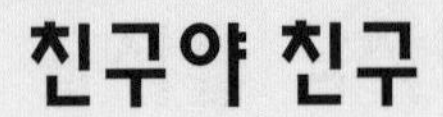

친구야 친구

야호에게 나와 가장 친한 친구를 소개해 봐요.
친구와 친구가 좋아하는 것들을 그려봐요.

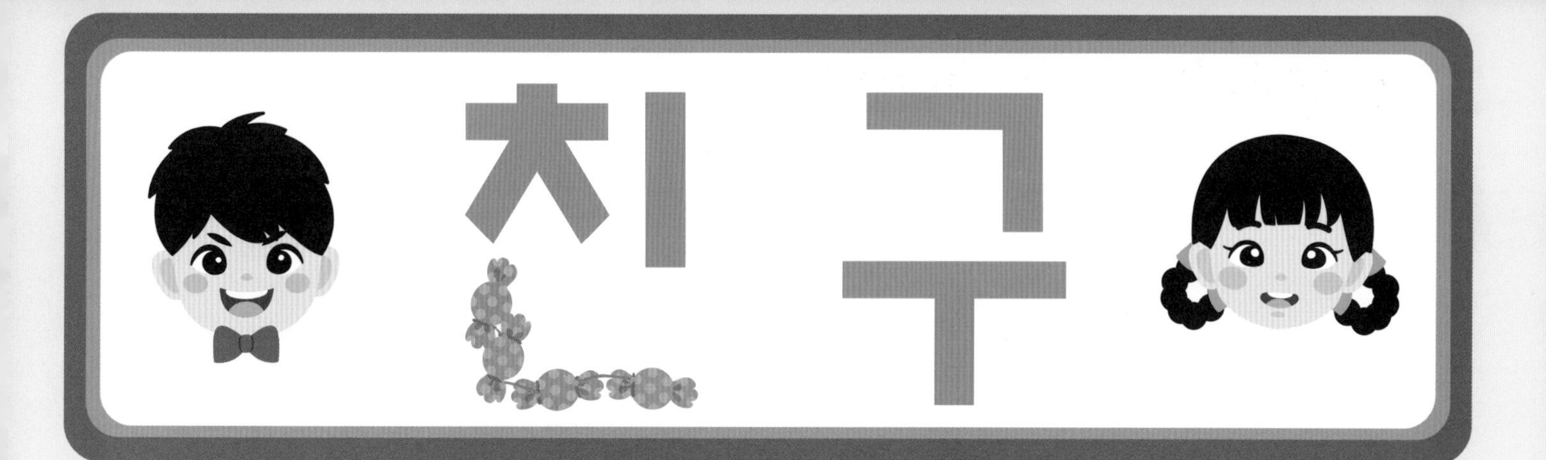
친구

 야호 놀이터

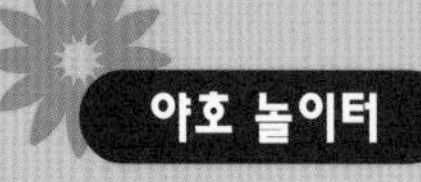

야호의 글자통

야호와 함께 그림에 맞는 글자를 찾아서 동그라미를 해요.

기린

만두

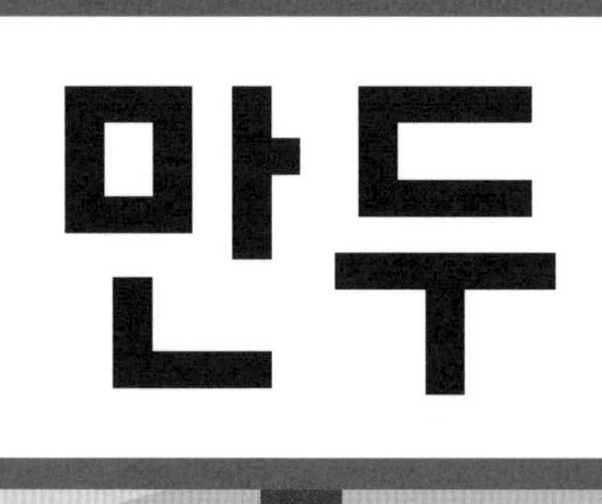

편지

주전자

27화 편지요, 편지

야호 놀이터

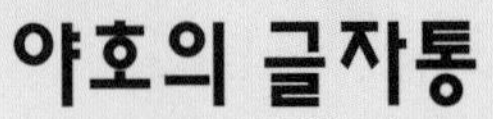

야호의 글자통

야호와 함께 그림에 맞는 글자를 찾아서 동그라미를 해요.

변신

주전자

기린

인어

라면
송편
김치
우산
친구
인어

27화 편지요, 편지

야호 놀이터

한글이의 작은 그림책

한글이랑 야호와 함께 그림책을 또박또박 읽어봐요.

편지요,  **.**

호랑이가 친구에게 편지를 전해주려고 했어.

“안녕?”

 **를 나누다 편지를 깜박 했지.**

하필, 을 나누어 먹으려다 **편지**가 떠올랐어.

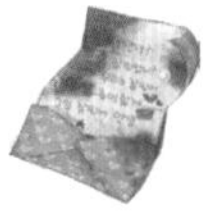 에 국물이 묻어서 얼룩덜룩,

누가 보냈는지 알 수가 없네.

27화 편지요, 편지

친구가 를 꺼낼 때

호랑이는 냄새를 맡았어.

를 찾다

를 엎지르고 말았지.

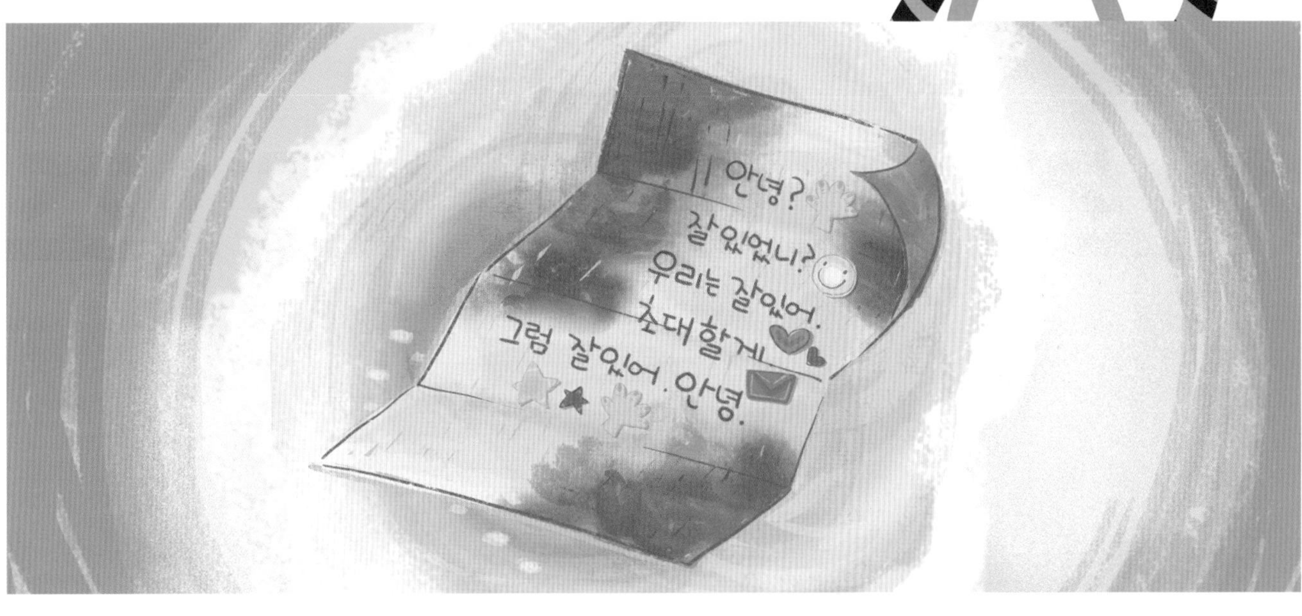

 가 젖어서 얼룩덜룩, 누가 보냈는지 알 수가 없네.

편지엔  이 들어 있었어.

27화 편지요, 편지

야호 놀이터

편지는 이랑 공주 결혼식 초대장.

덕분에 결혼식에 갈 수 있었지.

순서대로 쓰기!

획순에 맞춰서 받침 글자가 있는 글자를 써봐요.

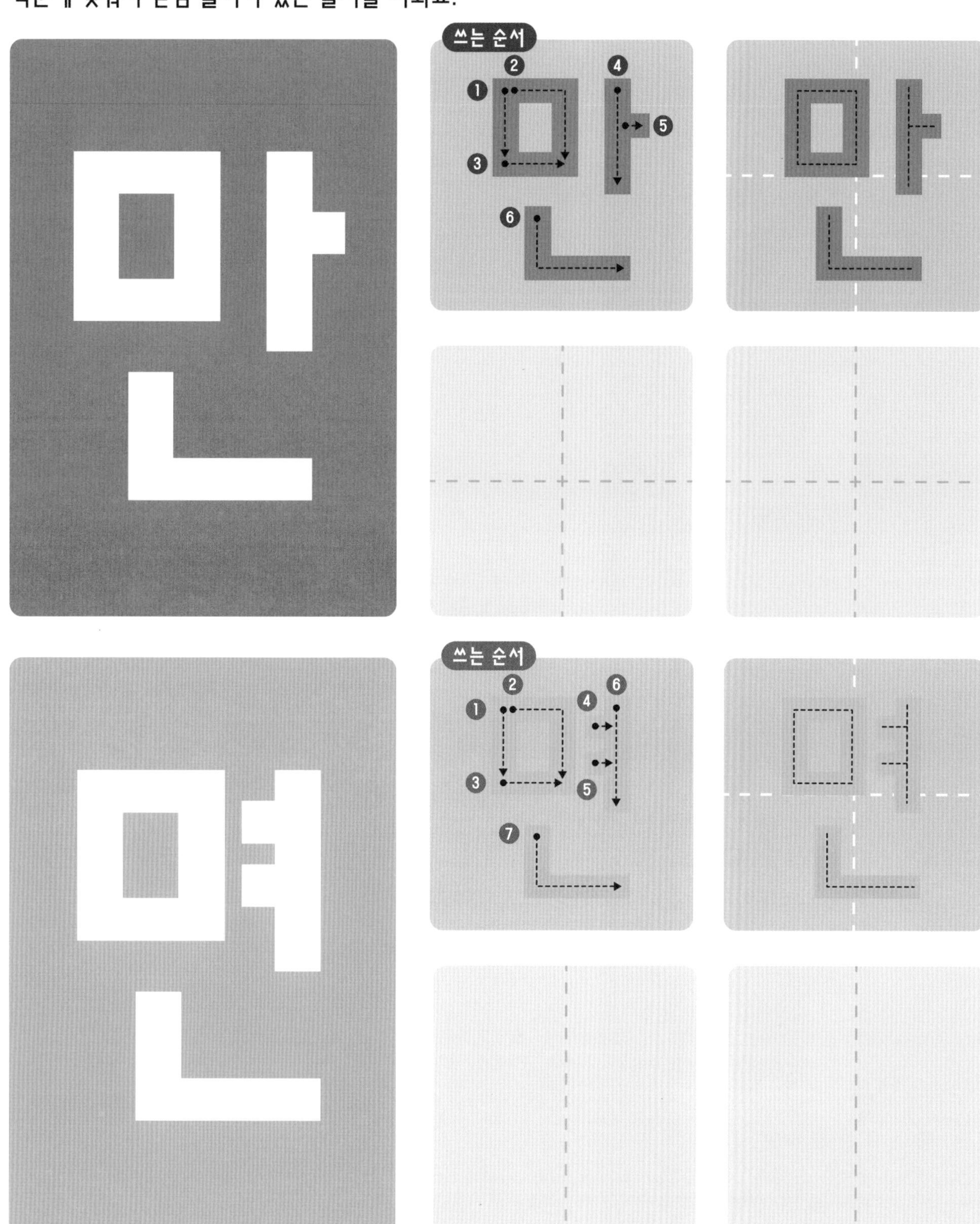

27화 편지요, 편지

순서대로 쓰기!

획순에 맞춰 글자를 따라써요.

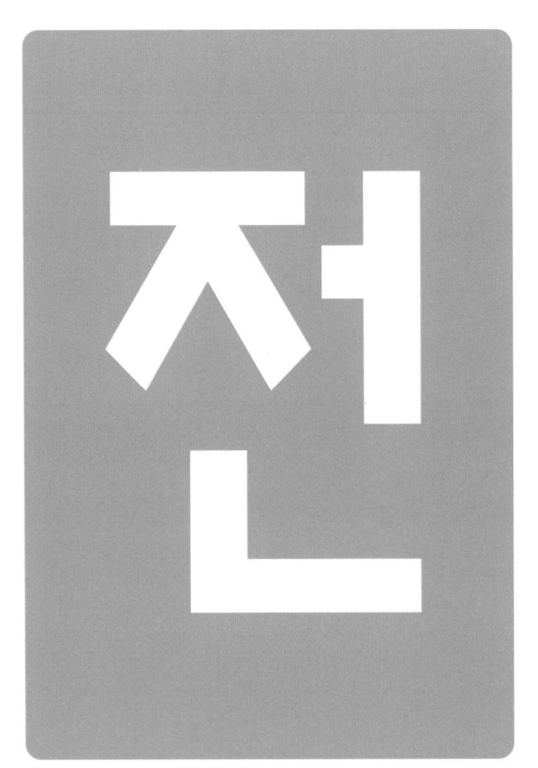

쓰는 순서

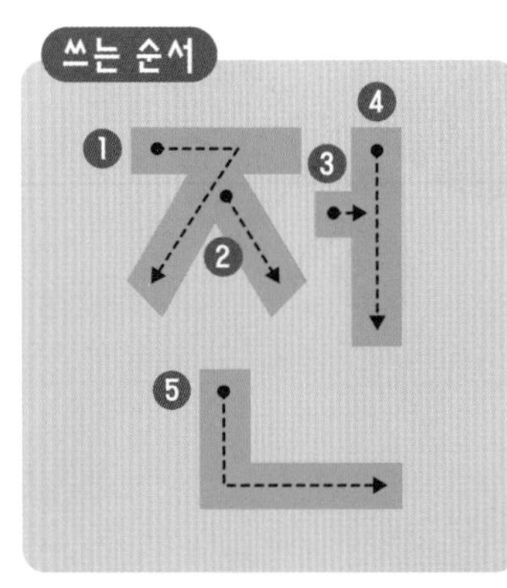

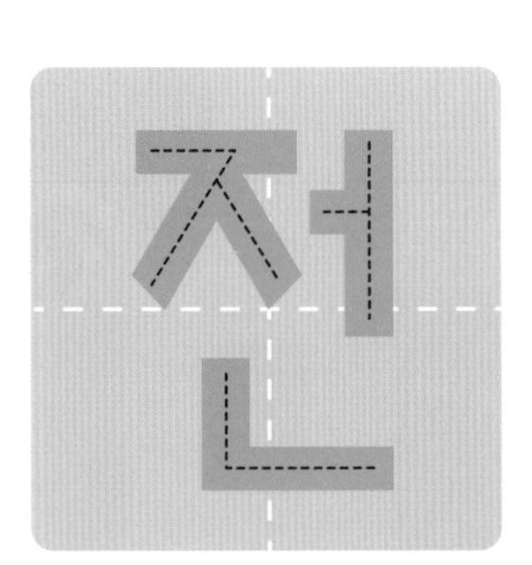

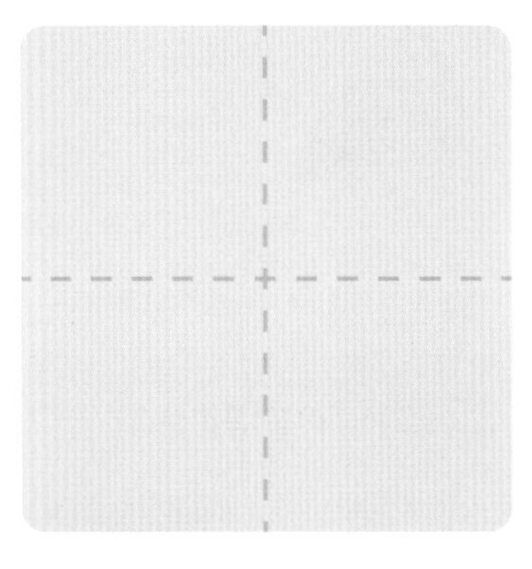

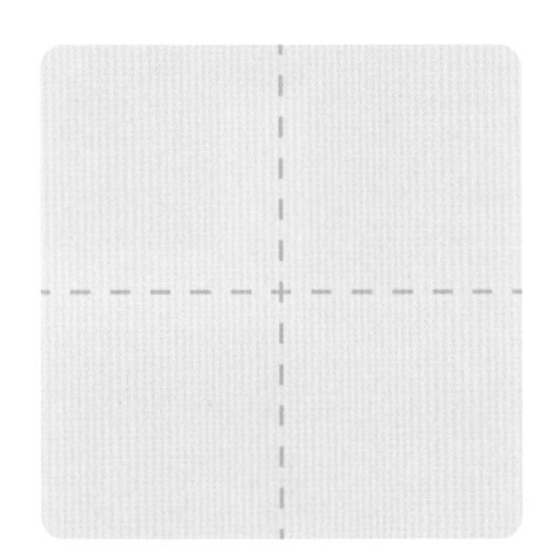

쓰는 순서

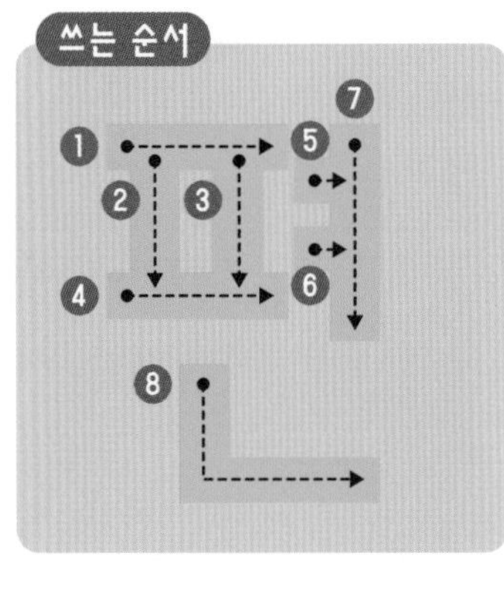

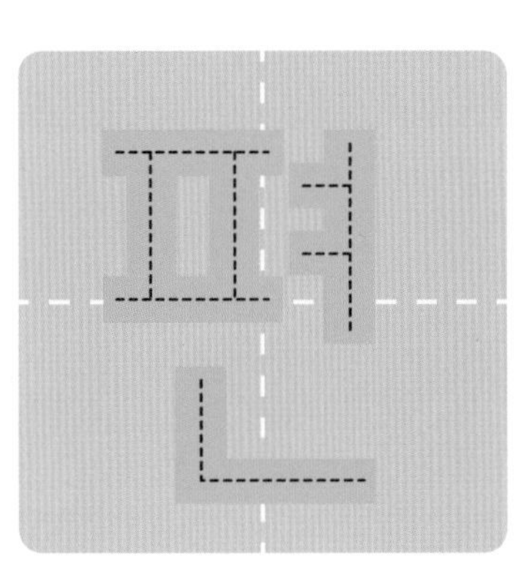

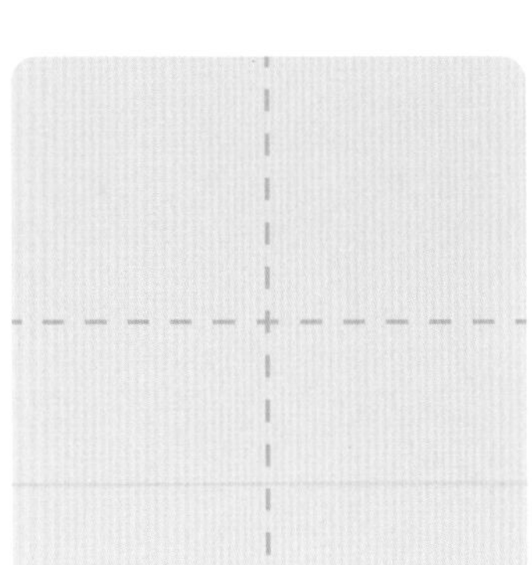

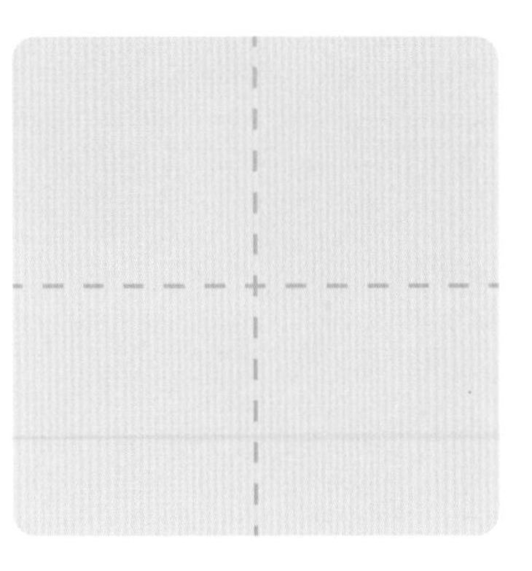

27화 편지요, 편지

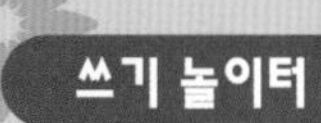

한글이의 작은 그림책

한글이랑 야호와 함께 빈자리에 맞는 글자를 써서 그림책을 완성 해봐요.

편지요,  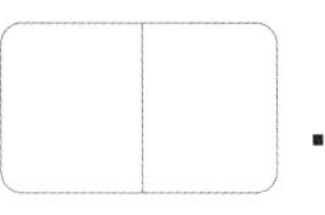 .

호랑이가 **친구**에게 **편지**를 전해주려고 했어.

"안녕?"

 를 나누다 **편지**를 깜박 했지.

27화 편지요, 편지

쓰기 놀이터

하필, [|] 을 나누어 먹으려다 **편지**가 떠올랐어.

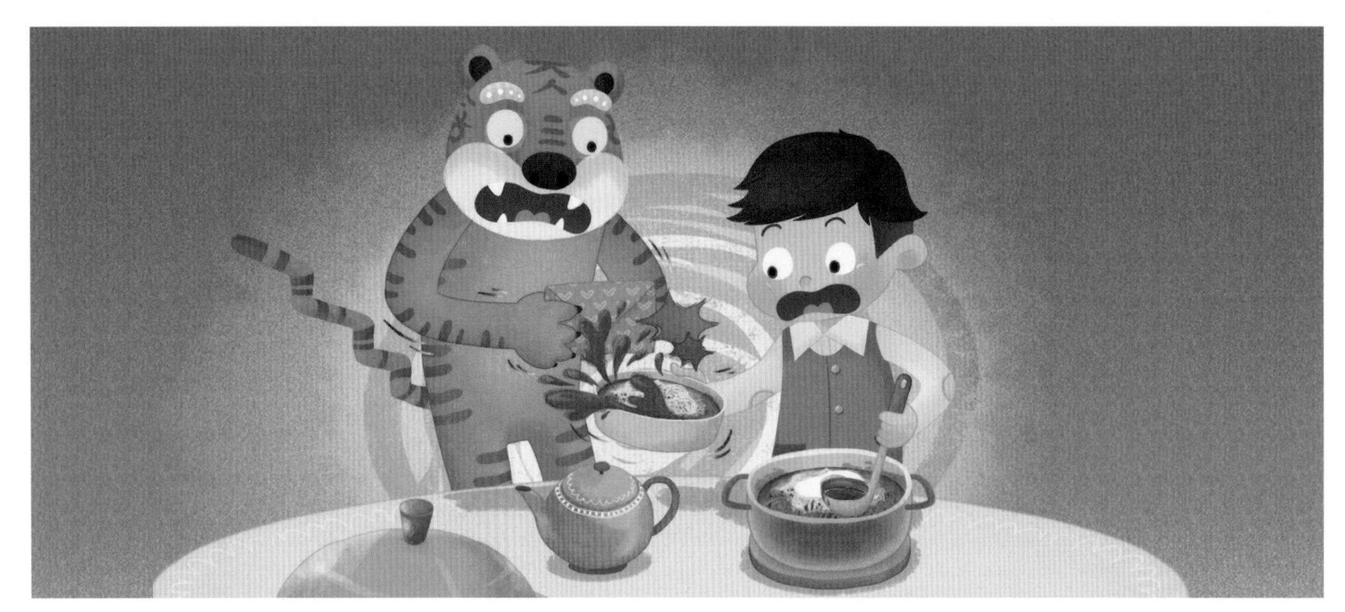

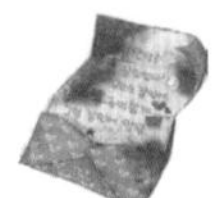 [|] 에  [|] 국물이 묻어서 얼룩덜룩,

누가 보냈는지 알 수가 없네.

친구가 를 꺼낼 때

호랑이는 냄새를 맡았어.

를 찾다 그만

를 엎지르고 말았지.

27화 편지요, 편지

쓰기 놀이터

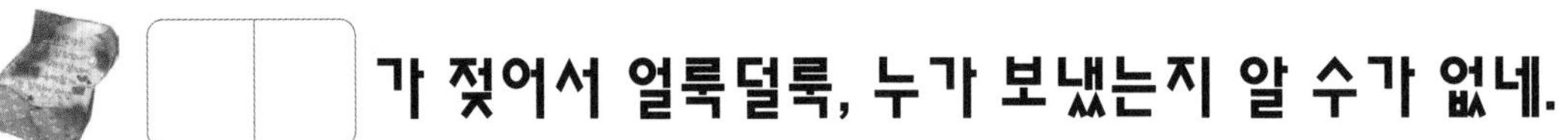

가 젖어서 얼룩덜룩, 누가 보냈는지 알 수가 없네.

편지엔 이 들어 있었어.

편지는 이랑 공주 결혼식 초대장.

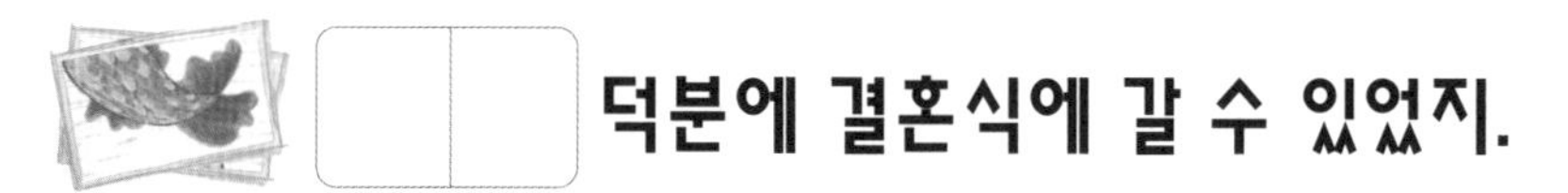
덕분에 결혼식에 갈 수 있었지.

한글이 야호 2

눈사람 자전거

삼촌 풍선 당근

차 례

28화 〈눈사람 자전거〉편

28화 눈사람 자전거
뿌미 놀이터
글자를 착착착!
뿌미가 글자에 'ㄴ(니은)' 받침을 붙여서 글자를 만들어요.
글자 스티커를 찾아서 붙이고 큰 소리로 읽어봐요.
1
다 댜 더 뎌
2
ㄴ
1+2
(스티커를 붙여주세요)
차 챠 처 쳐

도 됴 두 듀 드 디

1+2 3

(스티커를 붙여주세요)

3

초 쵸 추 츄 츠 치

28화 눈사람 자전거 뿌미 놀이터

글자를 착착착!

뿌미가 글자에 'ㄴ(니은)' 받침을 붙여서 글자를 만들어요.
글자 스티커를 찾아서 붙이고 큰 소리로 읽어봐요.

1 자 쟈 2 저 져

3 ㄴ

2+3

(스티커를 붙여주세요)

가 갸 4 거 겨

1 2 + 3 4

(스티커를 붙여주세요)

고 교 구 규 그 기

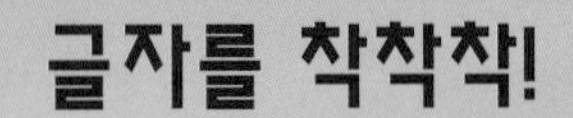

글자를 착착착!

뿌미가 글자에 'ㄴ(니은)','ㅇ(이응)' 받침을 붙여서 글자를 만들어요.
글자 스티커를 찾아서 붙이고 큰 소리로 읽어봐요.

포 표 푸 퓨 프 피
1
2
ㅇ
1 + 2
(스티커를 붙여주세요)
소 쇼 수 슈 스 시

28화 눈사람 자전거

글자를 착착착!

뿌미가 글자에 'ㄴ(니은)','ㅇ(이응)' 받침을 붙여서 글자를 만들어요.
글자 스티커를 찾아서 붙이고 큰 소리로 읽어봐요.

❶ 아 야 어 여

❷ ㄴ

❶+❷

(스티커를 붙여주세요)

❸ 가 갸 거 겨

❹ ㅇ

❸+❹

(스티커를 붙여주세요)

오 요 우 유 으 이

고 교 구 규 그 기

1 + 2 3 + 4

(스티커를 붙여주세요)

28화 눈사람 자전거 뿌미 놀이터

뿌미가 글자에 'ㄴ(니은)','ㅇ(이응)' 받침을 붙여서 글자를 만들어요.
글자 스티커를 찾아서 붙이고 큰 소리로 읽어봐요.

도 됴 두 듀 드 디
1 + 2 3 + 4
(스티커를 붙여주세요)
고 교 구 규 그 기
3
4
ㄴ
3 + 4
(스티커를 붙여주세요)

28화 눈사람 자전거 뿌미 놀이터

글자를 착착착!

뿌미가 글자에 'ㄴ(니은)', 'ㅁ(미음)' 받침을 붙여서 글자를 만들어요.
글자 스티커를 찾아서 붙이고 큰 소리로 읽어봐요.

나 냐 너 녀

노 뇨 ① 누 뉴 느 니

(스티커를 붙여주세요)

3
사 샤 서 셔
소 쇼 수 슈 스 시
1+2 3 4+5
(스티커를 붙여주세요)
4+5
(스티커를 붙여주세요)
4
라 랴 러 려
5 ㅁ
로 료 루 류 르 리

28화 눈사람 자전거

야호 놀이터

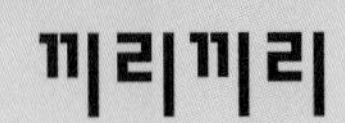

끼리끼리

그림에 맞는 글자 짝을 찾아 줄을 그어요.

자전거

고무신

눈사람

자전거

야호의 자전거에 바퀴가 빠졌어요.
바퀴를 예쁘게 그려주세요.

자전거

28화 눈사람 자전거 야호 놀이터

글자 종이 접기

야호가 글자 색종이를 찾아냈어요.
접혀진 종이를 펼치니까 받침글자가 나타났어요. 그림 스티커를 찾아 붙여요.

푸서 → 푸서 / ㅇ ㄴ → 풍선

(스티커를 붙여주세요)

사초 → 사초 / ㅁ ㄴ → 삼촌

(스티커를 붙여주세요)

자자며

자자며

ㅇ ㄴ

자장면

(스티커를 붙여주세요)

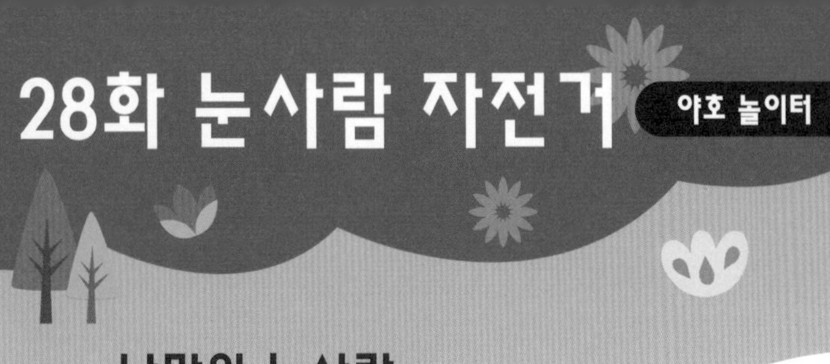

28화 눈사람 자전거

야호 놀이터

나만의 눈사람

눈사람을 그려서 꾸며 봐요.

28화 눈사람 자전거

야호 놀이터

한글이의 작은 그림책

한글이랑 야호와 함께 그림책을 또박또박 읽어봐요.

이 두 발 자전거를 선물로 주셨지.

아이는 자전거 타기가 무섭다며 바라만 봤어.

28화 눈사람 자전거

야호 놀이터

 이 펑펑 내렸어.

코, 눈, 까지 멋진 눈사람.

아이는 눈을 굴려서  을 만들었어.

을 닮은 눈사람은 자전거에 을 달아 주었어.

"얘야, 이제 용기 풍선이 생겼으니까 넌 할 수 있어."

아이는 풍선이 달린 에 올라탔지.

28화 눈사람 자전거 야호 놀이터

이 자전거를 잡아주다가 살짝 놓았지.

그래도 아이는 자전거를 잘 탔어. 간다, 간다, 자전거가 잘 간다.

그 때 에 맨 이 하늘로 날아갔어.

아이는 하늘로 날아간 을 잡으려고 열심히 **자전거**를 탔어.

난다, 난다, **자전거**가 하늘을 난다.

이랑 신나게 하늘에서  를 탔지.

28화 눈사람 자전거

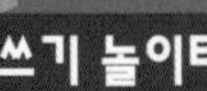

그림을 보고 맞는 단어를 써 봐요.

당근

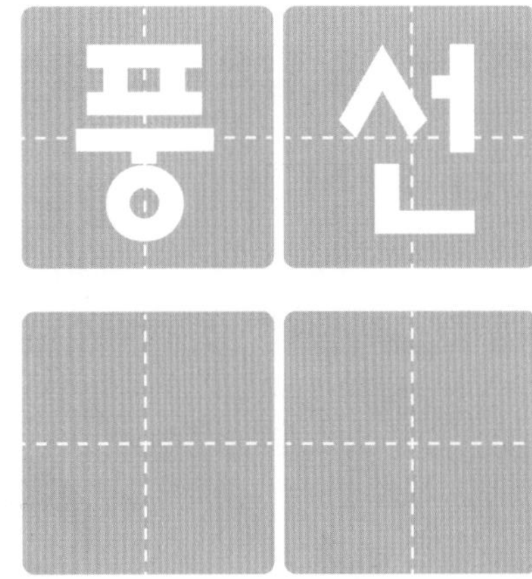

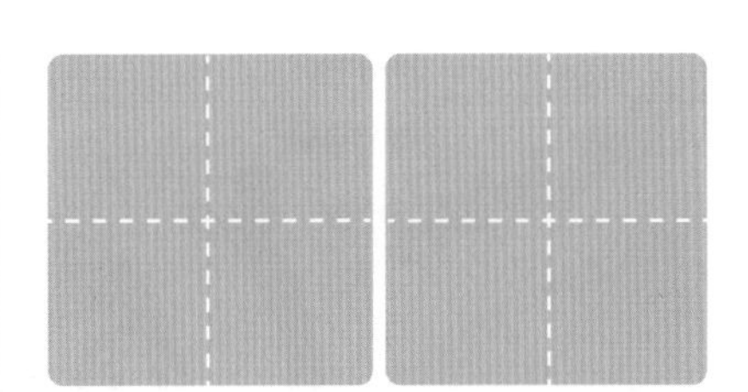

풍선

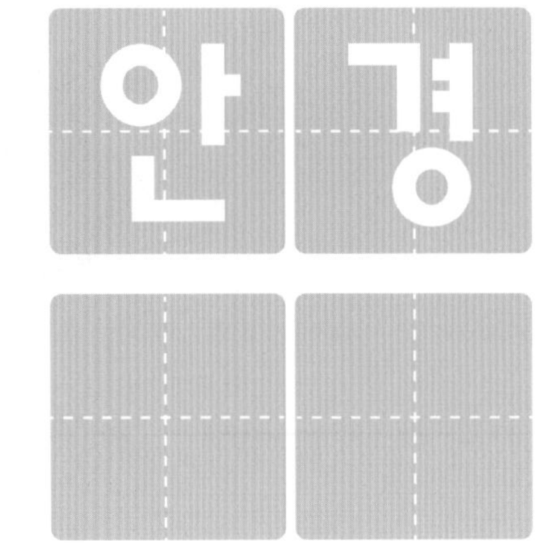

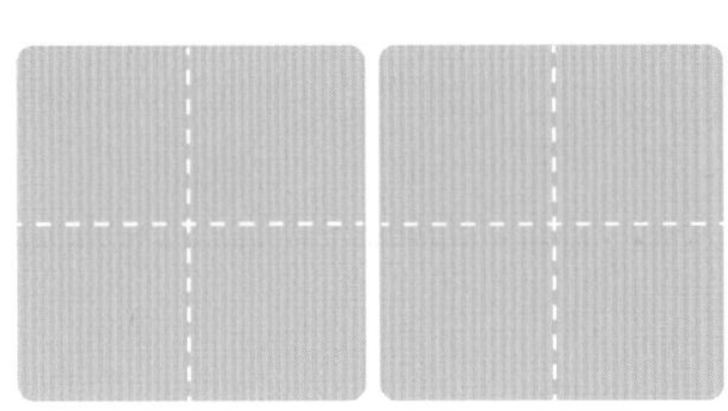

안경

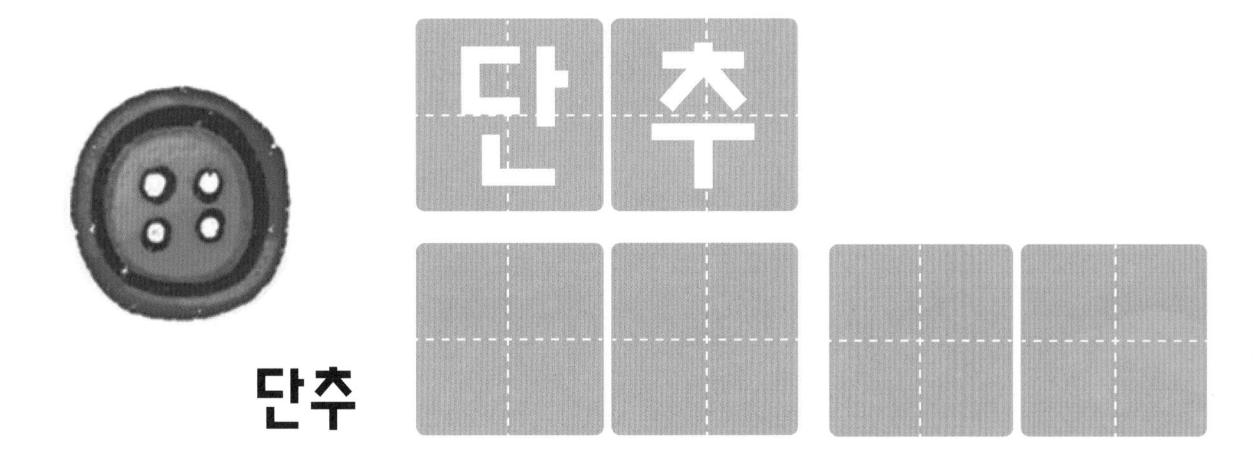
단추
단추

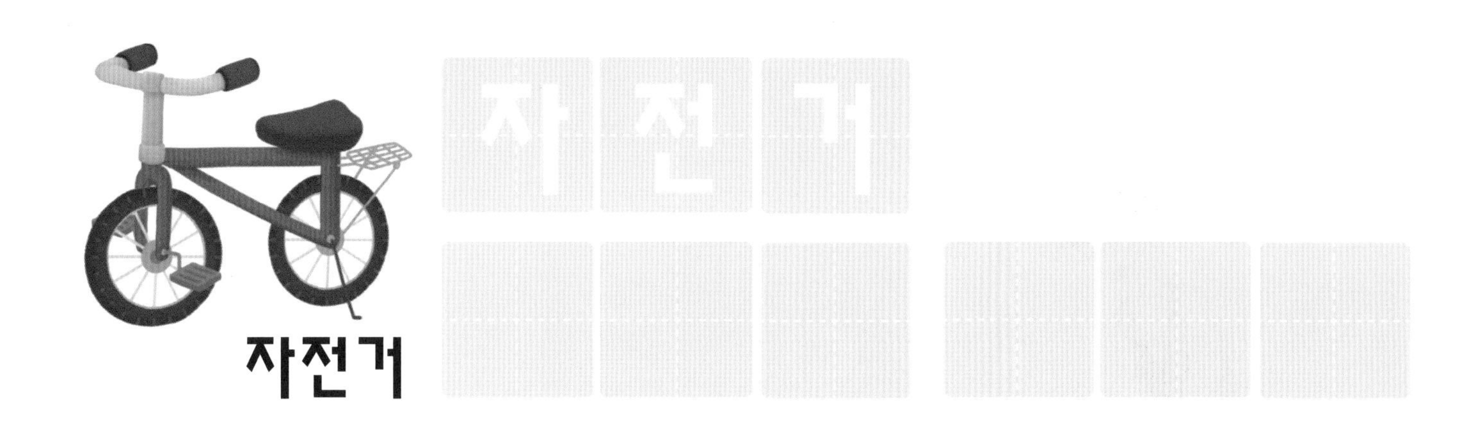
자전거
자전거

28화 눈사람 자전거 쓰기 놀이터

쑥쑥, 글자쓰기

그림을 보고 맞는 단어를 써 봐요.

천사

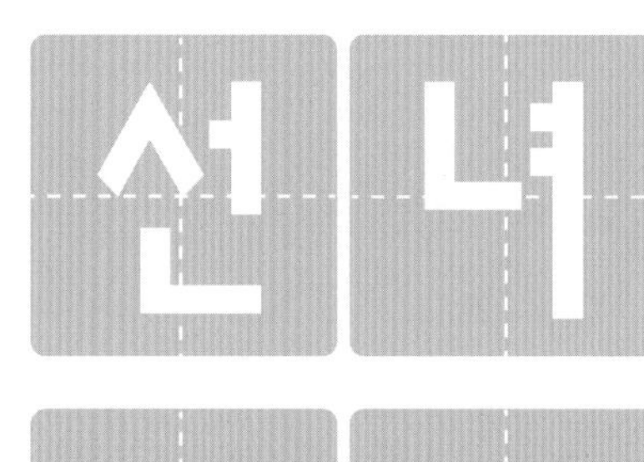

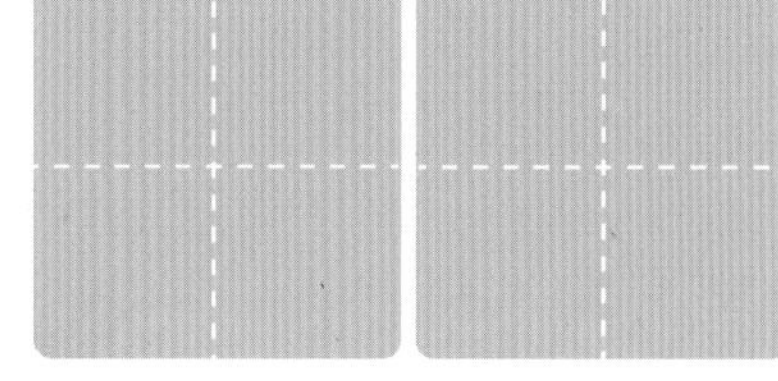
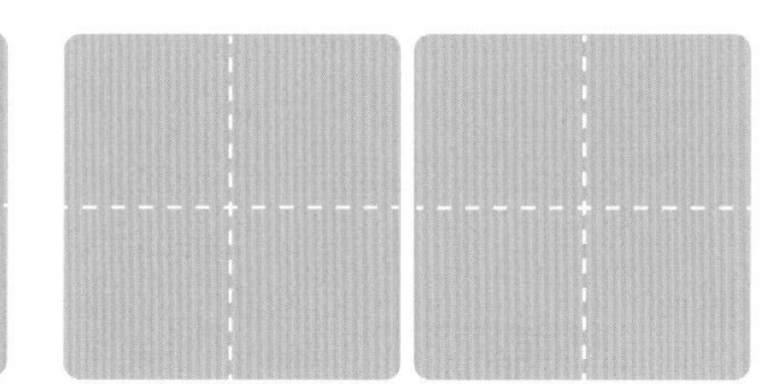

선녀

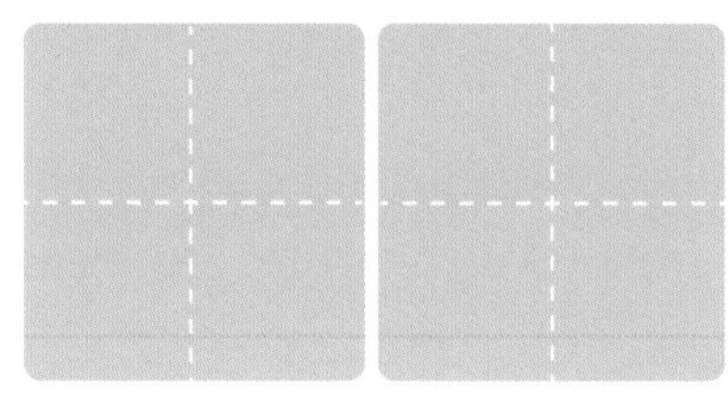
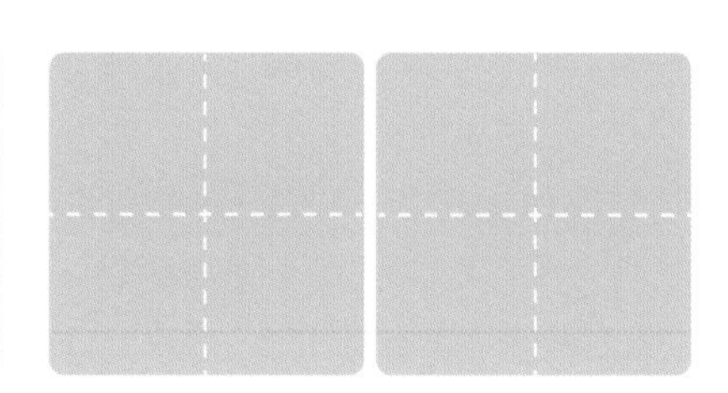

삼촌

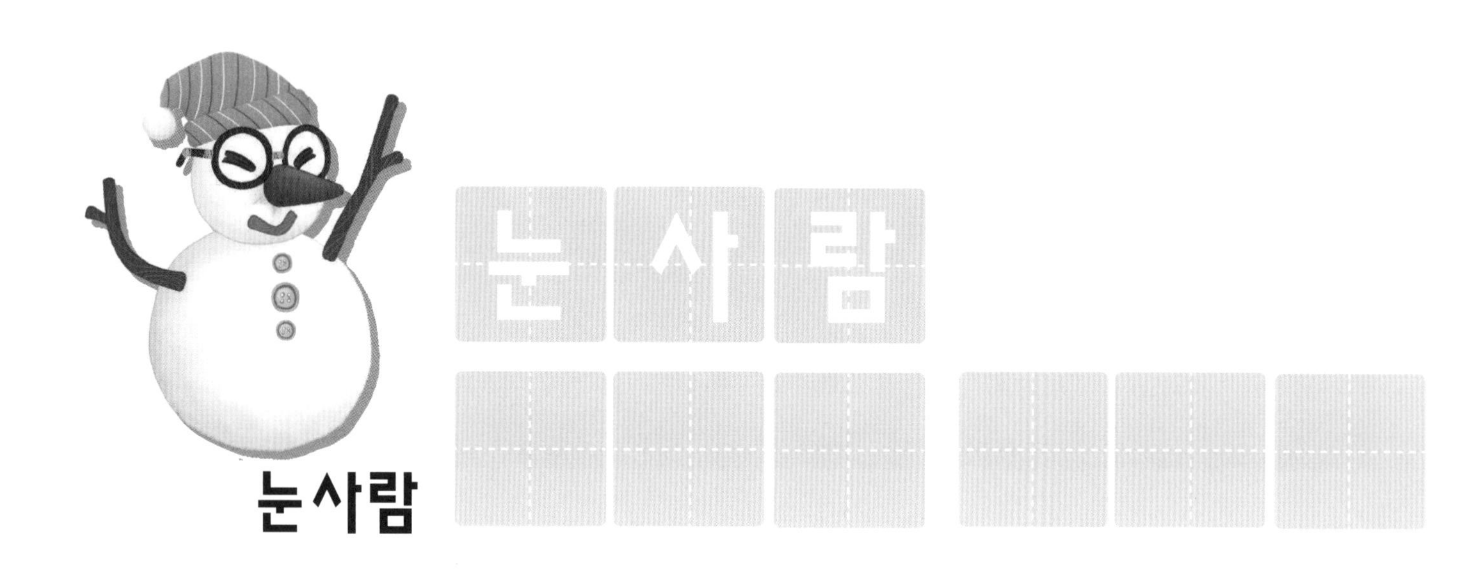
눈사람
눈사람

고무신
고무신

28화 눈사람 자전거

한글이의 작은 그림책

한글이랑 야호와 함께 빈자리에 맞는 글자를 써서 그림책을 완성 해봐요.

 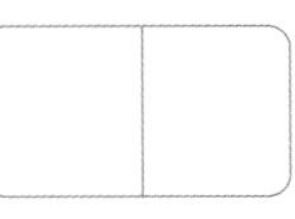 이 두 발 **자전거**를 선물로 주셨지.

아이는  타기가 무섭다며 바라만 봤어.

 이 펑펑 내렸어.

코, 단추 눈, 안경까지 멋진 눈사람.

아이는 눈을 굴려서  을 만들었어.

삼촌을 닮은 ☐☐☐ 은 자전거에 풍선을 달아 주었어.

"얘야, 이제 용기 풍선이 생겼으니까 넌 할 수 있어."

아이는 풍선이 달린  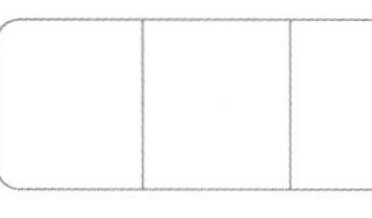 에 올라탔지.

이 **자전거**를 잡아주다가 살짝 놓았지.

그래도 아이는 **자전거**를 잘 탔어. 간다, 간다, **자전거**가 잘 간다.

그 때 **자전거**에 맨 이 하늘로 날아갔어.

28화 눈사람 자전거

쓰기 놀이터

아이는 하늘로 날아간 [ ][ ] 을 잡으려고 열심히 **자전거**를 탔어.

난다, 난다, **자전거**가 하늘을 난다.

[ ][ ][ ] 이랑 신나게 하늘에서 [ ][ ][ ] 를 탔지.

신비한 손 7권

눈사람 자전거 7권

편지요, 편지 7권

7권

신비한 손

눈사람 자전거

7권

편지요, 편지

7권

페이지 9~10

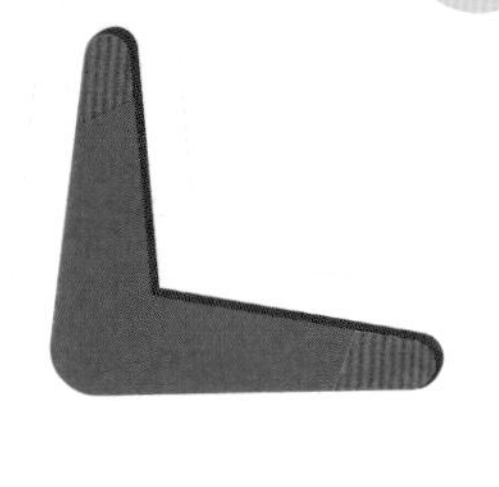

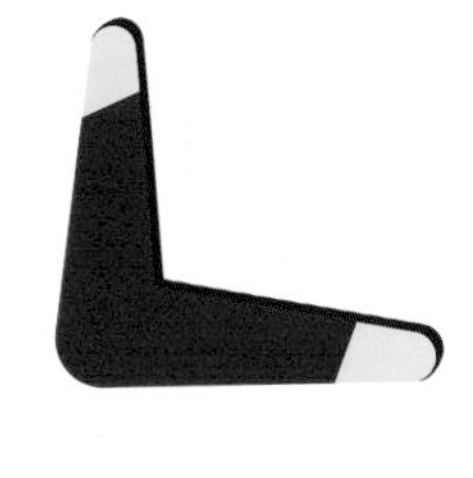

페이지 15~24

논 눈 만 면 문

민 안 연 은 돈

페이지 29~30

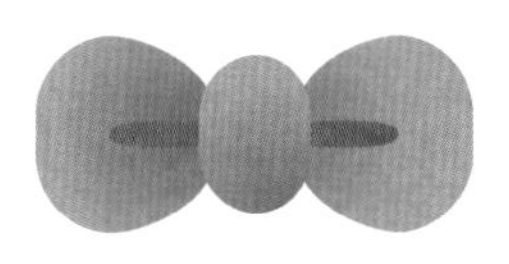

반 천

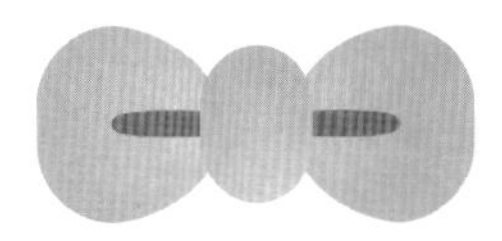

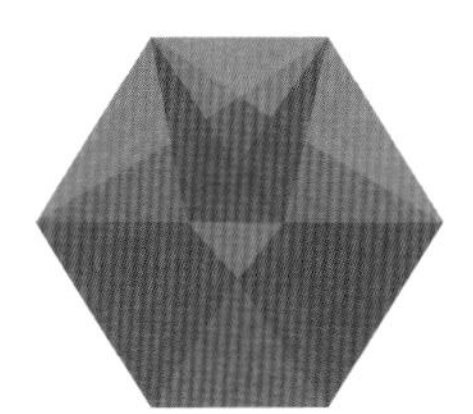

페이지 45~56

린 기린 면 라면

만 만두 진 사진

편 편지 전 주전자

페이지 59~60

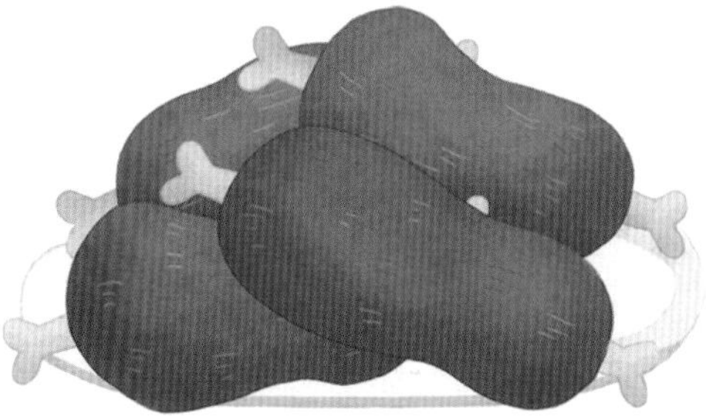

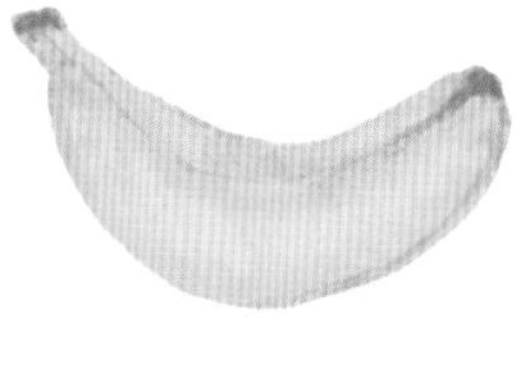

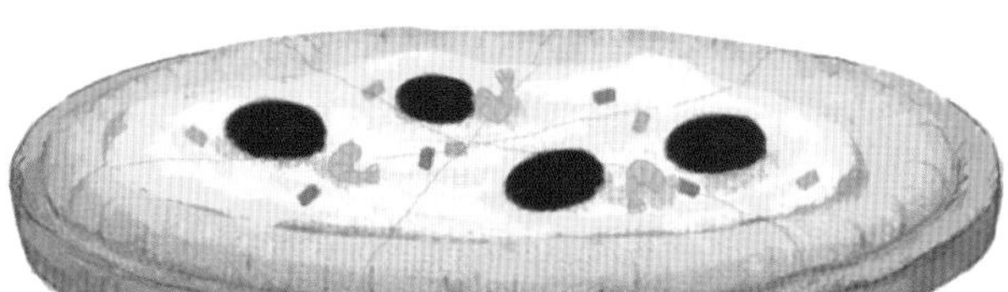

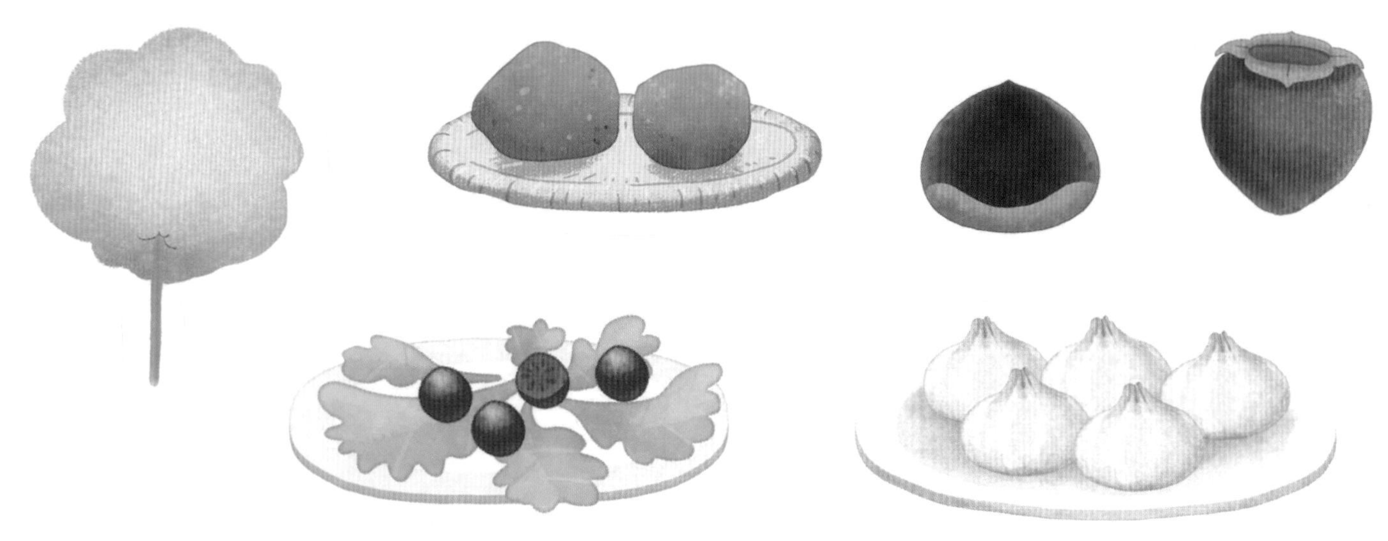

페이지 83~94

단 단추 전 자전거

풍 선 풍선 안 경

안경 당 근 당근

눈 람 눈사람

페이지 99~100

재미있는 유아수학 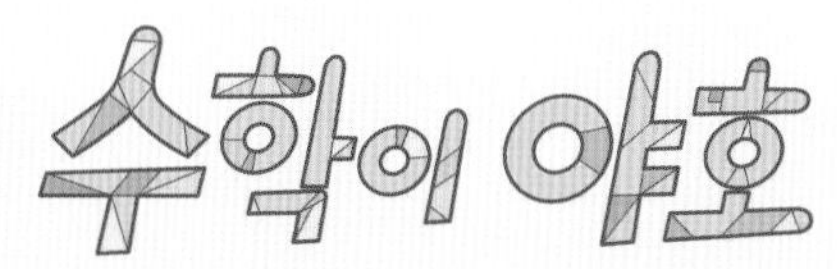

「수학이 야호」는 유아들이 생활 속에서 접하기 쉬운 수학적 경험을 통해 어려운 수학 개념을 재미있고 자연스럽게 익힐 수 있도록 도와줍니다.
「수학이 야호」는 유아기의 발달 특성에 맞춰 애니메이션, 노래와 놀이로 구성하여 유아들의 호기심을 사고력과 창의력 발달로 이어주는 징검다리가 될 것입니다.

우리 아이를 위한 수학 즐기기 프로젝트!
「EBS 수학이 야호」 워크북으로 매일매일 수학 놀이해요!

수학이 야호 영상 을 통해 재미있는 수학을 만나요.
흥미진진한 수학동화 그림책 을 보며 수학 개념을 익혀요.
영상과 그림책에서 만난 수학 개념을 워크북 의 다양한 응용 문제 풀이와 놀이 활동을 통해 익히고, 수학적 사고력을 키웁니다.

새로워진 한글이 야호 2 앱

구글플레이

앱스토어

한글이 야호 2

신비한 손 / 편지요, 편지 / 눈사람 자전거

1. 제조자명 : EBS 미디어 (주)
2. 주 소 : 서울특별시 마포구 토정로 222 한국출판콘텐츠센터 4층
3. 전화번호 : 02-529-5566
4. 제조년월 : 2024년 5월 8일
5. 제조국명 : 한국
6. 사용연령 : 4세 이상
7. 주의사항 : 용도 외 사용하지 마세요. 불에 가까이하지 마세요.

값 6,900원

ISBN 979-11-5859-177-9
ISBN 979-11-5859-183-0 (세트)

■■■■의 한글이 야호 2 쓰기 놀이터

받침글자 신비한 손 | 편지요, 편지 | 눈사람 자전거

한글이아빠 지음

7권

신비한 손
편지요, 편지

한글이 야호 2 받침글자

쓰기 놀이터 학습 진도표

1권	2권	3권	4권	5권	6권	7권	8권	9권	10권	11권	12권
기본음절				받침글자					쌍자음 · 이중모음		

	회차	학습 내용	쓰기 연습 단어
5권	20회 : 공	받침 'ㅇ'의 활용	공, 콩, 창, 병, 총, 강, 성, 상, 방, 장, 종, 징, 양, 용, 도형
	21회 : 콩콩콩 쿵쿵쿵	받침 'ㅇ' / 의태어와 의성어	딩동, 붕붕, 엉엉, 동동동, 둥둥둥, 콩콩콩, 쿵쿵쿵, 팅팅팅, 퉁퉁퉁
	22회 : 퐁당 퐁당	받침 'ㅇ' / 동물	퐁당퐁당, 풍덩, 병아리, 고양이, 강아지, 송아지, 망아지, 호랑이, 멍멍, 어흥, 히힝, 야옹, 간장, 공장, 손등
6권	23회 : 몸	받침 'ㅁ'의 활용	봄, 밤, 감, 곰, 춤, 잠, 몸, 힘, 짐, 담, 김, 솜, 섬, 금, 점, 삼
	24회 : 엄마	받침 'ㅁ' / 확장	엄마, 소금, 구름, 솜사탕, 아이스크림, 감자, 바람, 시금치, 남자, 침대, 참기름, 밤하늘, 남색
	25회 : 그림자	받침 'ㅁ'의 동물	사슴, 염소, 표범, 잠자리, 고슴도치, 그림자, 잠수함, 사람, 임금님, 고드름, 음표
7권	26회 : 신비한 손	받침 'ㄴ'의 활용	손, 논, 연, 돈, 눈, 산, 선, 핀, 반, 천, 문, 은, 간, 잔
	27회 : 편지요, 편지	받침 'ㄴ'의 활용	인사, 편지, 기린, 주전자, 우산, 만두, 라면, 인어, 사진, 친구
	28회 : 눈사람 자전거	받침 'ㄴ'의 확장	눈사람, 삼촌, 풍선, 당근, 안경, 단추, 자전거, 눈송이, 핸드폰, 고무신, 천사, 선녀, 난로, 송편, 신발
8권	29회 : 복 주는 북	받침 'ㄱ'의 활용	학, 목, 약, 죽, 박, 북, 복, 국, 먹, 독, 역, 벽
	30회 : 수박 박수	받침 'ㄱ'의 확장	축구, 수박, 박수, 국수, 거북이, 칙칙폭폭, 악수
	31회 : 미운 말, 고운 말	받침 'ㄹ'의 활용	말, 벌, 달, 별, 알, 물, 불, 풀, 귤, 발, 줄, 길
	32회 : 얼굴	바침 'ㄹ'의 확장	얼굴, 마술, 구슬, 거울, 불고기, 불가사리, 물고기, 보름달, 눈물, 미술, 심술마녀, 가을, 겨울
9권	33회 : 바 바 밥 밥집	받침 'ㅂ'의 활용	밥, 입, 집, 톱, 삽
	34회 : 손톱 발톱	받침 'ㅂ'의 확장	손톱, 발톱, 장갑, 입술, 말굽, 지갑
	35회 : 무엇이든 붓	받침 'ㅅ'의 활용	붓, 갓, 낫, 옷, 빗, 못
	36회 : 멋진 빗자루	받침 'ㅅ'의 확장	빗자루, 밧줄, 비옷, 옷걸이, 로봇, 그릇, 젓가락, 깃털
	37회 : 탐험 이야기	받침 글자 복습	탐험, 동굴, 망치, 바닷가, 낙지, 오징어, 공룡, 공주님, 건전지, 털옷, 바늘, 실, 그물

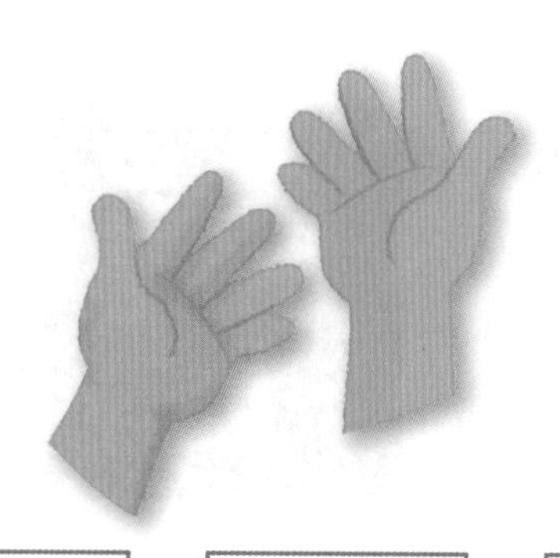

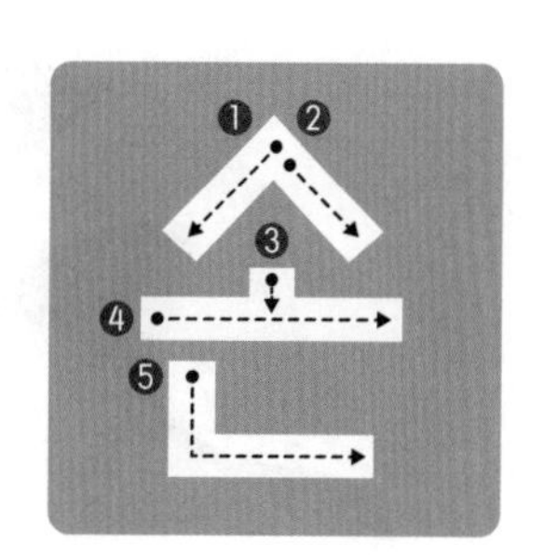

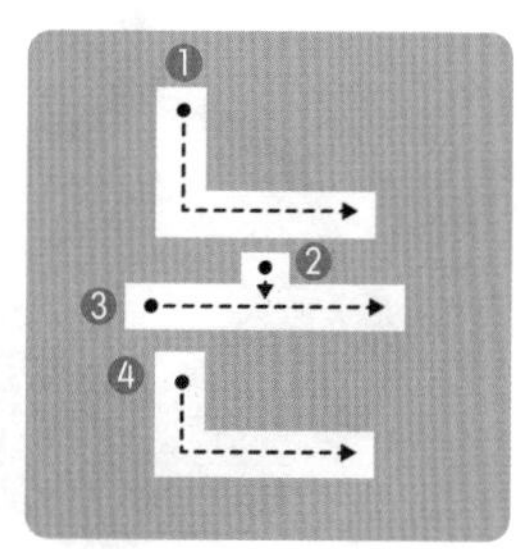

논	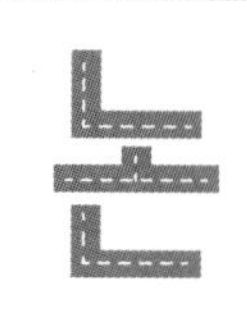	논	논	논	논
ㄴ	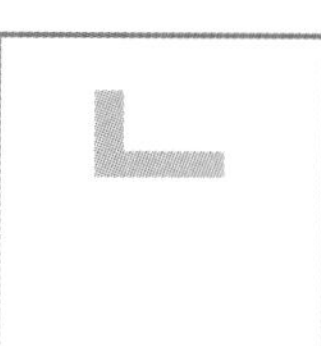		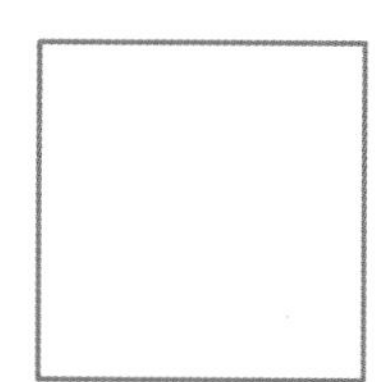	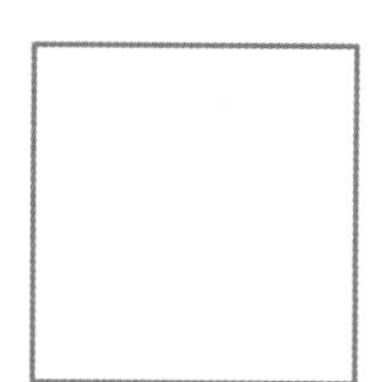	

월 일

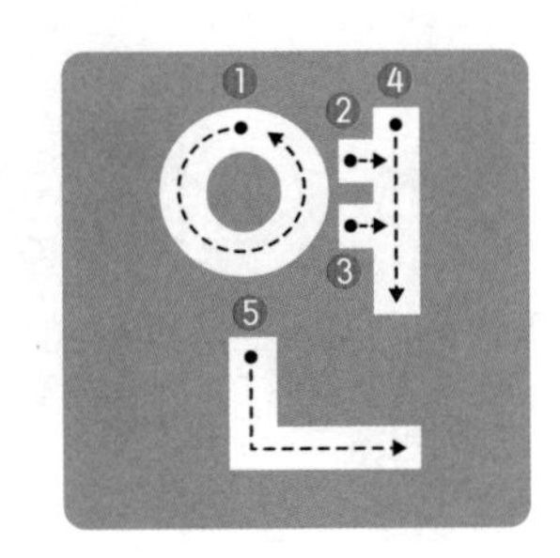

연	연	연	연	연	연
ㅇ	ㅇ	ㅇ			

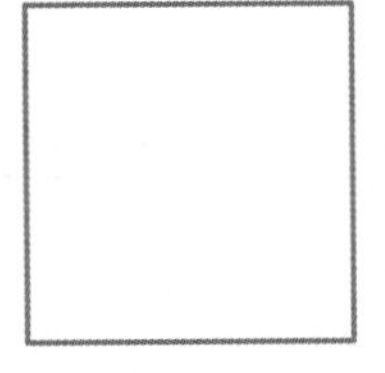 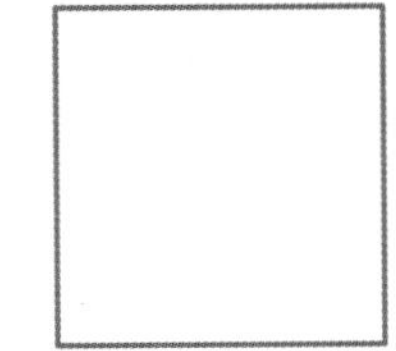    

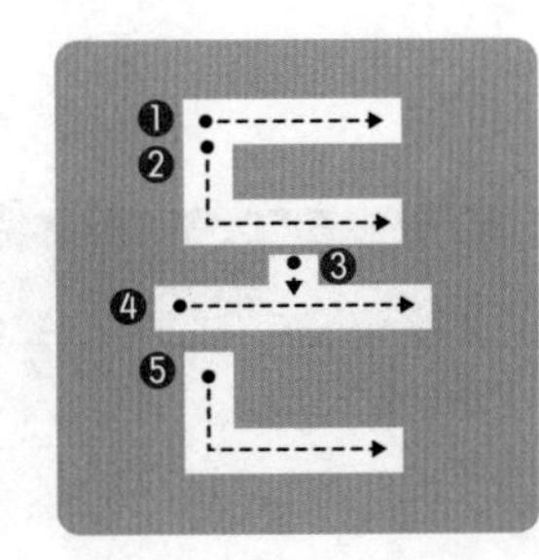

돈	돈	돈	돈	돈	돈
ㄷ	ㄷ	ㄷ			

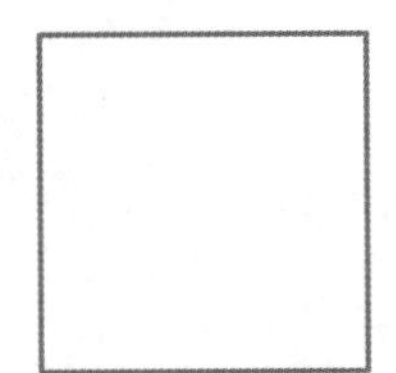 

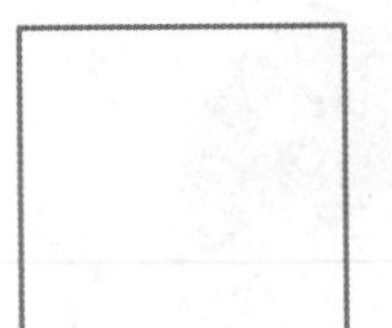 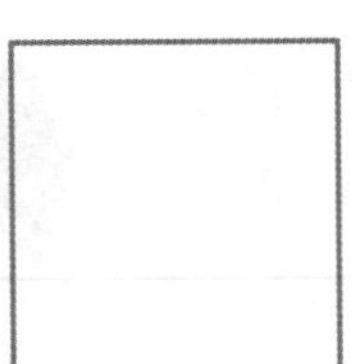 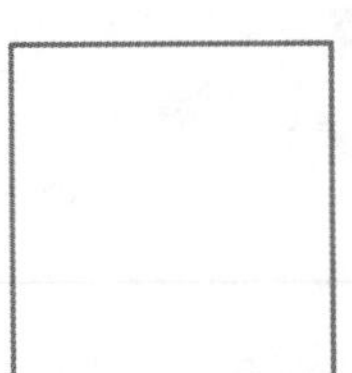 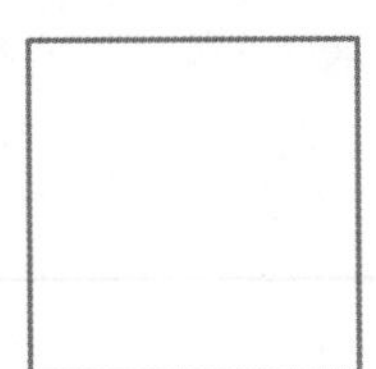 

월 일

참 잘했어요!

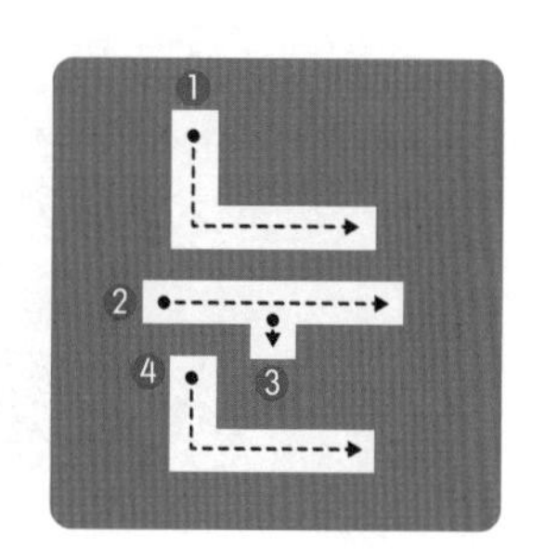

  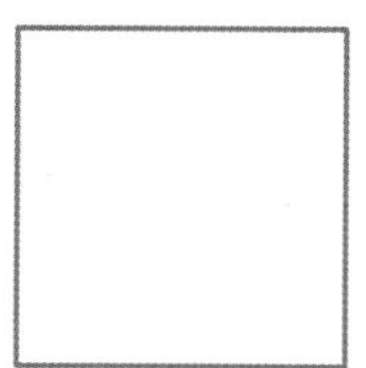   

ㄴ	ㄴ	ㄴ			

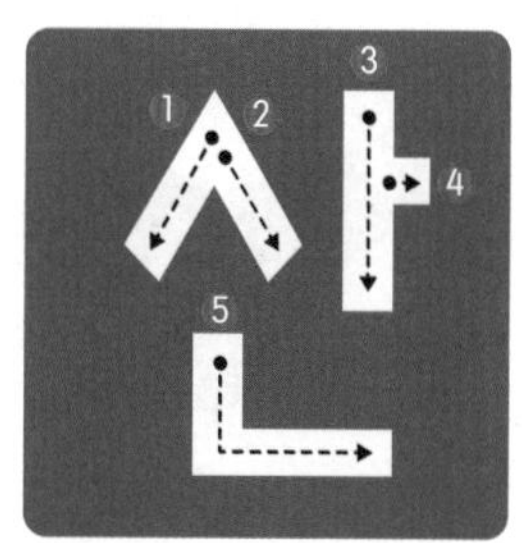

ㅅ	ㅅ	ㅅ			

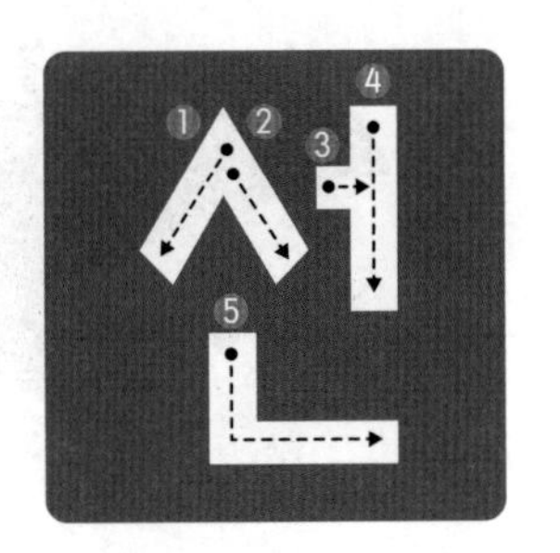

선	선	선	선	선	선
ㅅ	ㅅ	ㅅ			

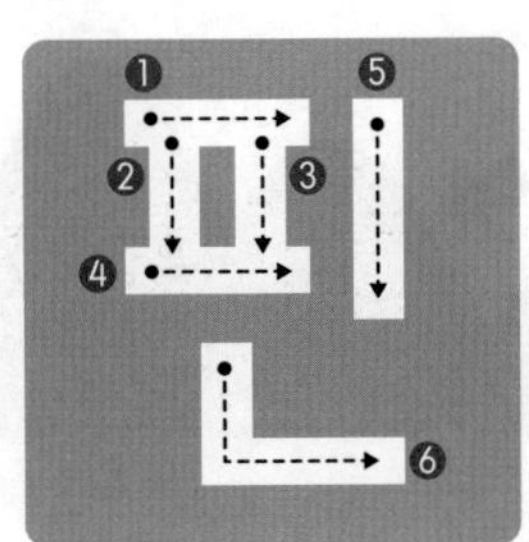

핀	핀	핀	핀	핀	핀
ㅍ	ㅍ	ㅍ			

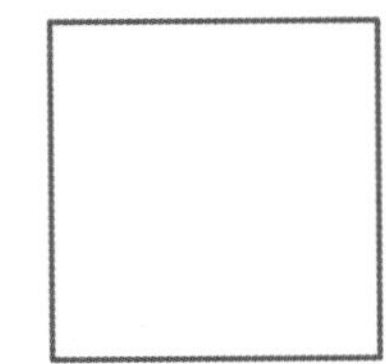

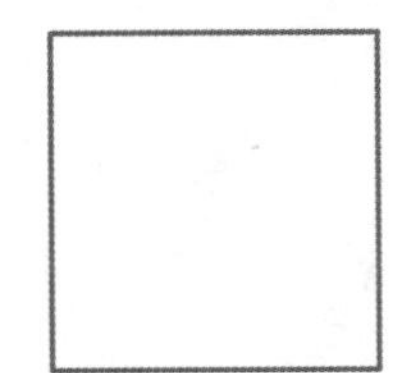

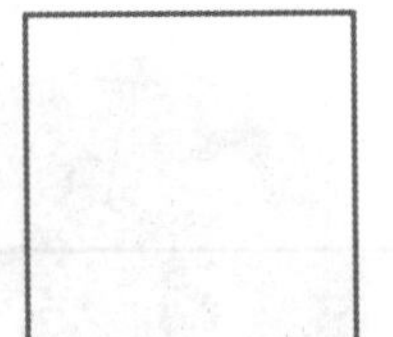
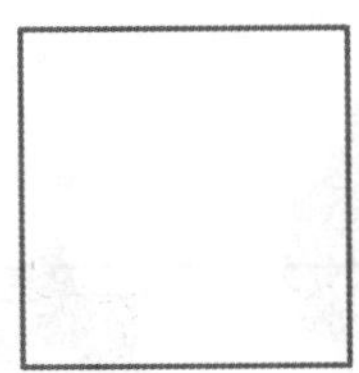
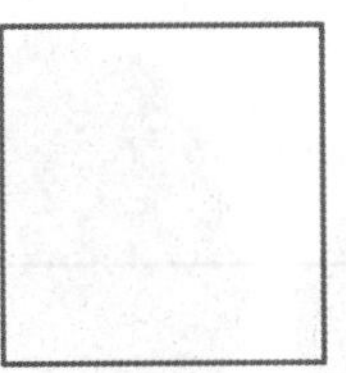
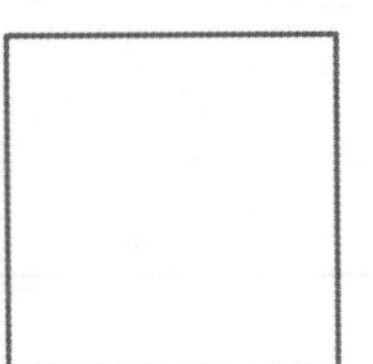
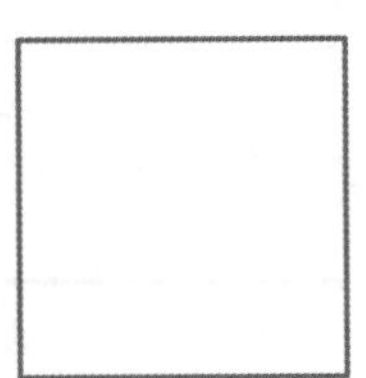

월 일

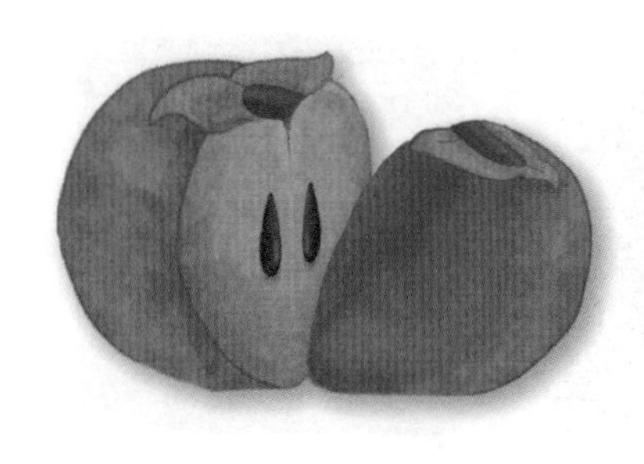

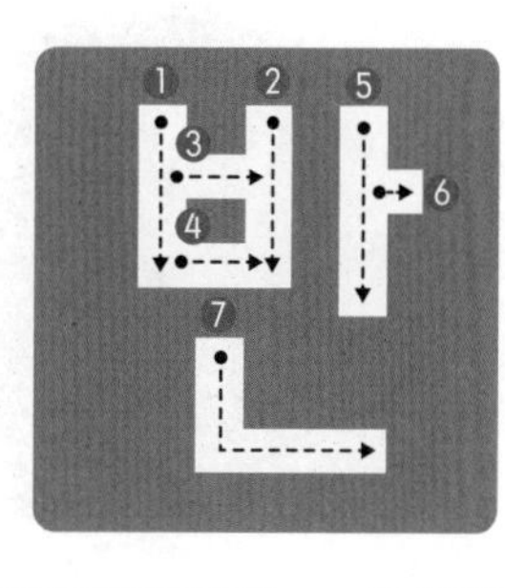

반	반	반	반	반	반
ㅂ	ㅂ	ㅂ			

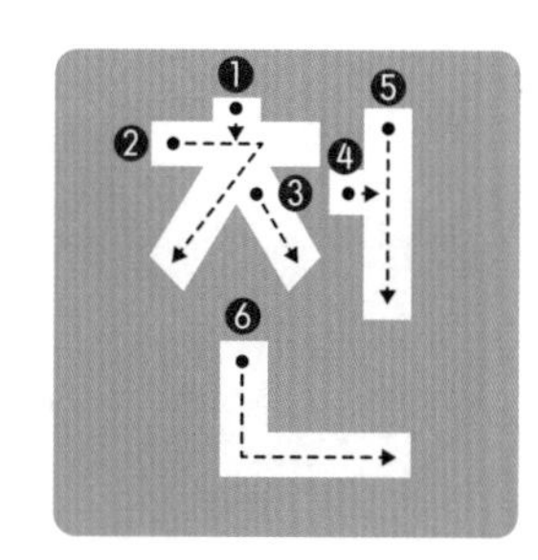

천	천	천	천	천	천
ㅊ	ㅊ	ㅊ			

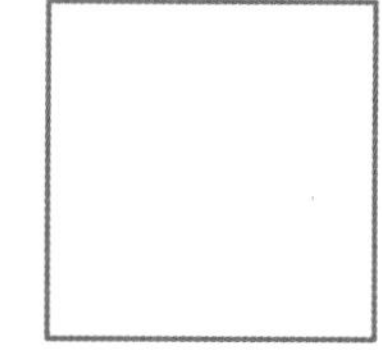

월 일

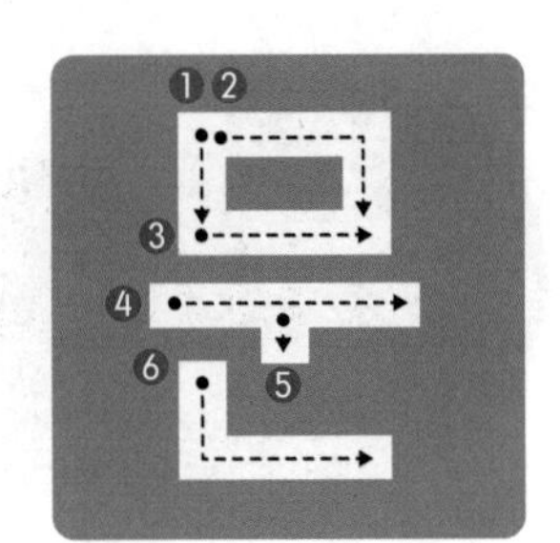

문 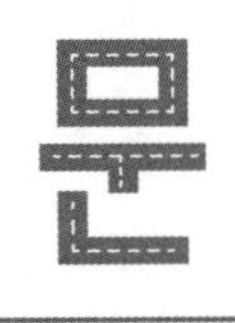 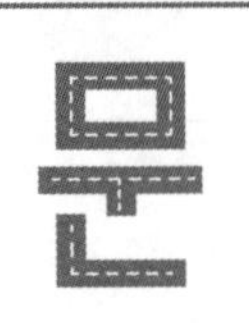   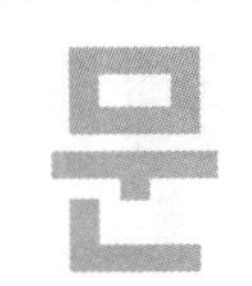

    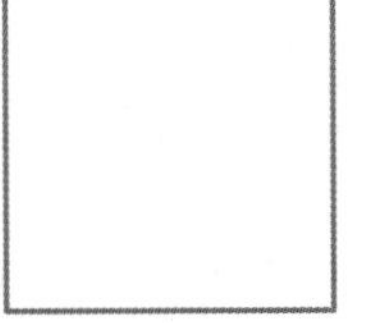 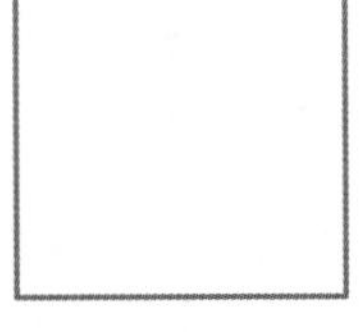

 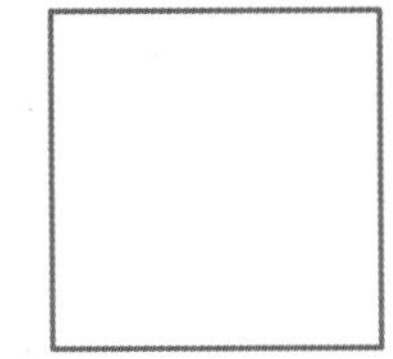    

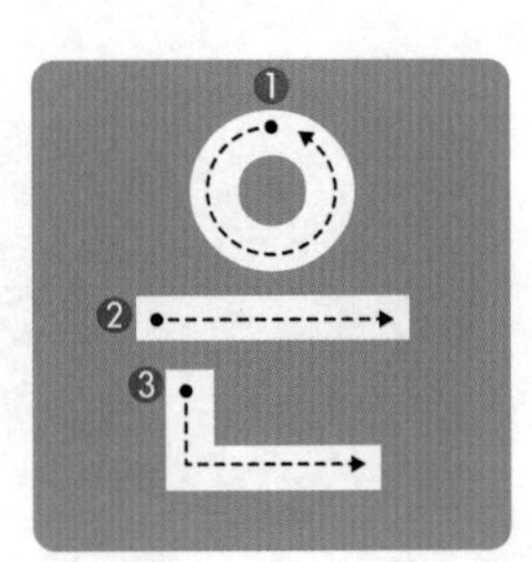

은     은

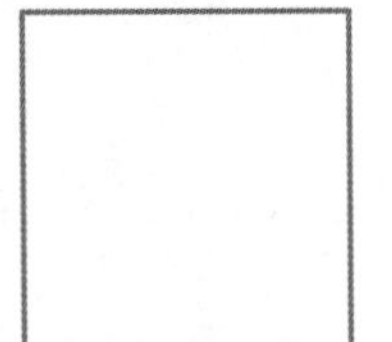     

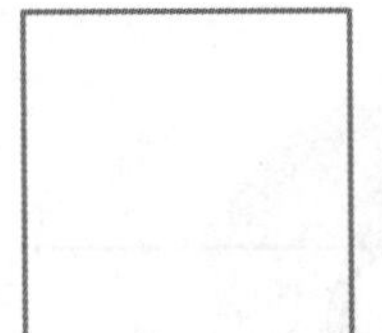  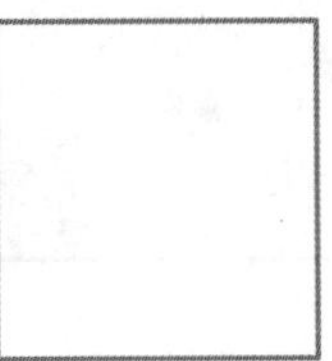 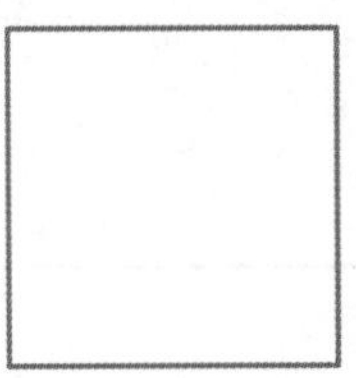  

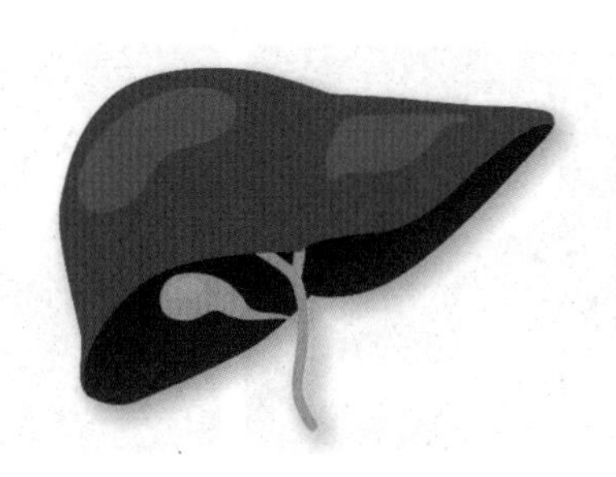

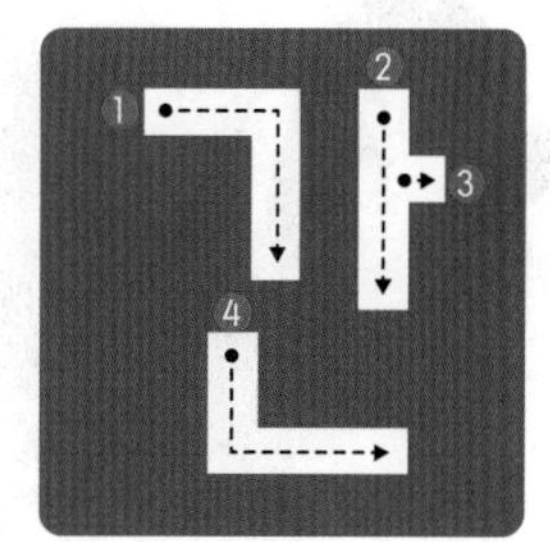

간 간 간 간 간 간

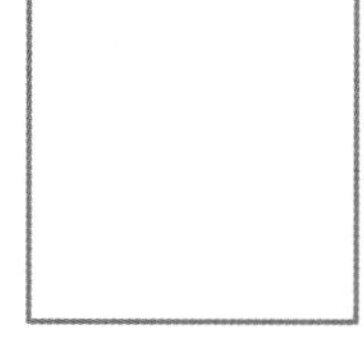    

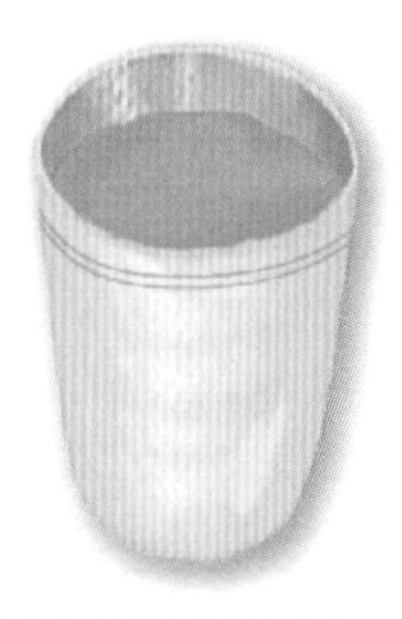

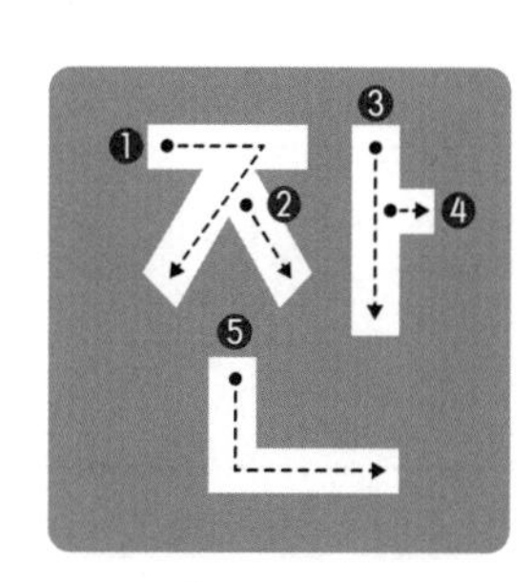

잔 잔 잔 잔 잔 잔

  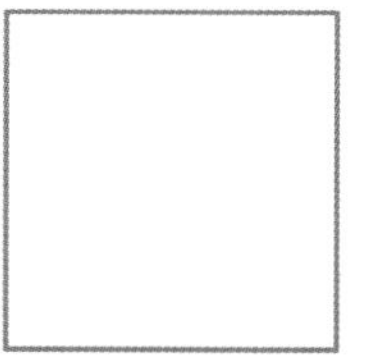

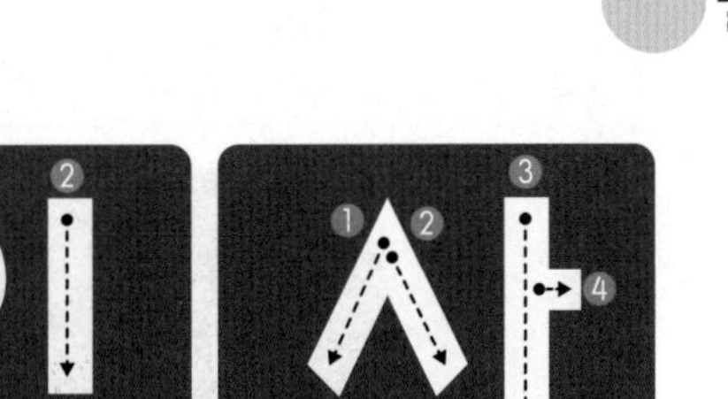

인	사	인	사	인	사	인	사
인	사	인	사	인	사	인	사
ㅇ	ㅅ	ㅇ	ㅅ	ㅇ	ㅅ	ㅇ	ㅅ

월 일

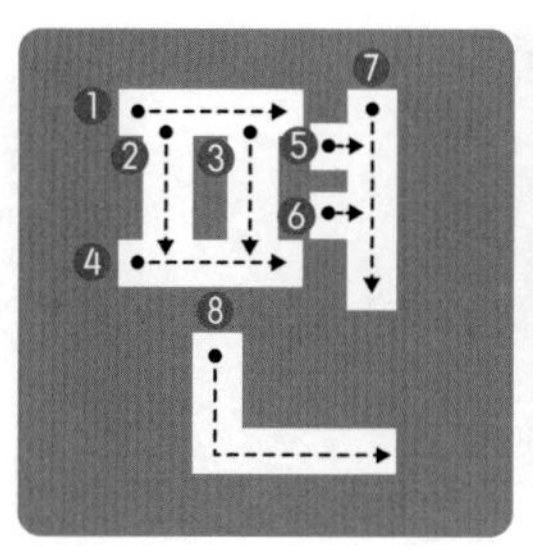

편	지	편	지	편	지	편	지
편	지	편	지	편	지	편	지
ㅍ	ㅈ	ㅍ	ㅈ	ㅍ	ㅈ	ㅍ	ㅈ

월 일

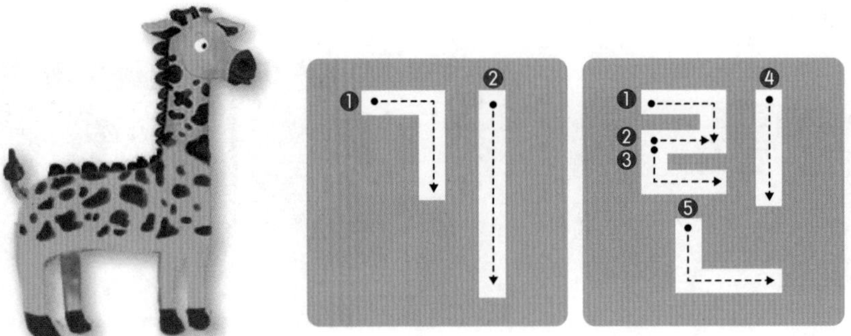

월 일 참 잘했어요!

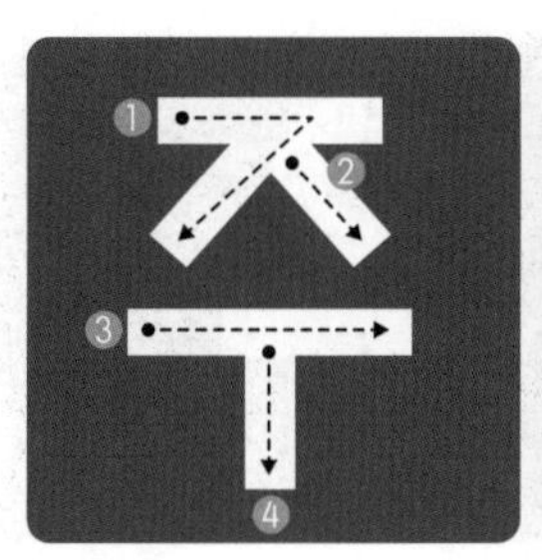

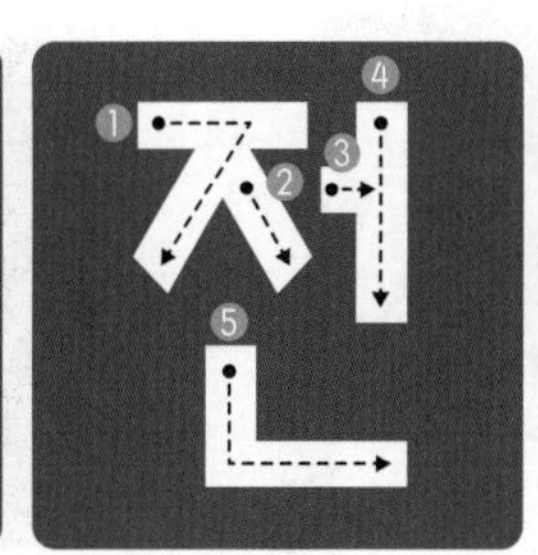

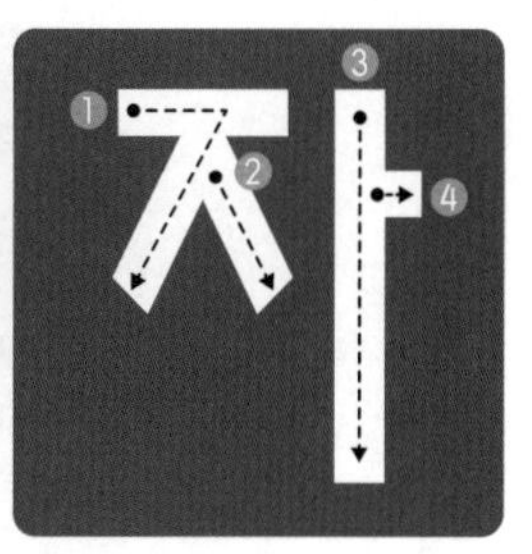

주	전	자

주	전	자

주	전	자

주	전	자

ㅈ	ㅈ	ㅈ

ㅈ	ㅈ	ㅈ

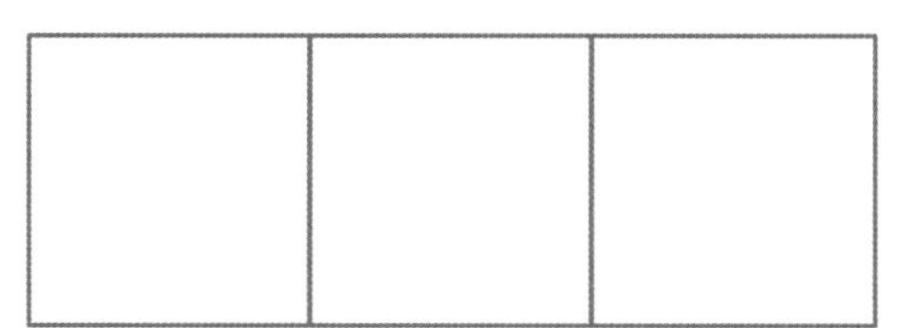

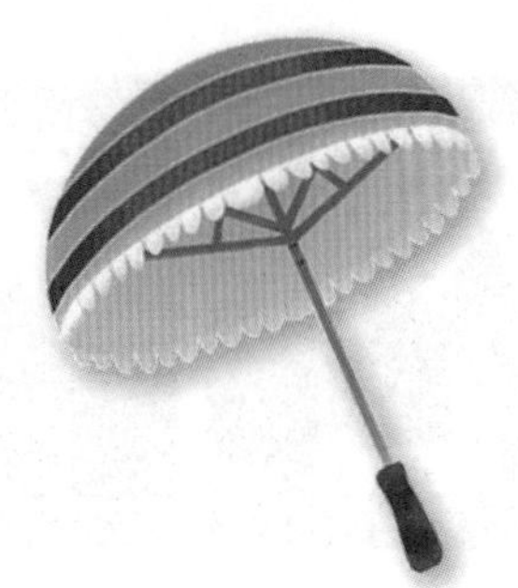

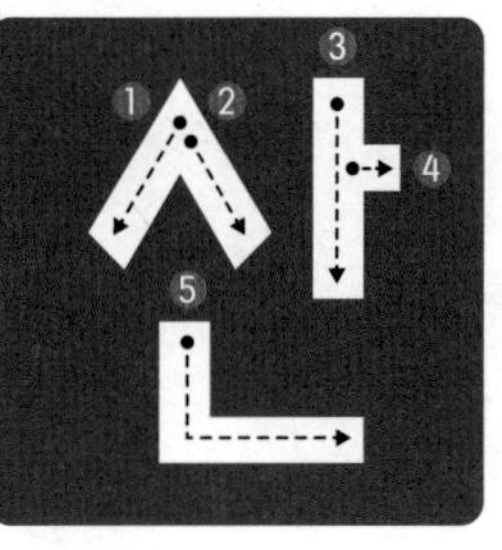

우	산	우	산	우	산	우	산
우	산	우	산	우	산	우	산
ㅇ	ㅅ	ㅇ	ㅅ	ㅇ	ㅅ	ㅇ	ㅅ

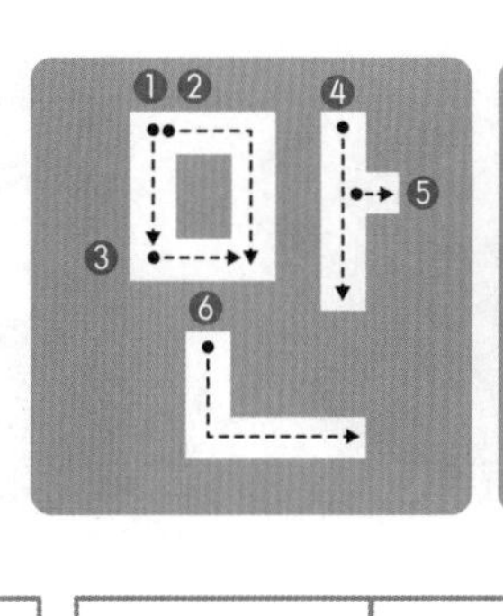

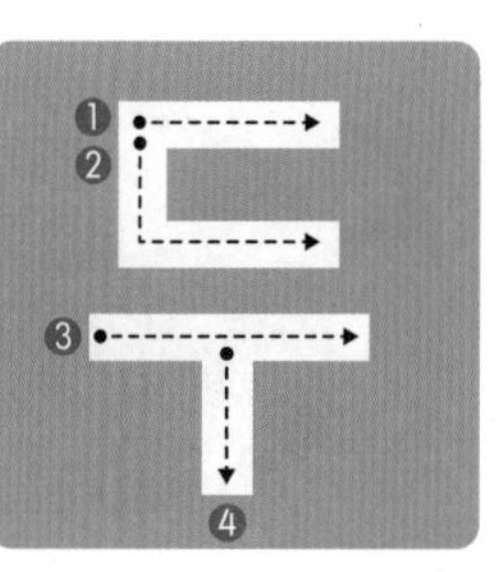

만	두	만	두	만	두	만	두
만	두	만	두	만	두	만	두
ㅁ	ㄷ	ㅁ	ㄷ	ㅁ	ㄷ	ㅁ	ㄷ

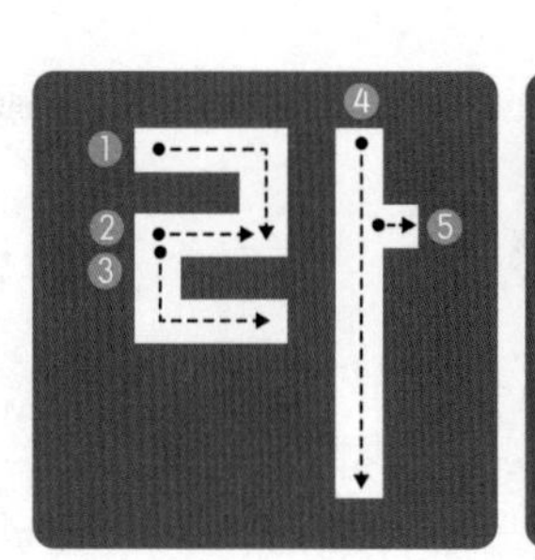

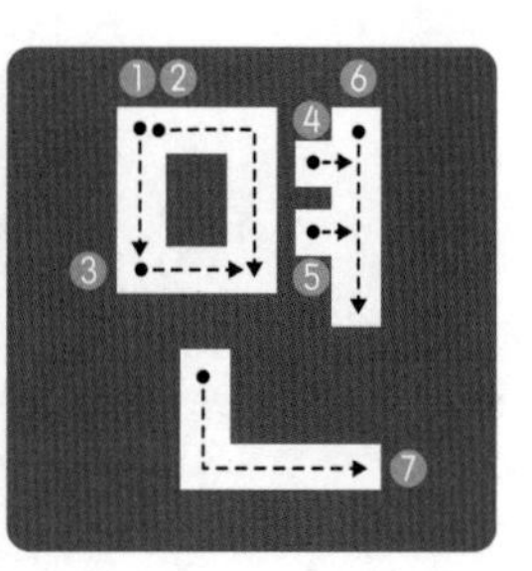

라	면	라	면	라	면	라	면
라	면	라	면	라	면	라	면
ㄹ	ㅁ	ㄹ	ㅁ	ㄹ	ㅁ	ㄹ	ㅁ

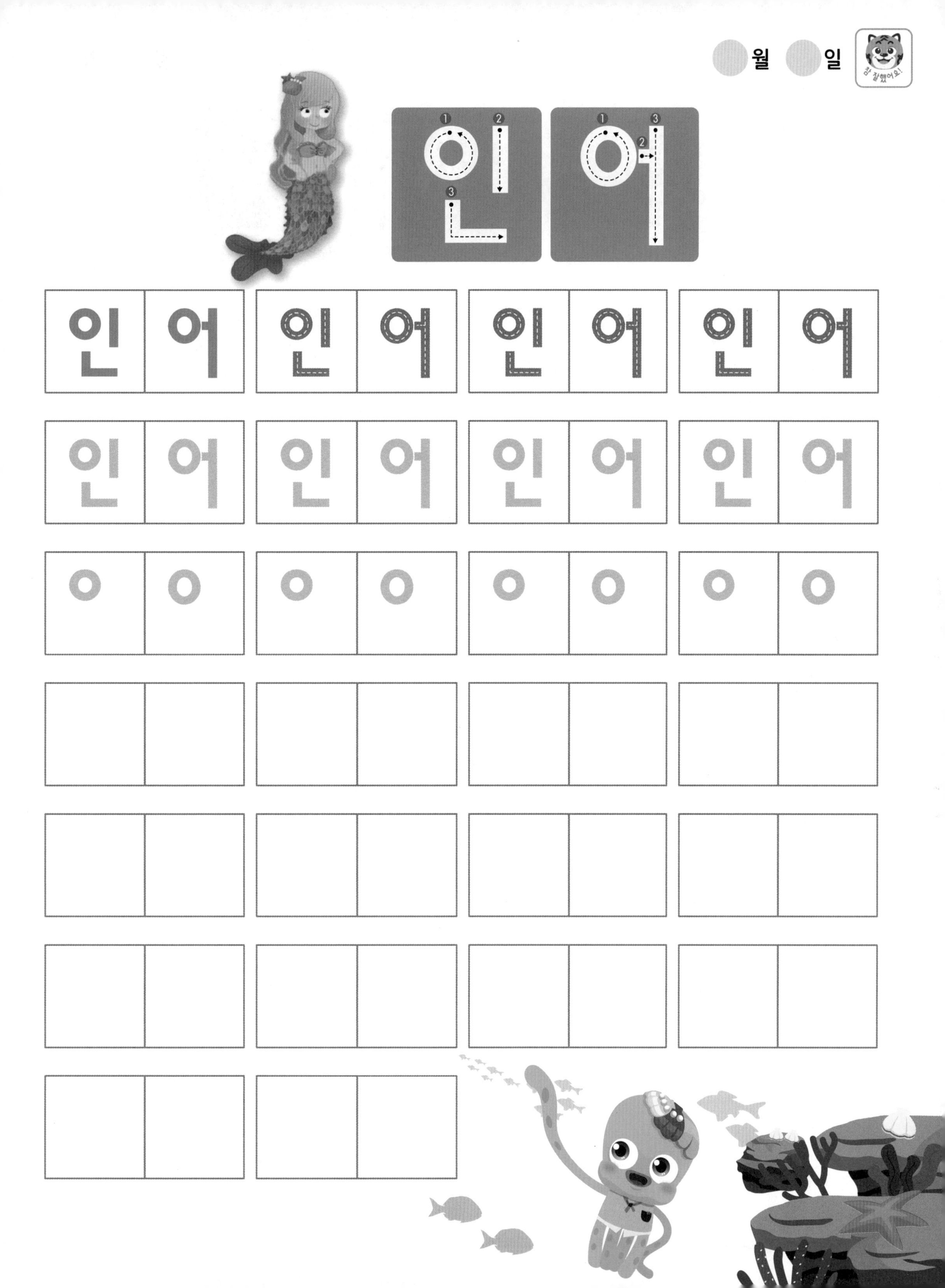
월
일
참 잘했어요!
인어
인 어 인 어 인 어 인 어
인 어 인 어 인 어 인 어

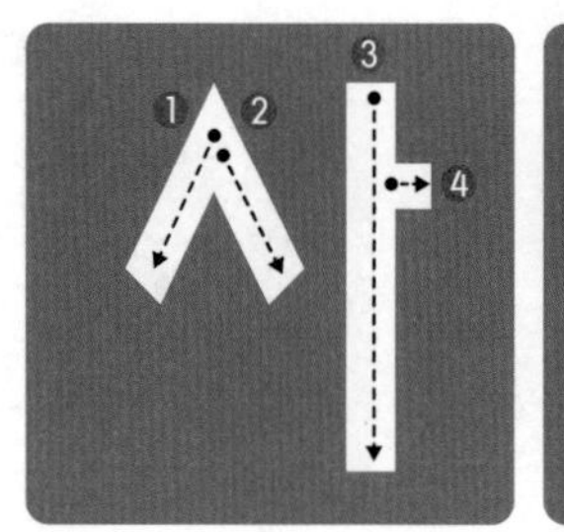

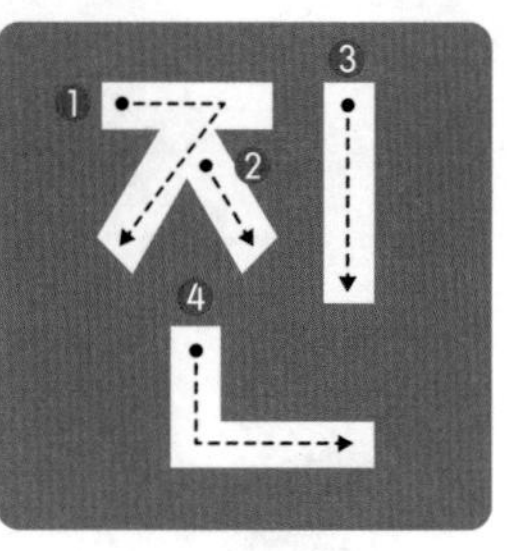

사	진	사	진	사	진	사	진
사	진	사	진	사	진	사	진
ㅅ	ㅈ	ㅅ	ㅈ	ㅅ	ㅈ	ㅅ	ㅈ

월 일

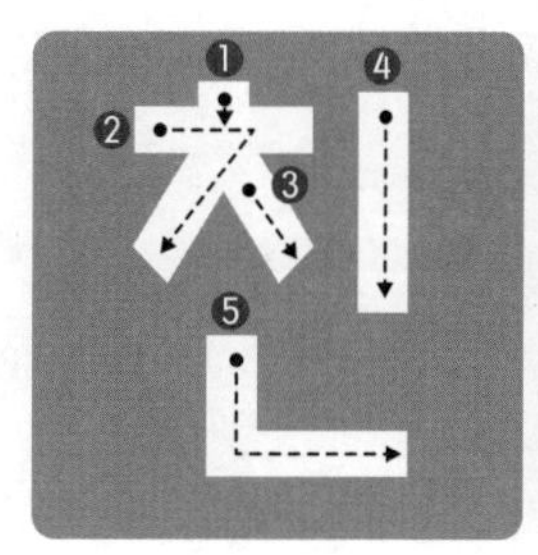

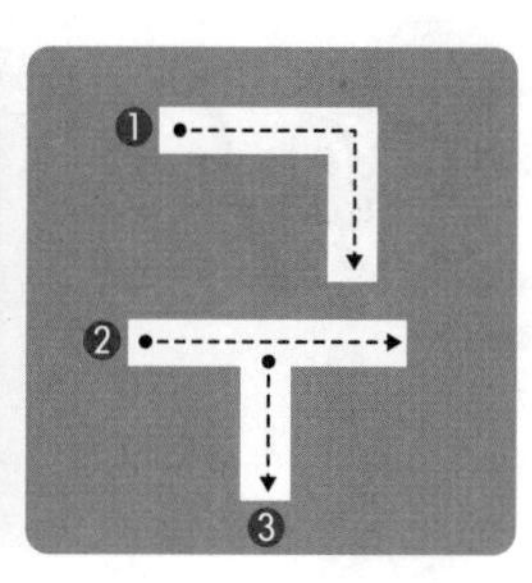

친	구	친	구	친	구	친	구
친	구	친	구	친	구	친	구
ㅊ	ㄱ	ㅊ	ㄱ	ㅊ	ㄱ	ㅊ	ㄱ

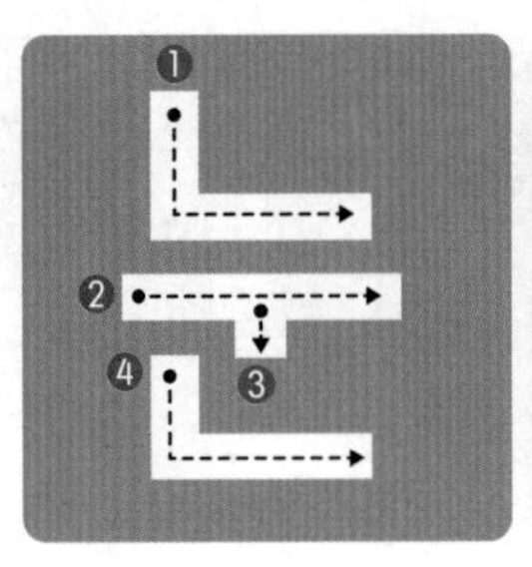

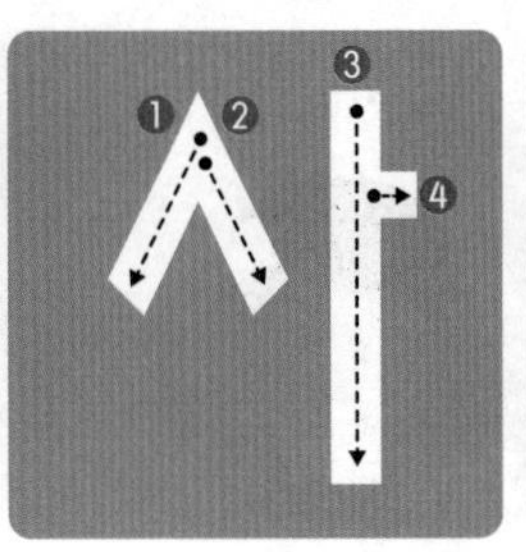

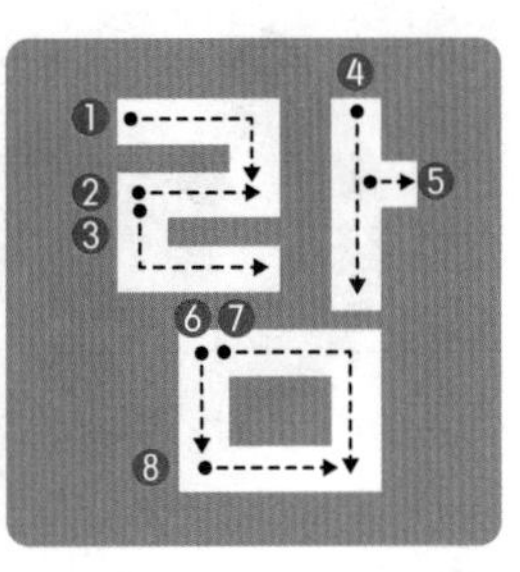

눈	사	람

눈	사	람

눈	사	람

눈	사	람

ㄴ	ㅅ	ㄹ

ㄴ	ㅅ	ㄹ

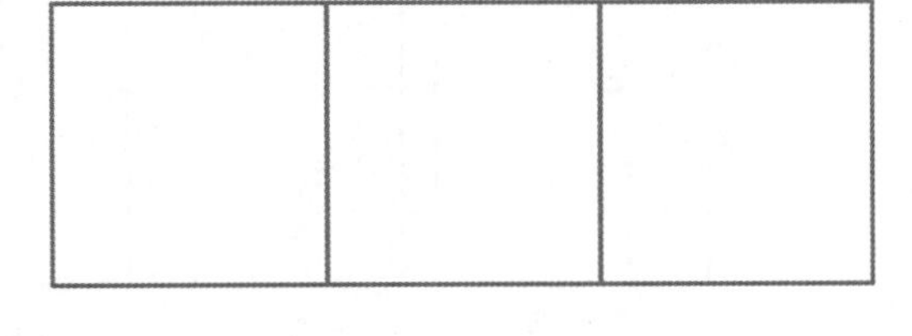

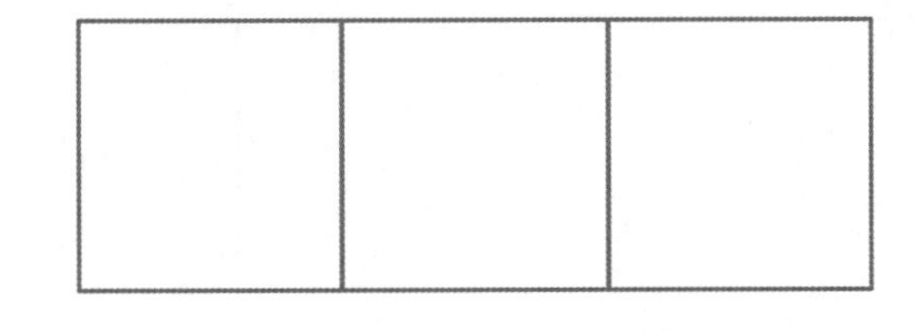

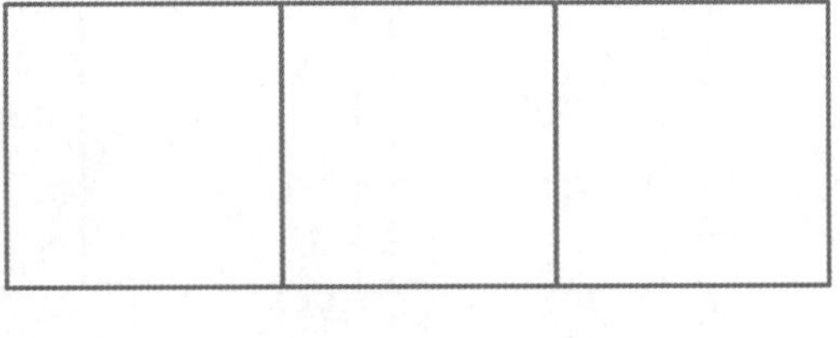

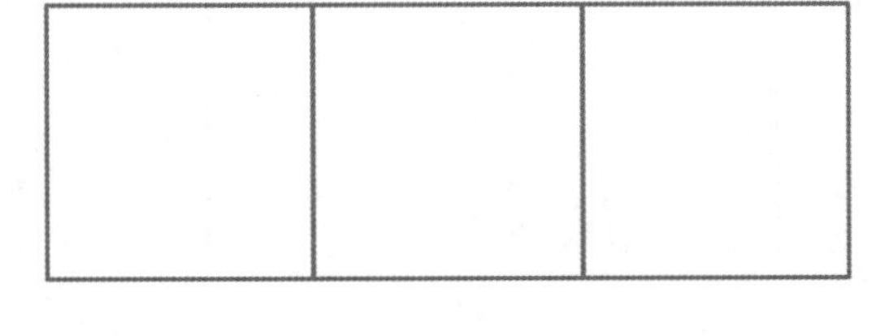

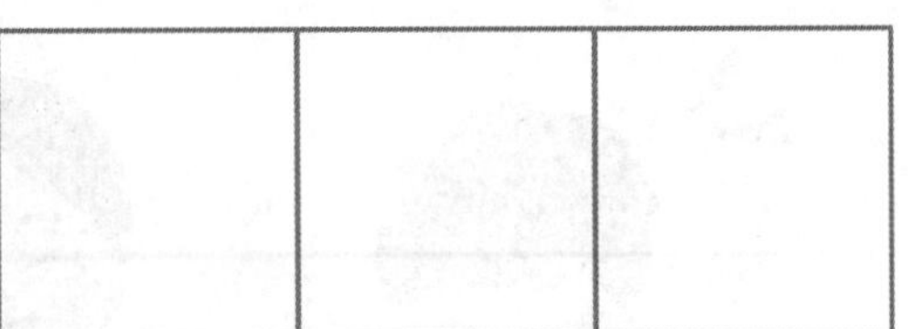

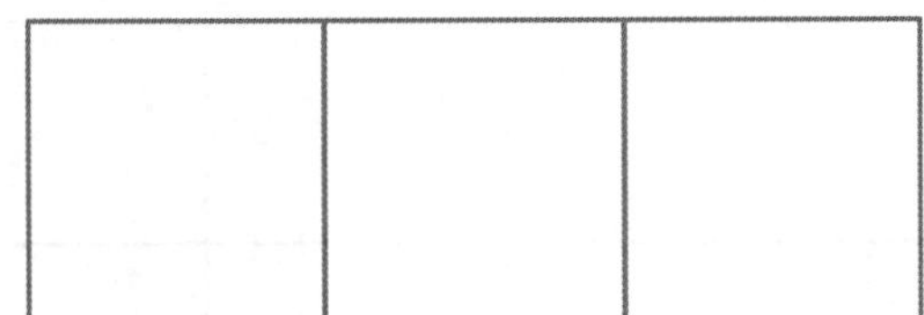

월 일 

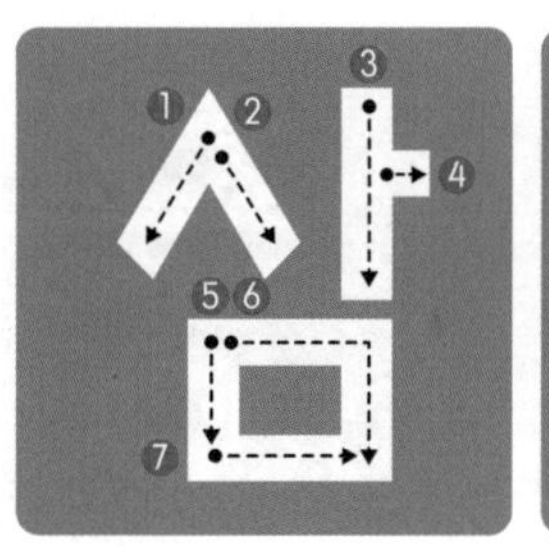

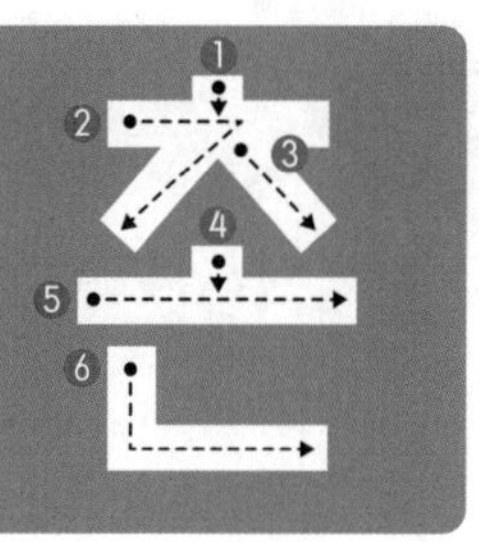

삼	촌	삼	촌	삼	촌	삼	촌
삼	촌	삼	촌	삼	촌	삼	촌
ㅅ	ㅊ	ㅅ	ㅊ	ㅅ	ㅊ	ㅅ	ㅊ

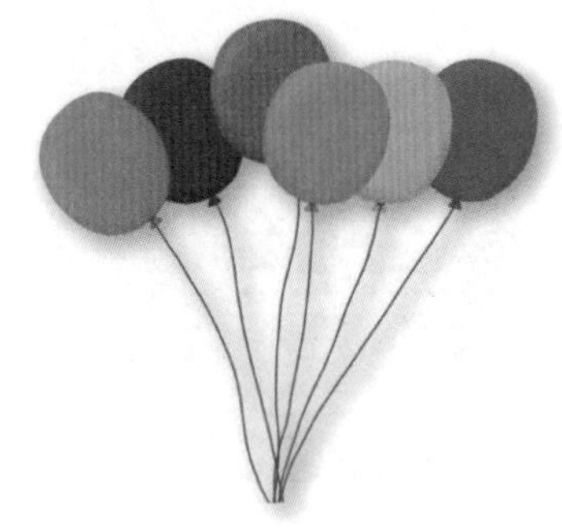

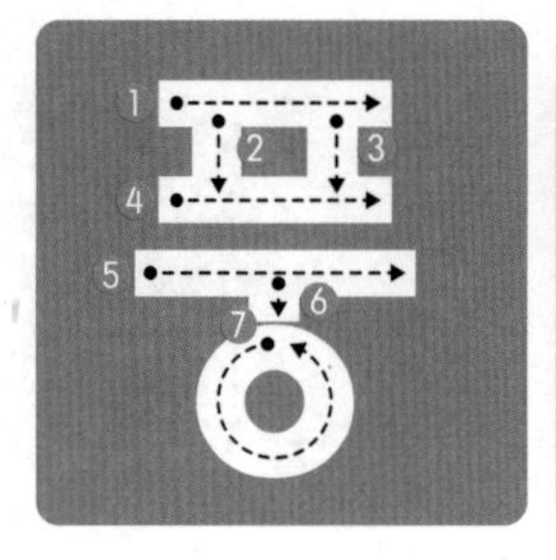

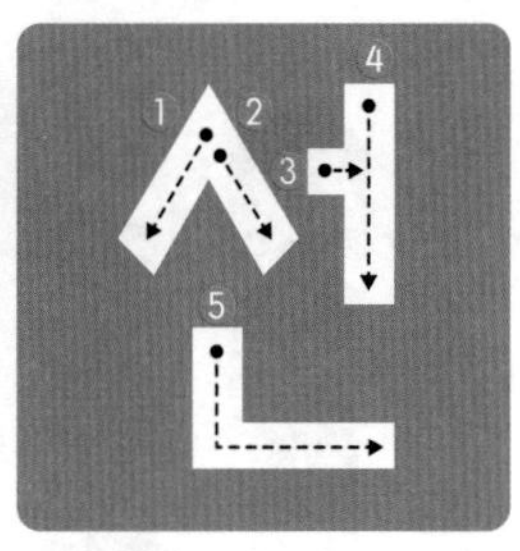

풍	선	풍	선	풍	선	풍	선
풍	선	풍	선	풍	선	풍	선
ㅍ	ㅅ	ㅍ	ㅅ	ㅍ	ㅅ	ㅍ	ㅅ

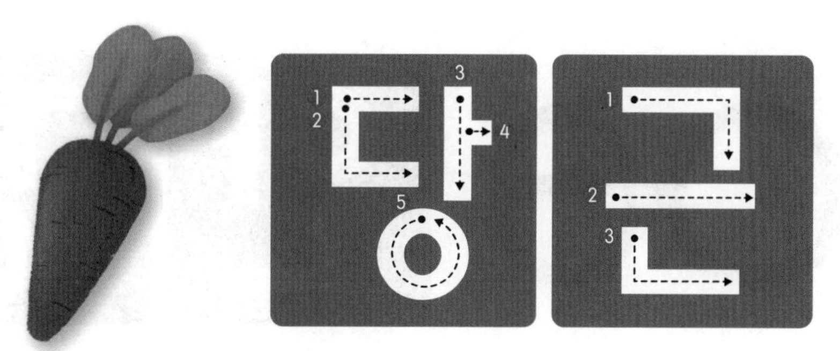

당	근	당	근	당	근	당	근
당	근	당	근	당	근	당	근
ㄷ	ㄱ	ㄷ	ㄱ	ㄷ	ㄱ	ㄷ	ㄱ

월 일

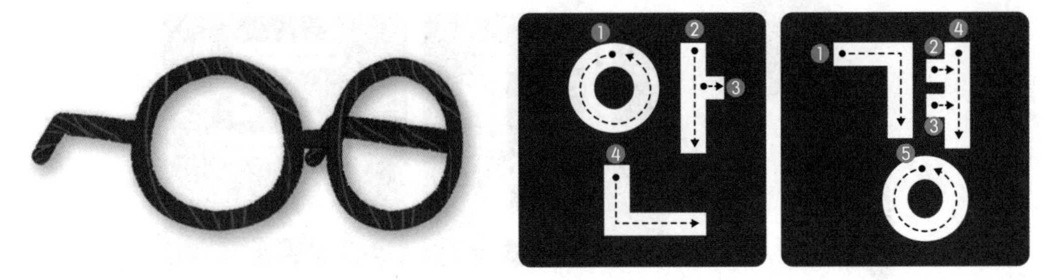

안	경	안	경	안	경	안	경
안	경	안	경	안	경	안	경
ㅇ	ㄱ	ㅇ	ㄱ	ㅇ	ㄱ	ㅇ	ㄱ

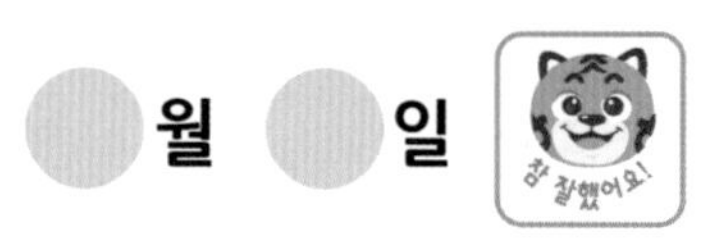

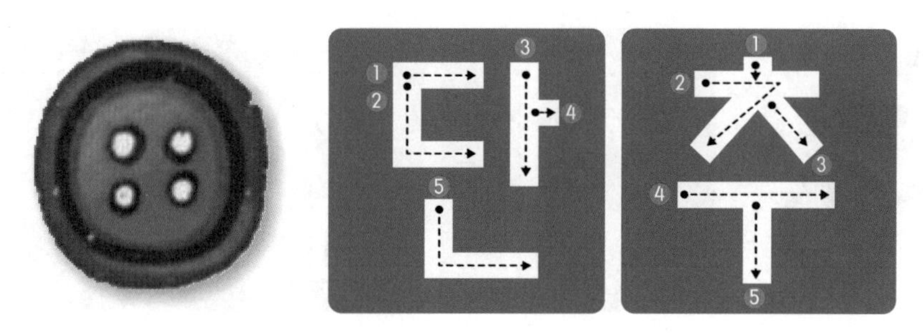

단	추	단	추	단	추	단	추
단	추	단	추	단	추	단	추
ㄷ	ㅊ	ㄷ	ㅊ	ㄷ	ㅊ	ㄷ	ㅊ

월 일

참 잘했어요!

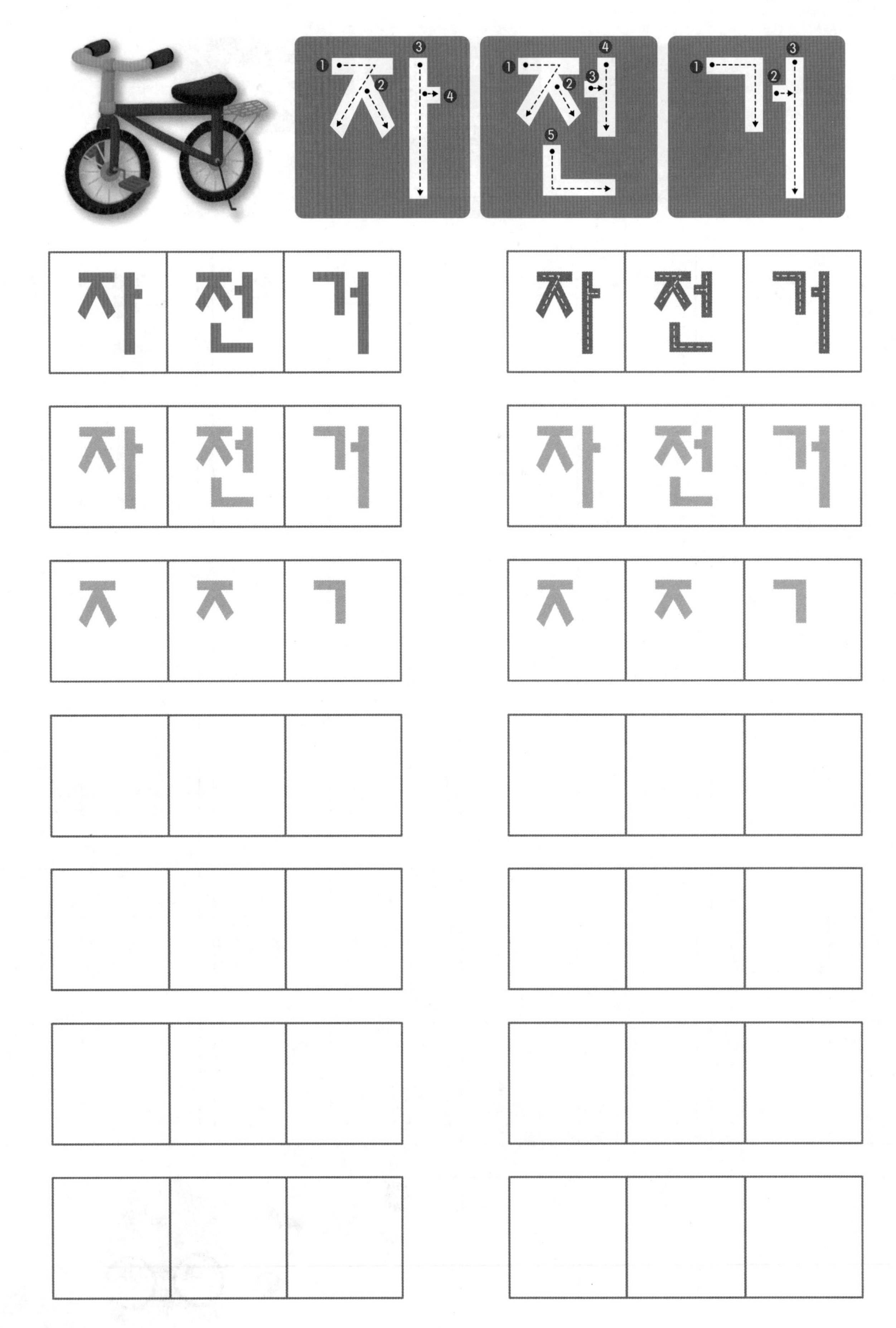
자전거
자 전 거
자 전 거
자 전 거
자 전 거
자 전 거
ㅈ ㅈ ㄱ
ㅈ ㅈ ㄱ

월 일

참 잘했어요!

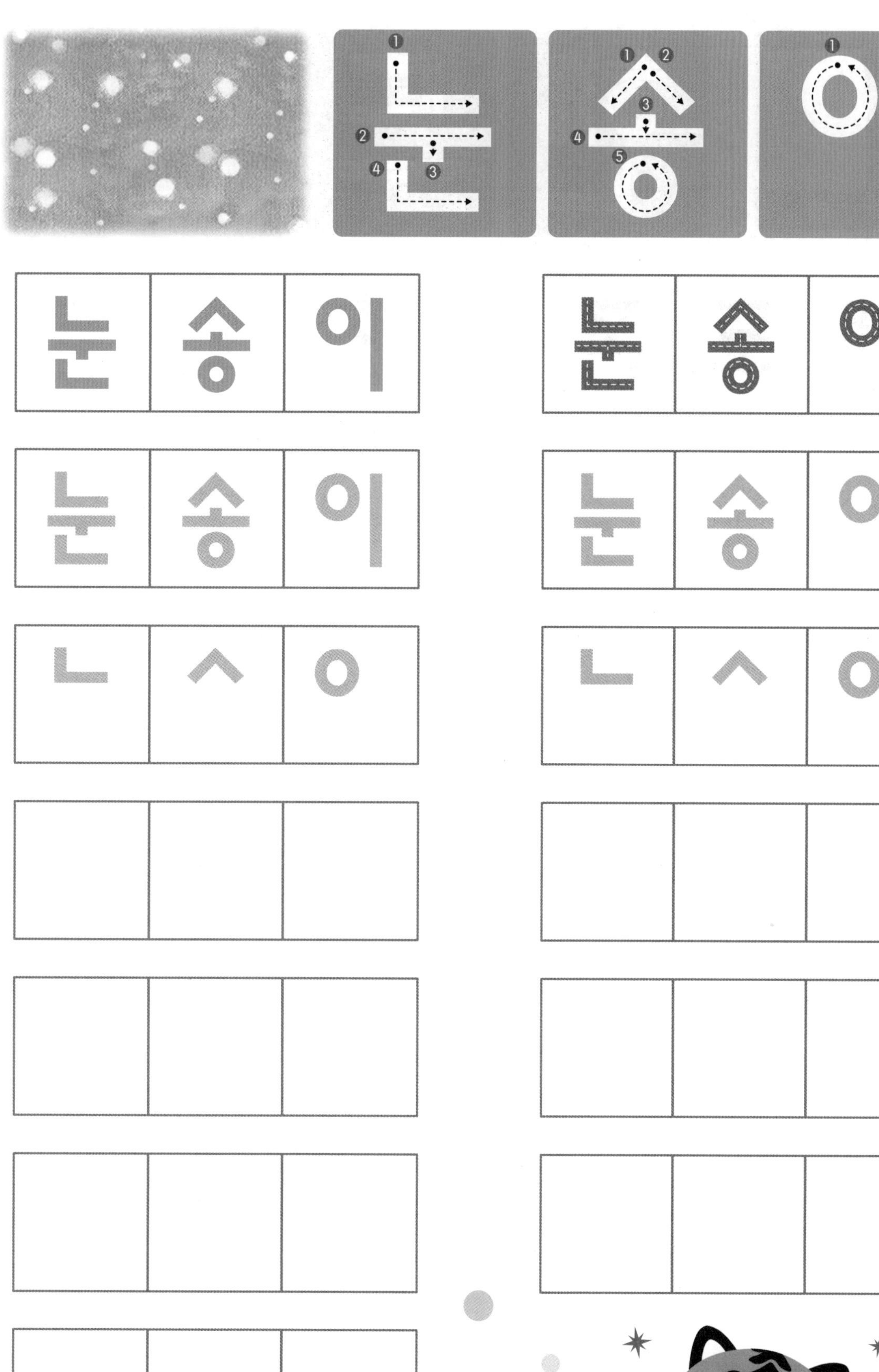

 월  일 

 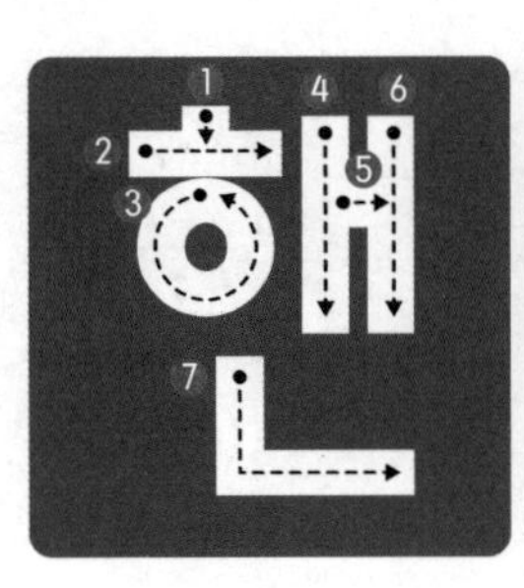 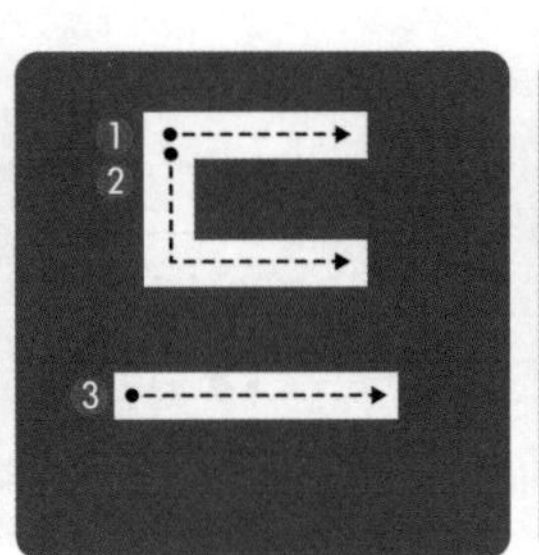 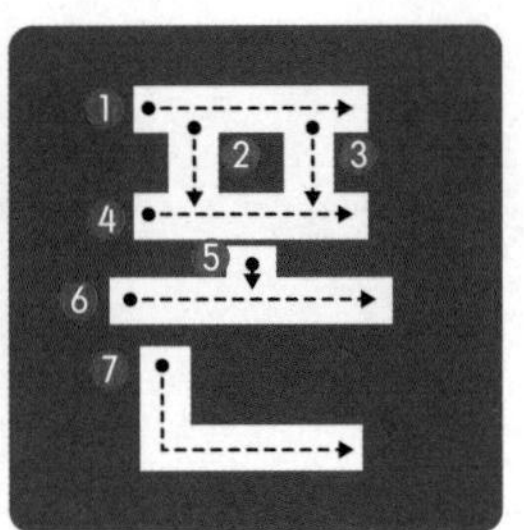

핸	드	폰
핸	드	폰
핸	드	폰
ㅎ	ㄷ	ㅍ

핸	드	폰
핸	드	폰
핸	드	폰
ㅎ	ㄷ	ㅍ

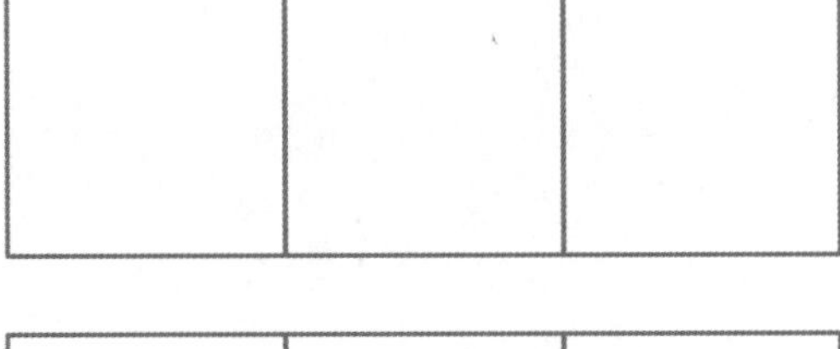 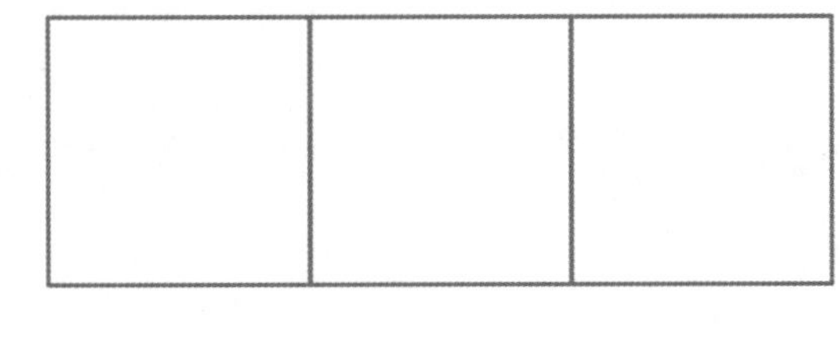

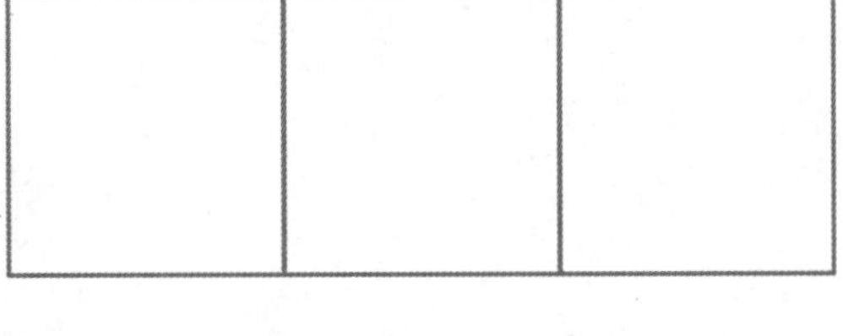 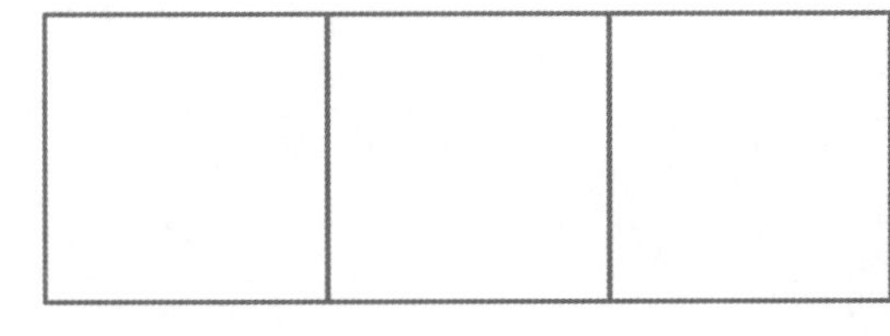

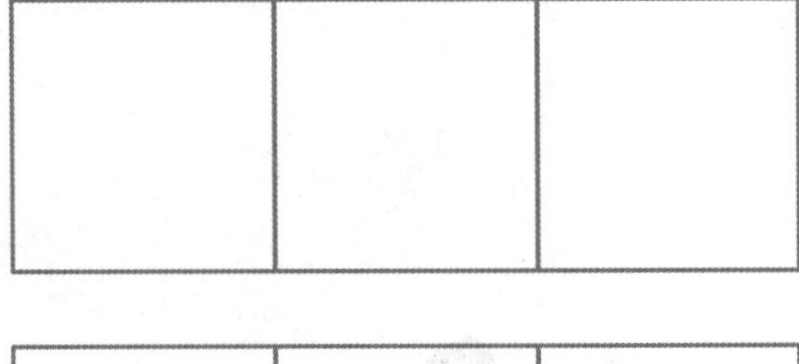 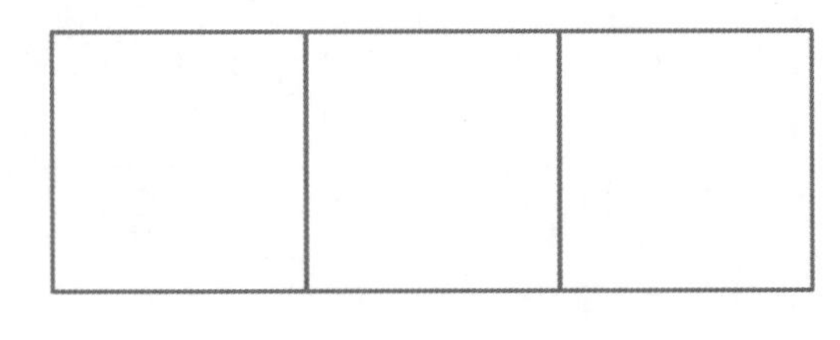

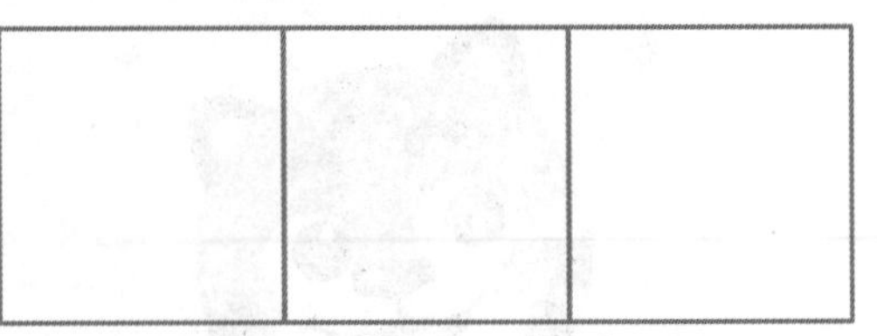 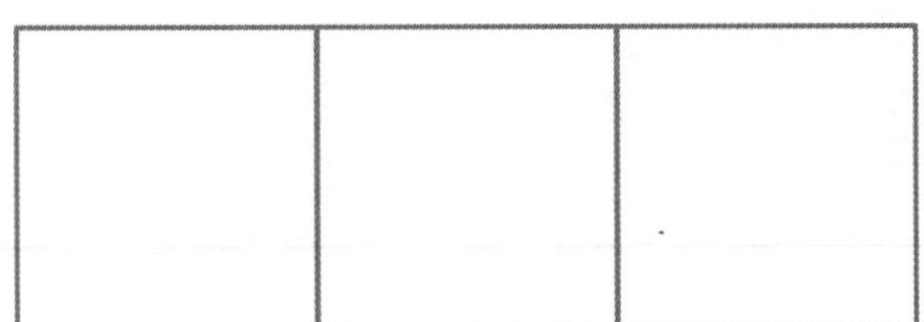

월
일
참 잘했어요!

고 무 신
고 무 신
고 무 신
고 무 신
고 무 신
ㄱ ㅁ ㅅ
ㄱ ㅁ 시

월 일

참 잘했어요!

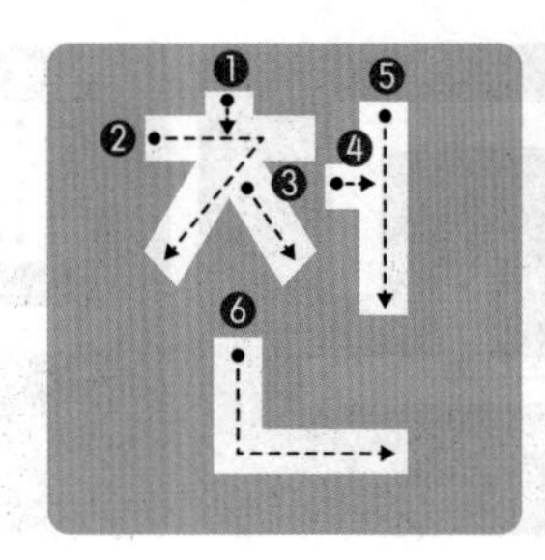

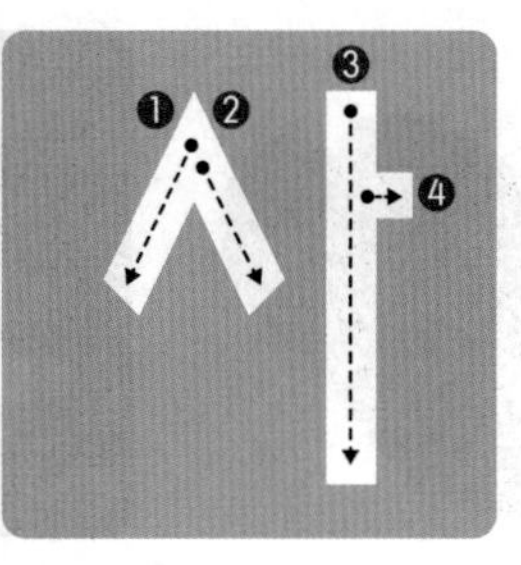

천	사	천	사	천	사	천	사
천	사	천	사	천	사	천	사
ㅊ	ㅅ	ㅊ	ㅅ	ㅊ	ㅅ	ㅊ	ㅅ

월 일

참 잘했어요!

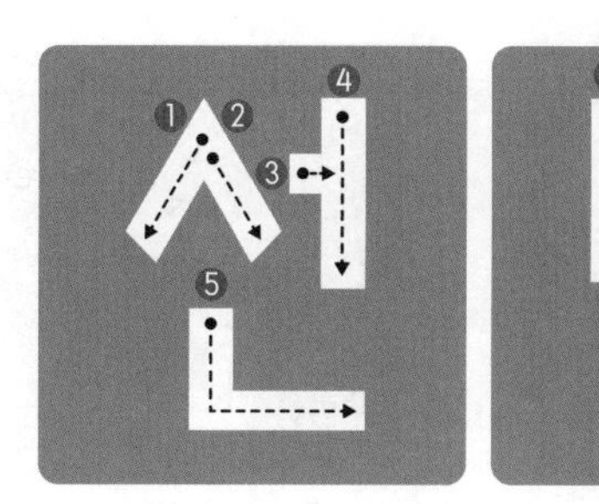

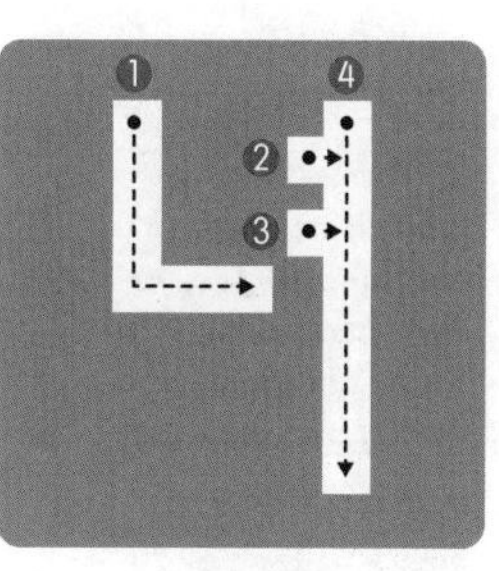

선	녀	선	녀	선	녀	선	녀
선	녀	선	녀	선	녀	선	녀
ㅅ	ㄴ	ㅅ	ㄴ	ㅅ	ㄴ	ㅅ	ㄴ

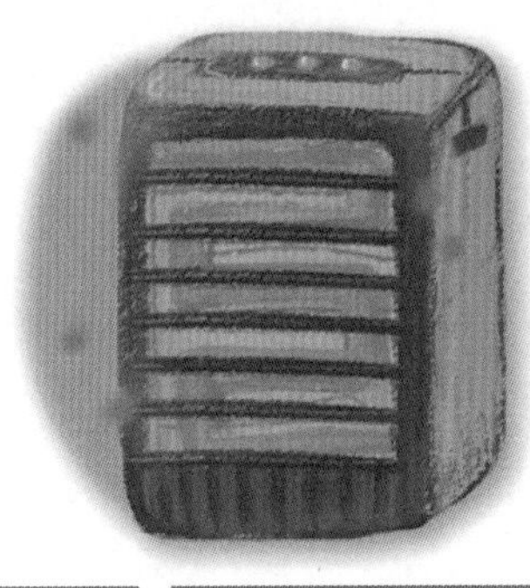
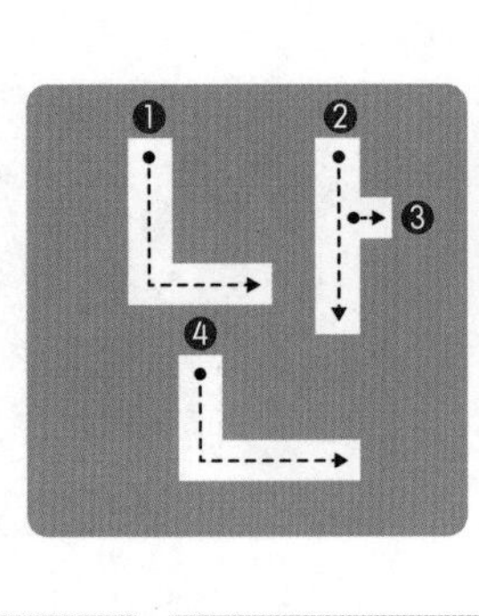
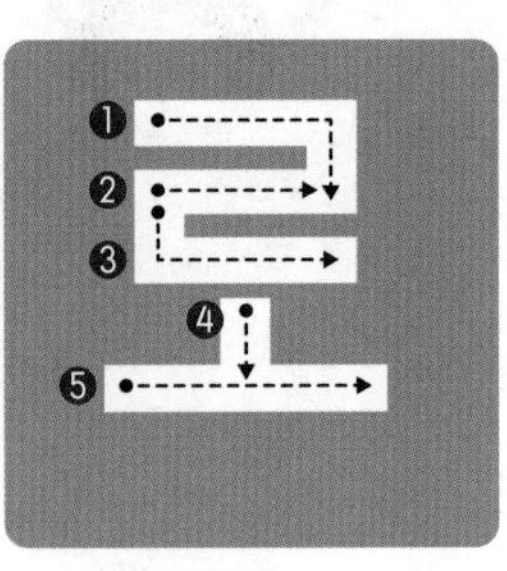

난	로	난	로	난	로	난	로
난	로	난	로	난	로	난	로
ㄴ	ㄹ	ㄴ	ㄹ	ㄴ	ㄹ	ㄴ	ㄹ

월 일  

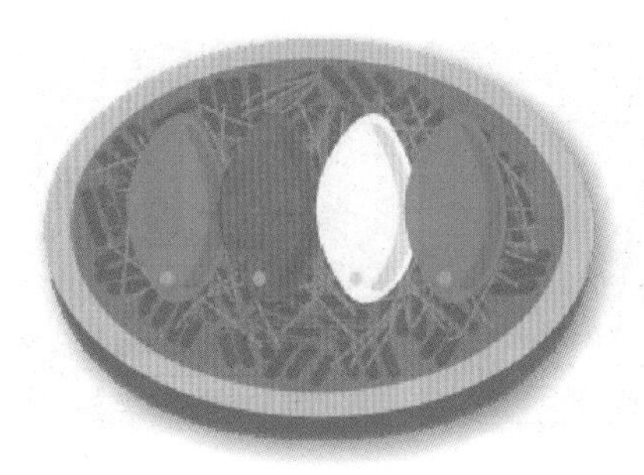

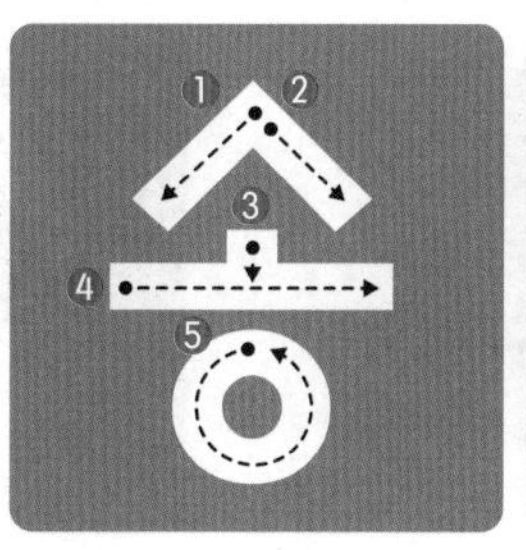

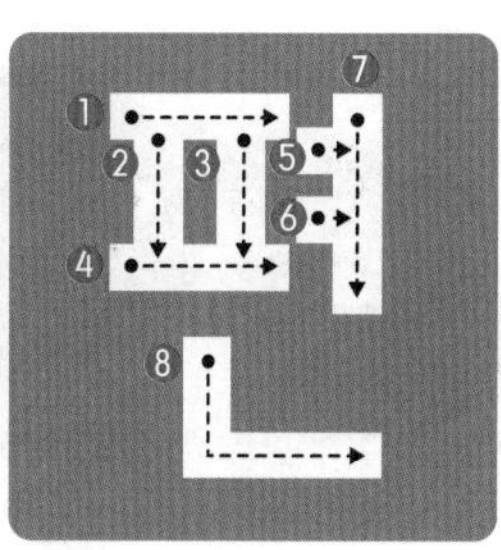

송	편	송	편	송	편	송	편
송	편	송	편	송	편	송	편
ㅅ	ㅍ	ㅅ	ㅍ	ㅅ	ㅍ	ㅅ	ㅍ

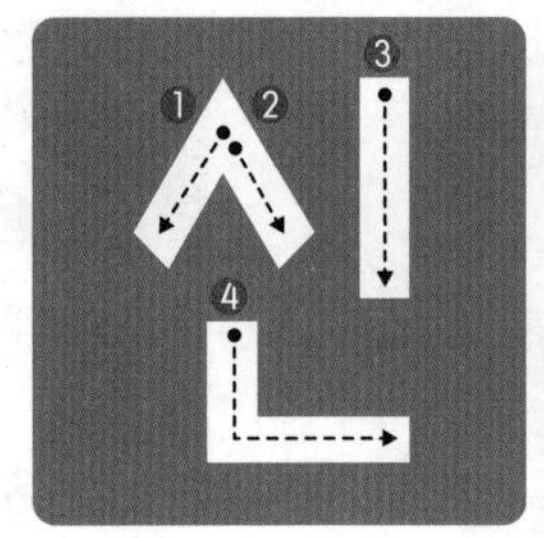

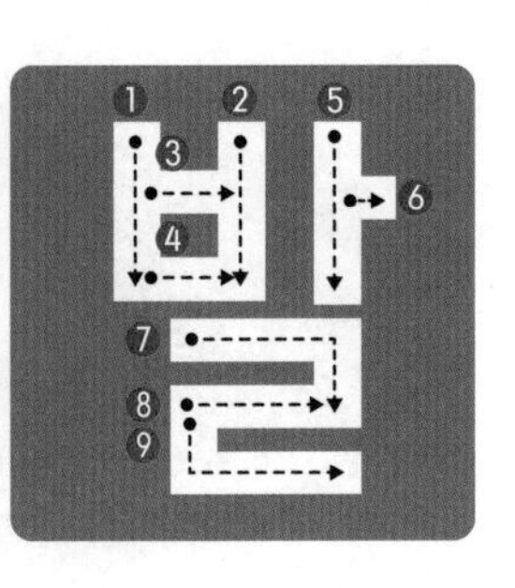

신	발	신	발	신	발	신	발
신	발	신	발	신	발	신	발
ㅅ	ㅂ	ㅅ	ㅂ	ㅅ	ㅂ	ㅅ	ㅂ

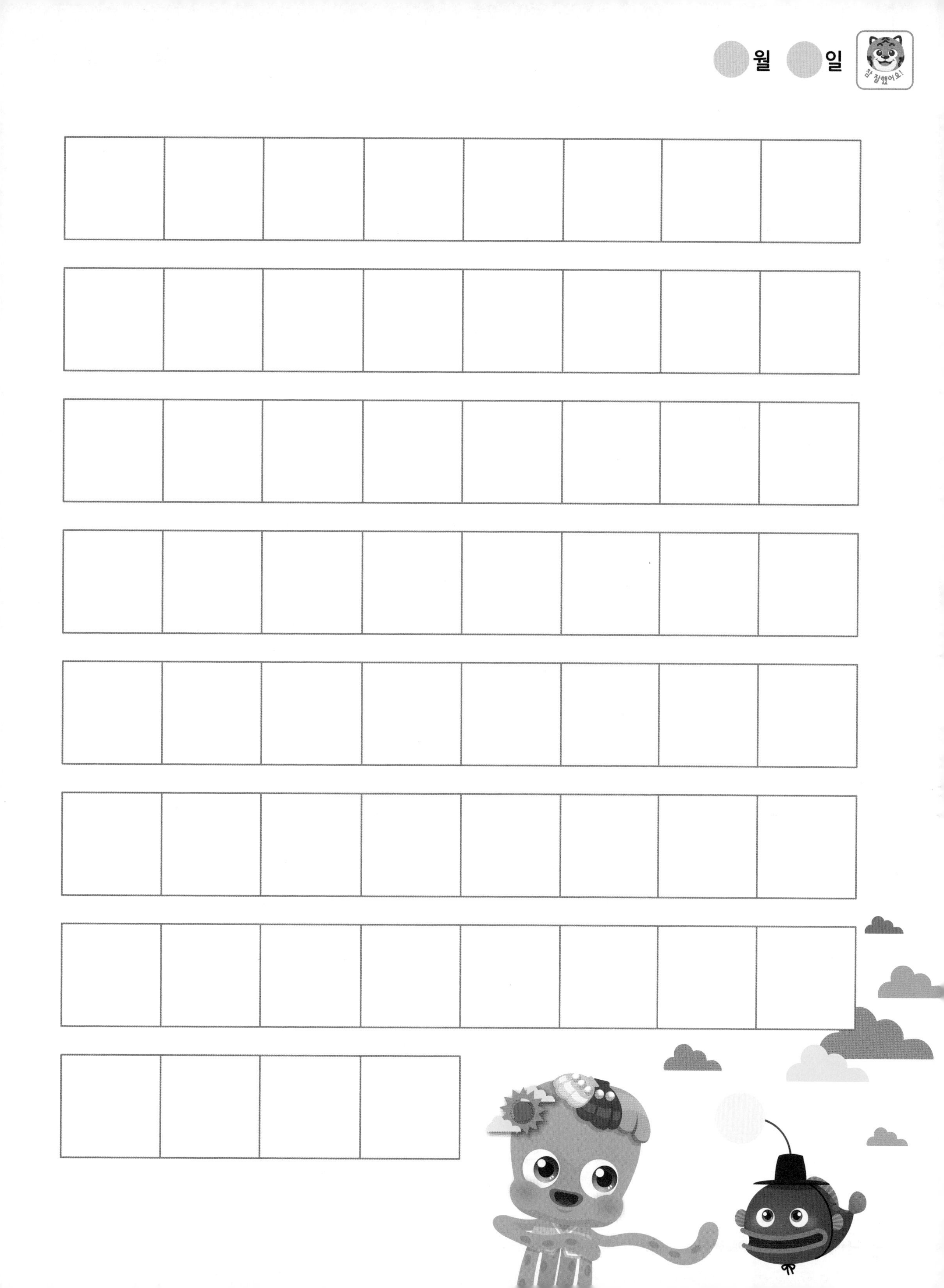
월
일
참 잘했어요!

월
일
참 잘했어요!

월

일

참 잘했어요!

한글이아빠 지음 | 김보경 글

한글이 야호2 워크북 (받침글자 세트_8)

초판 19쇄 발행 || 2024년 5월 8일

지은이 | 한글이아빠

발행처 | EBS 미디어
발행인 | 박성호
출판등록 | 2012년 6월 7일
주소 | 서울시 마포구 토정로 222 한국출판콘텐츠센터
대표전화 | 02-529-5566 팩스 | 070-4340-4796
일러스트 | 아이트리, BIGSTAR GLOBAL, grimsoop
편집 · 디자인 | 아이트리
인쇄 · 제본 | (주)재능인쇄

* 잘못된 책은 구입하신 곳에서 교환해 드립니다.
* 이 책에 실린 모든 내용, 디자인, 이미지, 편집 구성의 저작권은 EBS와 EBS미디어에 있습니다.
허락없이 복제하거나 다른 매체에 옮겨 실을 수 없습니다.
* 이 책에 사용된 글자 서체는 "EBS 한글이 야호" 서체로 EBS 홈페이지(www.ebs.co.kr)에서
다운로드 받아서 사용하실 수 있습니다.

ISBN : 979-11-5859-178-6
ISBN : 979-11-5859-183-0(세트)

기본 구성과 활용법

기본 구성

'한글이 야호'는 통합적인 말하기, 읽기, 쓰기 교육 이론을 바탕으로 두고 제작한 한글 교육 프로그램입니다. 읽기를 막 시작하는 단계부터 말하기를 완성하는 단계까지 체계적인 글자 떼기 커리큘럼을 적용, 높은 교육 효과를 얻을 수 있습니다. 기본 어휘를 활용한 이야기와 말놀이를 통해 말하기와 읽기를 자연스럽게 익히고 그림책으로 이야기를 정리하고 확장시킵니다.

- ▶ **음운 커리큘럼에 의거한 기본 어휘 제시**
- ▶ **기본 어휘를 활용한 이야기 제시**
- ▶ **이야기에서 파생한 말놀이 노래**
- ▶ **부모와 함께 할 수 있는 한글 놀이로 어휘 및 의미 확장**
- ▶ **그림책으로 기본 어휘 학습**
- ▶ **쓰기 확장의 단계**

이번 워크북부터는 기본 음절 140자를 통한 어휘 학습을 마치고 받침이 있는 글자를 학습하게 됩니다. 한글이 야호 방송과 워크북은 받침 글자마다 2~3편으로 나누어 구성했습니다. 첫 편에서는 받침이 있는 글자 중 뜻을 가진 한 글자 어휘를 통해 형태적인 특성과 음운적인 특성을 뿌미와 함께 알아봅니다. 두 번째 편과 세 번째 편에서는 해당 받침이 있는 두 음절 이상의 어휘로 확장해 의성어, 의태어의 말 재미, 발음과 뜻의 연결로 인한 말 놀이등을 습득합니다. 특히 받침 글자만을 전해주는 글자 심해어, 초롱이를 통해 받침 글자가 글자의 아래 부분에 위치하게 되는 형태적인 특성을 반복을 통해 재미있게 보여줍니다. 새 친구 초롱이를 반갑게 맞아주시고 받침 글자와도 친하게 지내면 더 많은 글자를 읽게 되어 성취 욕구를 충족시킬 수 있을 것입니다.

활용법

1 **뿌미 놀이터** 받침 글자의 형태와 음운적인 특성 파악, 글자 조립 원리 습득
2 **야호 놀이터** 낱글자와 단어 글자 읽기
3 **쓰기 놀이터** 낱글자와 단어 글자 쓰기

*** 색깔 표시 예시**

29회 〈 복 주는 북 〉 편 | 30회 〈 수박 박수 〉 편 | 31회 〈 미운 말, 고운 말 〉 편 | 32회 〈 얼굴 〉 편

*** (스티커를 붙여주세요) 라는 문구를 찾아 알맞은 스티커를 붙이세요.**

한글이 야호 2

눅 죽 눈 북

부 북 보 복

야 약 주 죽

바 박

차 례

29화 <복 주는 북>편

29화 복 주는 북

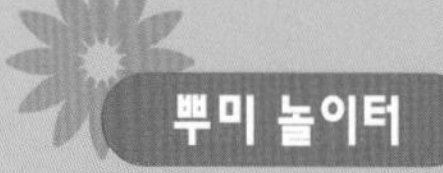
뿌미 놀이터

초롱이와 'ㄱ'

뿌미가 'ㄴ'모양 부메랑을 살짝 돌렸더니 'ㄱ'모양이 되었어요.
'ㄱ'모양이 된 부메랑을 색칠하고 'ㄱ'을 닮은 것들을 찾아서 동그라미 해요.

ㄱ
'ㄱ'(기역) 모양 부메랑을
쓱쓱쓱~색칠해요.

ㄱ

29화 복 주는 북

뿌미 놀이터

'ㄱ'의 이름

뿌미가 조각 모양 맞추기 게임을 해요
어떤 이름일까요? 색칠하고 큰 소리로 읽어봐요.

어머나, 'ㄱ'의 이름이 됐어요.
큰 소리로 읽어봐요. "기역!"
ㄱ

'ㄱ'받침이 붙은 글자를 읽으면
'~윽' 이란 소리가 나요.

29화 복 주는 북

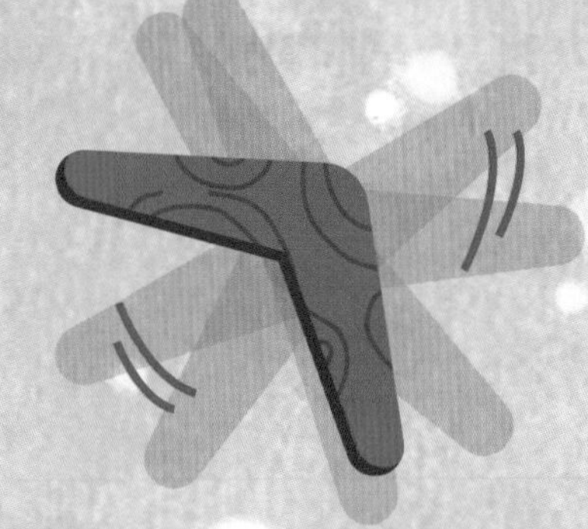

이층집의 글자들

뿌미가 글자를 2층집에 초대했어요.
이층에 어떤 글자들이 있는지 큰 소리로 읽어봐요.

29화 복 주는 북

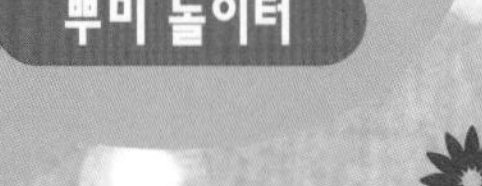

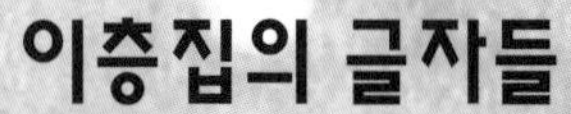

이층집의 글자들

뿌미가 글자를 2층집에 초대했어요.
일층에 'ㄱ' 모양 부메랑이 들어갔더니 글자가 변신했어요.
일층에 'ㄱ' 스티커를 붙여보아요.

(스티커를 붙여주세요)
(스티커를 붙여주세요)
(스티커를 붙여주세요)
복
죽
북

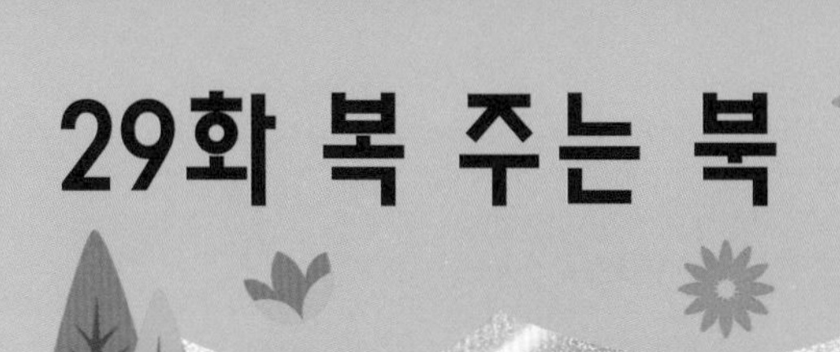

변신 계단에 글자가 올라갔더니 'ㄱ(기역)' 받침이 있는 글자로 변신했어요.
'ㄱ(기역)'을 예쁘게 색칠해서 변신시켜 봐요.

하 야

변신한 글자는 어떻게 읽을까요?
옆에 있는 그림을 보고 뜻을 생각해봐요.

바 부

29화 복 주는 북

뿌미 놀이터

변신 계단 짜잔!

변신 계단에 글자가 올라갔더니 'ㄱ(기역)' 받침이 있는 글자로 변신했어요.
'ㄱ(기역)'을 예쁘게 색칠해서 변신시켜 봐요.

변신한 글자는 어떻게 읽을까요?
옆에 있는 그림을 보고 뜻을 생각해봐요.

서울역

도

여

29화 복 주는 북

글자를 착착착!

뿌미가 글자에 'ㄱ(기역)' 받침을 붙여서 글자를 만들어요.
글자 스티커를 찾아서 붙이고 큰 소리로 읽어봐요.

1+2
1+2
(스티커를 붙여주세요)
(스티커를 붙여주세요)
1
1
모
묘
무
뮤
므
미
2
ㄱ
2
ㄱ

29화 복 주는 북

뿌미 놀이터

글자를 착착착!

뿌미가 글자에 'ㄱ(기역)' 받침을 붙여서 글자를 만들어요.
글자 스티커를 찾아서 붙이고 큰 소리로 읽어봐요.

1 + 2
(스티커를 붙여주세요)
1 + 2
(스티커를 붙여주세요)
1
1
보 뵤 부 뷰 브 비
2
ㄱ
2
ㄱ
1 + 2
(스티커를 붙여주세요)

29화 복 주는 북

뿌미 놀이터

뿌미가 글자에 'ㄱ(기역)' 받침을 붙여서 글자를 만들어요.
글자 스티커를 찾아서 붙이고 큰 소리로 읽어봐요.

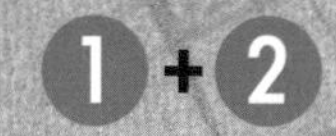

(스티커를 붙여주세요)

(스티커를 붙여주세요)

1 + 2
(스티커를 붙여주세요)
1
오
요
우
유
으
이
2
ㄱ
2
ㄱ

29화 복 주는 북
뿌미 놀이터
글자를 착착착!
뿌미가 글자에 'ㄱ(기역)' 받침을 붙여서 글자를 만들어요.
글자 스티커를 찾아서 붙이고 큰 소리로 읽어봐요.
1 + 2
(스티커를 붙여주세요)
하
햐
허
혀
1
2
ㄱ

1 + 2
(스티커를 붙여주세요)
호
효
후
휴
흐
히
1
2
ㄱ

29화 복 주는 북

야호 놀이터

둥둥 북

야호가 북을 치려고 하는데 빠진 게 있어요.
그림에서 빠진 걸 찾아 동그라미 하고 같은 모양 스티커를 찾아 야호 손에 붙여 주세요.

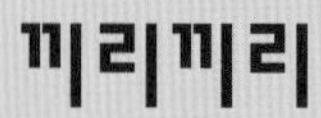

29화 복 주는 북

끼리끼리

그림에 맞는 글자 짝을 찾아 줄을 그어요.

약

죽

북

학

독
박
먹
벽

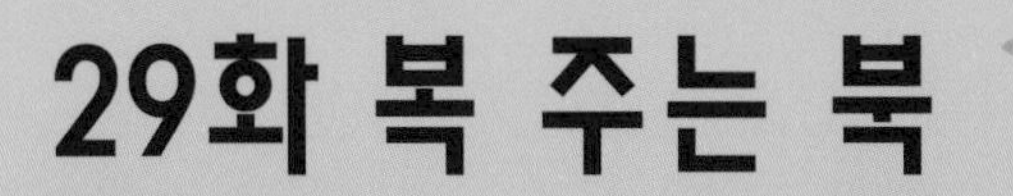

29화 복 주는 북

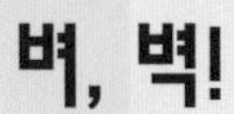

벼, 벽!

야호가 마술사에게 벼를 주었더니
마술사가 벼에 마술을 걸어서 벽으로 만들었어요.
벽에 마음대로 그려서 예쁘게 꾸며봐요.

벼 ㄱ 벽

29화 복 주는 북

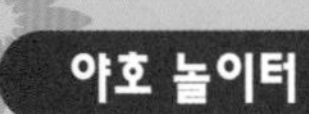

한글이의 작은 그림책

한글이랑 야호와 함께 그림책을 또박또박 읽어봐요.

 이 긴  이 다리를 다쳤어.

착한 아이가 다친 다리에  을 발라 주었지.

29화 복 주는 북

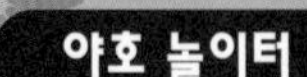

착한 아이가  을 끓여서  에게 먹여 주었어.

 이 씨를 물어다 주었어.

씨를 심었더니 쑥쑥 자라서 커다란  이 주렁주렁 열렸지.

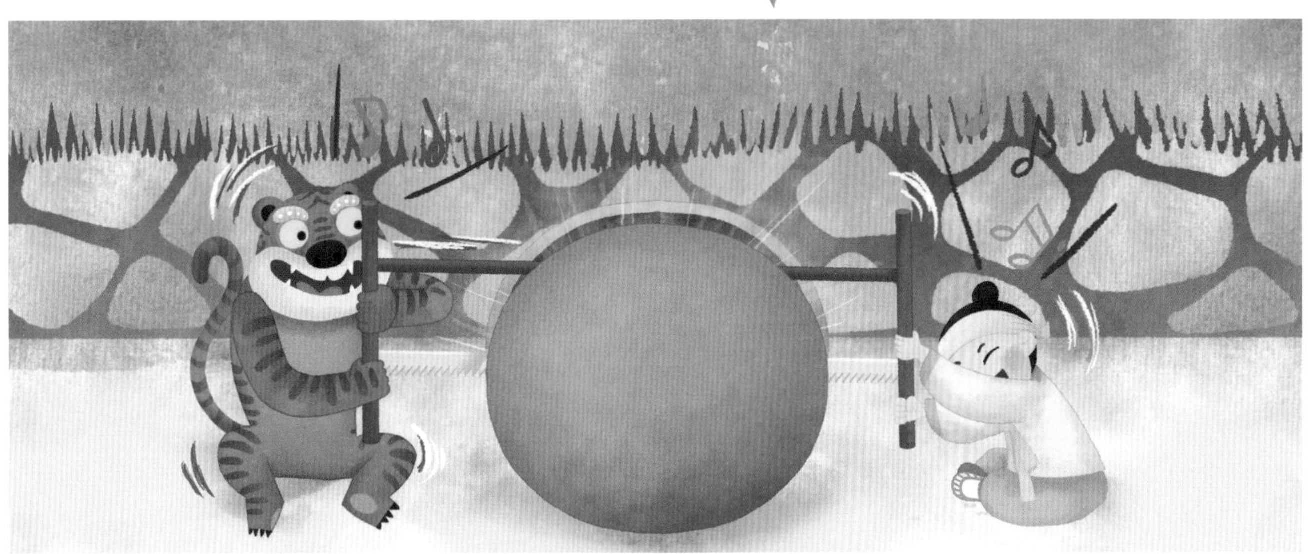

슬근슬근  을 타세.

이 박 타서  끓일까.

이 박 타서  끓일까.

29화 복 주는 북

야호 놀이터

펑! 에서 이 나왔어.

둥둥 을 치니 금덩이가 뚝딱.

둥둥 [drum icon] 을 칠 때마다 복이 뚝딱.

[crane icon] 이 복을 주는 [drum icon] 을 주었지.

순서대로 쓰기

획순에 맞춰서 받침 글자가 있는 글자를 써봐요.

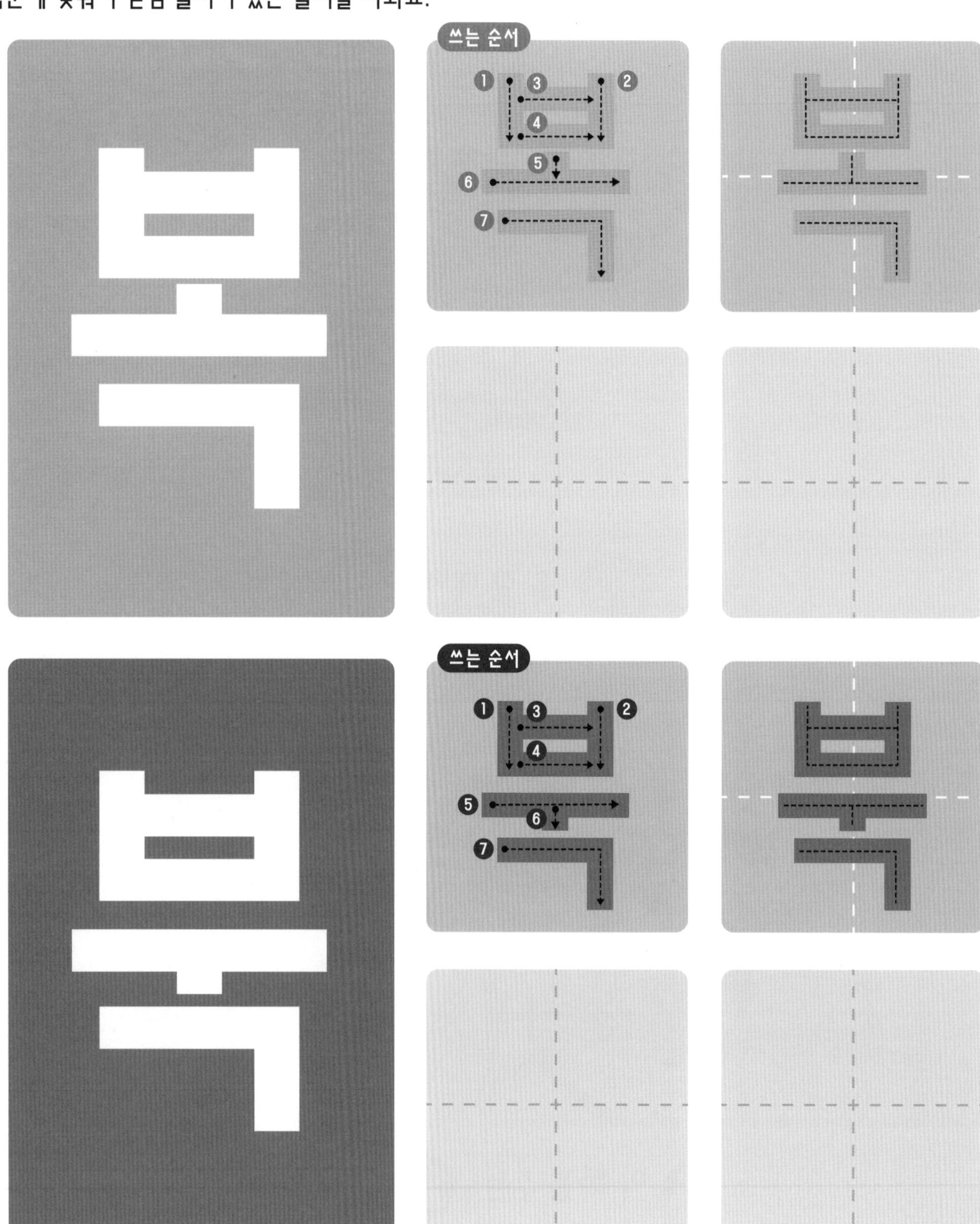

순서대로 쓰기!

획순에 맞춰 글자를 따라써요.

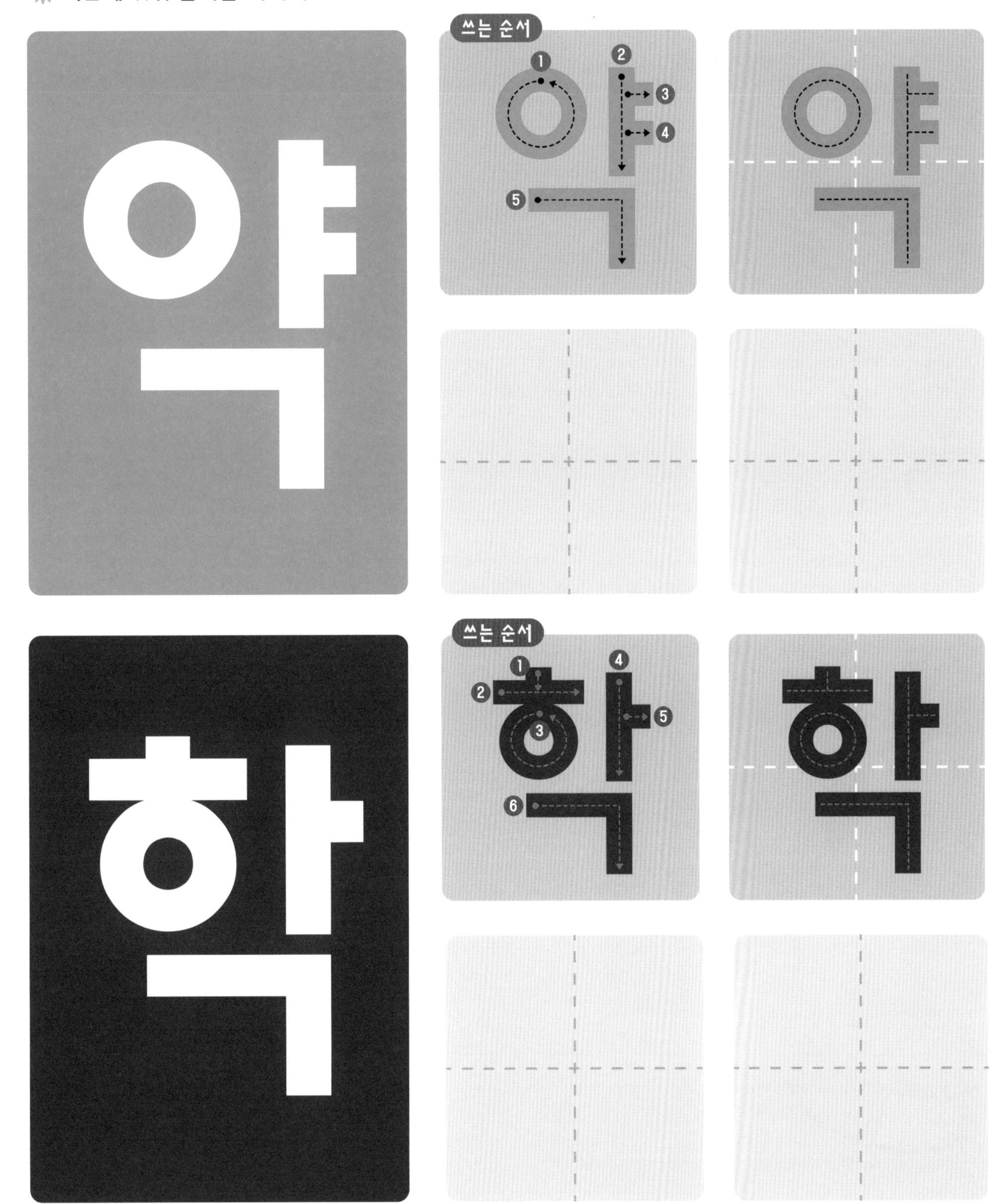

29화 복 주는 북

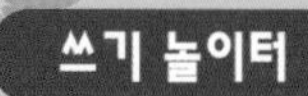

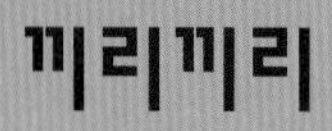

그림에 맞는 글자를 써봐요.

죽

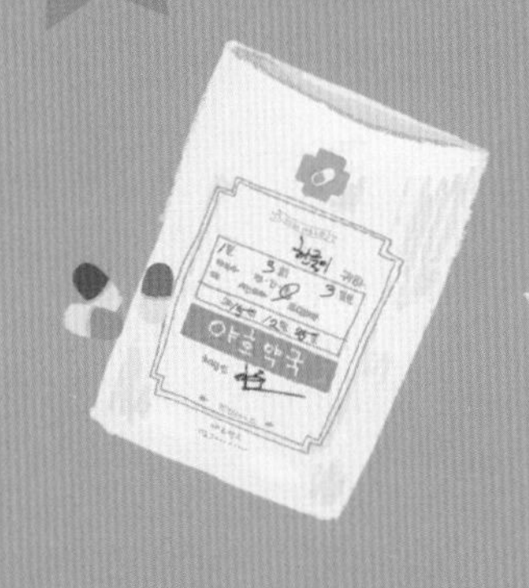

약

학

북

29화 복 주는 북

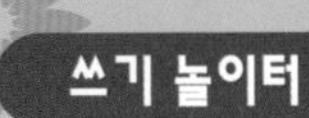

한글이의 작은 그림책

한글이와 함께 빈자리에 맞는 글자를 써서 그림책을 완성 해봐요.

 [ ] 이 긴 학이 다리를 다쳤어.

착한 아이가 다친 다리에  [ ] 을 발라 주었지.

29화 복 주는 북

쓰기 놀이터

착한 아이가 □ 을 끓여서 학에게 먹여 주었어.

  이 씨를 물어다 주었어.

씨를 심었더니 쑥쑥 자라서 커다란  [ ] 이 주렁주렁 열렸지.

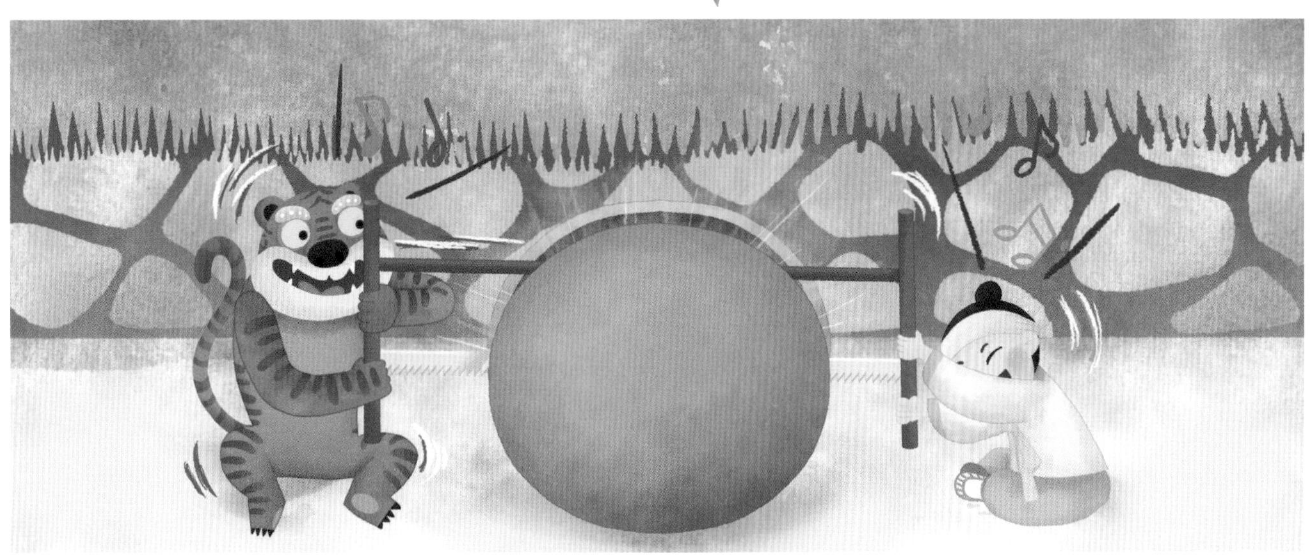

슬근슬근 **박**을 타세.

이 **박** 타서  [ ] 끓일까.

이 **박** 타서 **국** 끓일까.

29화 복 주는 북

쓰기 놀이터

펑! (박) [ ] 에서 북이 나왔어.

둥둥 (북) [ ] 을 치니 금덩이가 뚝딱.

둥둥 　 을 칠 때마다 **복**이 뚝딱.

이 **복**을 주는 **북**을 주었지.

한글이 야호 2

수박 박수
칙칙폭폭
축구 국수
거북이 악수

차 례

30화 <수박 박수>편

30화 수박 박수

뿌미 놀이터

글자를 착착착!

뿌미가 글자에 'ㄱ(기역)' 받침을 붙여서 글자를 만들어요.
글자 스티커를 찾아서 붙이고 큰 소리로 읽어봐요.

사 샤 서 셔

1 + 2
1 + 2, 3
(스티커를 붙여주세요)
(스티커를 붙여주세요)
보 뵤 부 뷰 브 비
3
소 쇼 수 슈 스 시

30화 수박 박수

뿌미 놀이터

글자를 착착착!

뿌미가 글자에 'ㄱ(기역)' 받침을 붙여서 글자를 만들어요.
글자 스티커를 찾아서 붙이고 큰 소리로 읽어봐요.

1
소
쇼
수
슈
스
시
보
뵤
부
뷰
브
비
2 + 3
1 , 2 + 3
(스티커를 붙여주세요)
(스티커를 붙여주세요)

30화 수박 박수

글자를 착착착!

뿌미가 글자에 'ㄱ(기역)' 받침을 붙여서 글자를 만들어요.
글자 스티커를 찾아서 붙이고 큰 소리로 읽어봐요.

1

바 뱌 버 벼

아 야 어 여

오 요 우 유 으 이

30화 수박 박수

뿌미 놀이터

글자를 착착착!

뿌미가 글자에 'ㄱ(기역)' 받침을 붙여서 글자를 만들어요.
글자 스티커를 찾아서 붙이고 큰 소리로 읽어봐요.

11
1
초 쵸 추 츄 츠 치
2
ㄱ
1 + 2, 3
(스티커를 붙여주세요)
3
고 교 구 규 그 기

30화 수박 박수

뿌미 놀이터

글자를 착착착!

뿌미가 글자에 'ㄱ(기역)' 받침을 붙여서 글자를 만들어요.
글자 스티커를 찾아서 붙이고 큰 소리로 읽어봐요.

차	챠	처	쳐
파	퍄	퍼	펴

1 + 2 (스티커를 붙여주세요)

3 + 4 (스티커를 붙여주세요)

1 + 2, 1 + 2, 3 + 4, 3 + 4 (스티커를 붙여주세요)

1
초 쵸 추 츄 츠 치
ㄱ 2
포 표 푸 퓨 프 피
3
ㄱ 4

30화 수박 박수

뿌미가 글자에 'ㄱ(기역)' 받침을 붙여서 글자를 만들어요.
글자 스티커를 찾아서 붙이고 큰 소리로 읽어봐요.

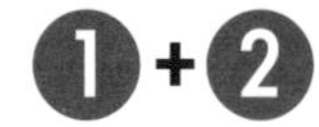

(스티커를 붙여주세요)

(스티커를 붙여주세요)

3 + 4

(스티커를 붙여주세요)

3 + 4, 3 + 4

(스티커를 붙여주세요)

토
툐
투
튜
트
티
ㄱ
ㄱ

30화 수박 박수

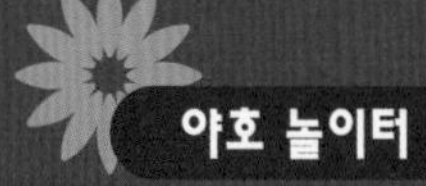

국수 그림

야호가 국수를 붙여서 그림을 그렸어요.
야호처럼 국수 그림을 그려요.

나비

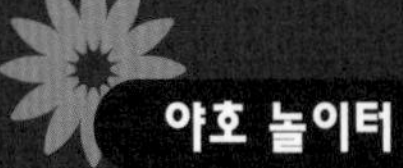

요술 축구공

야호가 친구들하고 축구를 해요.
차기만 하면 뻥뻥 골인이 되는 멋진 축구공을 그려봐요.

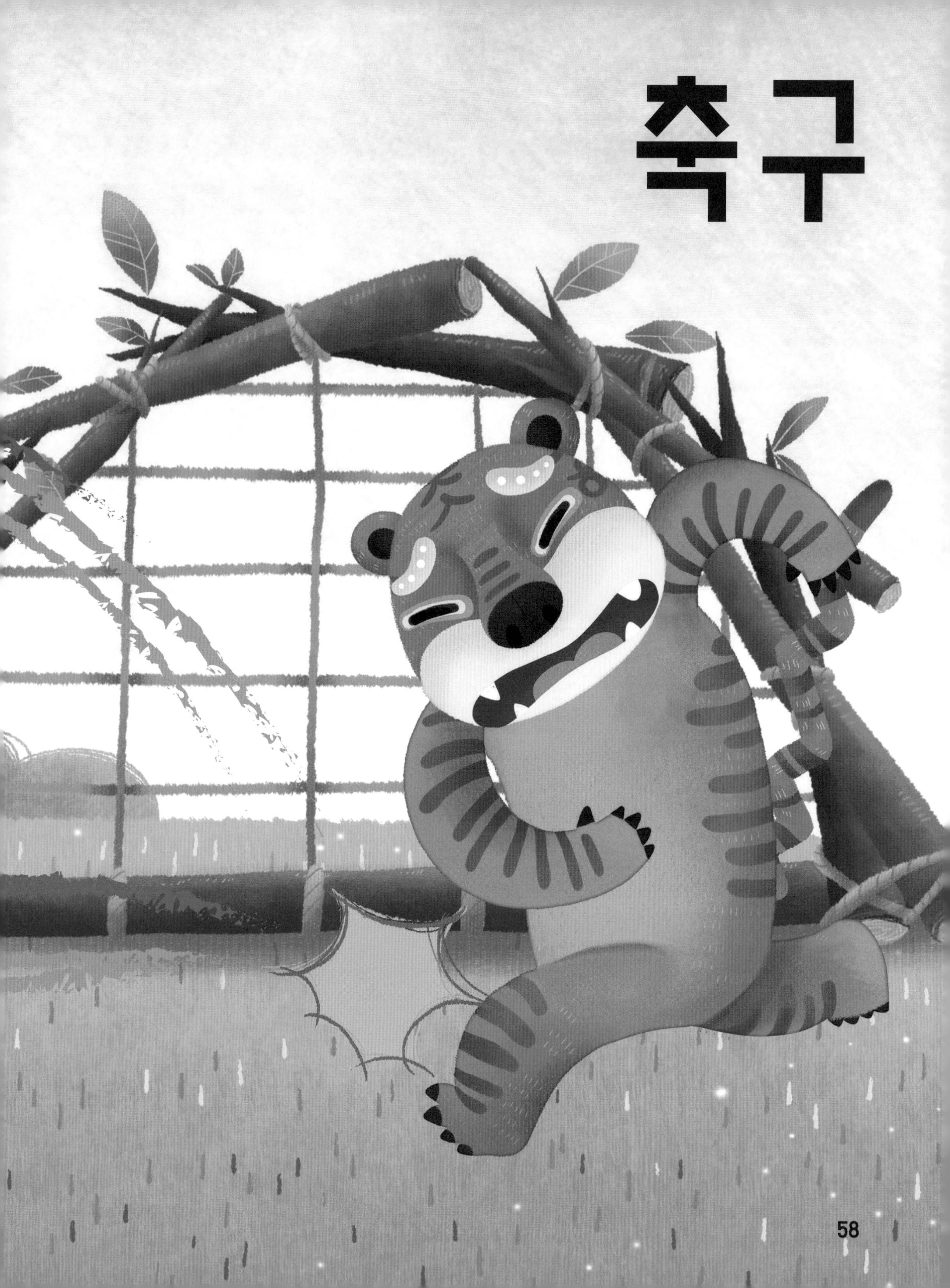
축구

30화 수박 박수

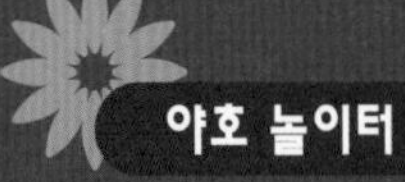

야호와 함께 글자에 맞는 그림을 찾아서 동그라미를 해요.

축구공

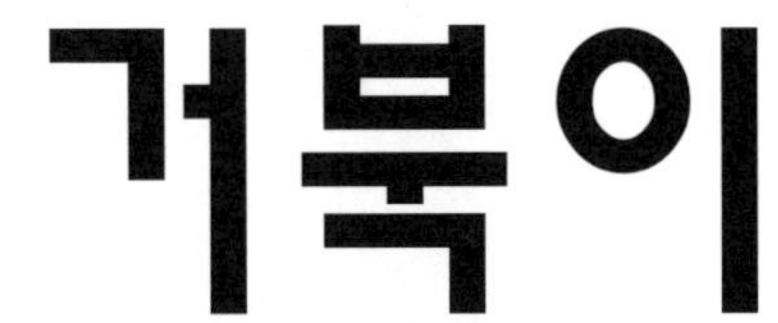

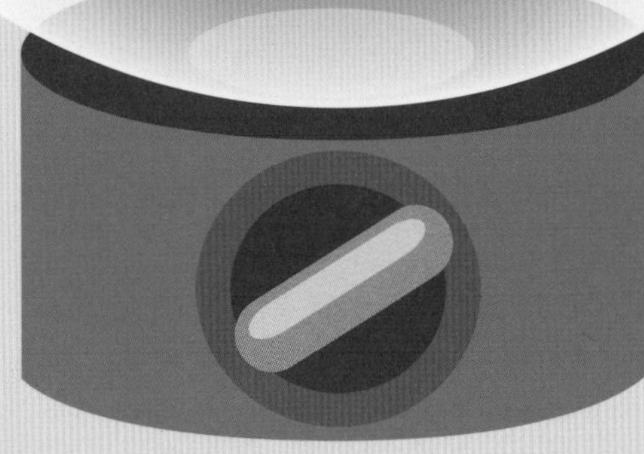

수박

칙칙폭폭

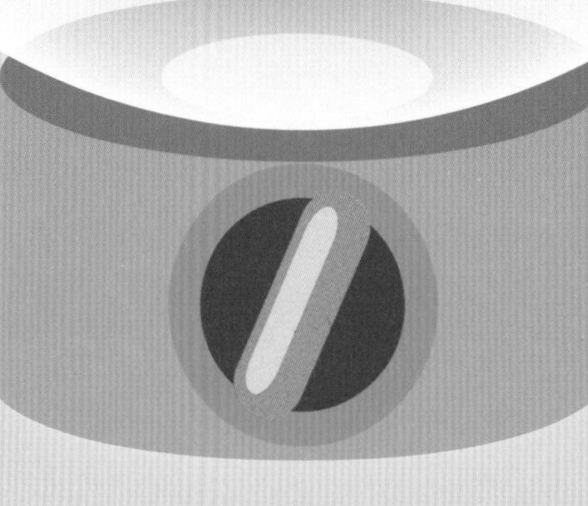

30화 수박 박수

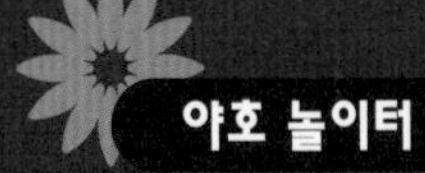

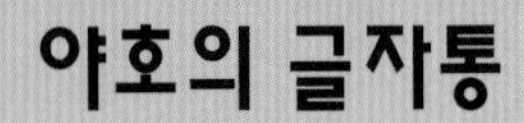

야호와 함께 그림에 맞는 글자를 찾아서 동그라미를 해요.

박수

악수

벽

거북이

축구

박수

박
국수
둑
낙지
북
학

30화 수박 박수

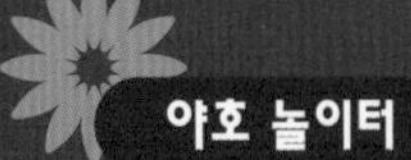

한글이의 작은 그림책

한글이랑 야호와 함께 그림책을 또박또박 읽어봐요.

동물 친구 모두 모여  밭에서 일했지.

 한 통 잘 익었나 톡톡톡.

 두 통 잘 익었나 툭툭툭.

새참으로  도 먹고  한 통 선물 받았어.

동물 친구 모두 모여  하러 **칙칙폭폭.**

느림보 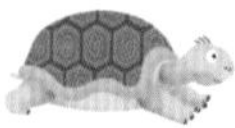 도 **칙칙폭폭.**

30화 수박 박수

야호 놀이터

호랑이도 를 하고 싶은데

을 혼자 차지해서 못 하고 있어.

그 때 호랑이 앞으로 날아오는  .

느림보 🐢 가 느리게 오는 동안,

마음 급한 호랑이가 공을 향해 달려 갔지.

호랑이는 그만 **축구공** 대신  을 뻥-.

30화 수박 박수

동물 친구들 재밌다고  박수 짝짝짝.

잘라진  나누어 먹으며 사이좋게 수박  짝짝짝.

30화 수박 박수

순서대로 쓰기!

획순에 맞춰서 받침 글자가 있는 글자를 써봐요.

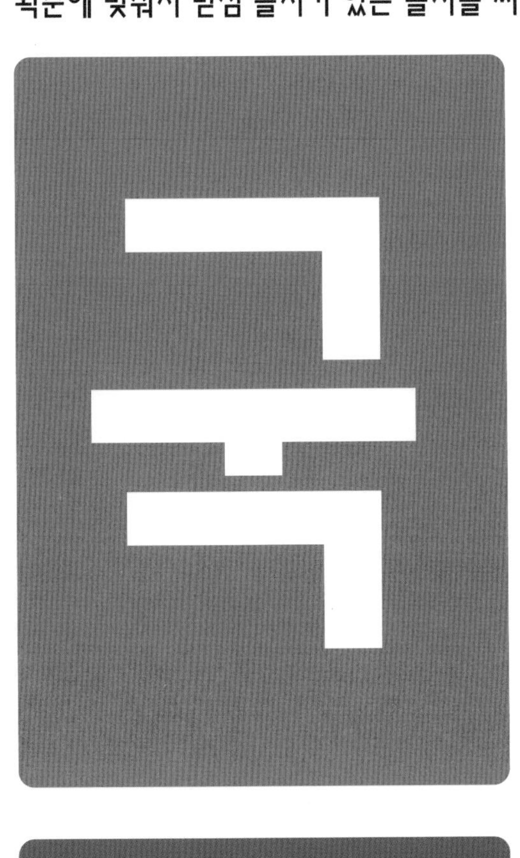

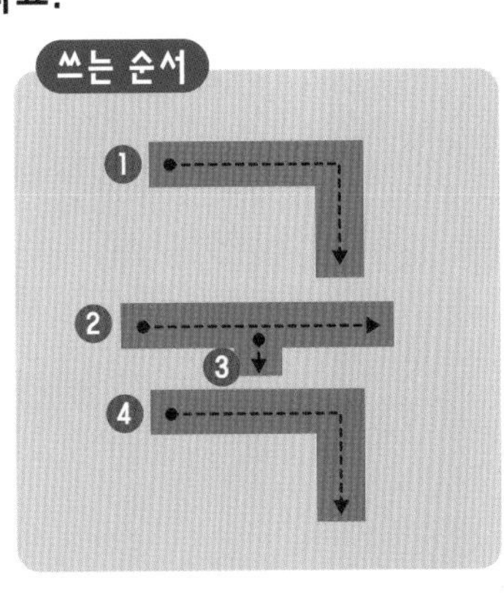

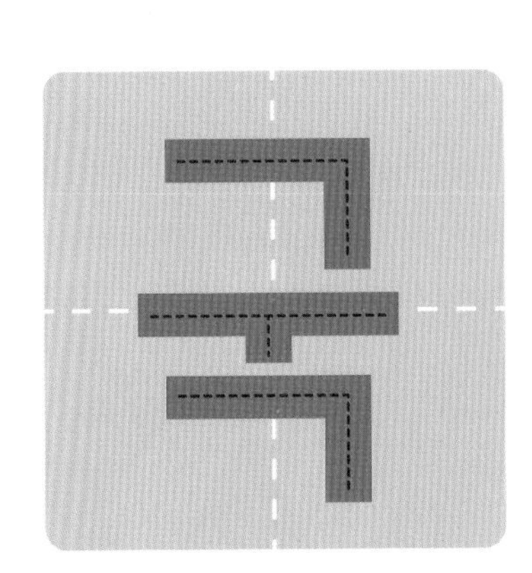

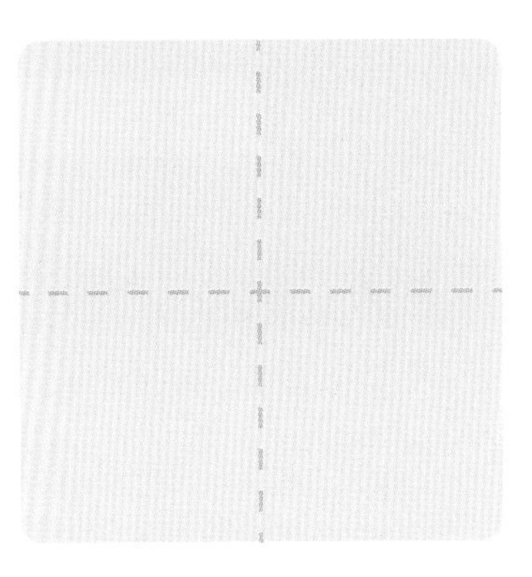

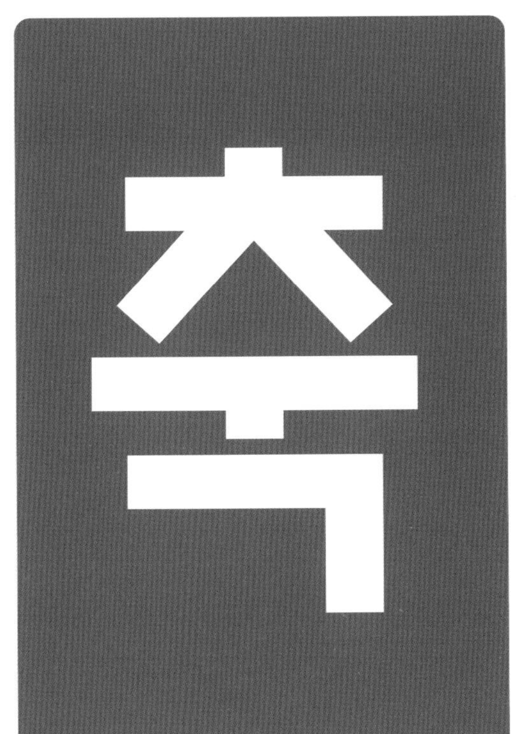

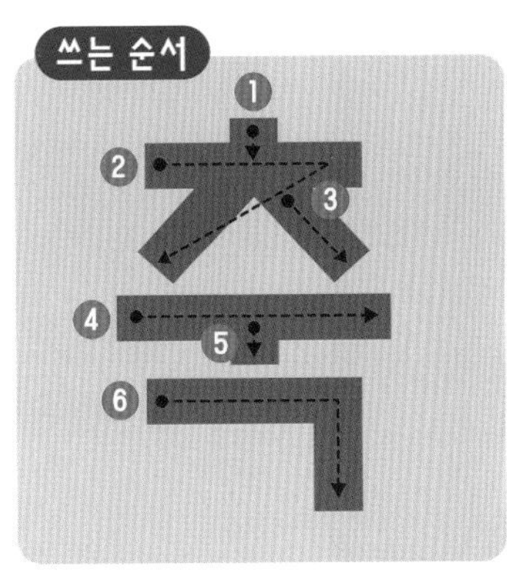

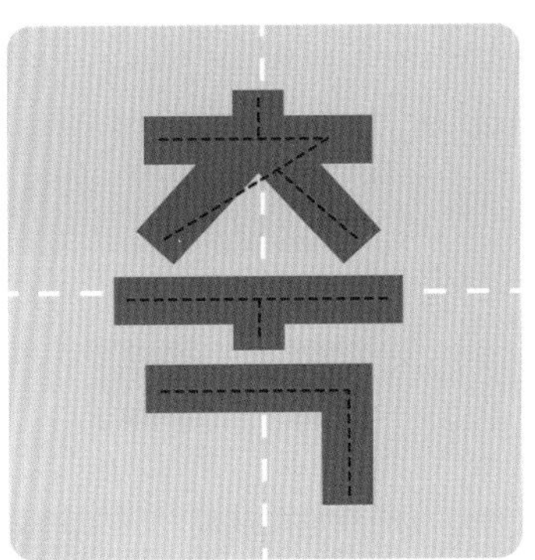

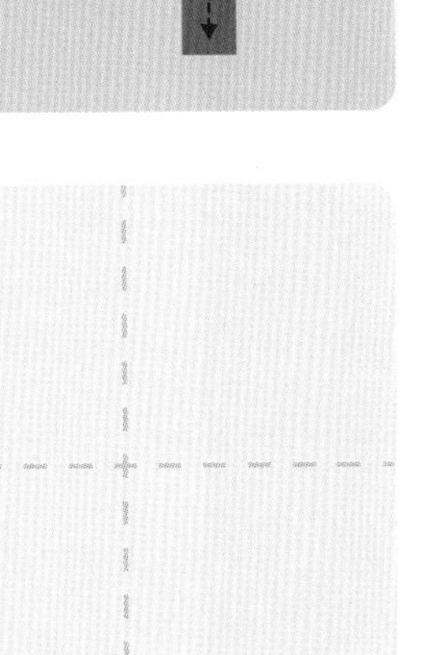

순서대로 쓰기!

획순에 맞춰 글자를 따라써요.

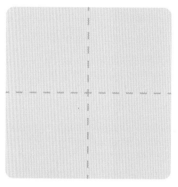

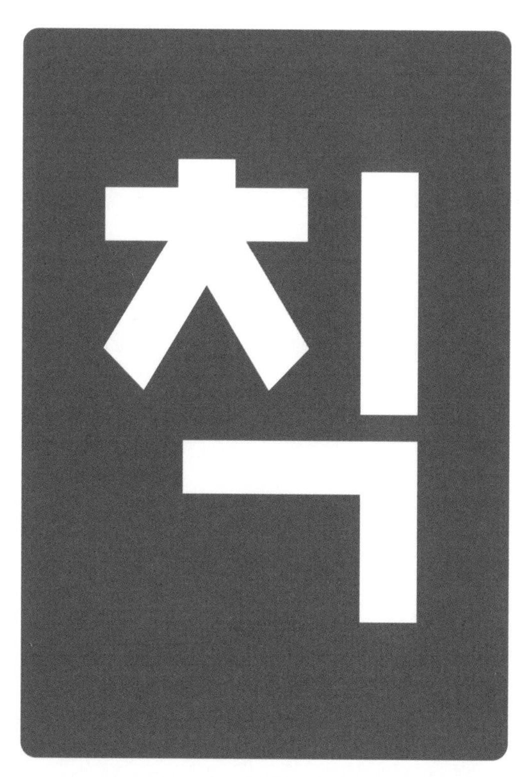

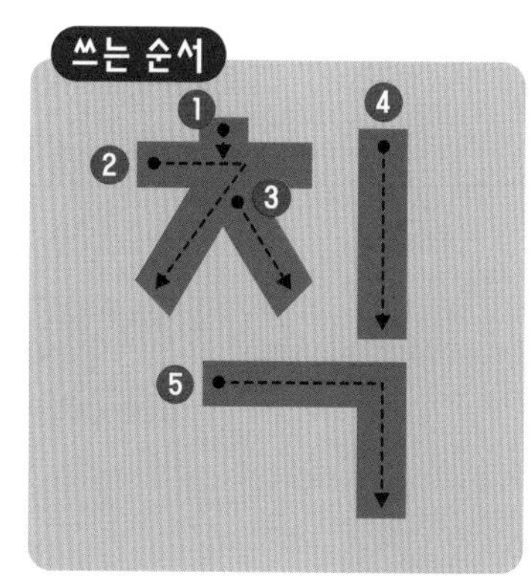

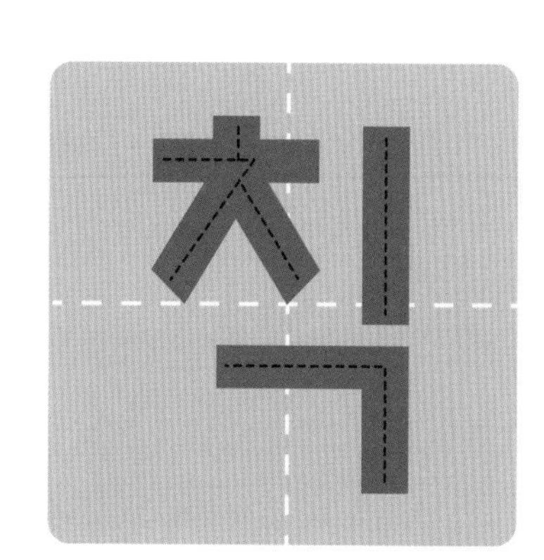

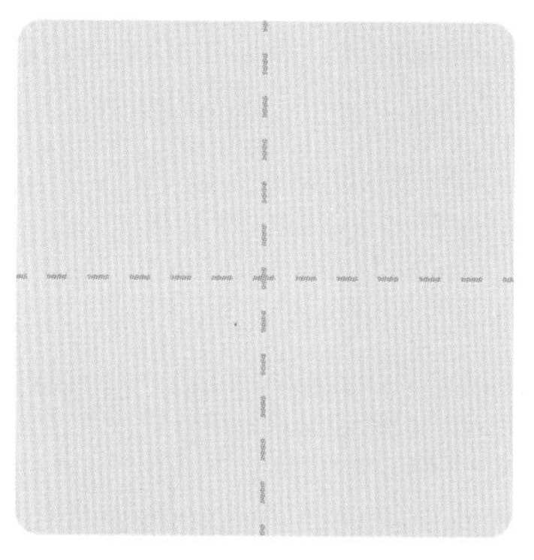

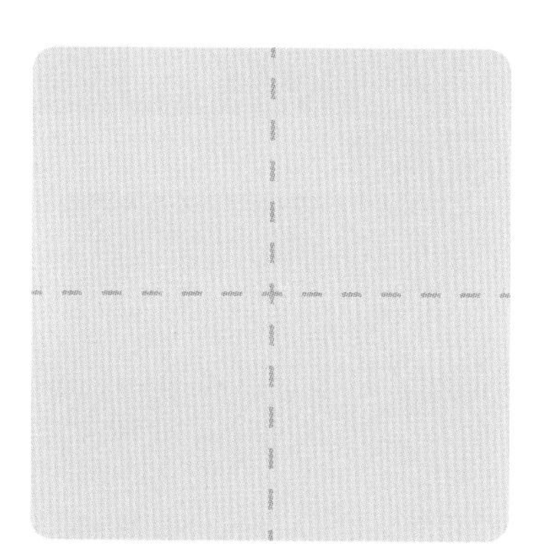

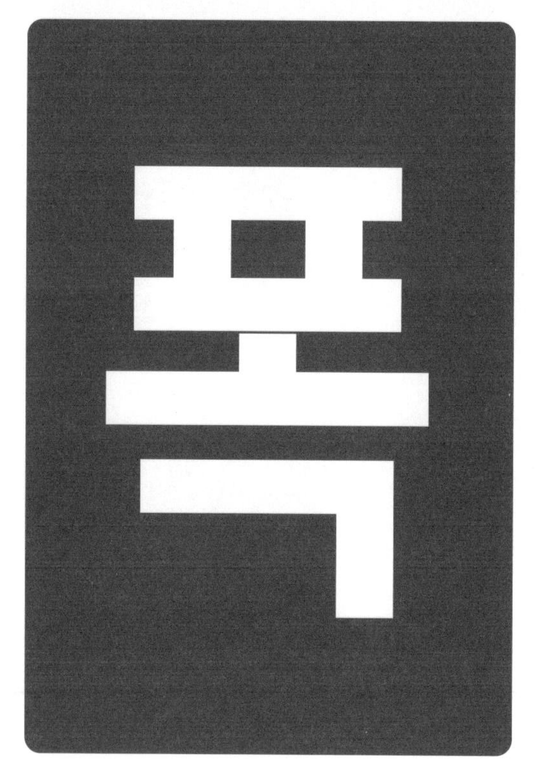

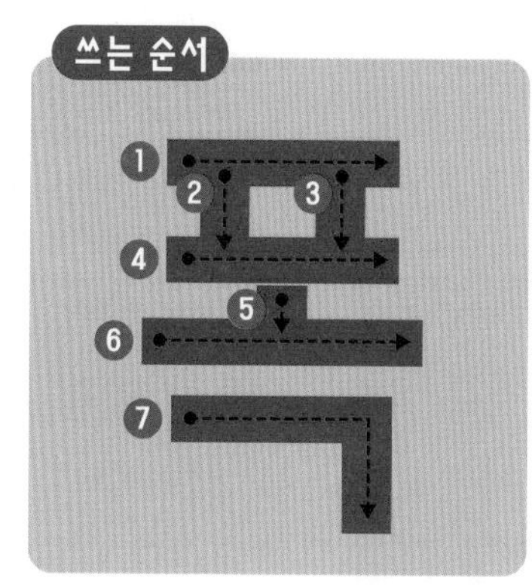

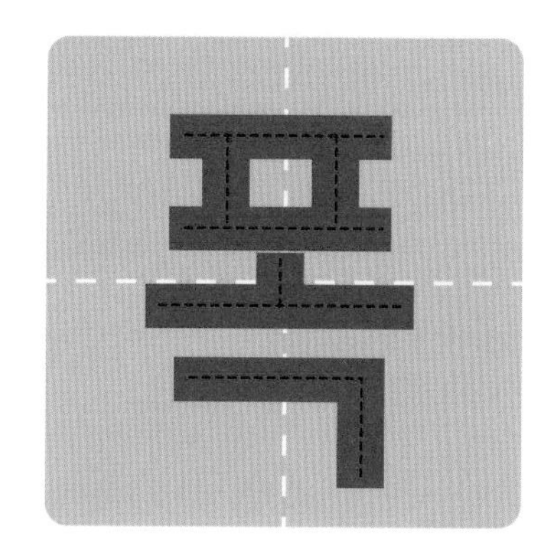

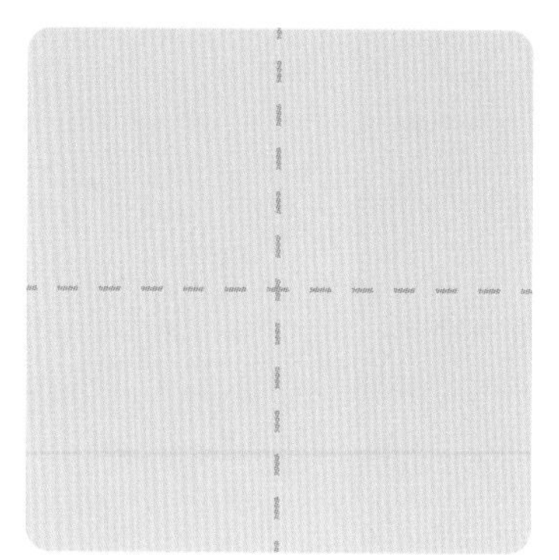

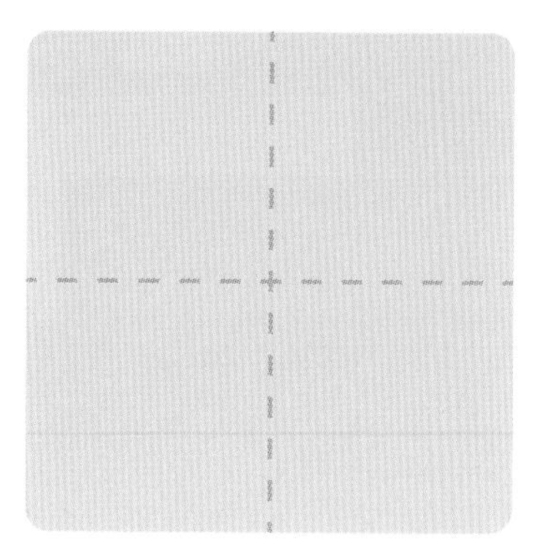

순서대로 쓰기!

획순에 맞춰 글자를 따라써요.

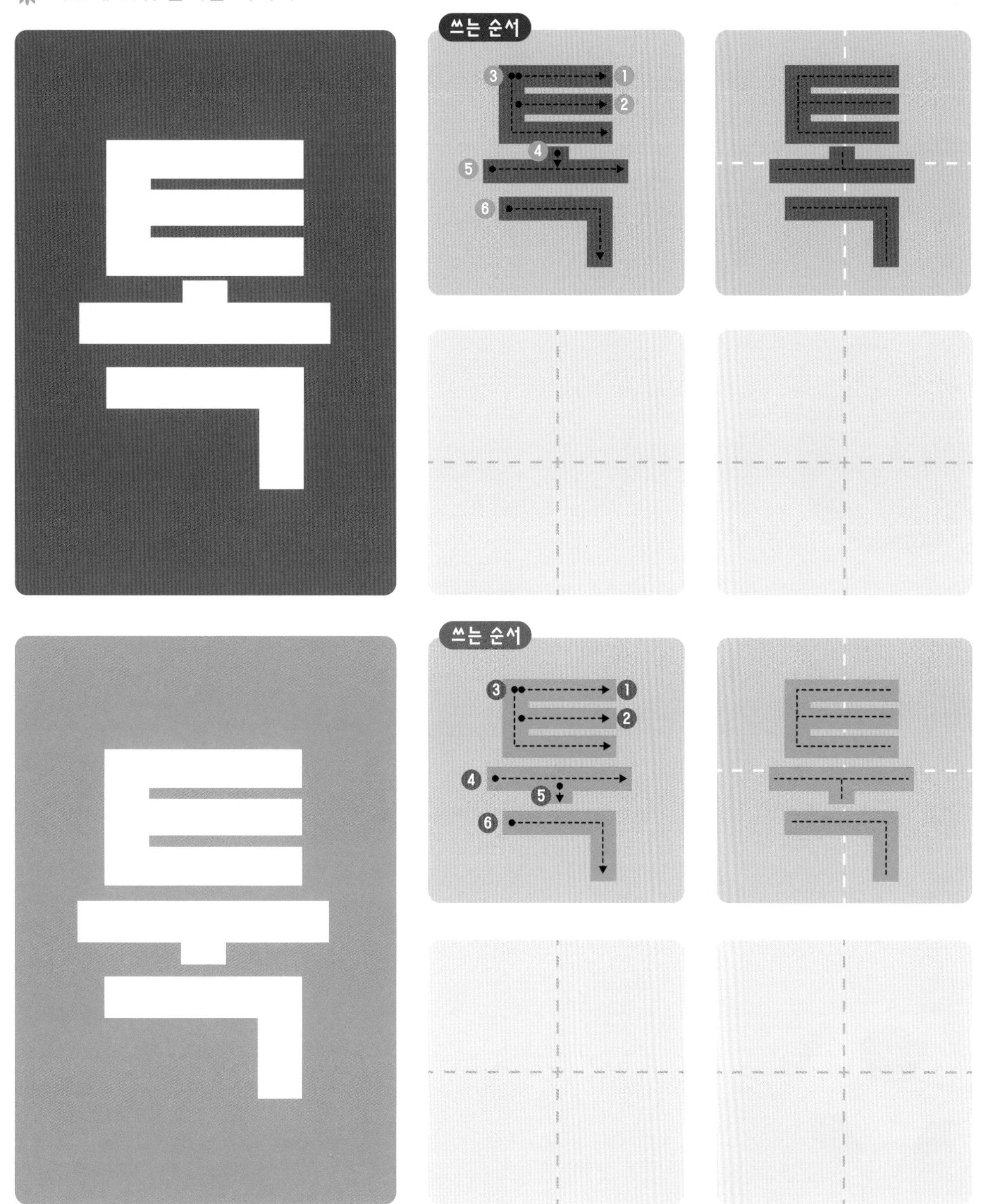

30화 수박 박수

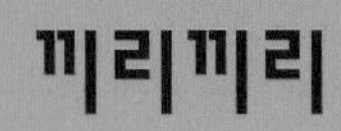

그림에 맞는 글자를 써봐요.

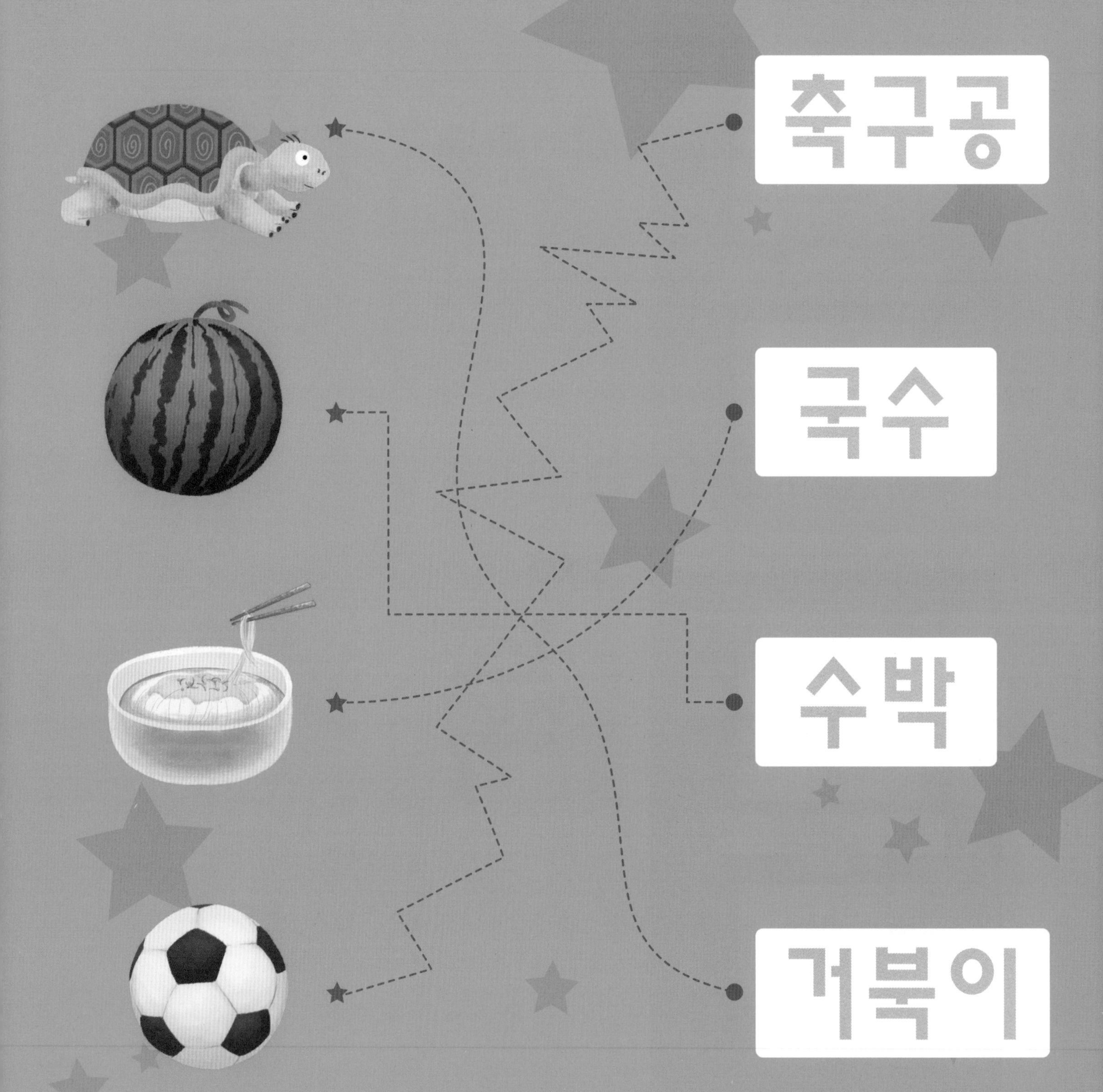

30화 수박 박수

한글이의 작은 그림책

한글이랑 야호와 함께 빈자리에 맞는 글자를 써서 그림책을 완성 해봐요.

동물 친구 모두 모여  [ ] 밭에서 일했지.

  한 통 잘 익었나 **톡톡톡.**

 [ ] 두 통 잘 익었나 **툭툭툭.**

30화 수박 박수

쓰기 놀이터

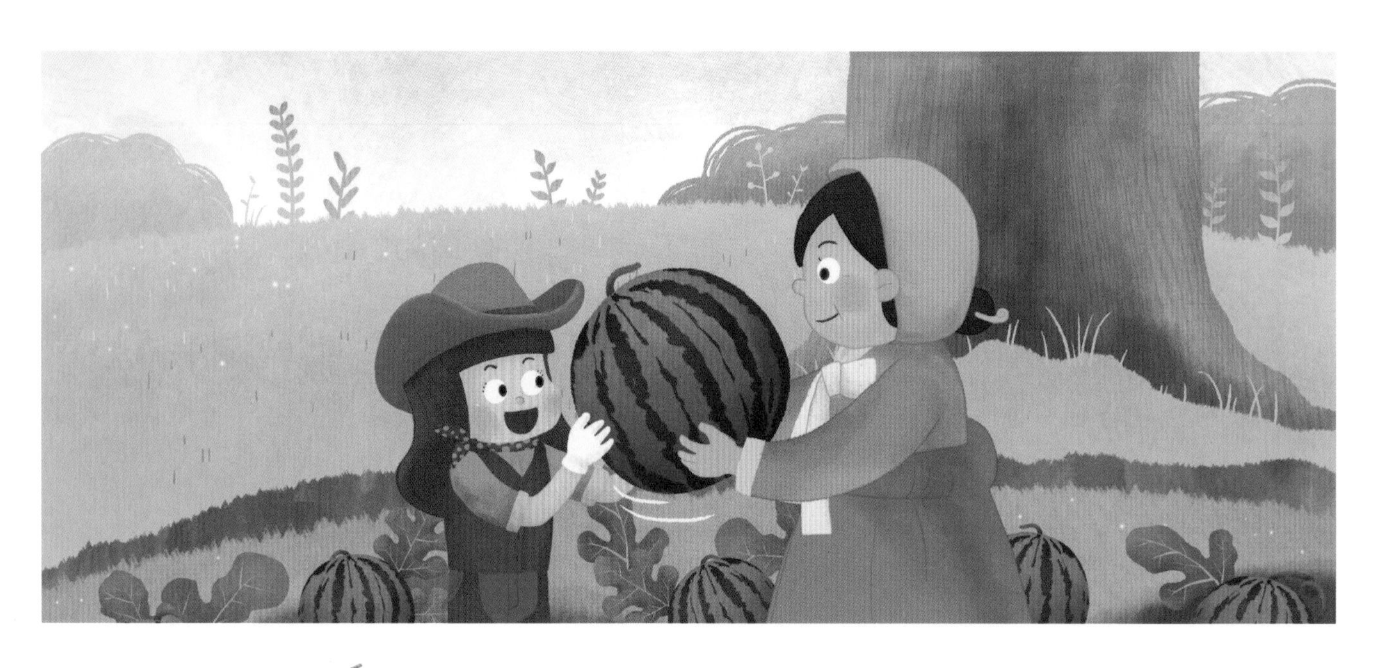

새참으로 [ ] 도 먹고 [ ] 한 통 선물 받았어.

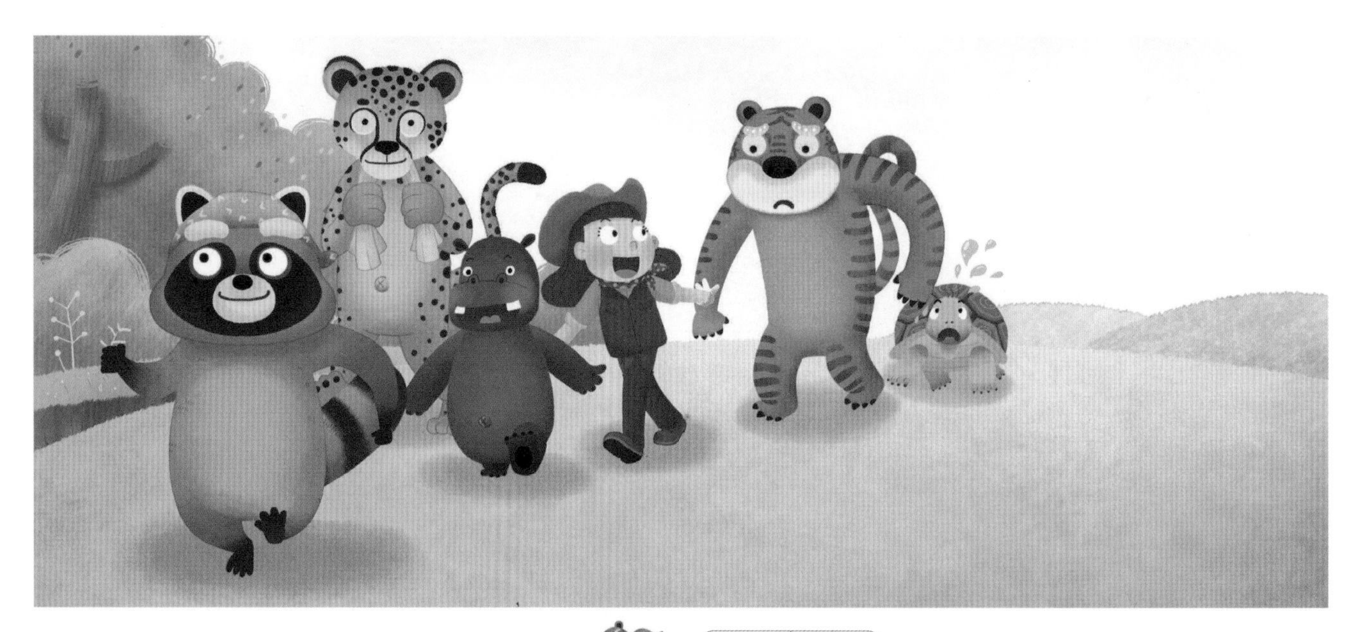

동물 친구 모두 모여 [ ] 하러 **칙칙폭폭.**

느림보 [ ] 도 **칙칙폭폭.**

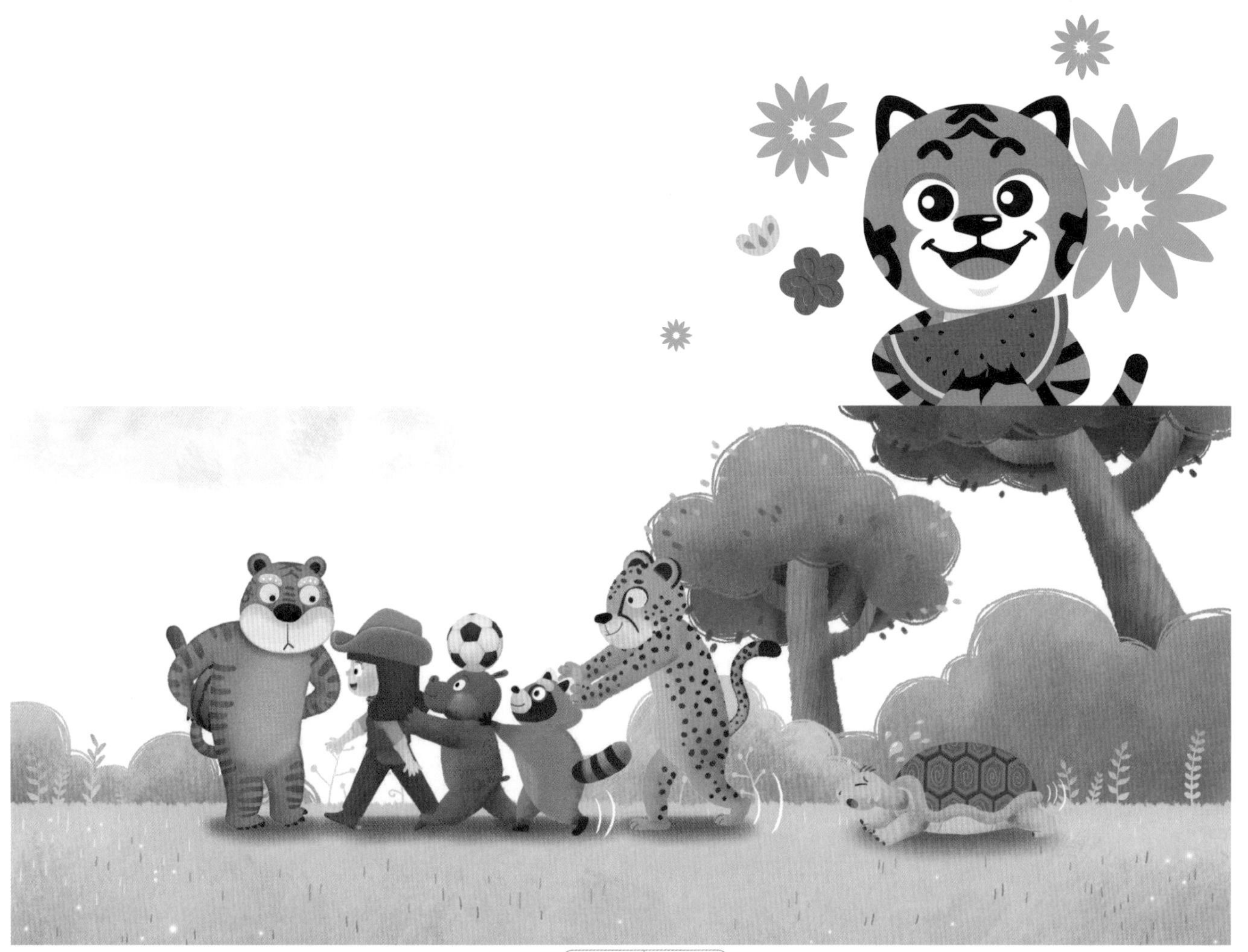

호랑이도 ☐☐를 하고 싶은데

☐☐을 혼자 차지해서 못 하고 있어.

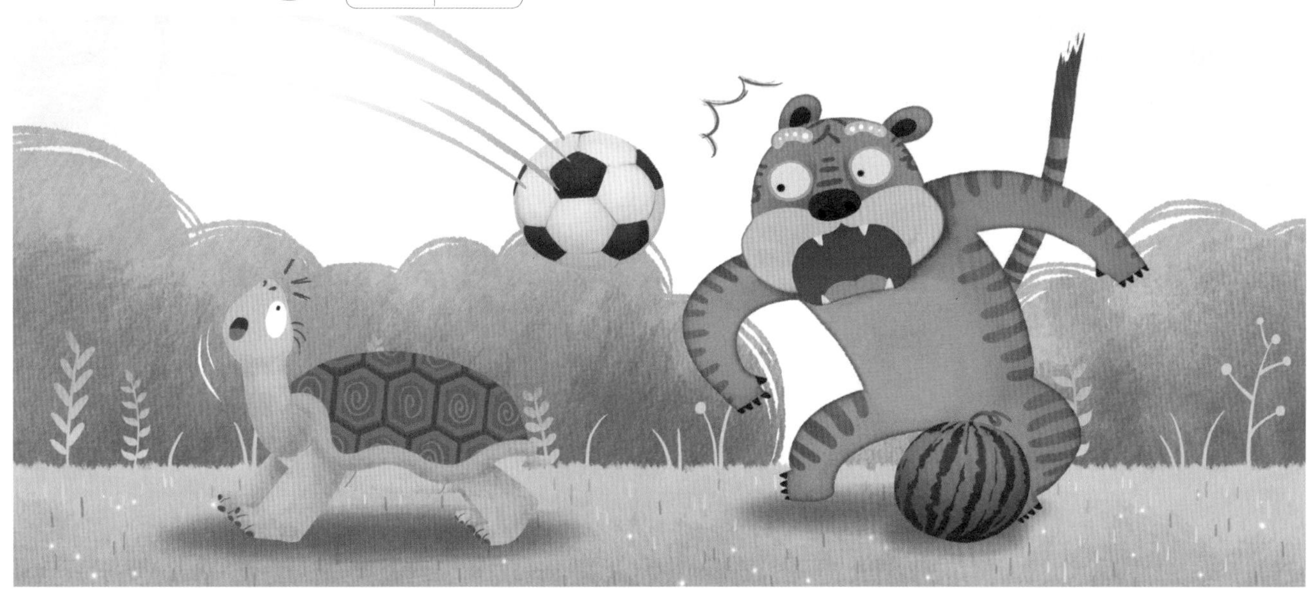

그 때 호랑이 앞으로 날아오는  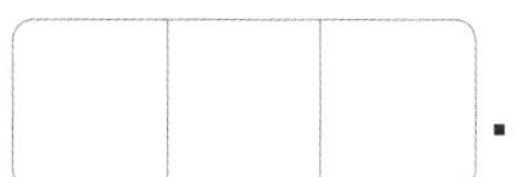.

30화 수박 박수

느림보 [ ][ ][ ] 가 느리게 오는 동안,

마음 급한 호랑이가 공을 향해 달려 갔지.

호랑이는 그만 **축구공** 대신  [ ][ ] 을 뻥-.

동물 친구들 재밌다고  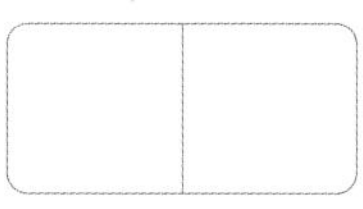 박수 짝짝짝.

잘라진  나누어 먹으며

사이좋게 수박  짝짝짝.

한글이 야호 2

미운 말, 고운 말

마 말　버 벌　다 달

벼 별　야 얄

무 물　부 불　푸 풀

차 례

31화 <미운 말, 고운 말>편

31화 미운 말, 고운 말 뿌미 놀이터

초롱이랑 'ㄹ' 찾기

초롱이가 뿌미에게 줄 'ㄹ(리을)'받침을 찾고 있어요.
바닷속 물풀 사이에 숨어 있는 'ㄹ(리을)'을 찾아서 여러 가지 색깔로 색칠해봐요.

ㄹ

ㄹ

ㄹ
ㄹ
ㄹ

31화 미운 말, 고운 말

'ㄹ'받침이 붙은 글자를 읽으면
'~을' 이란 소리가 나요.

'ㄹ'의 이름

뿌미가 조각 모양 맞추기 게임을 했더니
받침 글자의 이름이 나왔어요.
어떤 이름일까요? 색칠하고 큰 소리로 읽어봐요.

어머나, ‘ㄹ’의 이름이 됐어요.
큰 소리로 읽어봐요. “리을!!”
ㄹ

31화 미운 말, 고운 말 뿌미 놀이터

이층집의 글자들

뿌미가 글자를 2층집에 초대했어요.
이층에 어떤 글자들이 있는지 큰 소리로 읽어봐요.

31화 미운 말, 고운 말
뿌미 놀이터
이층집의 글자들
뿌미가 글자를 2층집에 초대했어요.
일층에 'ㄹ(리을)'받침 글자가 굴러가더니 글자가 변신했어요.
일층에 'ㄹ(리을)' 스티커를 붙여보아요.
구
마
(스티커를 붙여주세요)
(스티커를 붙여주세요)
별
85

(스티커를 붙여주세요)
(스티커를 붙여주세요)
(스티커를 붙여주세요)

31화 미운 말, 고운 말

뿌미 놀이터

꼬마 마술사 'ㄹ(리을)' 마술 짜잔!

꼬마 마술사가 'ㄹ(리을)'받침 마술을 부렸어요. 어떤 글자로 변했을까요?

변신한 글자는 어떻게 읽을까요?
옆에 있는 그림을 보고 뜻을 생각해봐요.

31화 미운 말, 고운 말

글자를 착착착!

뿌미가 글자에 'ㄹ(리을)' 받침을 붙여서 글자를 만들어요.
글자 스티커를 찾아서 붙이고 큰 소리로 읽어봐요.

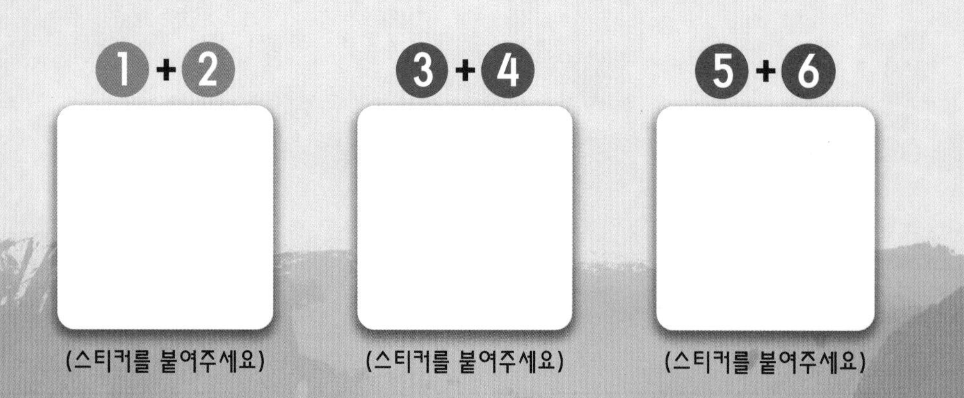

3
도
됴
5
두
듀
드
디
4
ㄹ
6
ㄹ

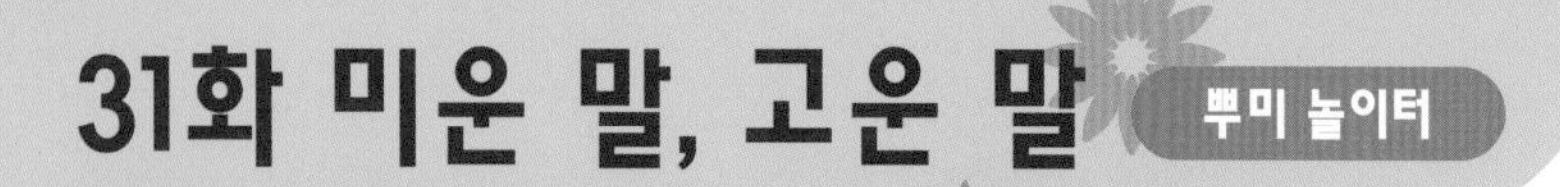

뿌미 놀이터

글자를 착착착!

뿌미가 글자에 'ㄹ(리을)' 받침을 붙여서 글자를 만들어요.
글자 스티커를 찾아서 붙이고 큰 소리로 읽어봐요.

1 마 먀 머 며

2 ㄹ

1 + 2

(스티커를 붙여주세요)

모 묘 무 뮤 므 미

③ 무

④ ㄹ

③ + ④

(스티커를 붙여주세요)

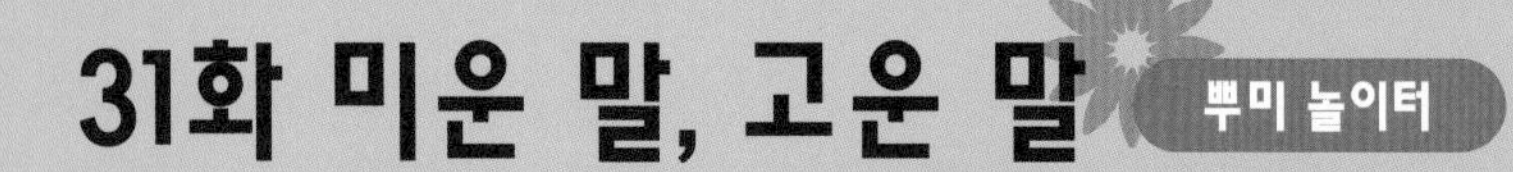

뿌미가 글자에 'ㄹ(리을)' 받침을 붙여서 글자를 만들어요.
글자 스티커를 찾아서 붙이고 큰 소리로 읽어봐요.

1 바 뱌 3 버 5 벼

2 ㄹ 4 ㄹ 6 ㄹ

(스티커를 붙여주세요)

3 + 4

(스티커를 붙여주세요)

7
보 뵤 부 뷰 브 비
8
ㄹ
5 + 6
(스티커를 붙여주세요)
7 + 8
(스티커를 붙여주세요)

31화 미운 말, 고운 말 뿌미 놀이터

글자를 착착착!

뿌미가 글자에 'ㄹ(리을)' 받침을 붙여서 글자를 만들어요.
글자 스티커를 찾아서 붙이고 큰 소리로 읽어봐요.

오 요 우 유 으 이

1 + 2

(스티커를 붙여주세요)

3 + 4

(스티커를 붙여주세요)

뿌미가 글자에 'ㄹ(리을)' 받침을 붙여서 글자를 만들어요.
글자 스티커를 찾아서 붙이고 큰 소리로 읽어봐요.

1 파 퍄 퍼 펴

2 ㄹ

1 + 2

(스티커를 붙여주세요)

3

포 표 푸 퓨 프 피

4

ㄹ

3 + 4

(스티커를 붙여주세요)

31화 미운 말, 고운 말

야호 놀이터

밤하늘이 반짝반짝

야호가 밤하늘을 보고 싶대요.
별도 달도 반짝반짝 빛나는 아름다운 밤하늘을 꾸며주세요.

(스티커를 붙여주세요)

글자가 달라졌어요.

샬라리랄리~. 야호가 글자를 바꾸었어요.
바꾸면 어떤 뜻일까요? 큰 소리로 읽어보고 맞는 그림을 줄로 이어요.

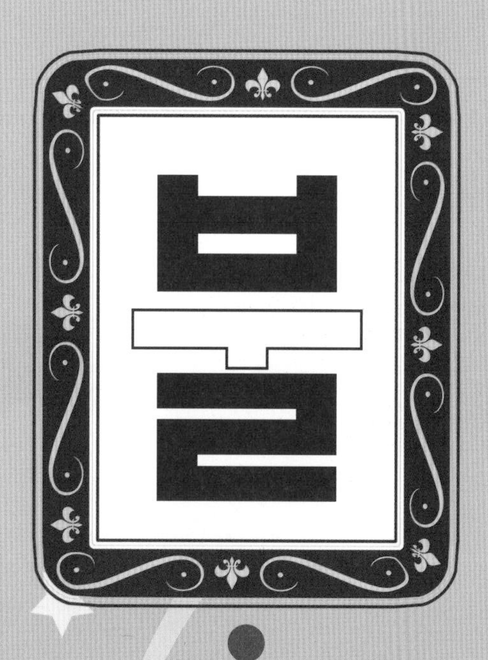

ㅏ ㅕ
발
별

31화 미운 말, 고운 말 야호 놀이터

같은 말, 다른 뜻

야호가 같은 말인데 뜻이 다른 말을 찾고 있어요.
같은 말에 있는 다른 뜻 그림 두 개를 찾아서 줄로 이어요.

벌

말

끼리끼리

그림에 맞는 글자 짝을 찾아 줄을 그어요.

불

풀

물

알

31화 미운 말, 고운 말 야호 놀이터

한글이의 작은 그림책

한글이와 함께 그림책을 또박또박 읽어봐요.

 이 미운 **말**만 해서 동물 친구들은 속이 상했어.

 은 **벌**을 서도 잘못을 몰랐어.

말은 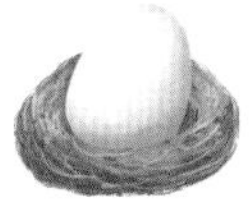 이 데굴데굴 굴러가는 걸 보았어.

"아이쿠,  이 위험해. 알이 깨지겠어."

31화 미운 말, 고운 말

야호 놀이터

말은 얼른 로 을 끄고,

로 둥지를 만들어서 알을 구했어.

알에서 아기 오리가 나오더니  의 말을 따라했어.

아기 오리가 미운 **말**을 따라할 땐 도 기분이 나쁘고

고운 **말**을 따라할 땐 **말**도 기분이 좋았지.

말은 그제야 깨달았지.

"미운 **말** 보다 고운 **말** ."

31화 미운 말, 고운 말 쓰기 놀이터

순서대로 쓰기!

획순에 맞춰서 받침 글자가 있는 글자를 써봐요.

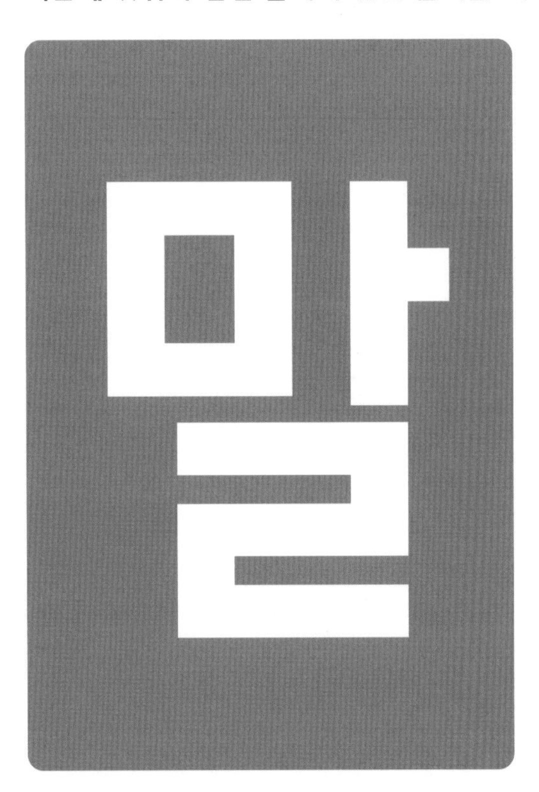

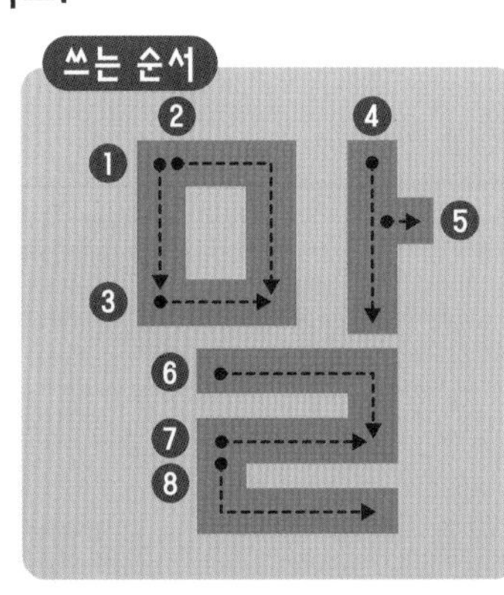

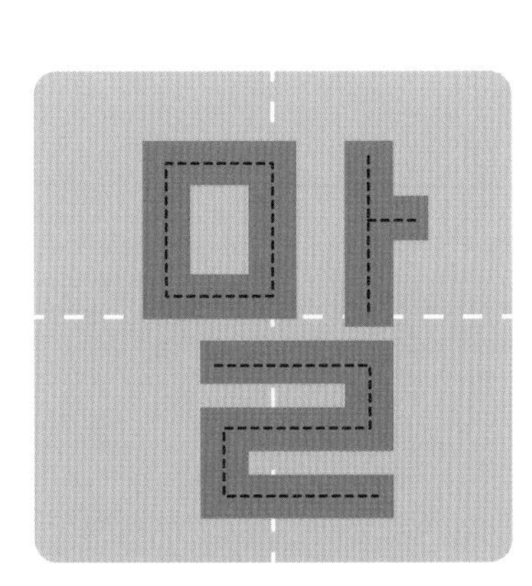

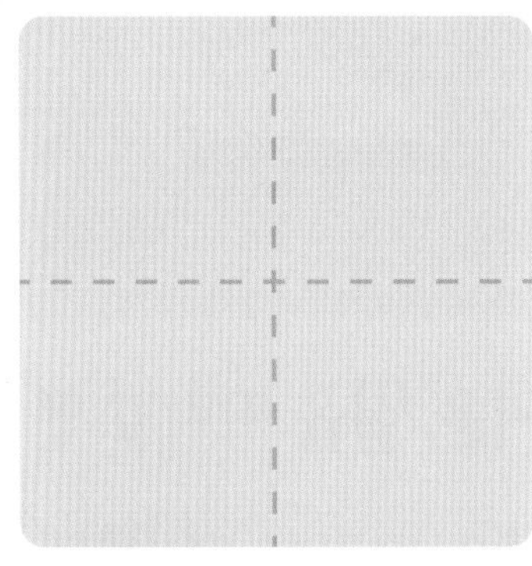
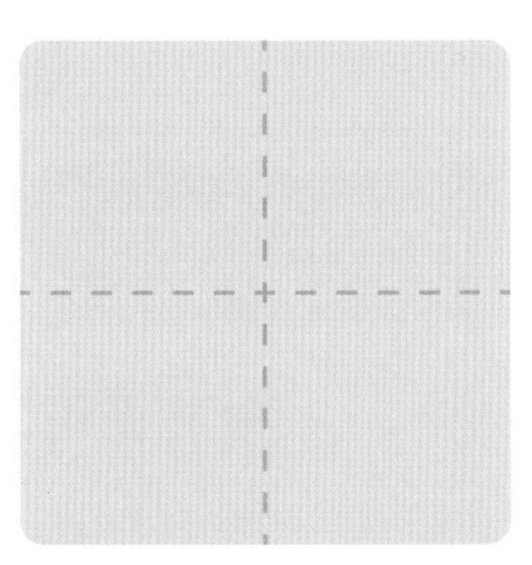
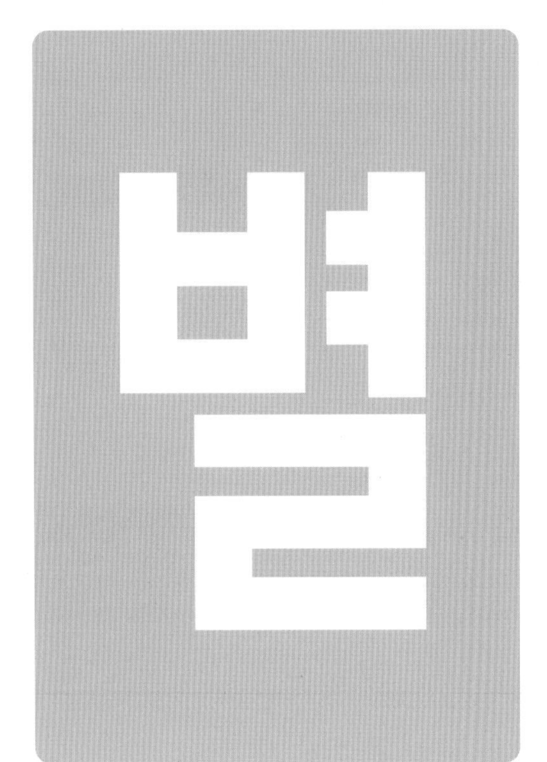

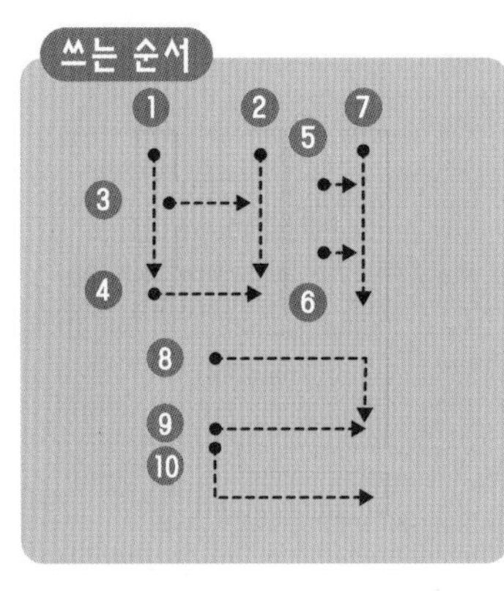

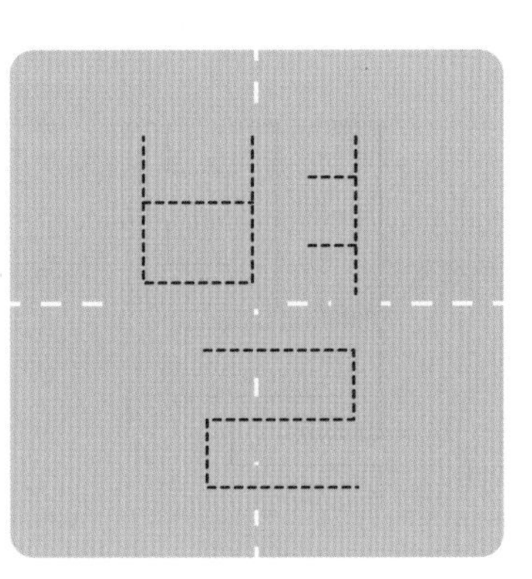

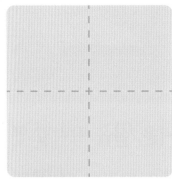

획순에 맞춰 글자를 따라써요.

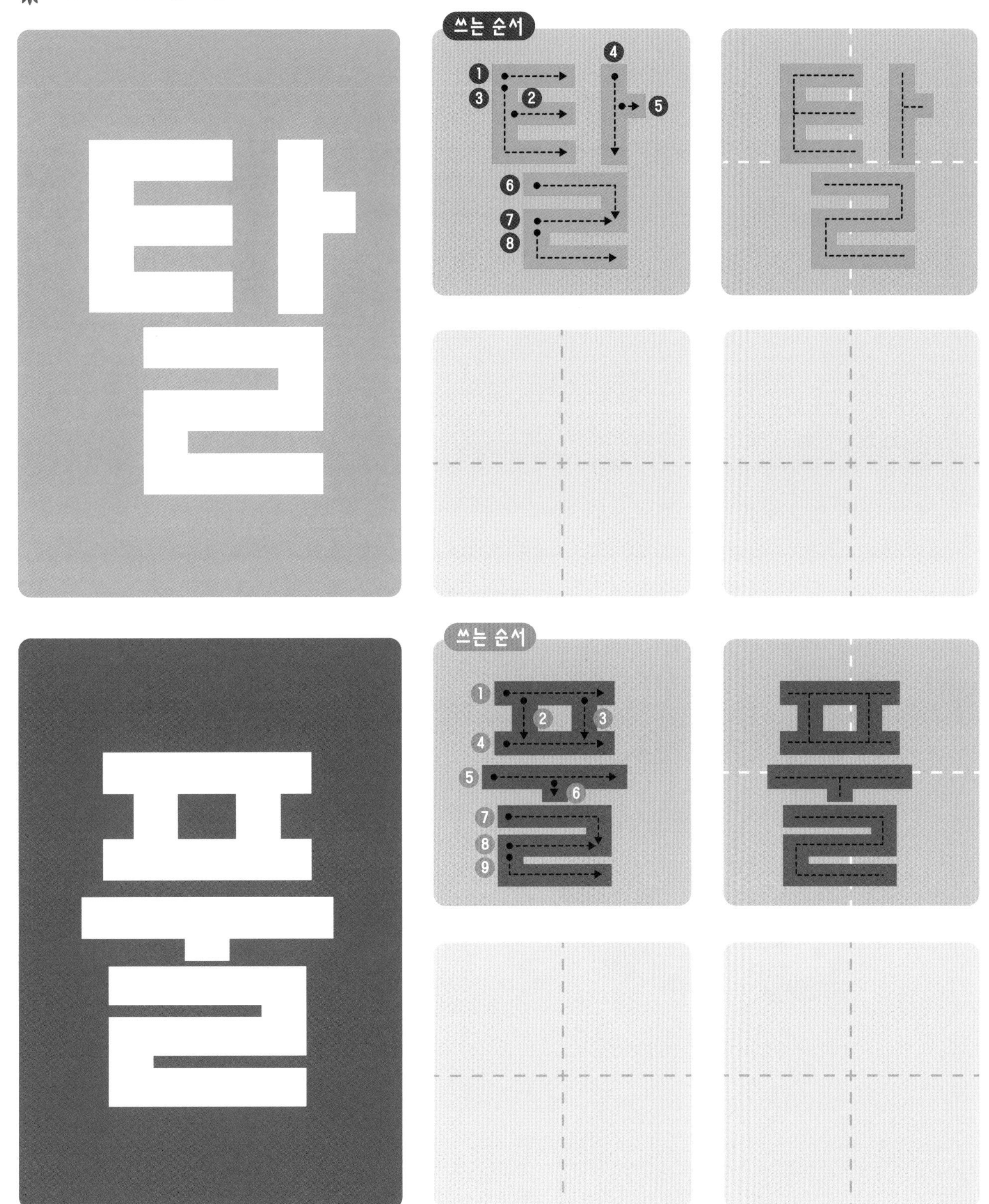

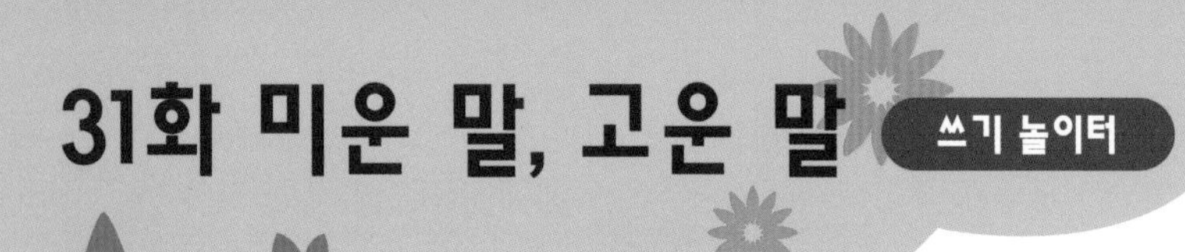

31화 미운 말, 고운 말

쓰기 놀이터

쑥쑥, 글자쓰기

그림을 보고 맞는 단어를 써 봐요.

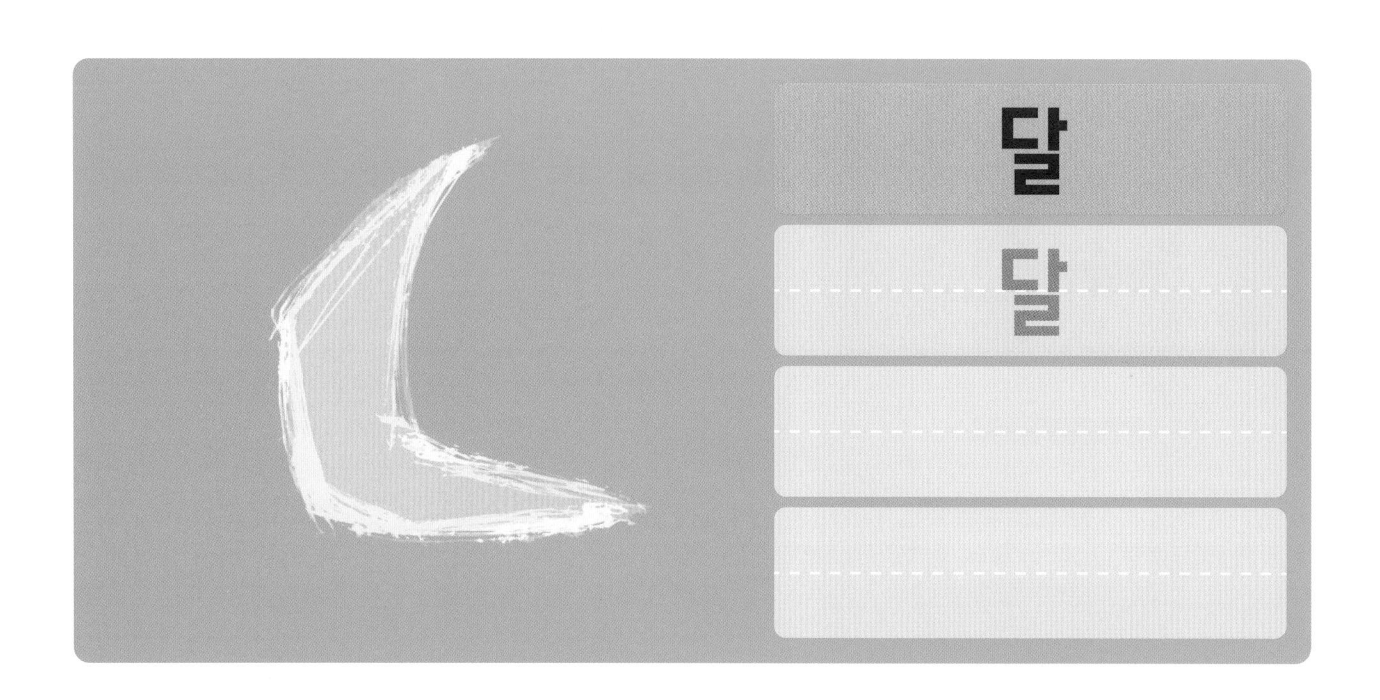

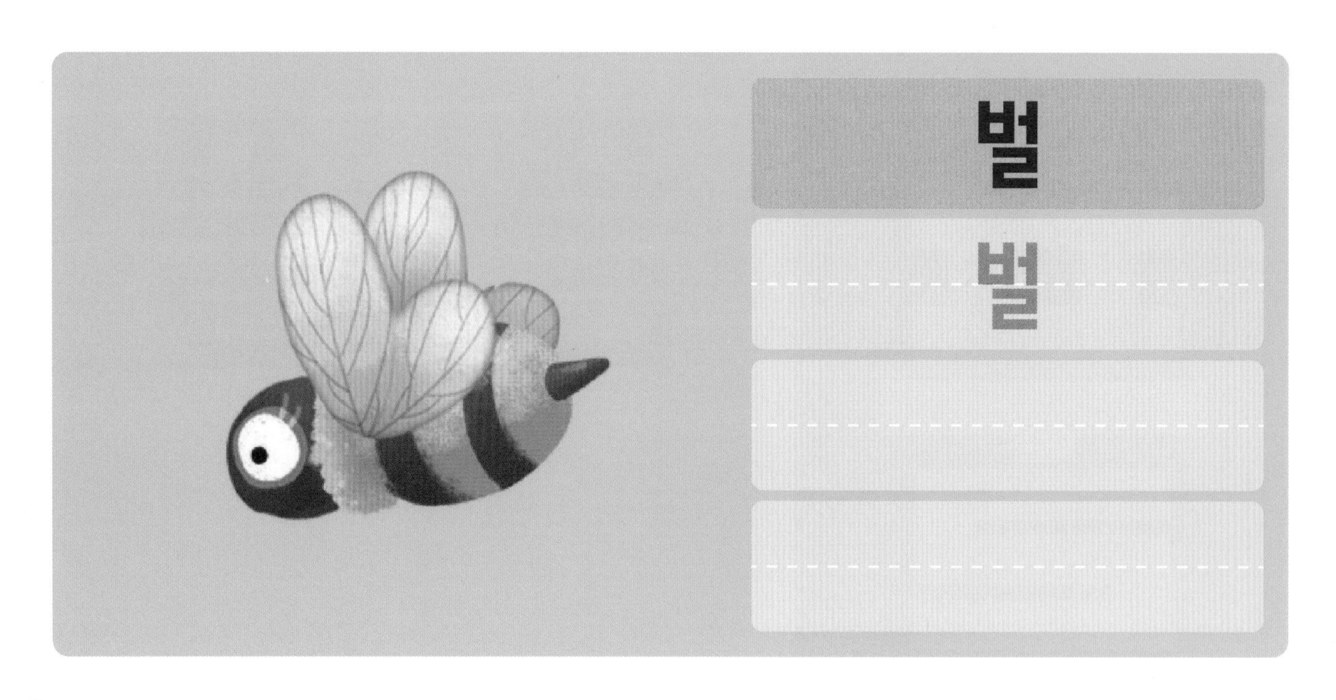

물
물

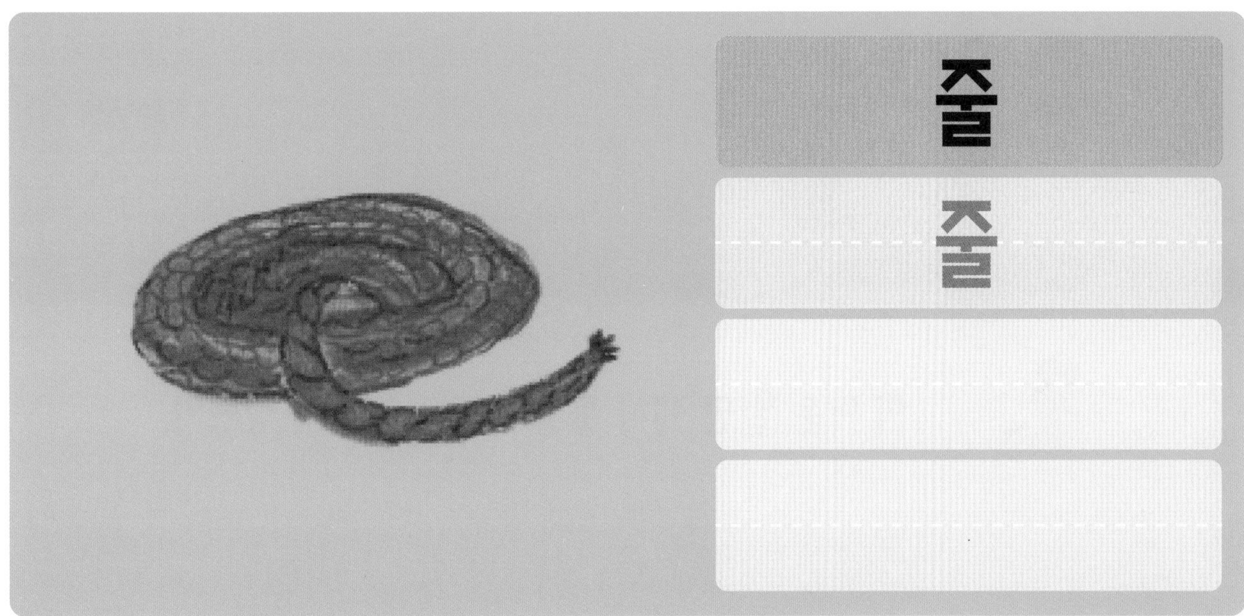
줄
줄

귤
귤

31화 미운 말, 고운 말

쓰기 놀이터

한글이의 작은 그림책

한글이와 함께 빈자리에 맞는 글자를 써서 그림책을 완성 해봐요.

 ☐이 미운 **말**만 해서 동물 친구들은 속이 상했어.

 ☐은 **벌**을 서도 잘못을 몰랐어.

말은 둥지 [ ]이 데굴데굴 굴러가는 걸 보았어.

"아이쿠, 둥지 [ ]이 위험해. 알이 깨지겠어."

31화 미운 말, 고운 말 쓰기 놀이터

말은 얼른 [ ] 로 [ ] 을 끄고,

[ ] 로 둥지를 만들어서 알을 구했어.

알에서 아기 오리가 나오더니  [ ] 의 말을 따라했어.

아기 오리가 미운 **말**을 따라할 땐 [ ] 도 기분이 나쁘고

고운 **말**을 따라할 땐 **말**도 기분이 좋았지.

말은 그제야 깨달았지.

“미운 **말** [ ] 보다 고운 **말** [ ].”

한글이 야호 2

얼굴

겨울 얼굴 불가사리

마술 눈물 물고기

보름달 구슬 불고기

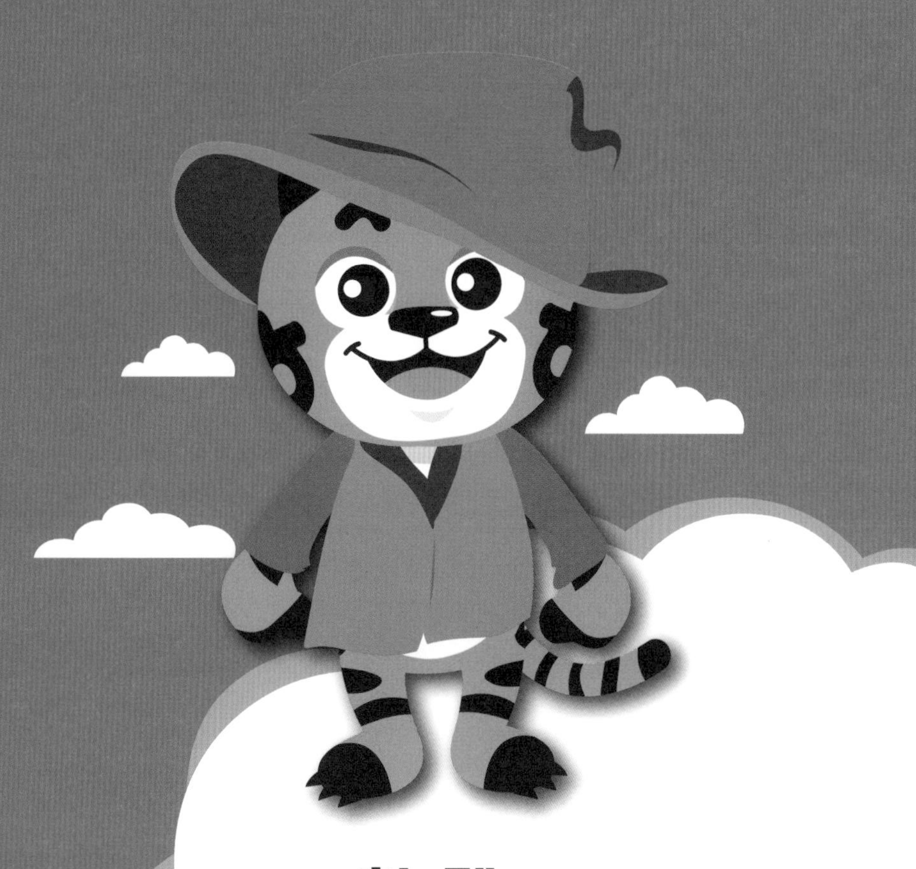

차 례

32화 <얼굴>편

32화 얼굴

뿌미 놀이터

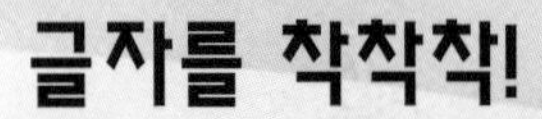

글자를 착착착!

뿌미가 글자에 'ㄹ(리을)' 받침을 붙여서 글자를 만들어요.
글자 스티커를 찾아서 붙이고 큰 소리로 읽어봐요.

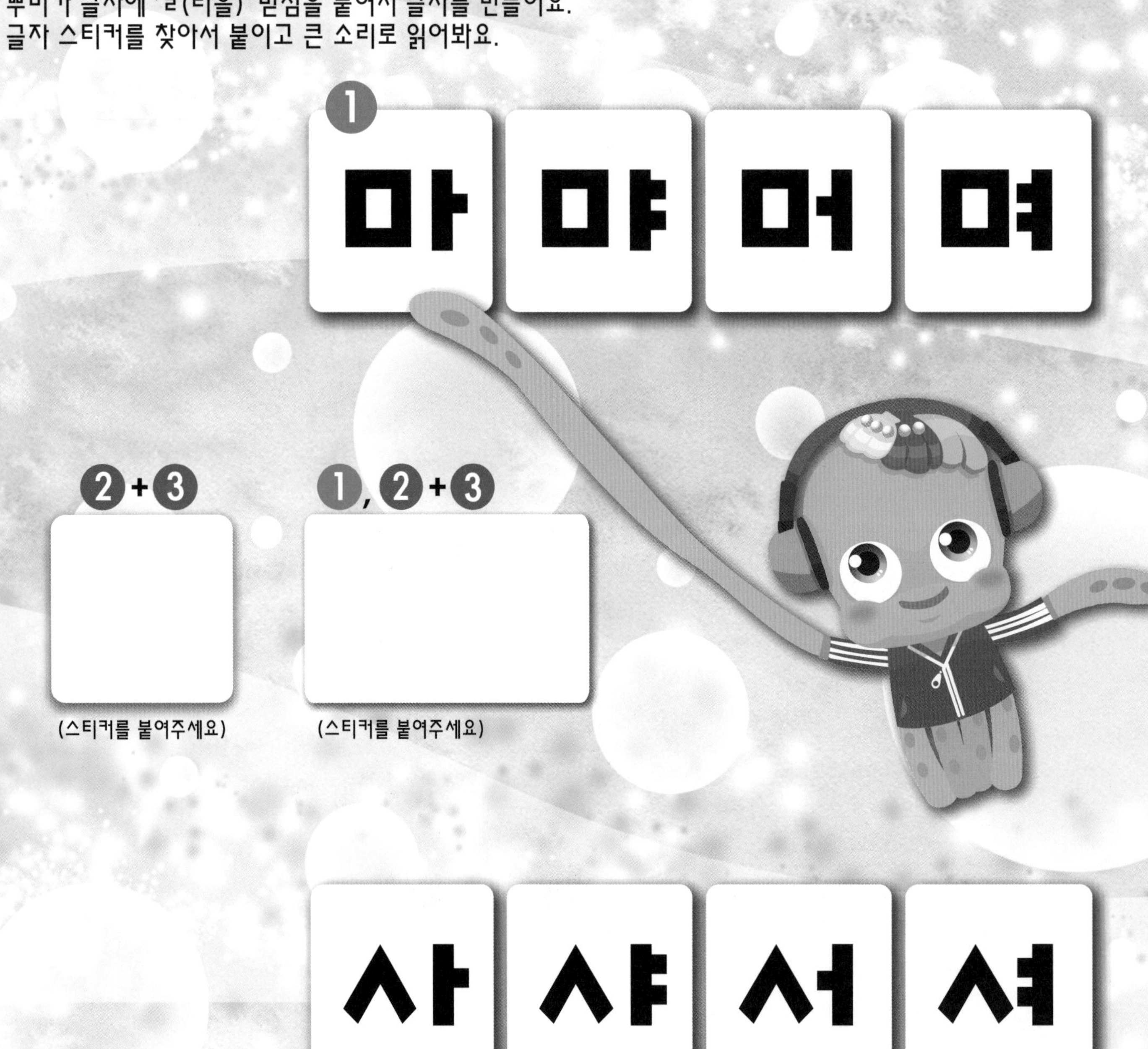

모 묘 무 뮤 므 미

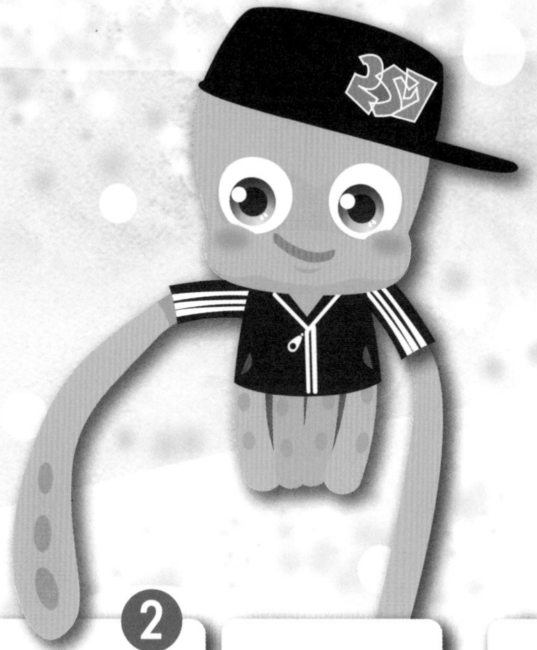

2

소 쇼 수 슈 스 시

3

ㄹ

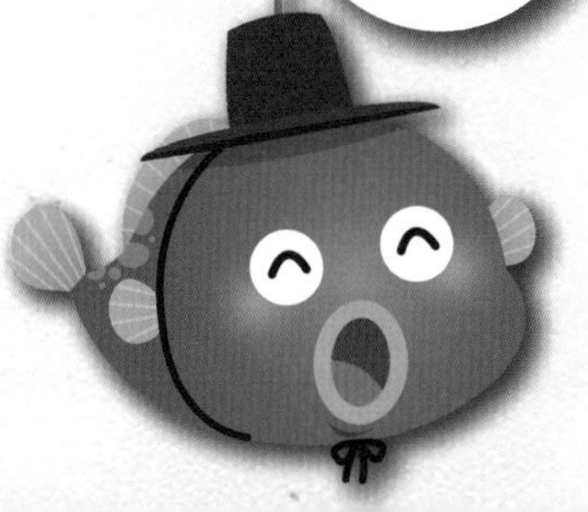

32화 얼굴

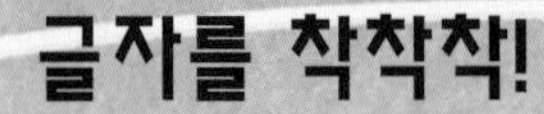

글자를 착착착!

뿌미가 글자에 'ㄹ(리을)' 받침을 붙여서 글자를 만들어요.
글자 스티커를 찾아서 붙이고 큰 소리로 읽어봐요.

가 갸 거 겨

❷+❸

(스티커를 붙여주세요)

❶, ❷+❸

(스티커를 붙여주세요)

사 샤 서 셔

1
고 교 구 규 그 기
2
소 쇼 수 슈 스 시
3
글

뿌미가 글자에 'ㄹ(리을)' 받침을 붙여서 글자를 만들어요.
글자 스티커를 찾아서 붙이고 큰 소리로 읽어봐요.

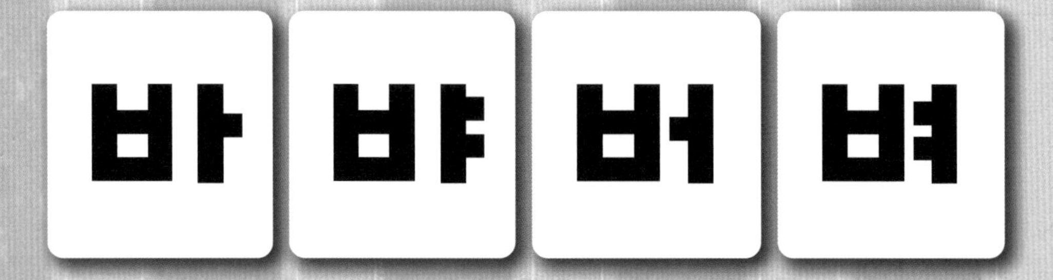

(스티커를 붙여주세요)

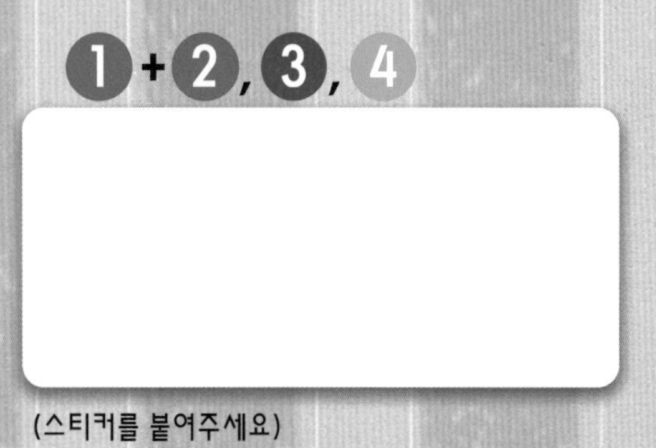

(스티커를 붙여주세요)

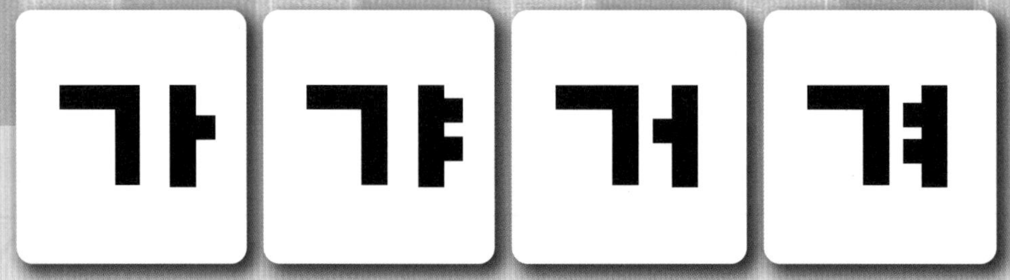

1
보 뵤 부 뷰 브 비
2
ㄹ
3
4
고 교 구 규 그 기

32화 얼굴

뿌미 놀이터

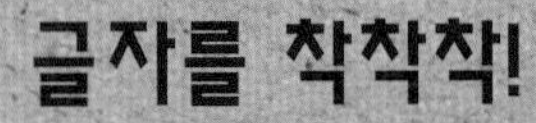

뿌미가 글자에 'ㄹ(리을)' 받침을 붙여서 글자를 만들어요.
글자 스티커를 찾아서 붙이고 큰 소리로 읽어봐요.

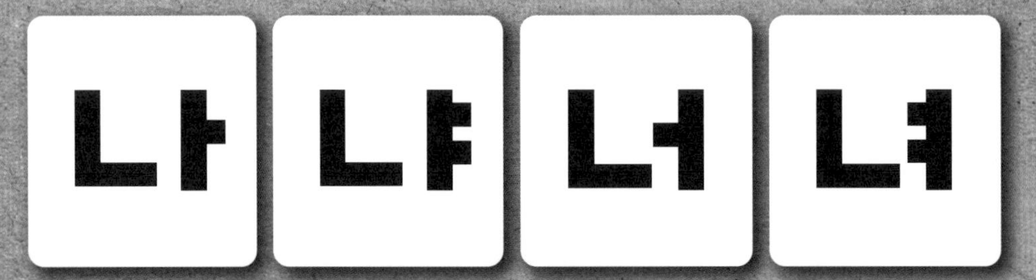

1 + 2

(스티커를 붙여주세요)

1 + 2, 3 + 4

(스티커를 붙여주세요)

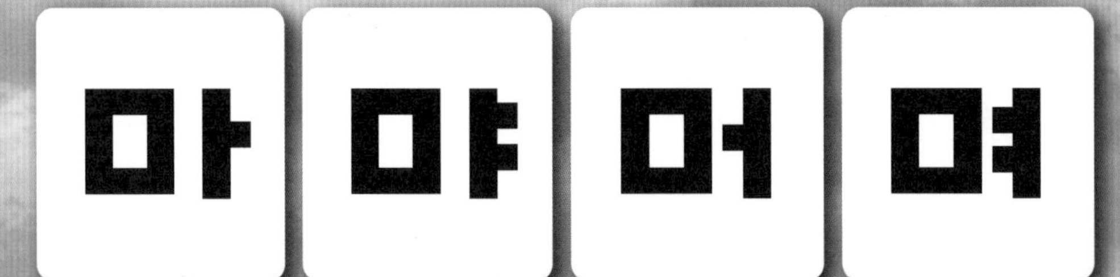

❶

노 뇨 누 뉴 느 니

❷ ㄴ

❸

모 묘 무 뮤 므 미

❹ ㄹ

32화 얼굴

글자를 착착착!

뿌미가 글자에 'ㄹ(리을)' 받침을 붙여서 글자를 만들어요.
글자 스티커를 찾아서 붙이고 큰 소리로 읽어봐요.

2 + 3

(스티커를 붙여주세요)

4 + 5

(스티커를 붙여주세요)

1, 2 + 3, 4 + 5

(스티커를 붙여주세요)

라 랴 러 려

로 료 루 류 ②트 리

③ㅁ

바 뱌 버 벼

①보 뵤 부 뷰 브 비

32화 얼굴

뿌미 놀이터

뿌미가 글자에 'ㄹ(리을)' 받침을 붙여서 글자를 만들어요.
글자 스티커를 찾아서 붙이고 큰 소리로 읽어봐요.

가 갸 거 겨

❶ + ❷

(스티커를 붙여주세요)

❸ + ❹

(스티커를 붙여주세요)

아 야 ❶ 어 여

❷ ㄹ

③
고 교 구 규 그 기
④ ㄹ
①+②, ③+④
(스티커를 붙여주세요)
오 요 우 유 으 이

32화 얼굴

야호 놀이터

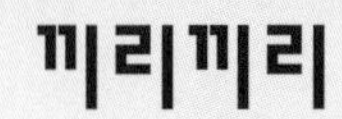

끼리끼리

그림에 맞는 글자 짝을 찾아 줄을 그어요.

눈물

거울

불가사리

물고기

얼굴

불고기

보름달

32화 얼굴

야호 놀이터

마술 구슬

야호에게 마술 구슬이 생겼어요.
무엇이든지,어디든지 보고 싶은 대로 볼 수 있는 마술 구슬로 무엇을 보고 싶나요?
야호는 별나라를 보고 싶대요.
마술 구슬안에 야호가 보고 싶어하는 것을 그려봐요.

32화 얼굴

야호 놀이터

글자 퍼즐

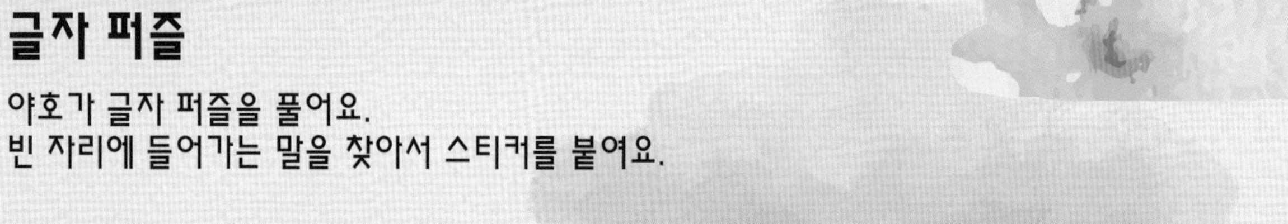

야호가 글자 퍼즐을 풀어요.
빈 자리에 들어가는 말을 찾아서 스티커를 붙여요.

	가	사	리	
고				
기			겨	
		거		
눈				
	고	기		

			얼	
		동		
	보			
	름			
		그	락	

(스티커를 붙여주세요)

쓱쓱, 글자쓰기

그림을 보고 맞는 단어를 써 봐요.

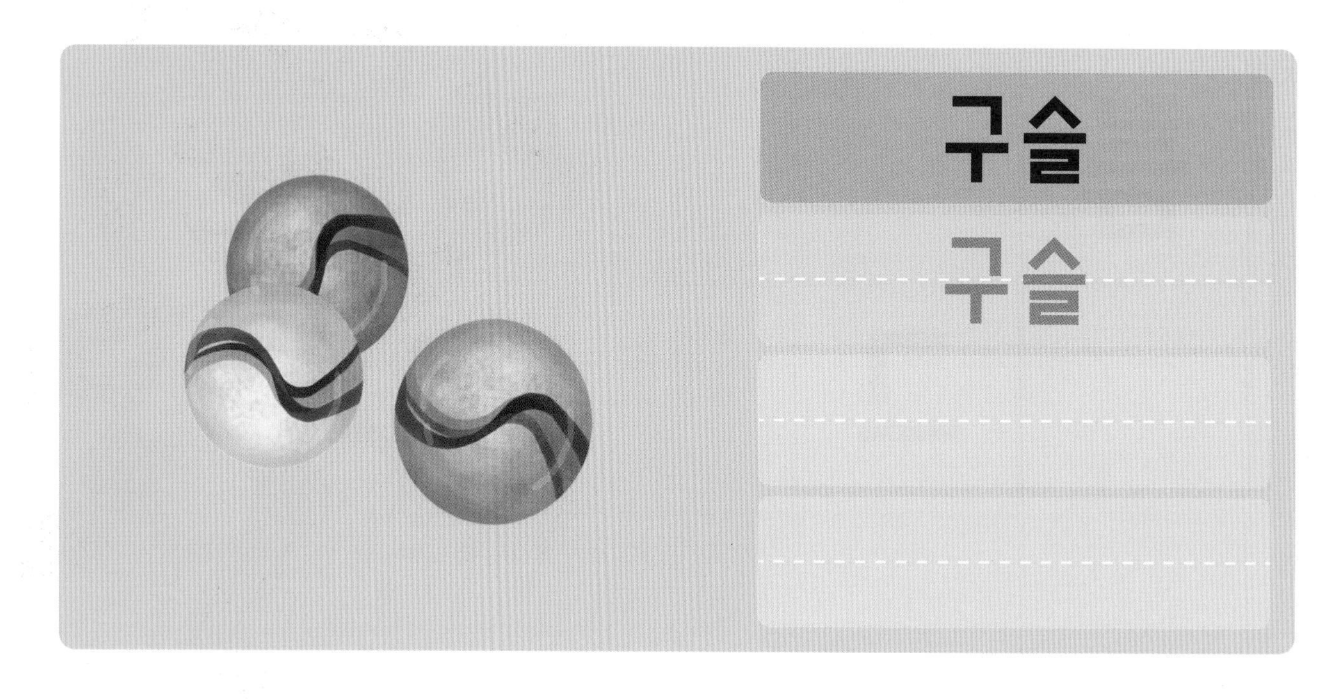

불고기

불고기

거울

거울

보름달

보름달

쓱쓱, 글자쓰기

그림을 보고 맞는 단어를 써 봐요.

불가사리
불가사리

눈물
눈물

심술마녀
심술마녀

32화 얼굴

쓰기 놀이터

한글이의 작은 그림책

한글이랑 야호와 함께 그림책을 또박또박 읽고 빈 칸에 글자를 써서 그림책을 완성해봐요.

친구들은 아이의 웃는  [|] 을 좋아했지만 심술 마녀는 샘을 냈어.

심술 마녀는 마술  [|] 로

웃는 얼굴을 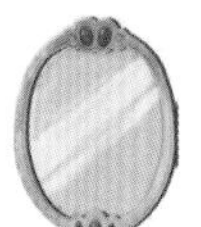 [|] 에 가둬버렸어.

아이에겐 웃는 [ ] 대신 화난 얼굴, 찌푸린 얼굴만 남았지.

아이가 웃는 [ ] 을 잃어버리자 친구들도 떠나갔어.

32화 얼굴

쓰기 놀이터

아이는 웃는 [ ][ ] 을 찾고 싶었어. 친구들이 보고 싶었어.

둥근 [ ][ ][ ] 이 뜬 밤에

고소한 [ ][ ][ ] 냄새가 났어.

아이는  와 불가사리를 잡으며

친구들하고 놀았던 기억을 떠올렸지.

친구가 그리워서 아이는  을 뚝뚝 떨어뜨렸어.

32화 얼굴

쓰기 놀이터

아이가 흘린 ☐☐ 이 나쁜 **마술**을 깨뜨렸어.

마술이 사라지고 아이는 웃는   을 찾았어.

워크북 스티커

페이지 9~10

페이지 15~22

막 먹 목 묵 박

벽 복 북 약 역

옥 학 혹

페이지 23~24

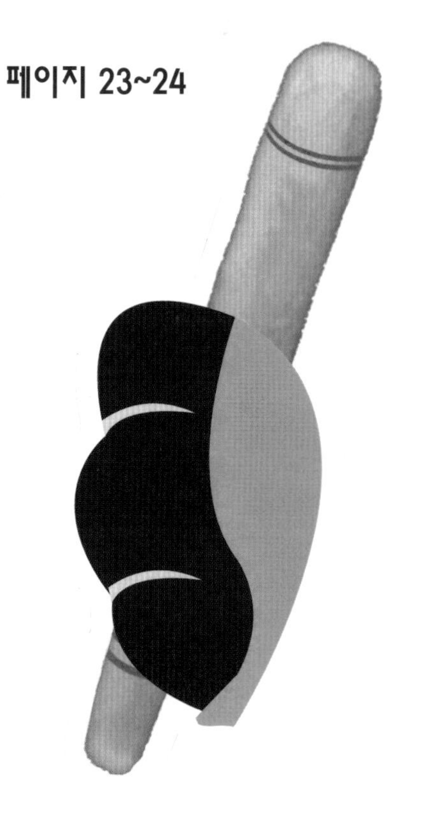

페이지 85~86

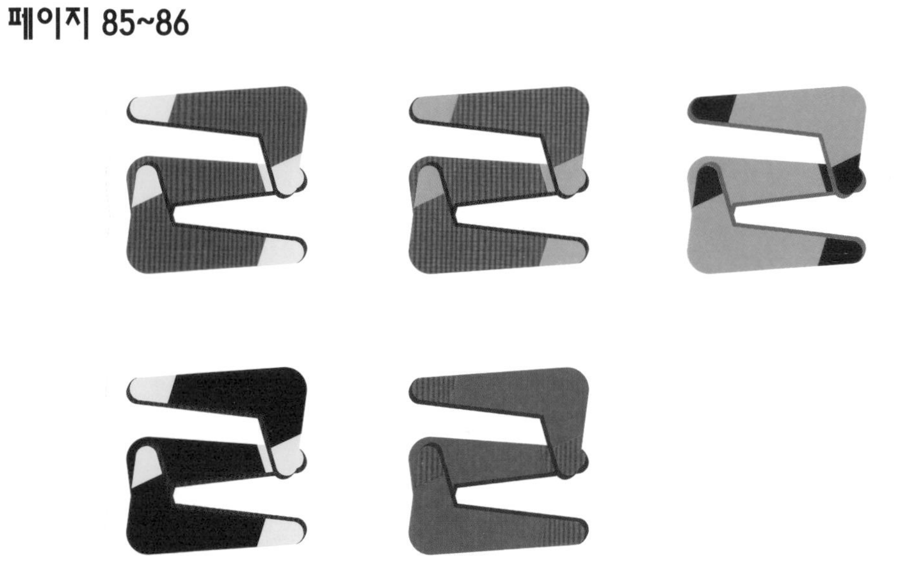

페이지 43~54

박 박수 북 거북이

박 수박 축 축구

칙 폭 칙칙폭폭

톡 톡톡 툭 툭툭

페이지 89~98

달 돌 둘 말 물

발 벌 별 불 알

페이지 99~100

열 팔 풀

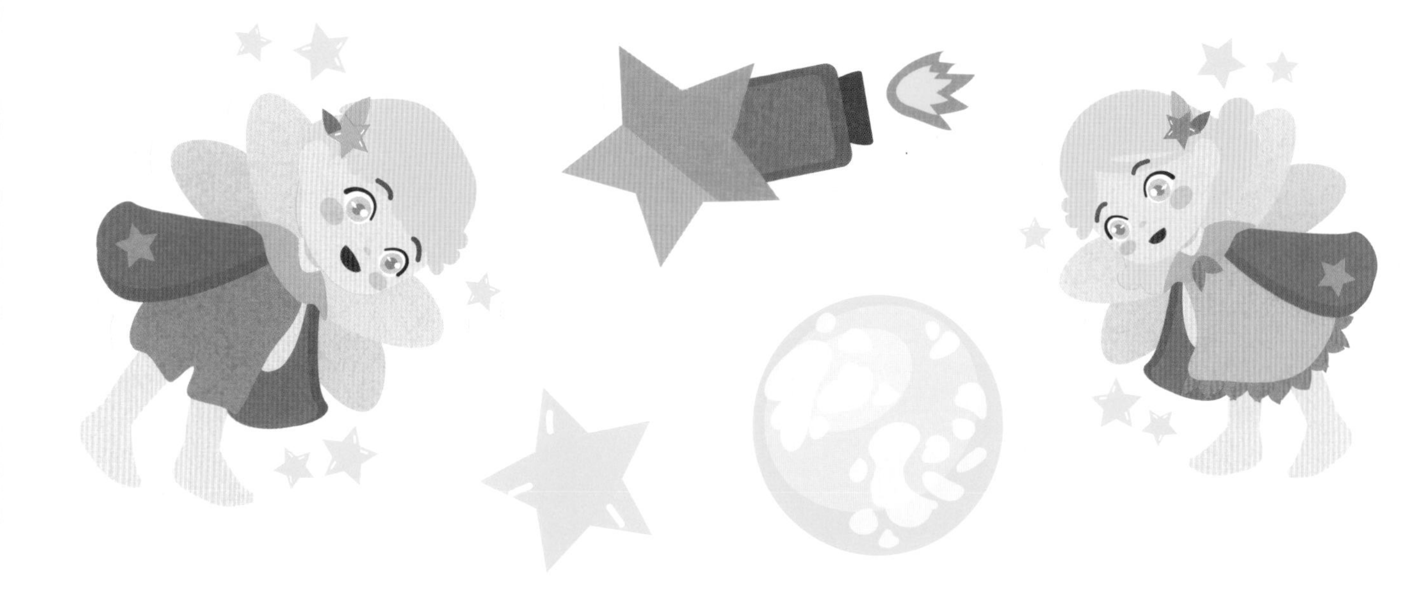

페이지 119~130

술 마술 불 불고기

눈 물 눈물 름 달

얼 굴 얼굴 보름달

페이지 135~136

불 울 슬 구슬

물 굴 달

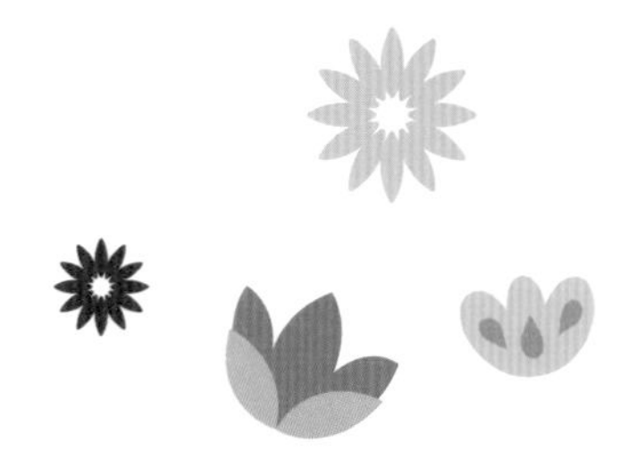

월 일 참 잘했어요!

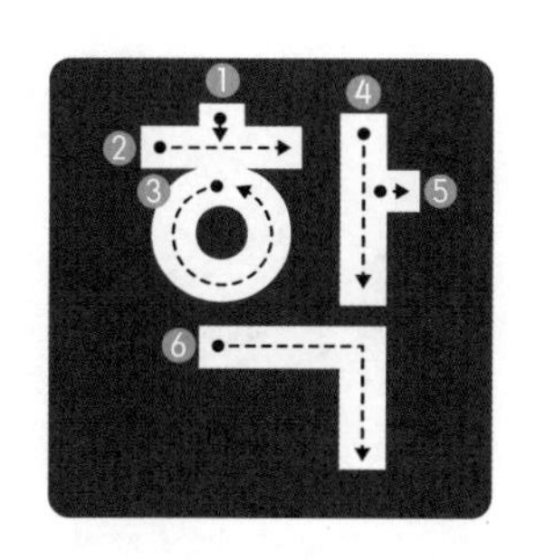

학	학	학	학	학	학
ㅎ	ㅎ	ㅎ			

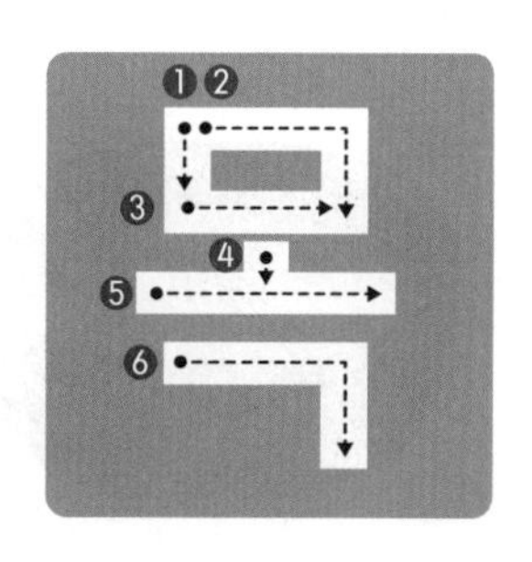

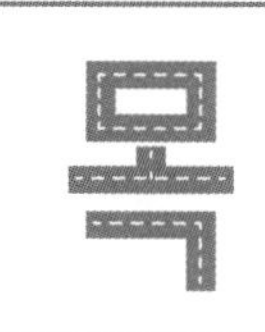
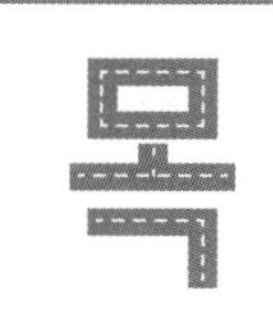

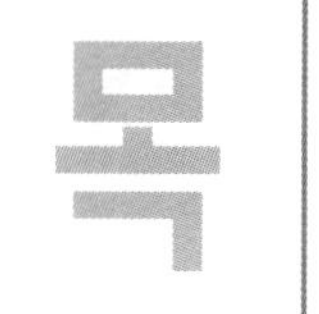

목	목	목	목	목	목
ㅁ	ㅁ	ㅁ			

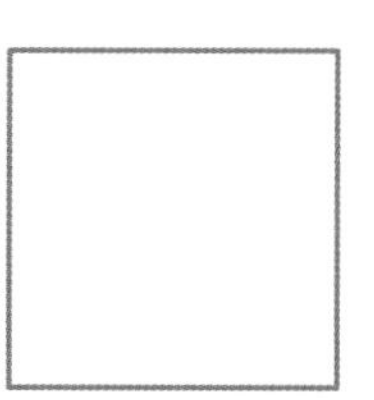

월 일

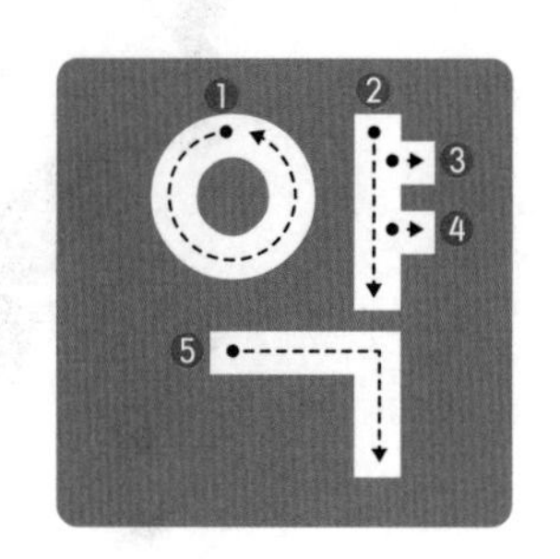

약 약 약 약 약 약

ㅇ ㅇ ㅇ

     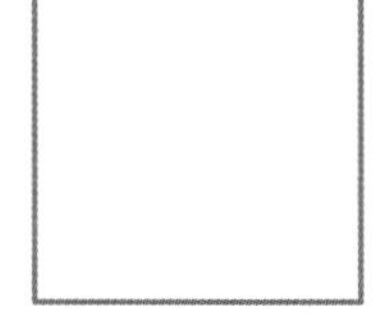

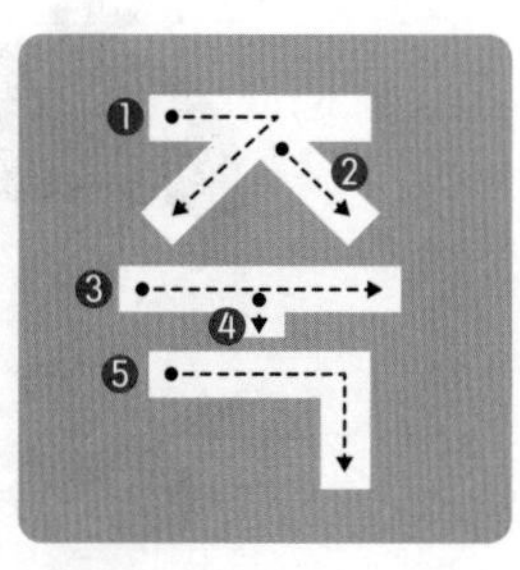

죽 죽 죽 죽 죽 죽

ㅈ ㅈ ㅈ

  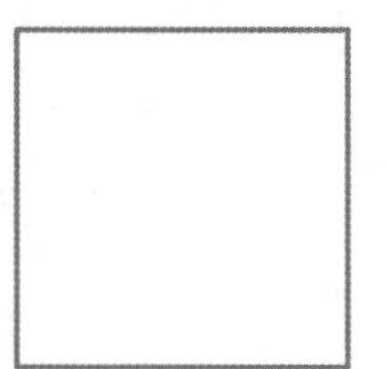 

  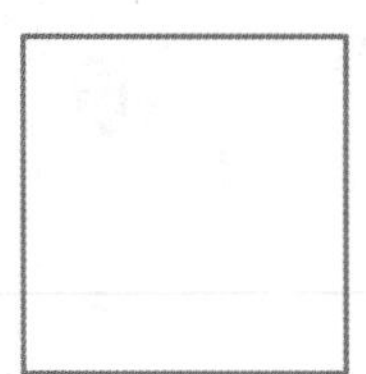  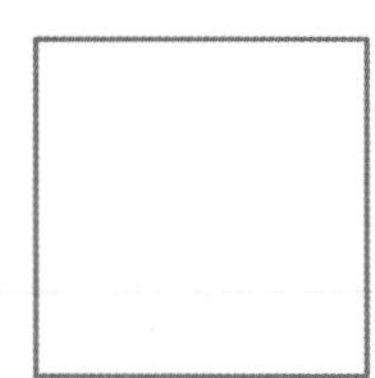 

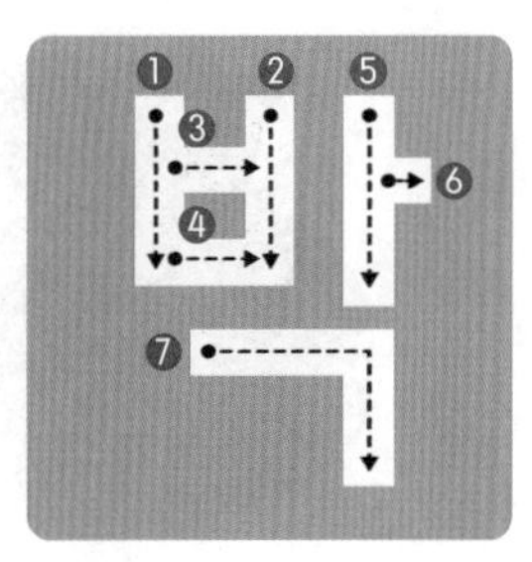
박

박
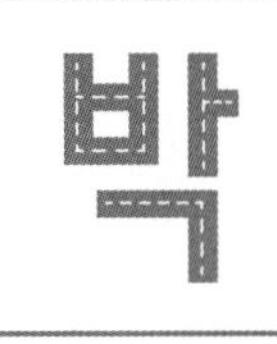
박
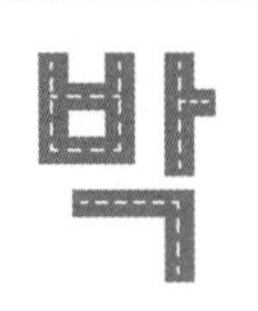
박

박

박

박

ㅂ

ㅂ

ㅂ

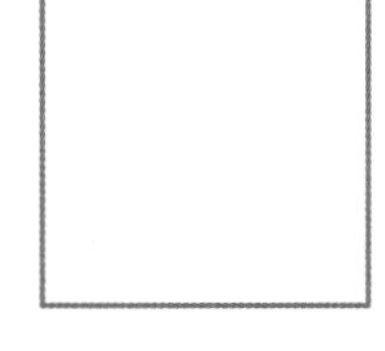

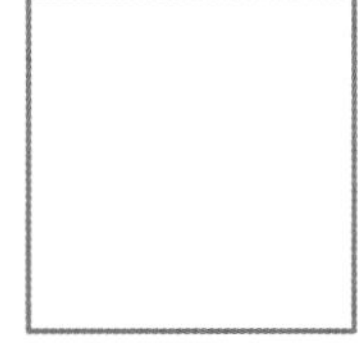

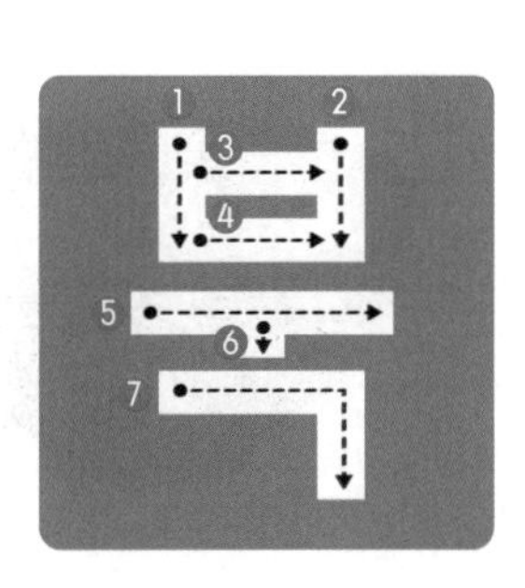
북

북
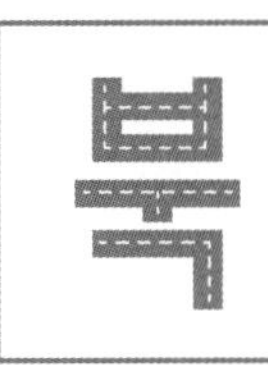
북
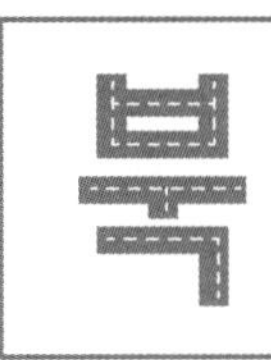
북
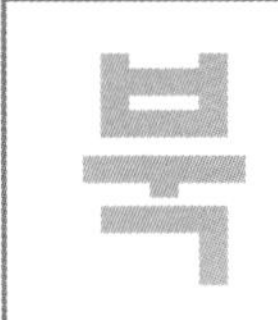
북

북

북

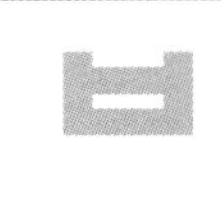
ㅂ
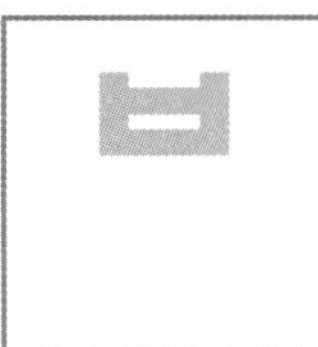
ㅂ

ㅂ

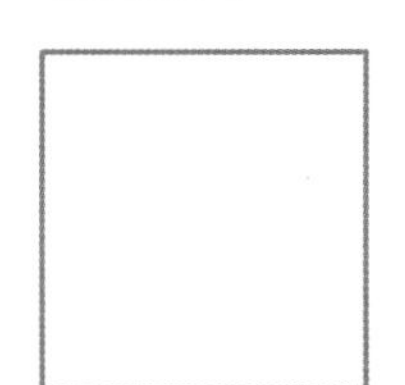

월

일

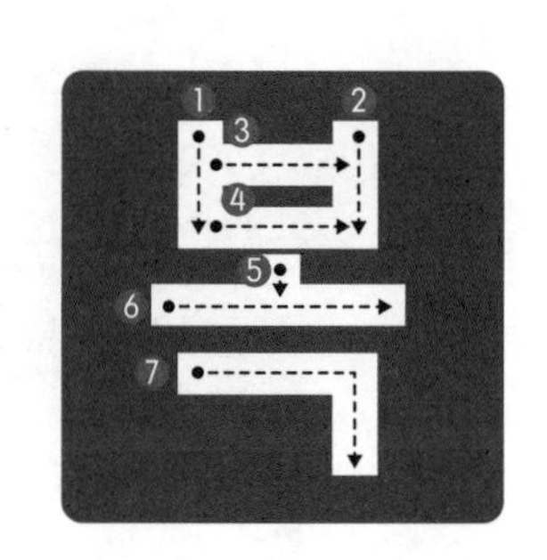

  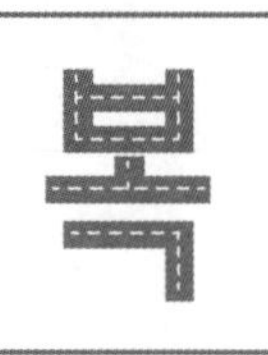   

    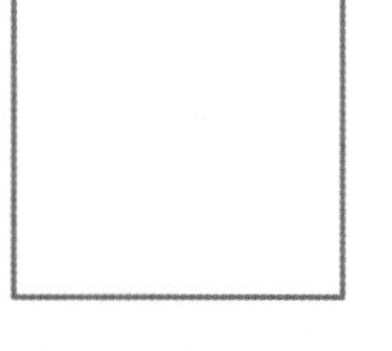 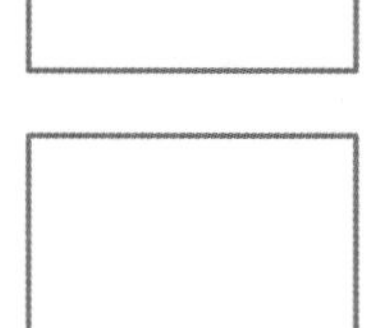

 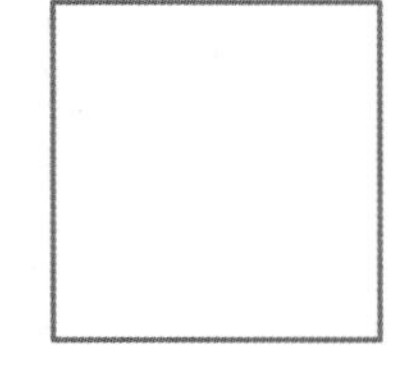    

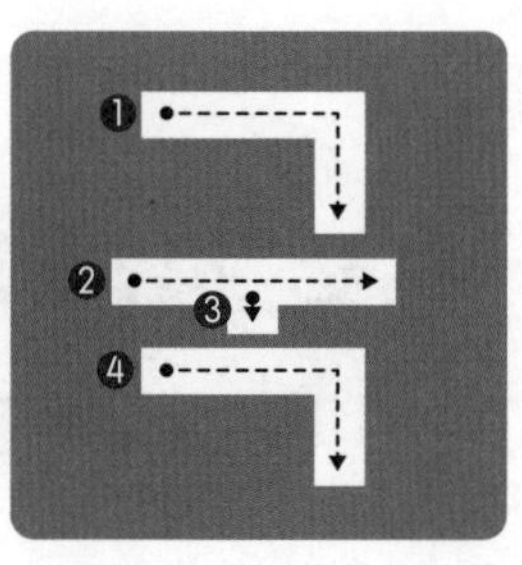

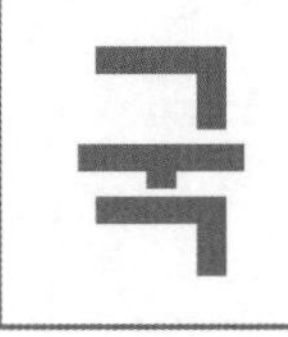 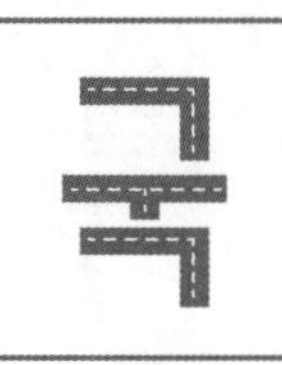 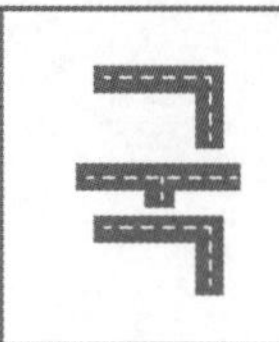 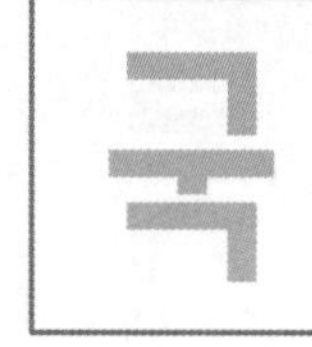 

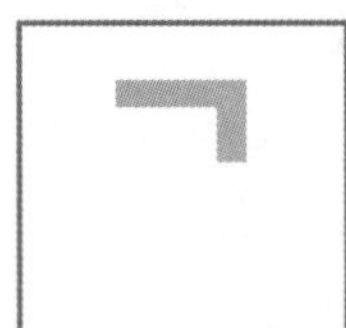     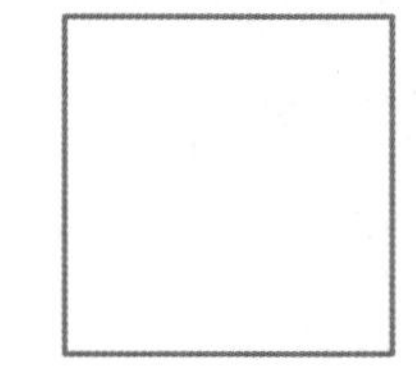

   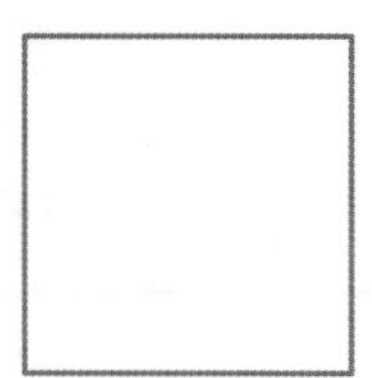 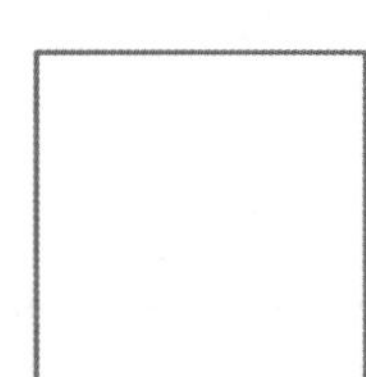 

월 일

참 잘했어요!

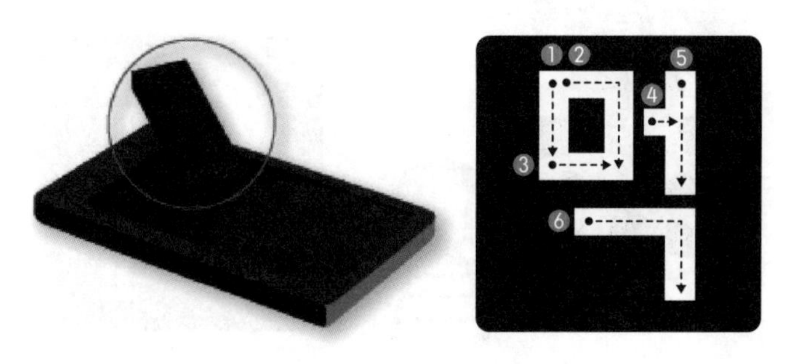

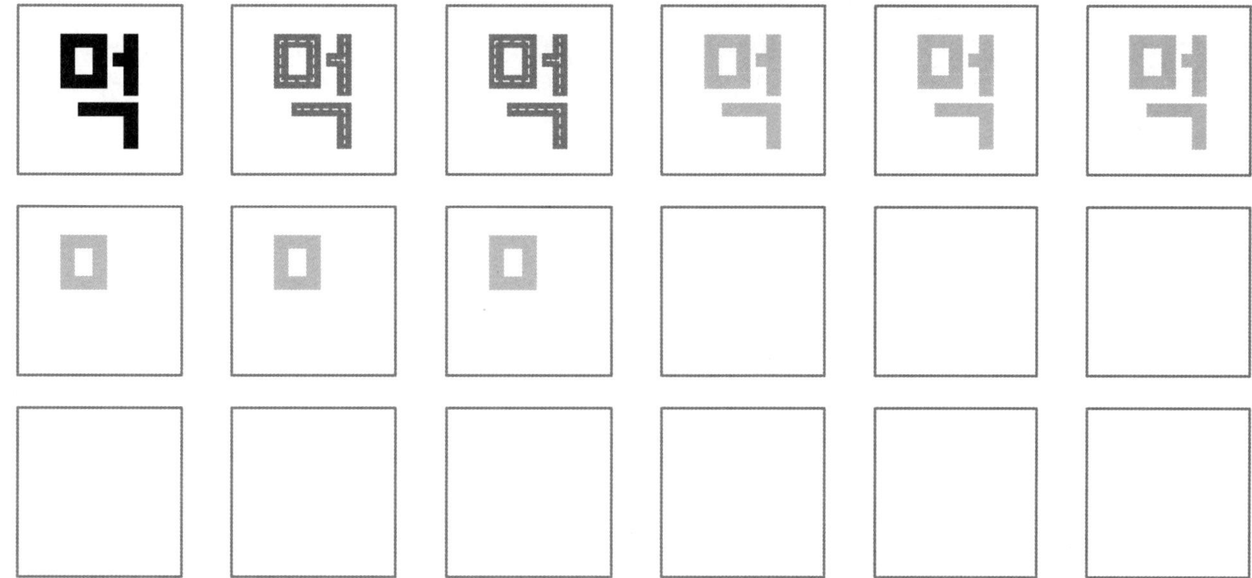

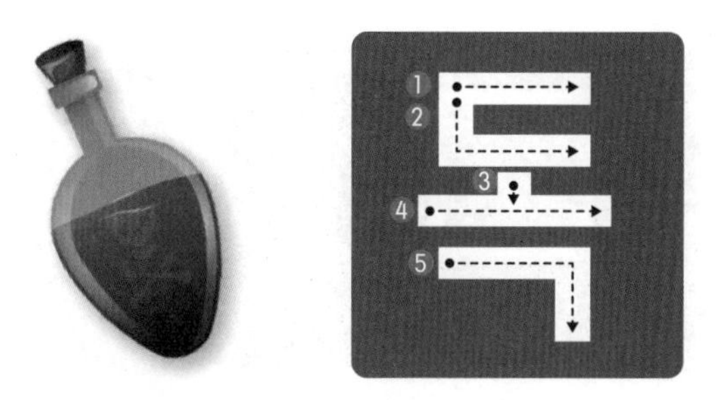

독 독 독 독 독 독

ㄷ ㄷ ㄷ

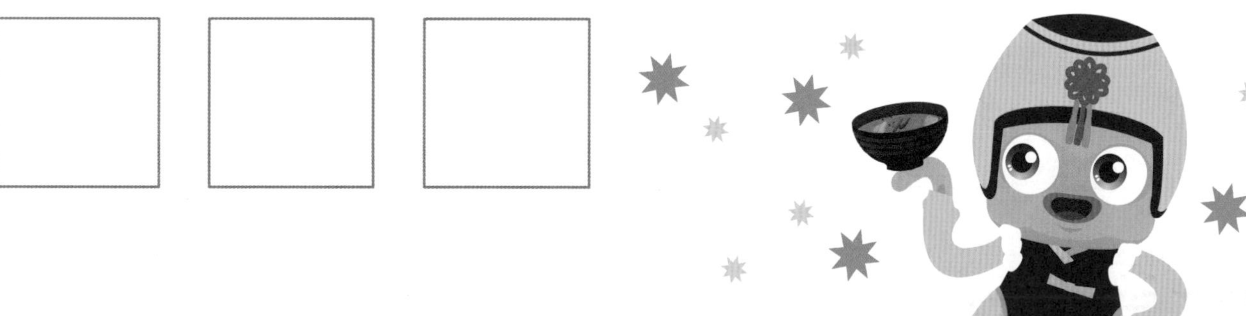

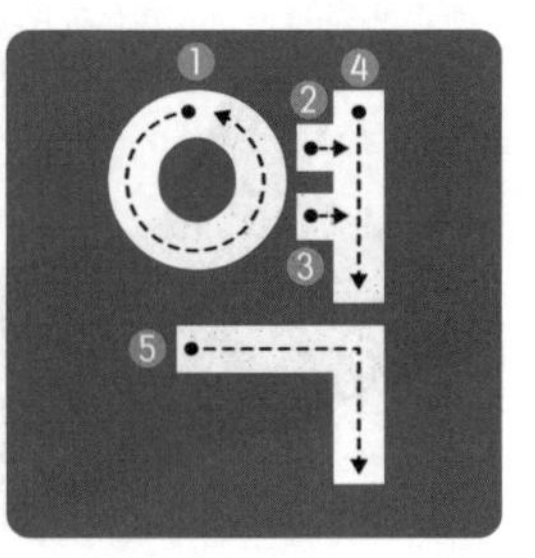

역	역	역	역	역	역
ㅇ	ㅇ	ㅇ			

     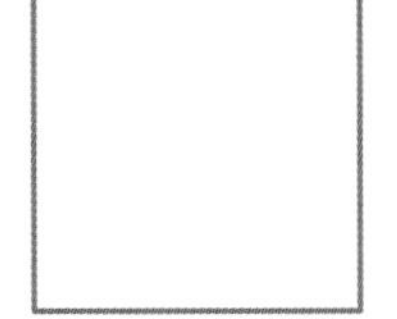

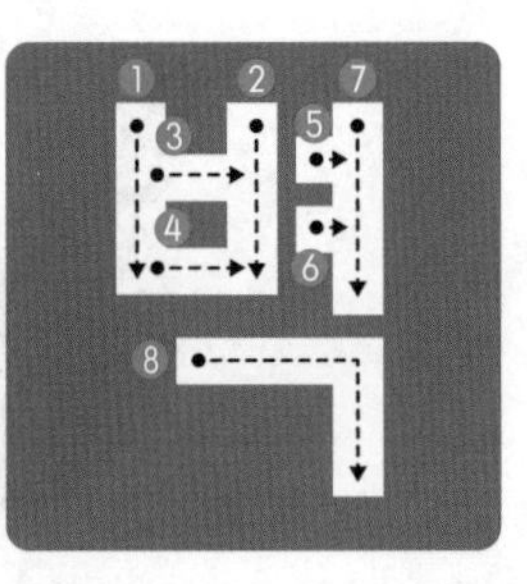

 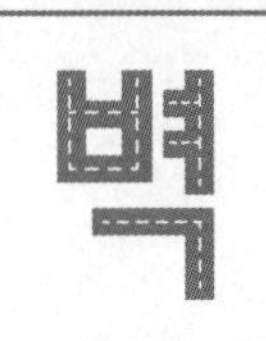   

벽	벽	벽	벽	벽	벽
ㅂ	ㅂ	ㅂ			

 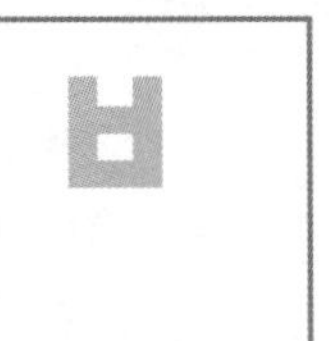 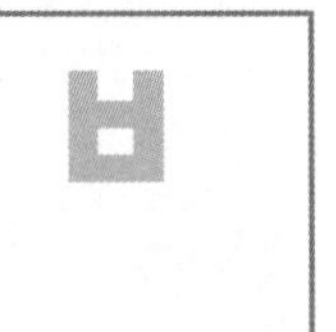   

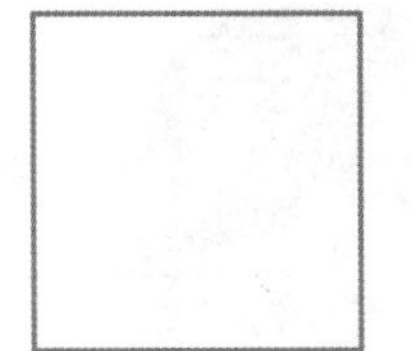     

월 일 참 잘했어요!

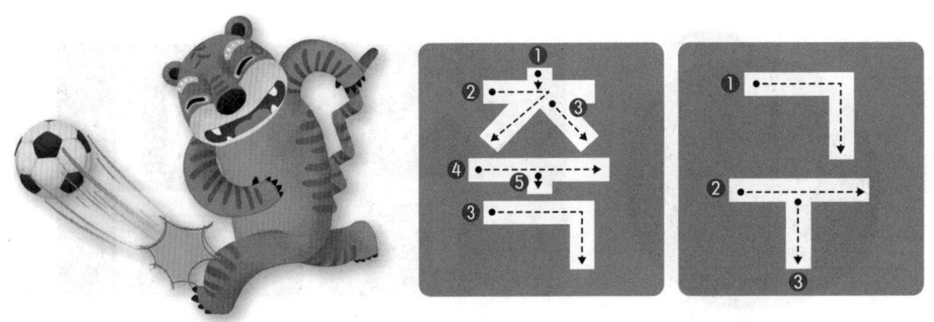

축	구	축	구	축	구	축	구
축	구	축	구	축	구	축	구
ㅊ	ㄱ	ㅊ	ㄱ	ㅊ	ㄱ	ㅊ	ㄱ

월

일

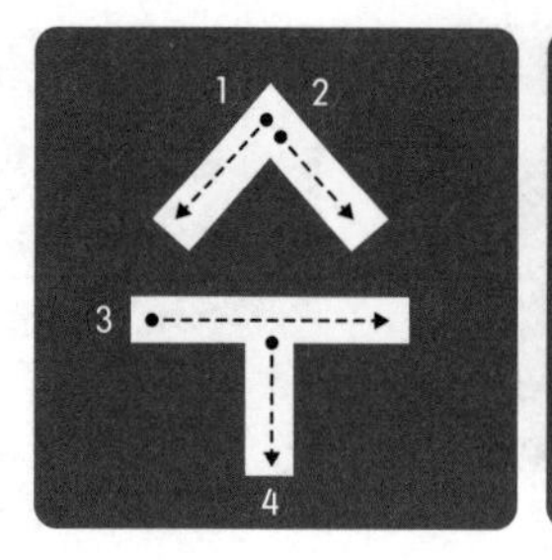

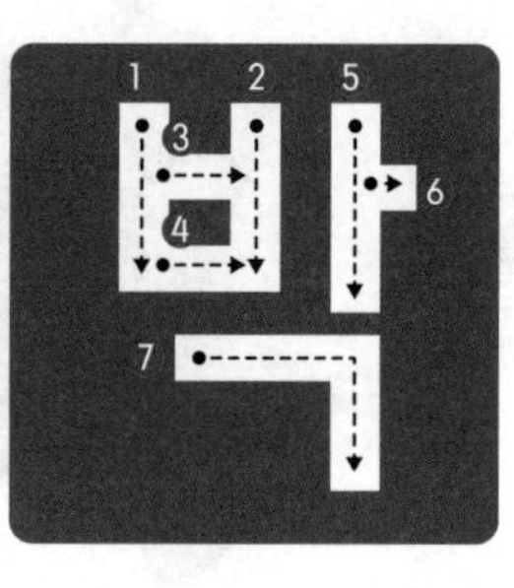

수	박	수	박	수	박	수	박
수	박	수	박	수	박	수	박
ㅅ	ㅂ	ㅅ	ㅂ	ㅅ	ㅂ	ㅅ	ㅂ

월 일

참 잘했어요!

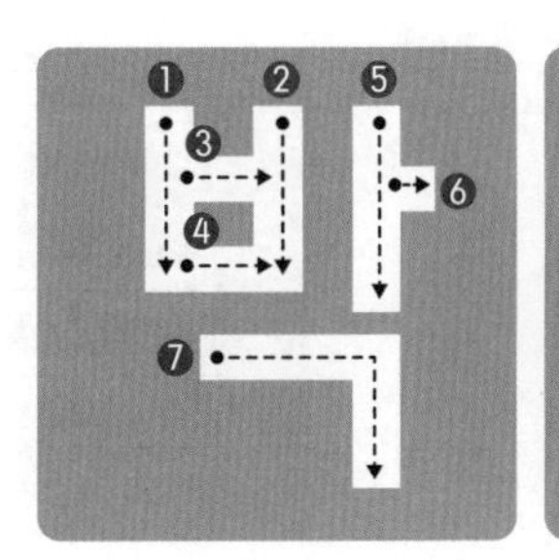

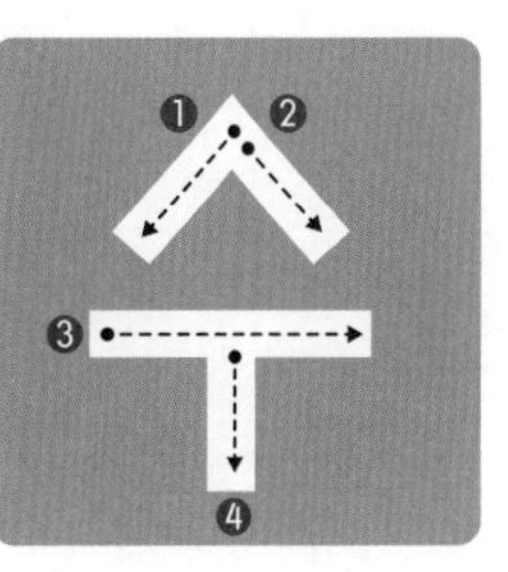

박	수	박	수	박	수	박	수
박	수	박	수	박	수	박	수
ㅂ	ㅅ	ㅂ	ㅅ	ㅂ	ㅅ	ㅂ	ㅅ

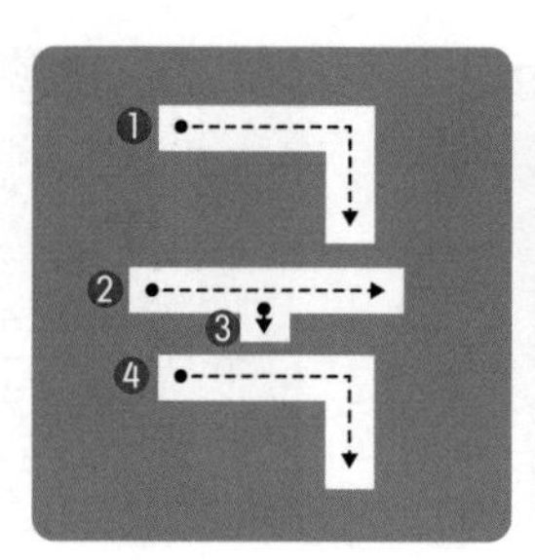

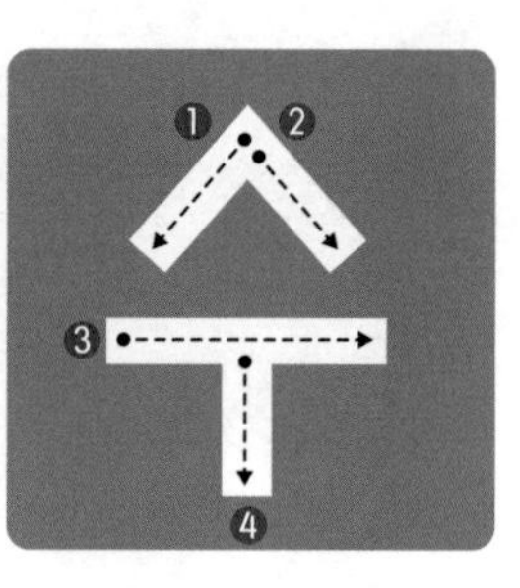

국	수	국	수	국	수	국	수
국	수	국	수	국	수	국	수
ㄱ	ㅅ	ㄱ	ㅅ	ㄱ	ㅅ	ㄱ	ㅅ

월
일
참 잘했어요!

거북이
거 북 이
거 북 이
거 북 이
거 북 이
ㄱ ㅂ ㅇ
ㄱ ㅂ ㅇ

월

일

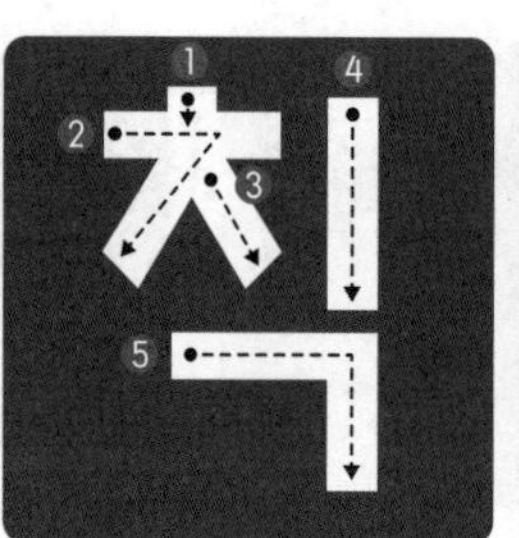
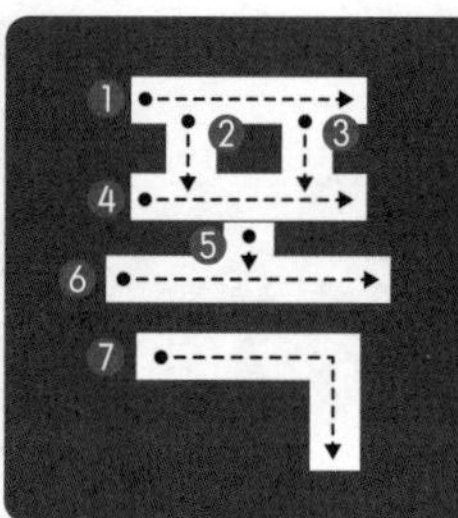
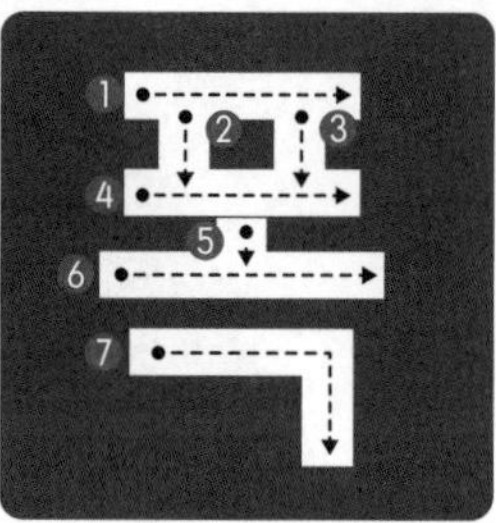

칙	칙	폭	폭	칙	칙	폭	폭
칙	칙	폭	폭	칙	칙	폭	폭
ㅊ	ㅊ	ㅍ	ㅍ	ㅊ	ㅊ	ㅍ	ㅍ

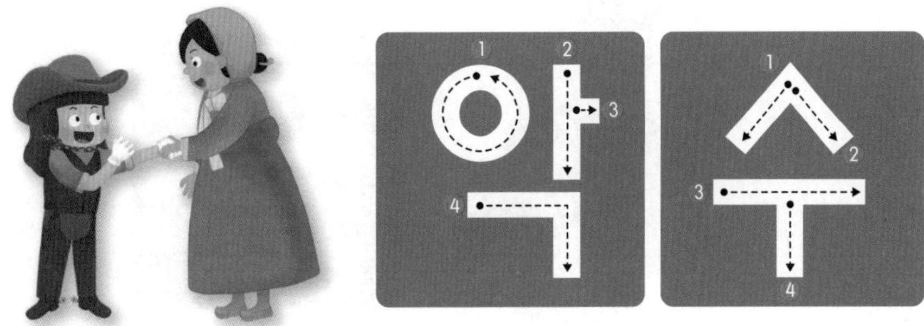

악	수	악	수	악	수	악	수
악	수	악	수	악	수	악	수
ㅇ	ㅅ	ㅇ	ㅅ	ㅇ	ㅅ	ㅇ	ㅅ

 월  일 

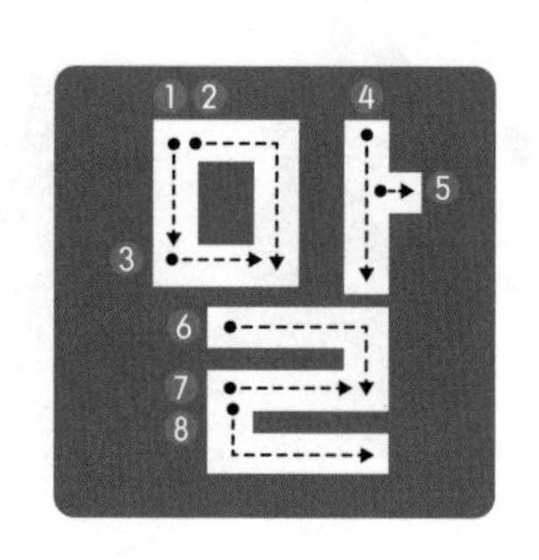

	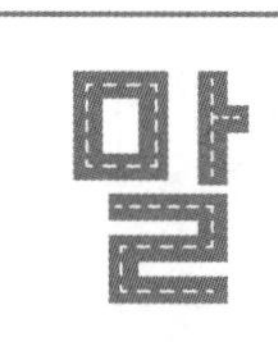	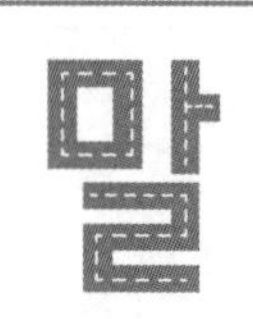			
			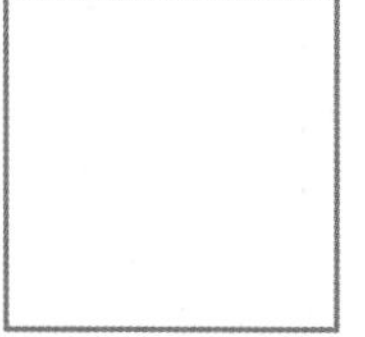		

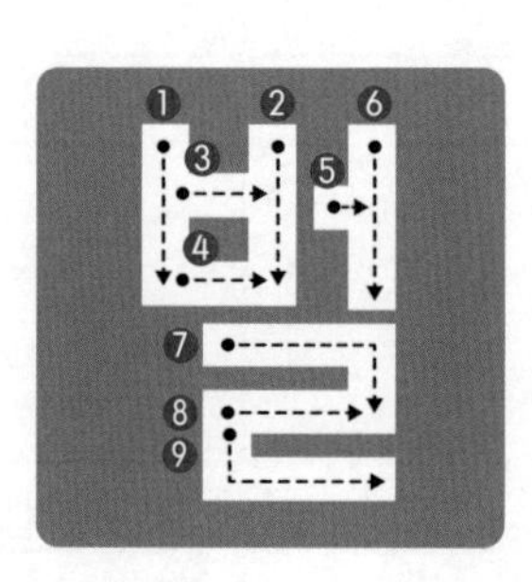

		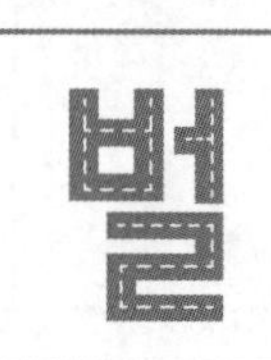		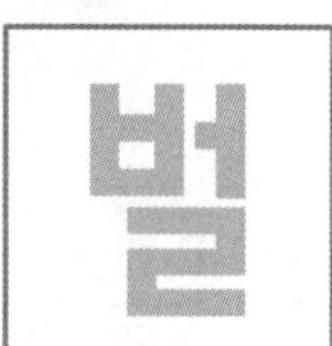	벌
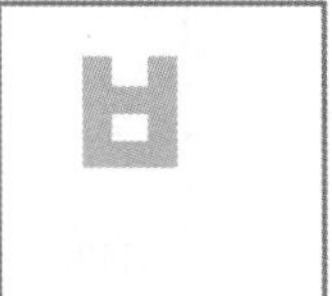	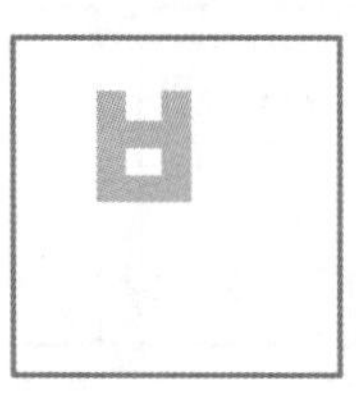	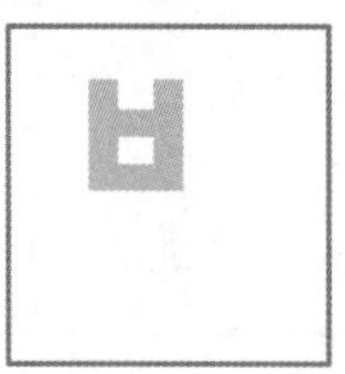		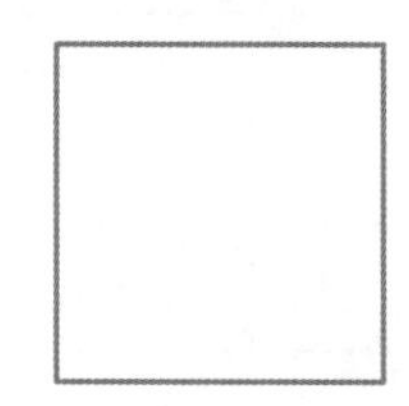	
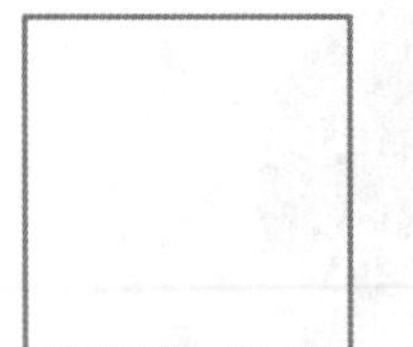					

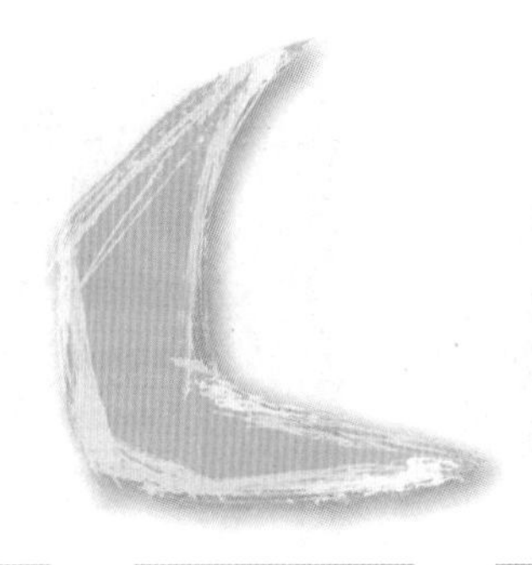
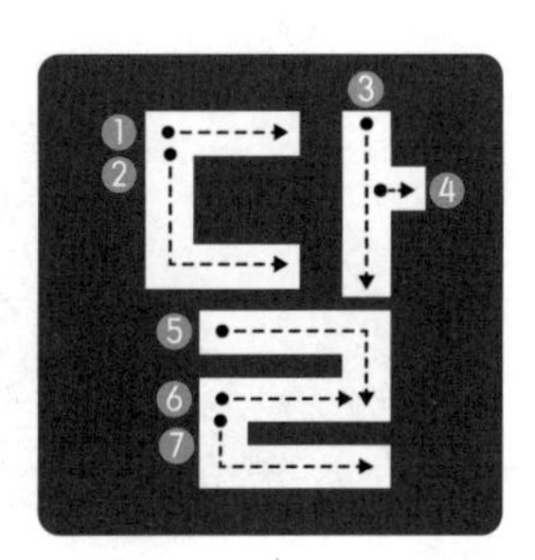

달
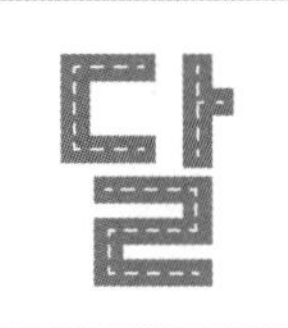
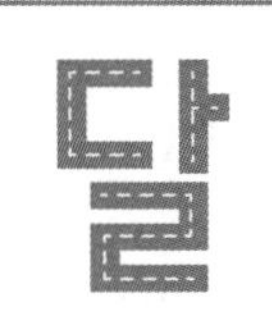

달
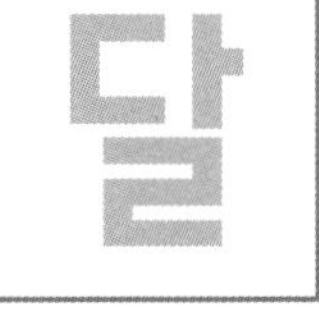
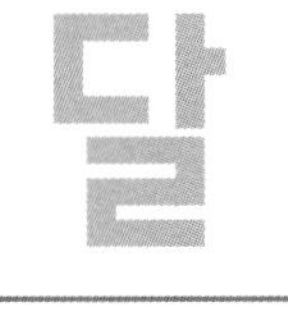

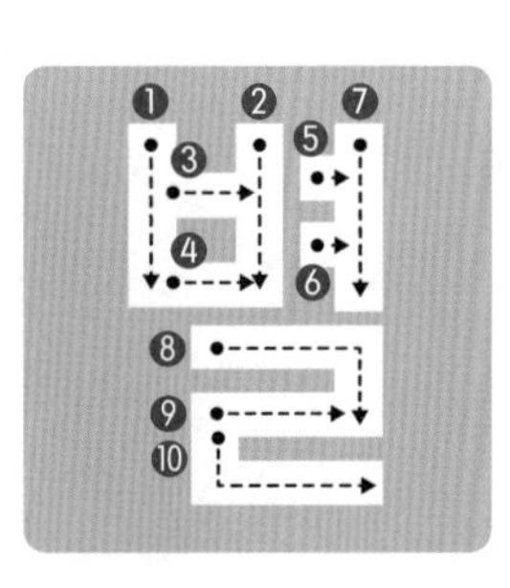

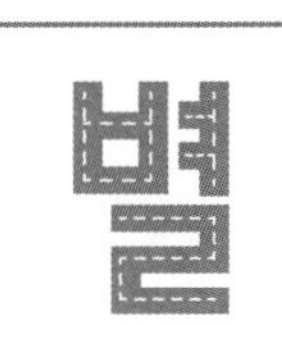

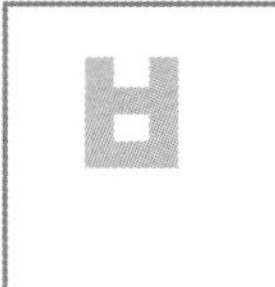
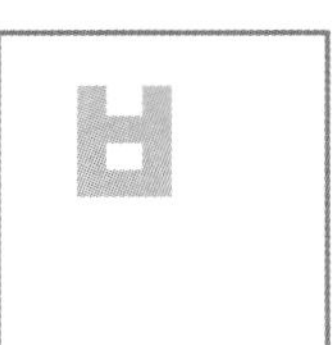
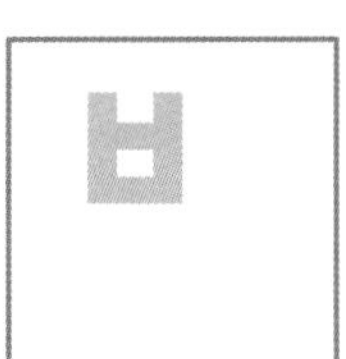

 월  일 

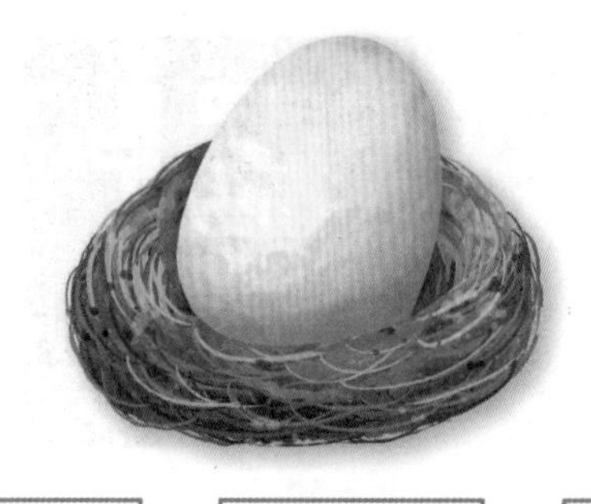
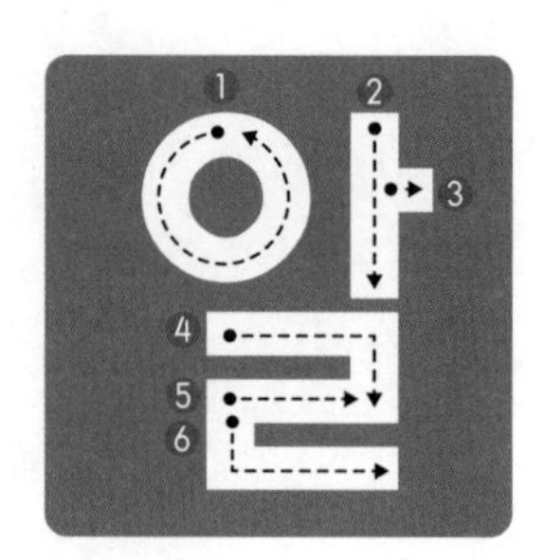

알	알	알	알	알	알
ㅇ	ㅇ	ㅇ			

    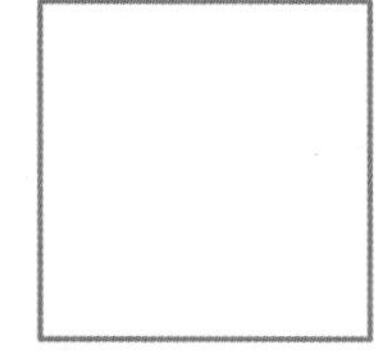 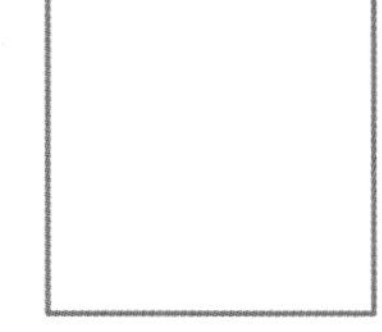

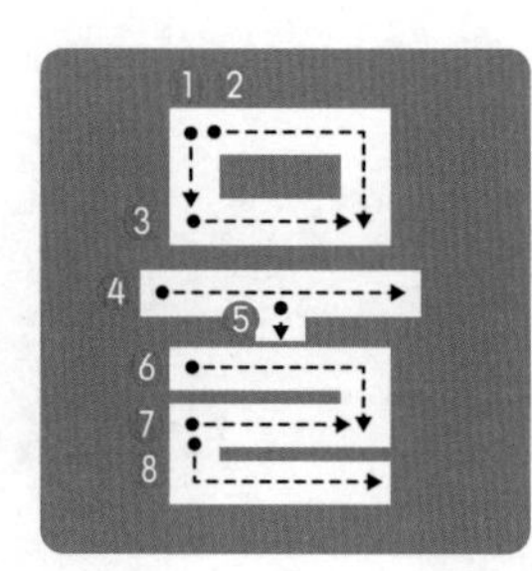

물	물	물	물	물	물

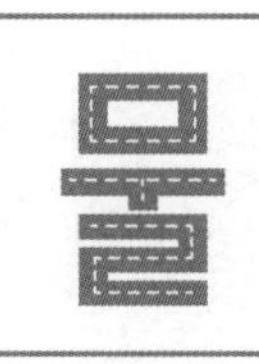   

ㅁ	ㅁ	ㅁ			

 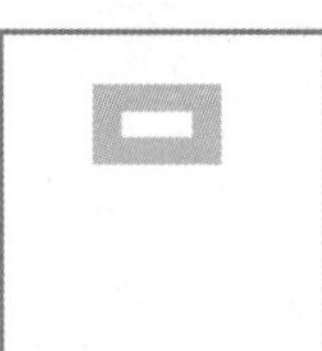   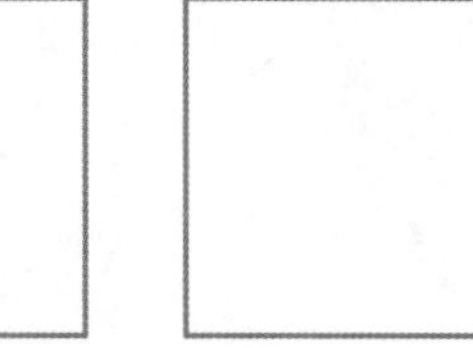 

   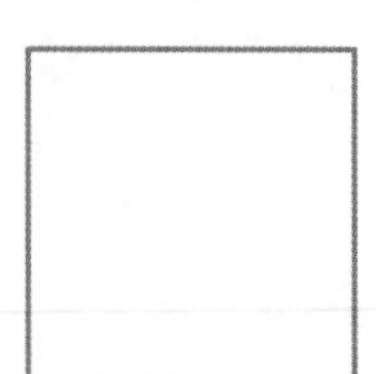 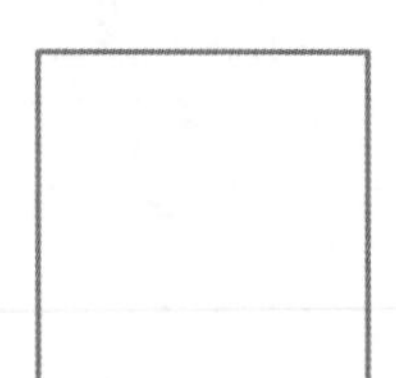 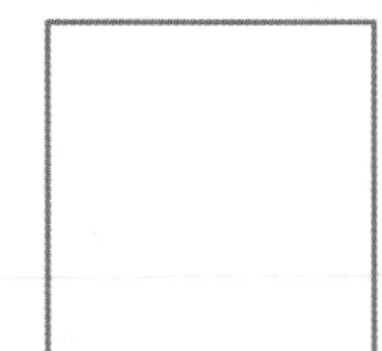

월  일 

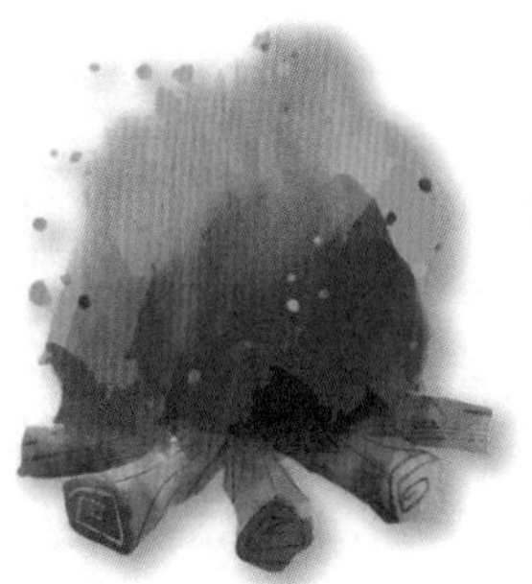
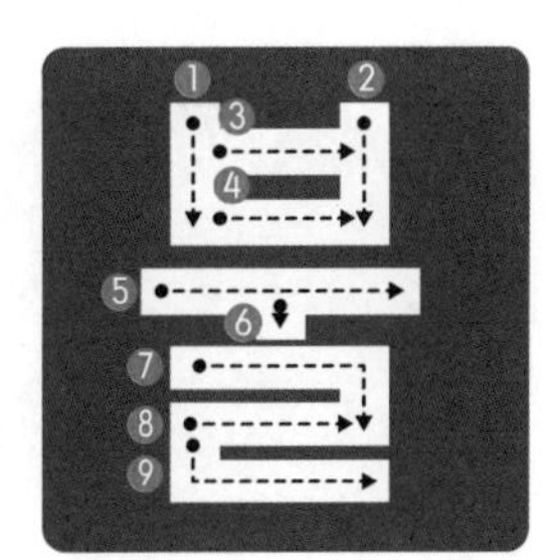

 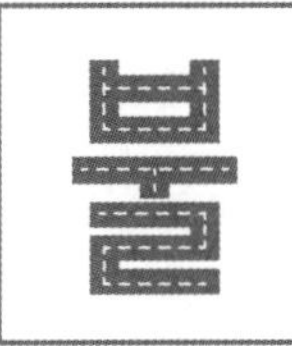 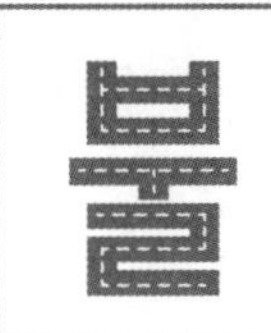   

    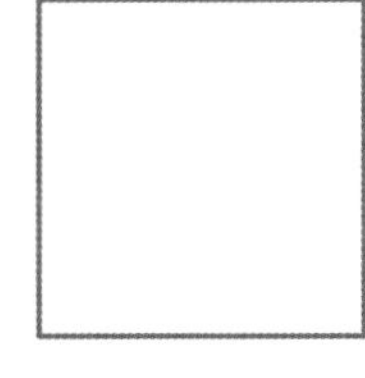 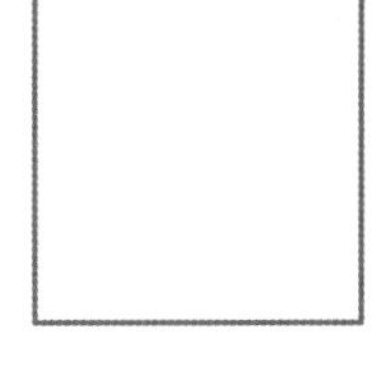

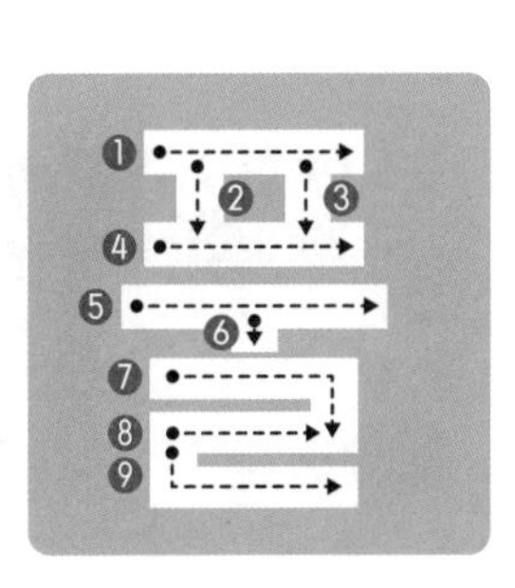

 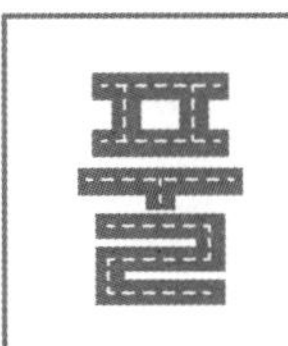 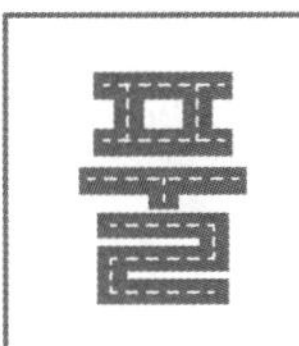   

 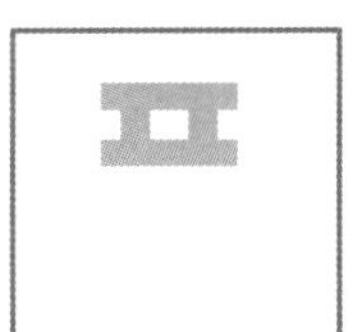 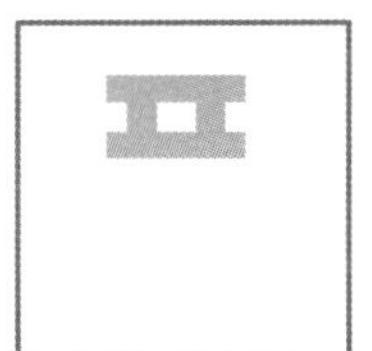   

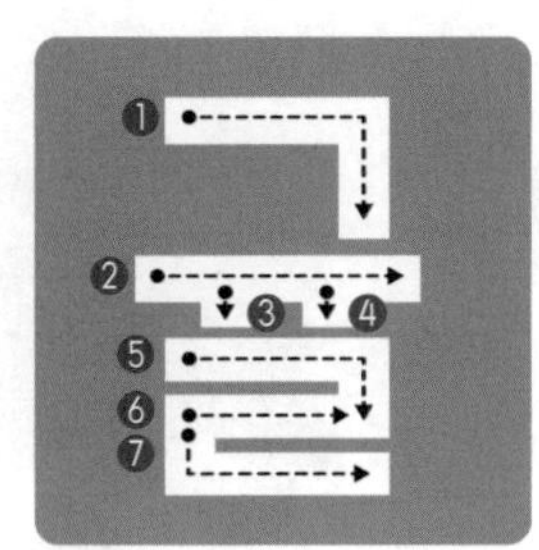

귤	귤	귤	귤	귤	귤
ㄱ	ㄱ	ㄱ			

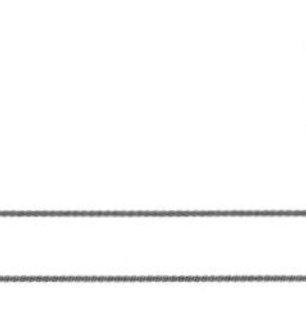

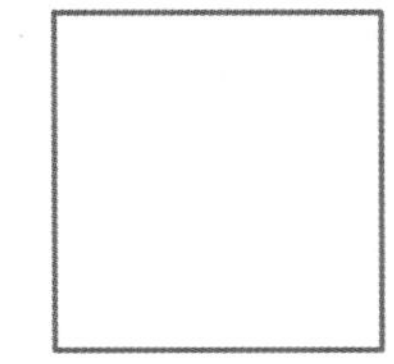
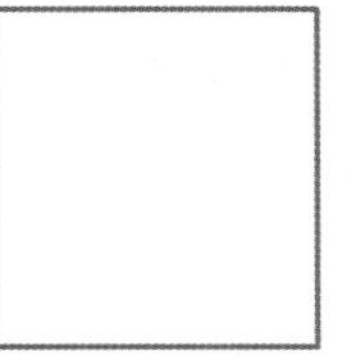
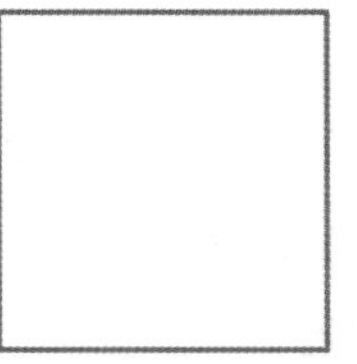

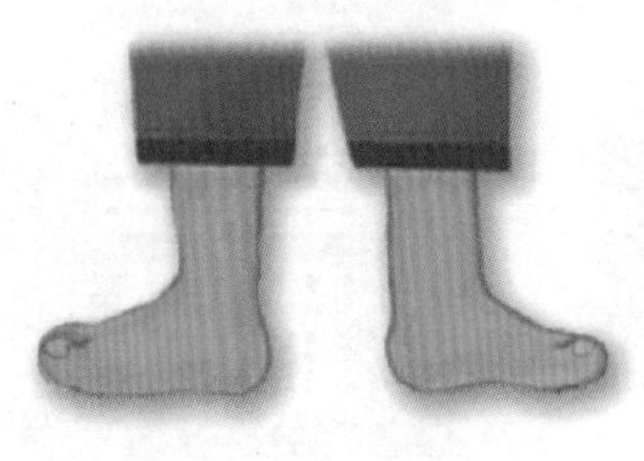

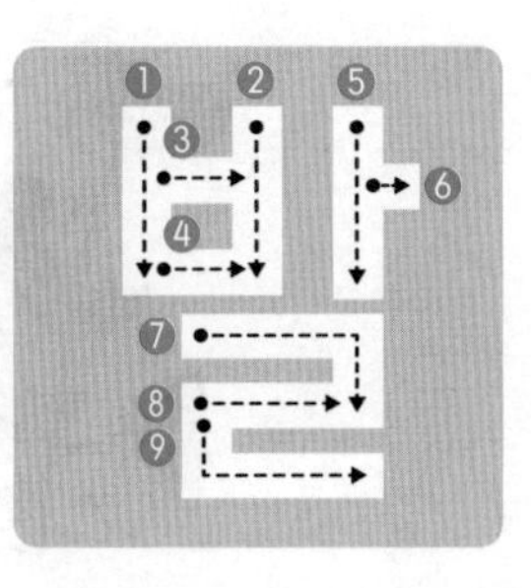

발	발	발	발	발	발
ㅂ	ㅂ	ㅂ			

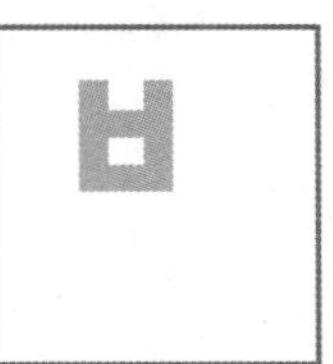
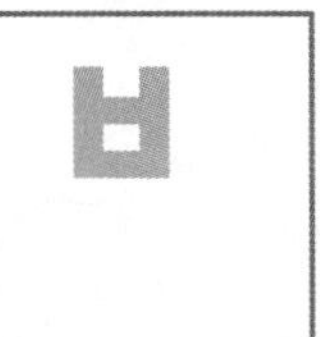

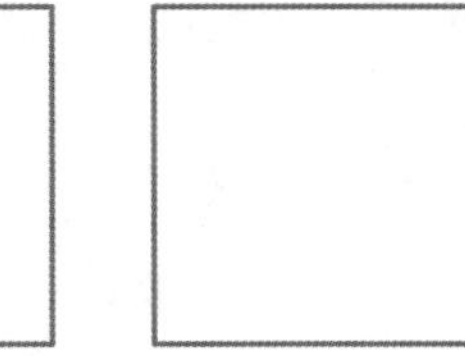
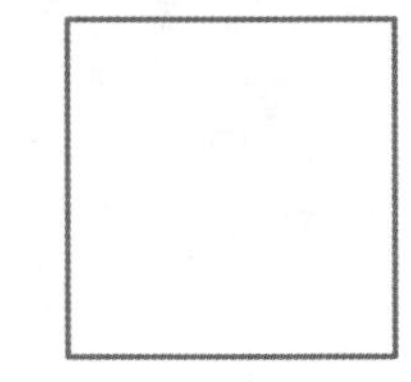
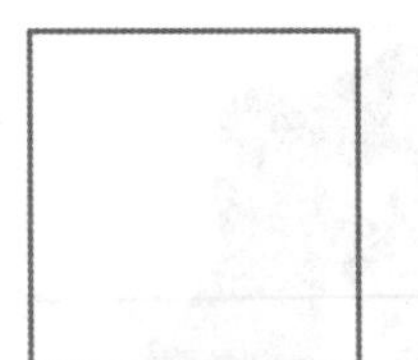

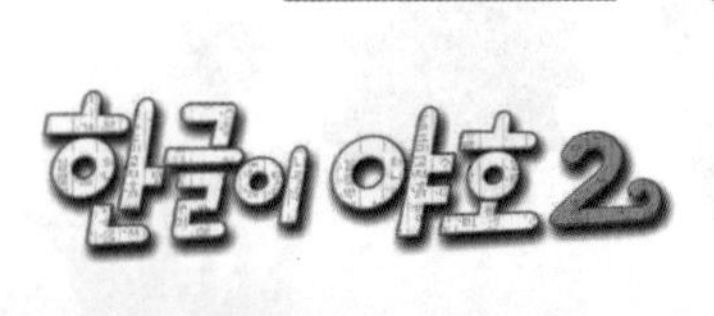

월 일

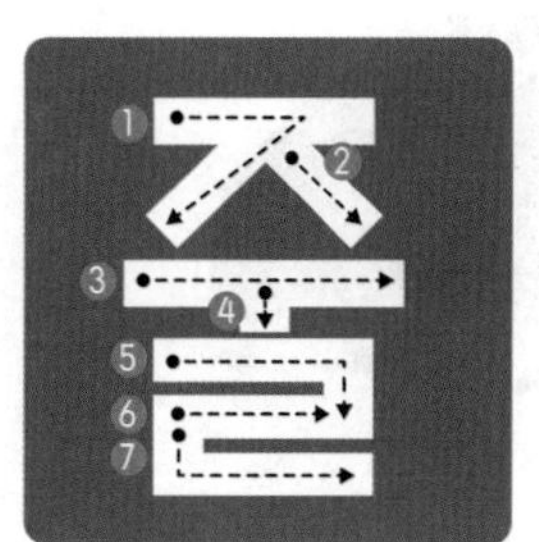

 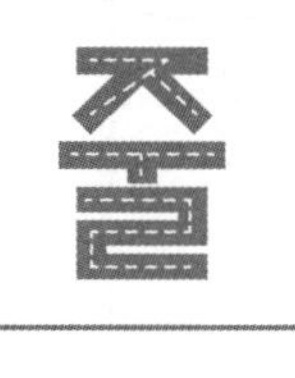    

줄 줄 줄 줄 줄 줄

ㅈ ㅈ ㅈ

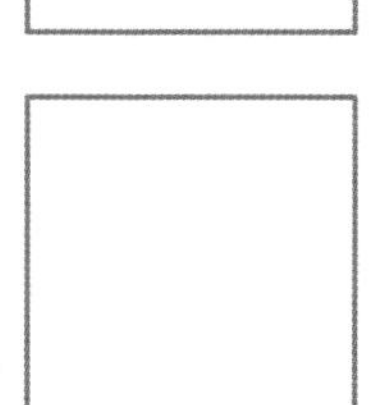 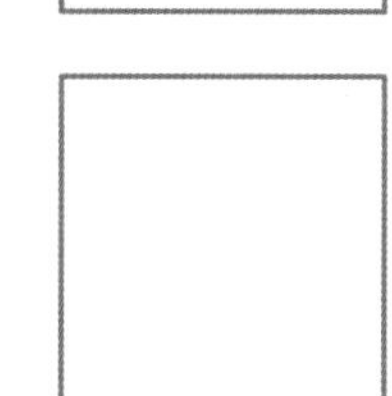 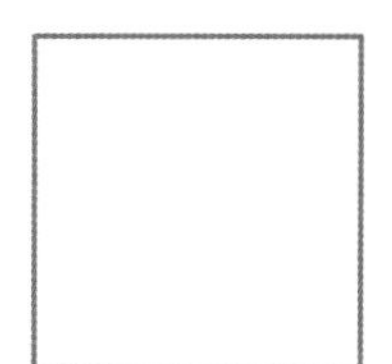

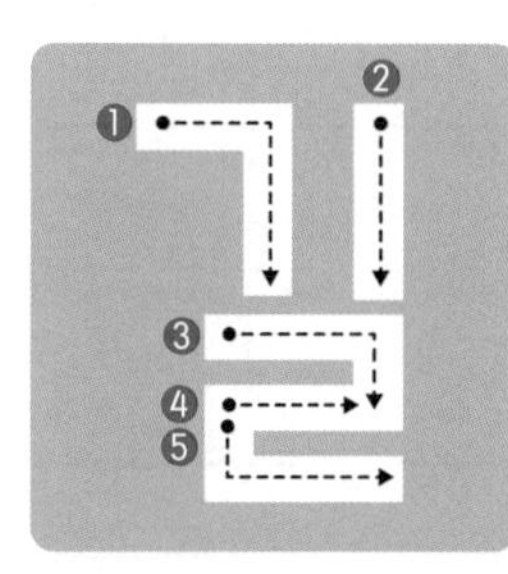

 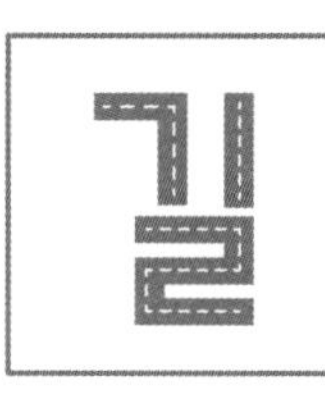 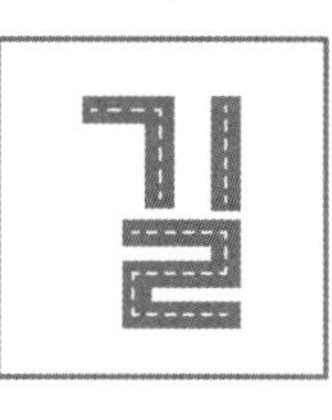   

길 길 길 길 길 길

    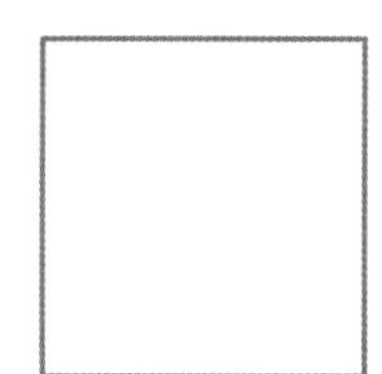 

ㄱ ㄱ ㄱ

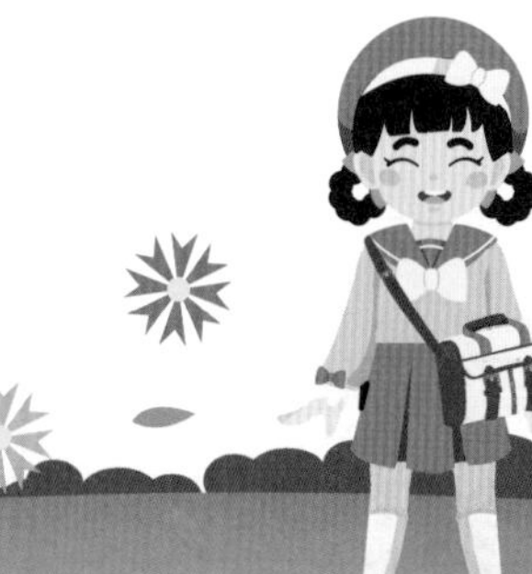 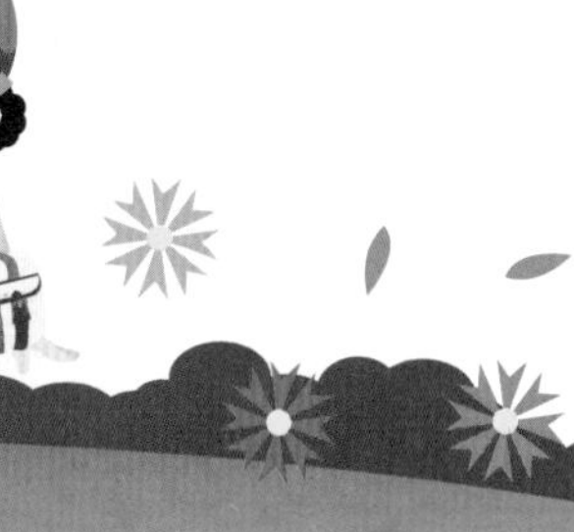

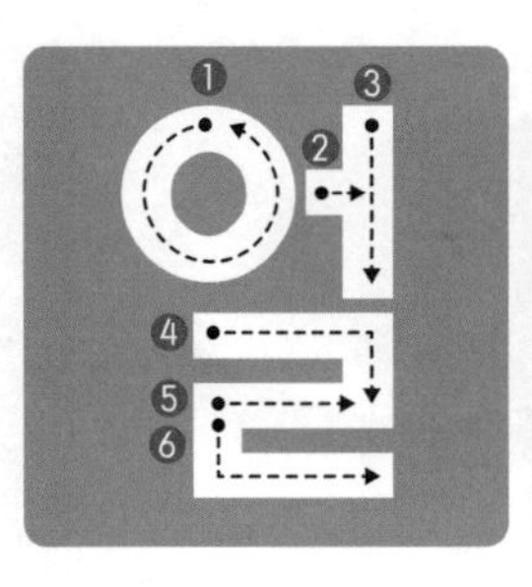

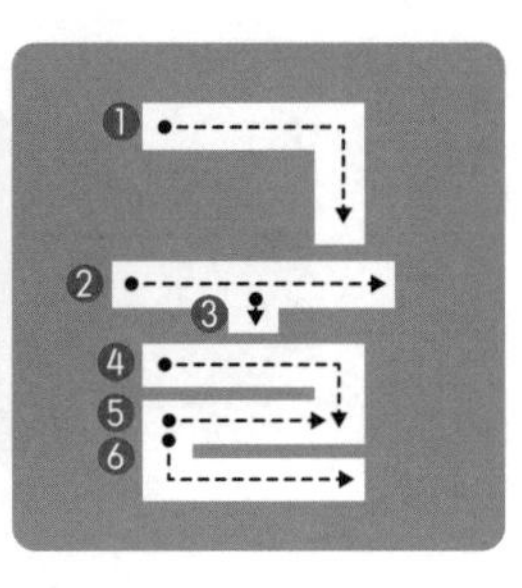

얼	굴	얼	굴	얼	굴	얼	굴
얼	굴	얼	굴	얼	굴	얼	굴
ㅇ	ㄱ	ㅇ	ㄱ	ㅇ	ㄱ	ㅇ	ㄱ

 월  일 

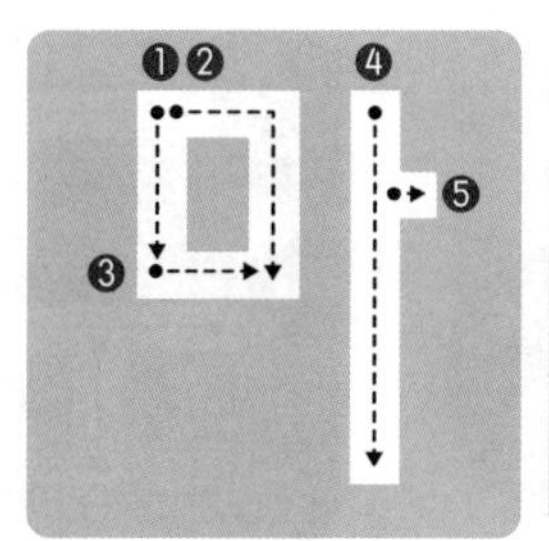

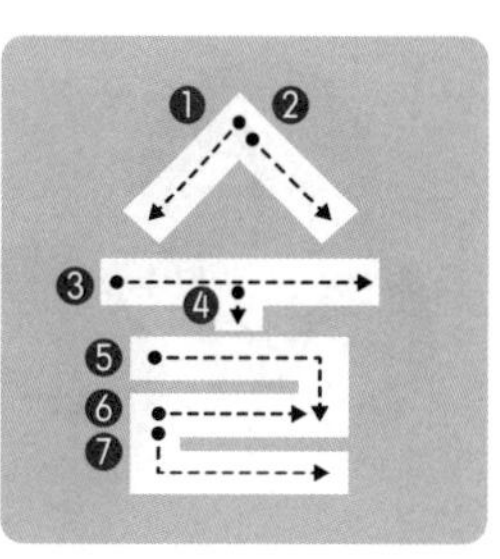

마	술	마	술	마	술	마	술
마	술	마	술	마	술	마	술
ㅁ	ㅅ	ㅁ	ㅅ	ㅁ	ㅅ	ㅁ	ㅅ

 월  일 

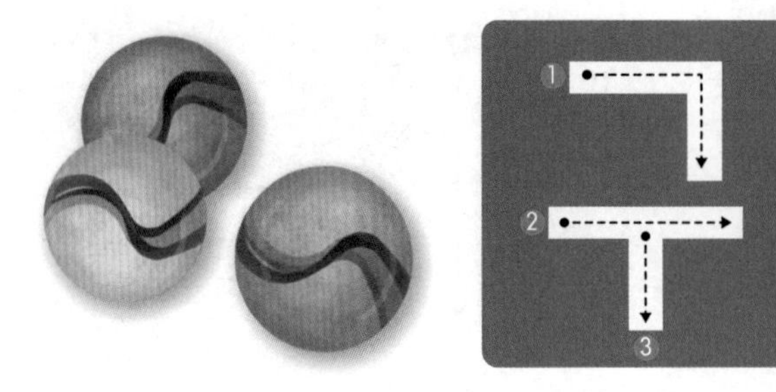
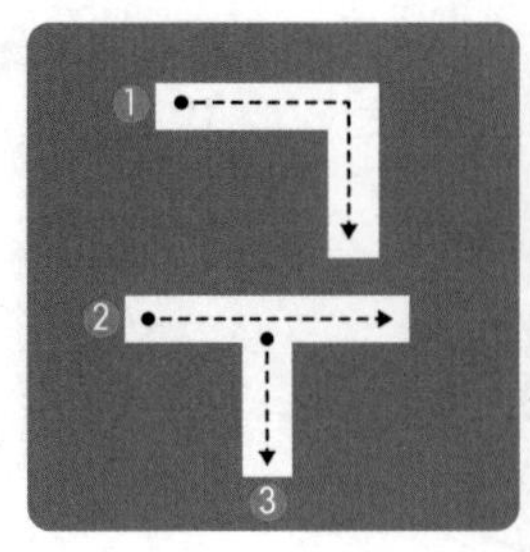

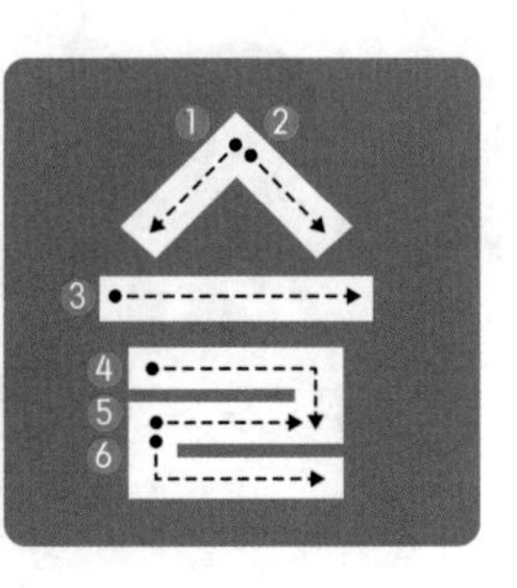

구	슬	구	슬	구	슬	구	슬
구	슬	구	슬	구	슬	구	슬
ㄱ	ㅅ	ㄱ	ㅅ	ㄱ	ㅅ	ㄱ	ㅅ

월 일

참 잘했어요!

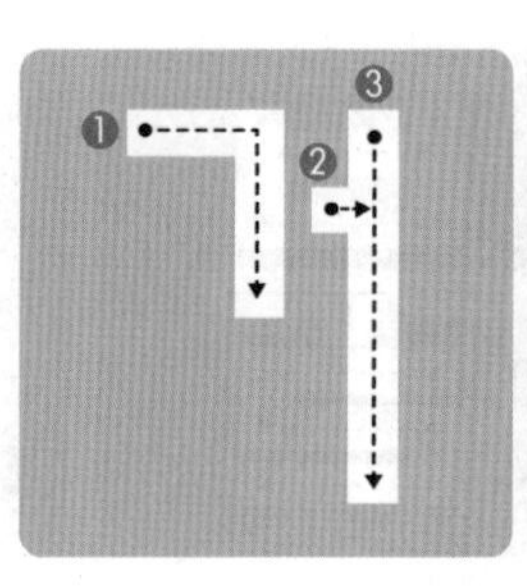

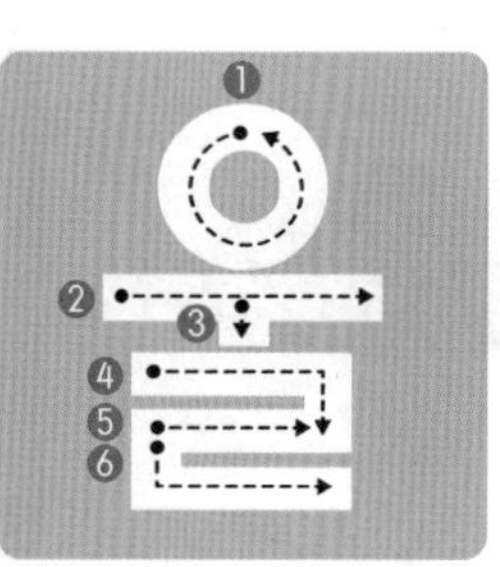

거	울	거	울	거	울	거	울
거	울	거	울	거	울	거	울
ㄱ	ㅇ	ㄱ	ㅇ	ㄱ	ㅇ	ㄱ	ㅇ

월 일

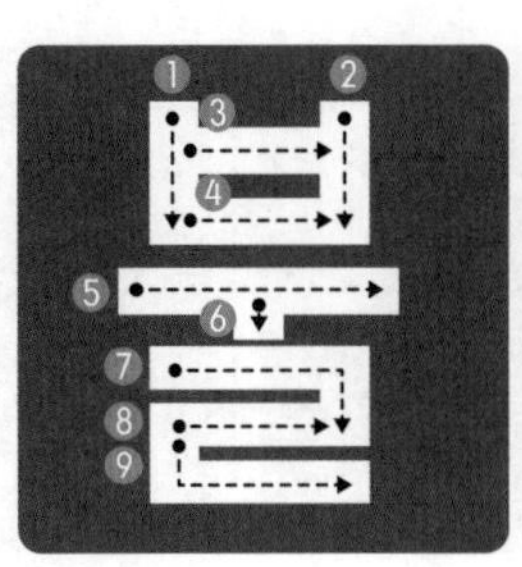
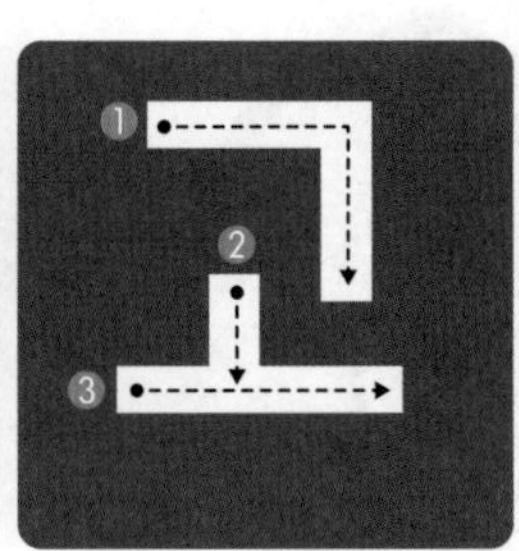
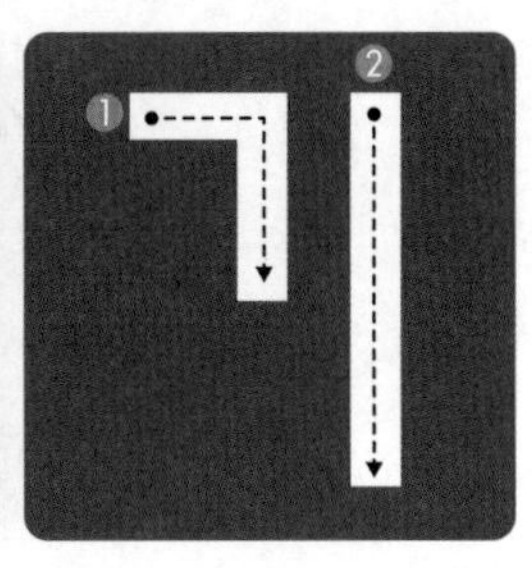

불	고	기

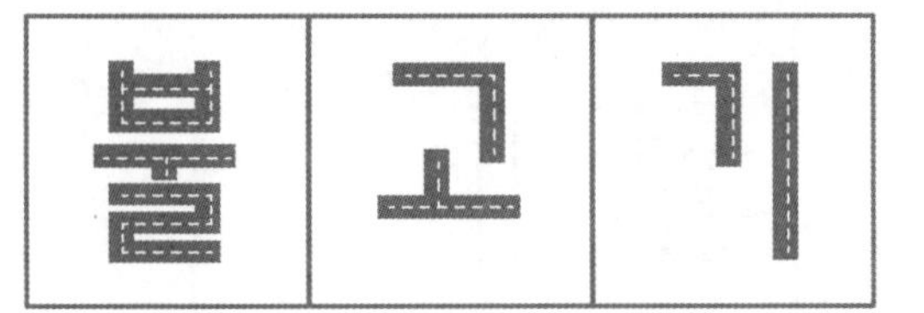

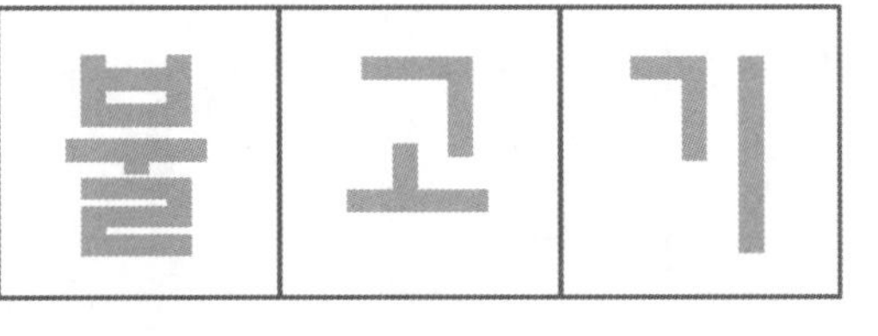

불	고	기

ㅂ	ㄱ	ㄱ

ㅂ	ㄱ	ㄱ

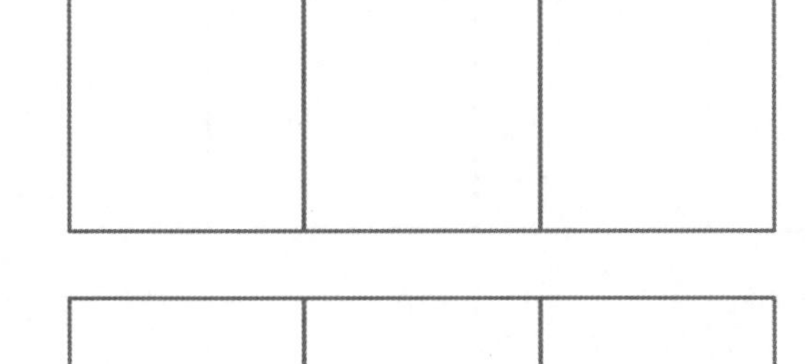

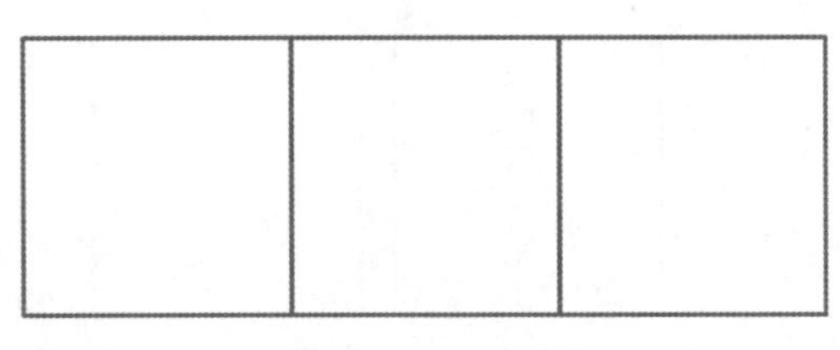

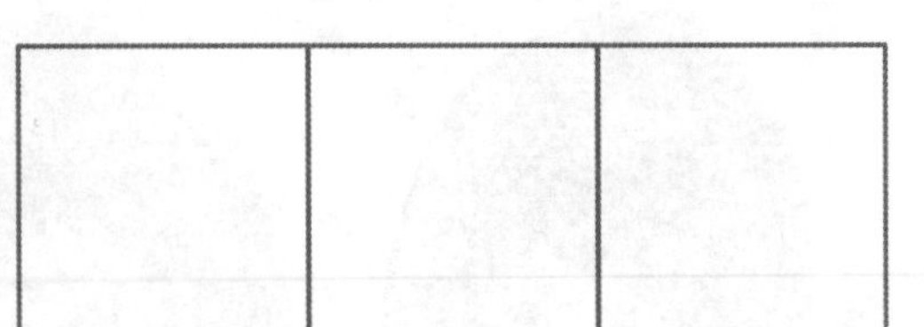
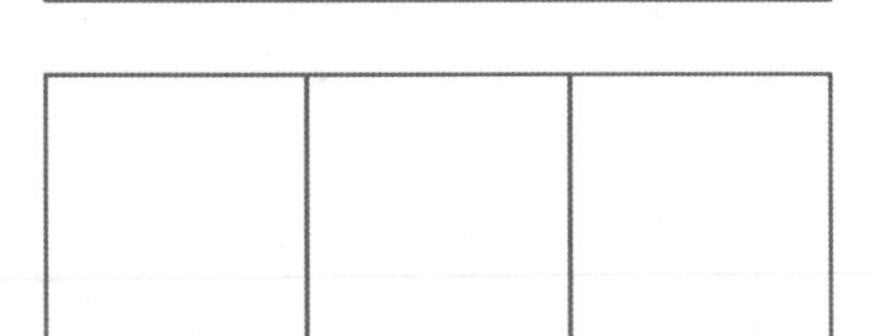

월
일
참 잘했어요!

불가사리
불 가 사 리
불 가 사 리
불 가 사 리
불 가 사 리
ㅂ ㄱ ㅅ ㄹ
ㅂ ㄱ ㅅ ㄹ

참 잘했어요!

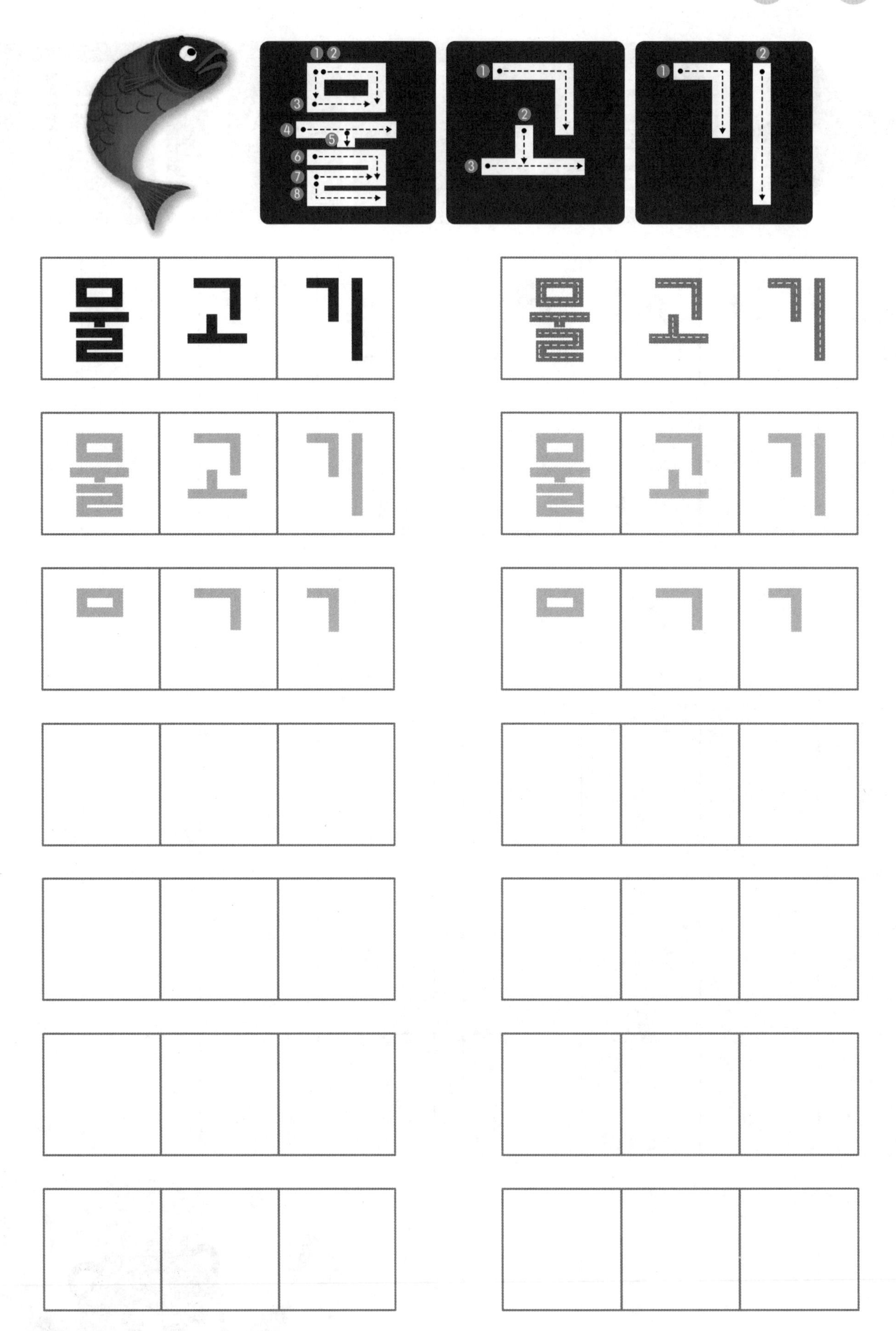
물고기
물 고 기
물 고 기
물 고 기
물 고 기
ㅁ ㄱ ㄱ
ㅁ ㄱ ㄱ

월
일
참 잘했어요!

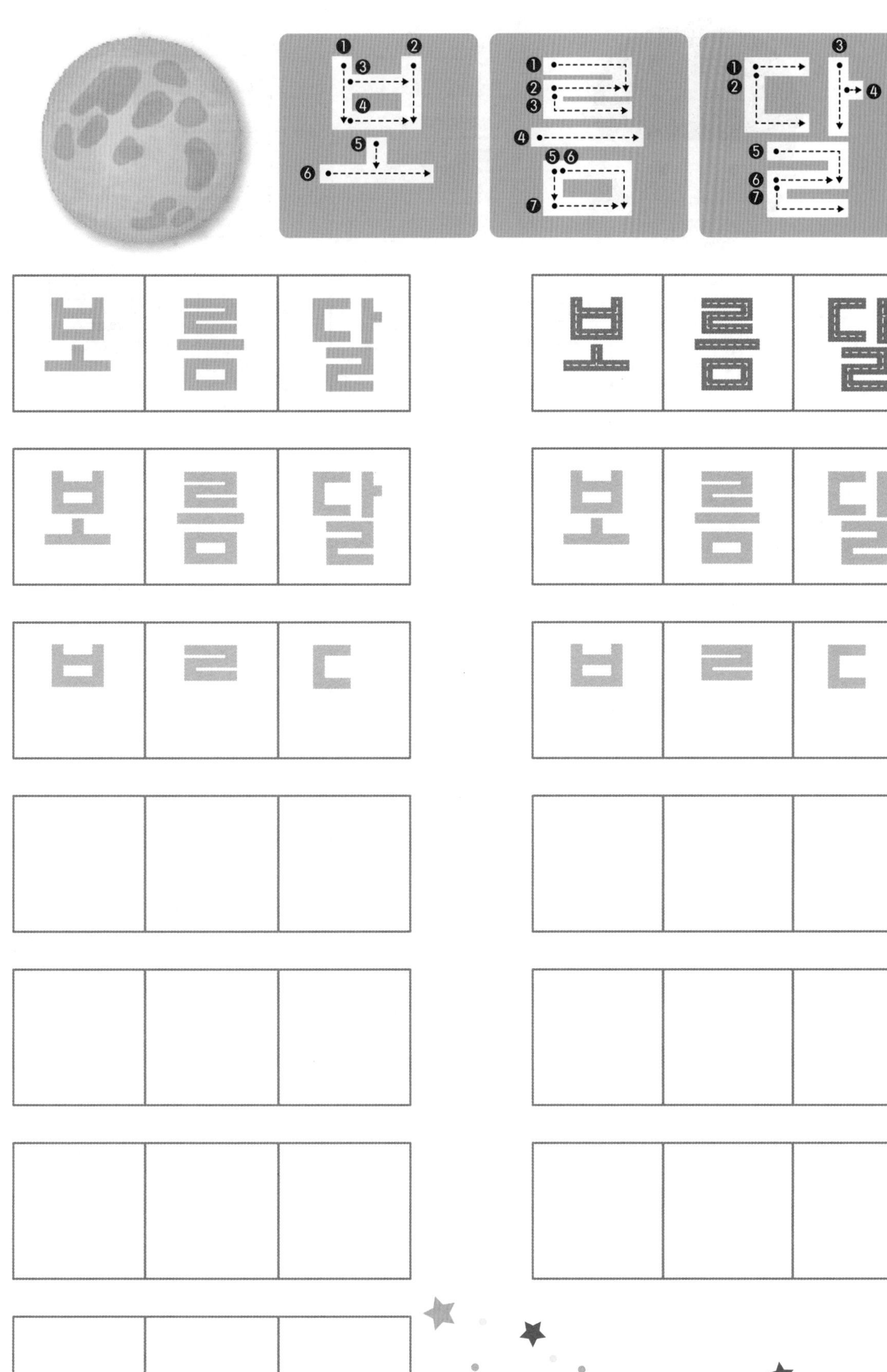
보름달
보름달
보름달
보름달
보름달
ㅂ ㄹ ㄷ
ㅂ ㄹ ㄷ

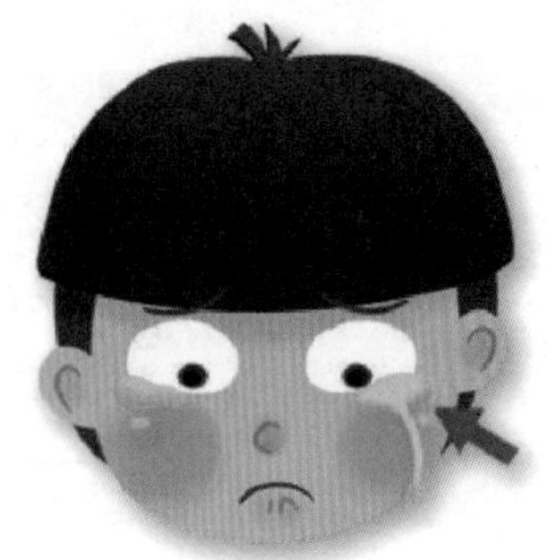

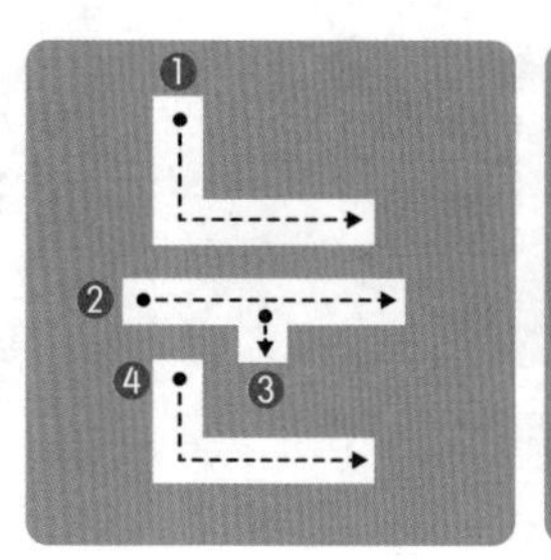

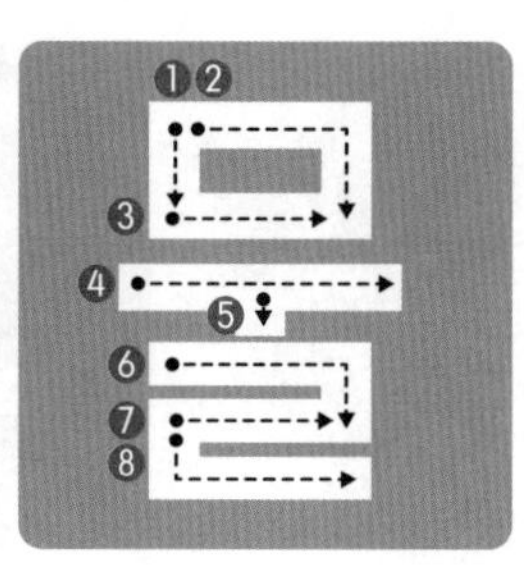

눈	물	눈	물	눈	물	눈	물
눈	물	눈	물	눈	물	눈	물
ㄴ	ㅁ	ㄴ	ㅁ	ㄴ	ㅁ	ㄴ	ㅁ

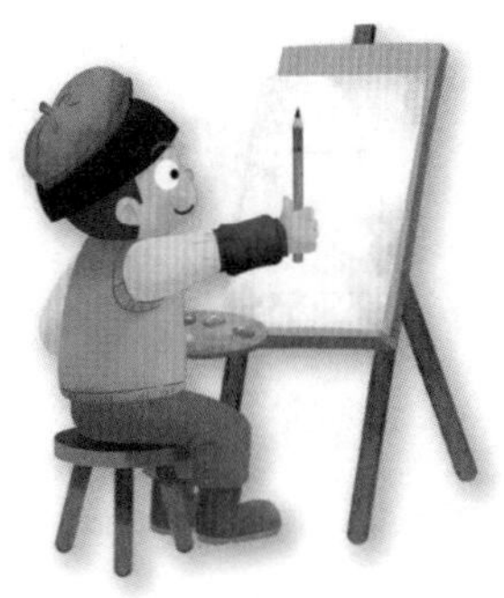

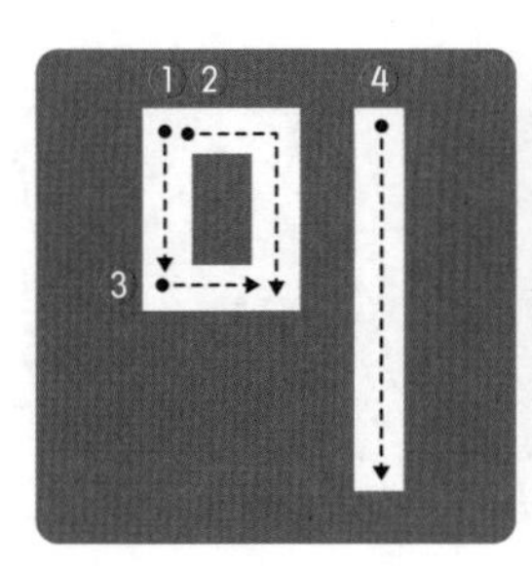

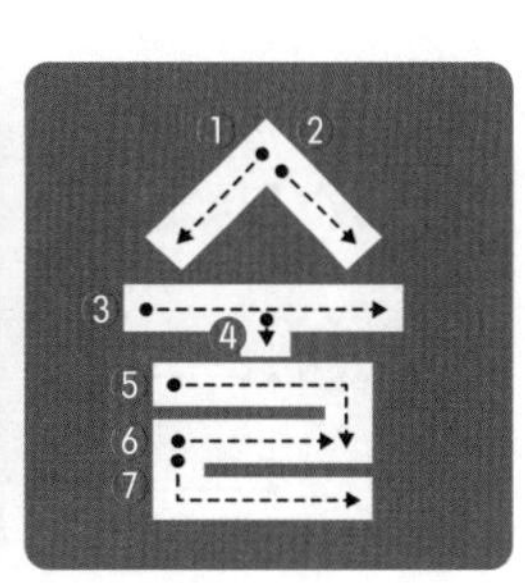

미	술	미	술	미	술	미	술
미	술	미	술	미	술	미	술
ㅁ	ㅅ	ㅁ	ㅅ	ㅁ	ㅅ	ㅁ	ㅅ

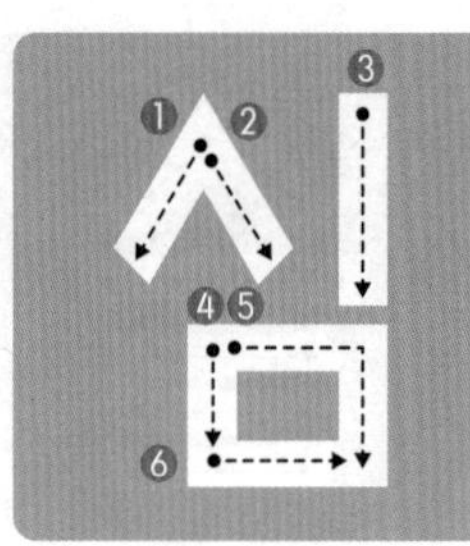

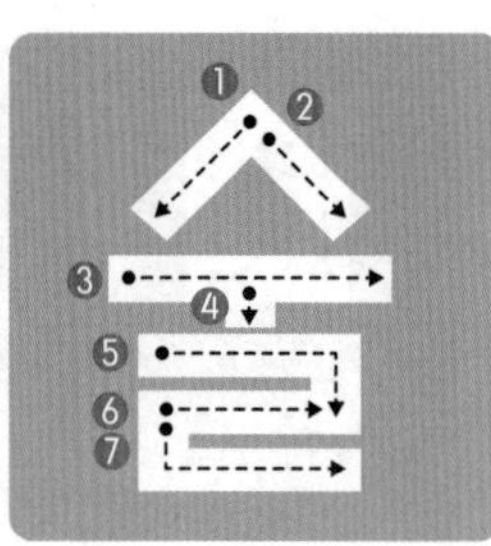

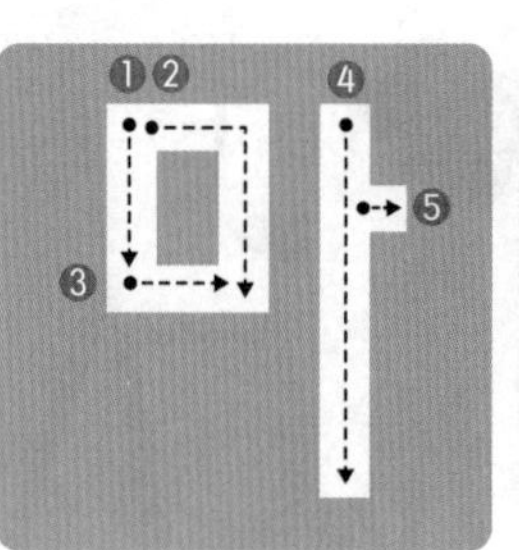

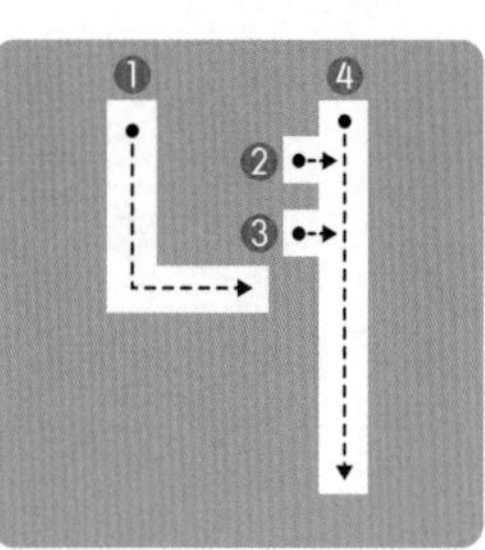

심	술	마	녀	심	술	마	녀
심	술	마	녀	심	술	마	녀
ㅅ	ㅅ	ㅁ	ㄴ	ㅅ	ㅅ	ㅁ	ㄴ

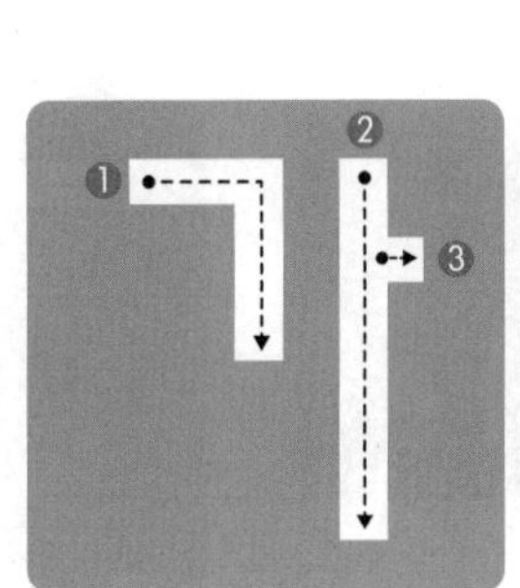

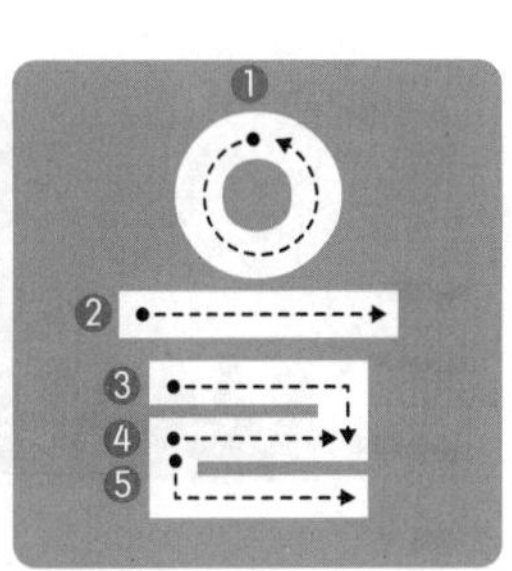

가	을	가	을	가	을	가	을
가	을	가	을	가	을	가	을
ㄱ	ㅇ	ㄱ	ㅇ	ㄱ	ㅇ	ㄱ	ㅇ

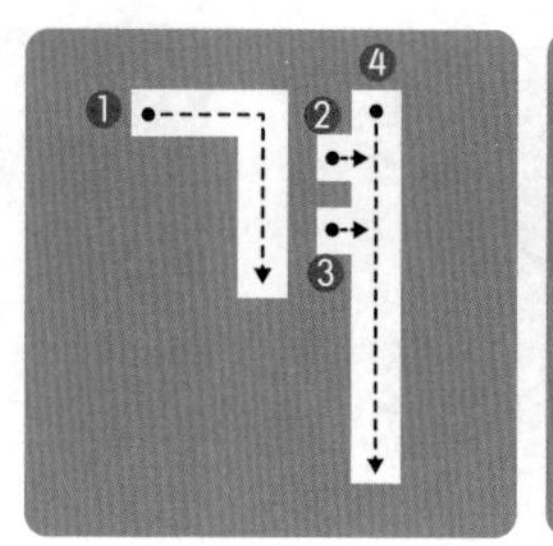
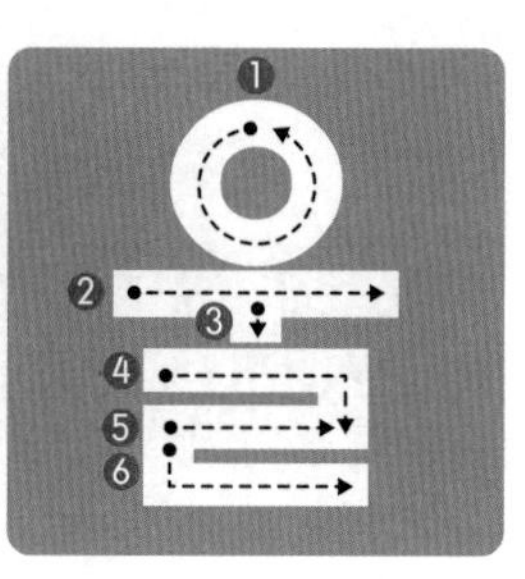

겨	울	겨	울	겨	울	겨	울
겨	울	겨	울	겨	울	겨	울
ㄱ	ㅇ	ㄱ	ㅇ	ㄱ	ㅇ	ㄱ	ㅇ

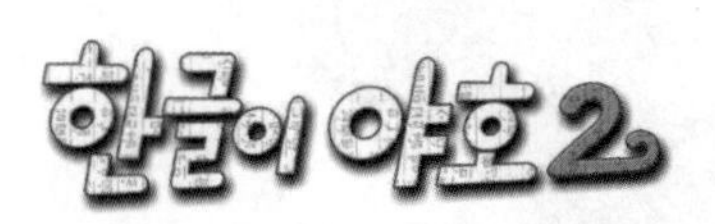

월
일
참 잘했어요!

월 일

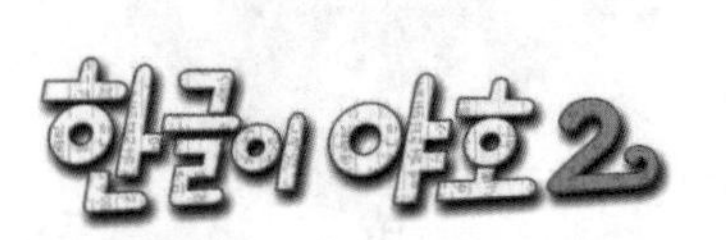

참 잘했어요!

월

일

수학이 야호

유아 수학도 EBS 야호와 함께 !

한글이 야호2

복 주는 북 / 수박 박수 / 미운 말, 고운 말 / 얼굴

· 품 명 학 : 용품, 완구 (한글단어쓰기)
· 모 델 명 : 한글이 야호2 쓰기놀이터
· 매 수 : 내지 18매
· 용 량 : 표지_스노우지150g / 내지_모조지80g
· 사 이 즈 : 218mm x 280mm
· 인 쇄 : (주)재능인쇄 · 편집/디자인 : 아이트리
· 제 조 국 : 대한민국
· 제조년일 : 2024년 5월 8일
· 제조자명 : EBS미디어
· 주 소 : 서울시 마포구 토정로 222
· 전화번호 : 02-529-5566
· 판매자명 : EBS미디어

· **사용상 주의사항**
- 용도 이외에는 사용하지 마십시오.
- 종이에 베이지 않도록 주의 하십시오.
- 화기가 있는 곳에 가까이 두지 마십시오.
- 질식할 위험이 있으니 입에 넣지 마십시오.
- 직사광선, 고온, 습기가 많은 곳을 피하십시오.

1. 제조자명 : EBS 미디어 (주)
2. 주 소 : 서울특별시 마포구 토정로 222 한국출판콘텐츠센터 4층
3. 전화번호 : 02-529-5566
4. 제조년월 : 2024년 5월 8일
5. 제조국명 : 한국
6. 사용연령 : 4세 이상
7. 주의사항 : 용도 외 사용하지 마세요. 불에 가까이하지 마세요.

값 3,000원

8 809428 100116

기본 구성과 활용법

기본 구성

'한글이 야호'는 통합적인 말하기, 읽기, 쓰기 교육 이론을 바탕으로 두고 제작한 한글 교육 프로그램입니다. 읽기를 막 시작하는 단계부터 말하기를 완성하는 단계까지 체계적인 글자 떼기 커리큘럼을 적용, 높은 교육 효과를 얻을 수 있습니다. 기본 어휘를 활용한 이야기와 말놀이를 통해 말하기와 읽기를 자연스럽게 익히고 그림책으로 이야기를 정리하고 확장시킵니다.

▶ **음운 커리큘럼에 의거한 기본 어휘 제시**

▶ **기본 어휘를 활용한 이야기 제시**

▶ **이야기에서 파생한 말놀이 노래**

▶ **부모와 함께 할 수 있는 한글 놀이로 어휘 및 의미 확장**

▶ **그림책으로 기본 어휘 학습**

▶ **쓰기 확장의 단계**

이번 워크북부터는 기본 음절 140자를 통한 어휘 학습을 마치고 받침이 있는 글자를 학습하게 됩니다. 한글이 야호 방송과 워크북은 받침 글자마다 2~3편으로 나누어 구성했습니다. 첫 편에서는 받침이 있는 글자 중 뜻을 가진 한 글자 어휘를 통해 형태적인 특성과 음운적인 특성을 뿌미와 함께 알아봅니다. 두 번째 편과 세 번째 편에서는 해당 받침이 있는 두 음절 이상의 어휘로 확장해 의성어, 의태어의 말 재미, 발음과 뜻의 연결로 인한 말 놀이등을 습득합니다. 특히 받침 글자만을 전해주는 글자 심해어, 초롱이를 통해 받침 글자가 글자의 아래 부분에 위치하게 되는 형태적인 특성을 반복을 통해 재미있게 보여줍니다. 새 친구 초롱이를 반갑게 맞아주시고 받침 글자와도 친하게 지내면 더 많은 글자를 읽게 되어 성취 욕구를 충족시킬 수 있을 것입니다.

활용법

1 **뿌미 놀이터** 받침 글자의 형태와 음운적인 특성 파악, 글자 조립 원리 습득

2 **야호 놀이터** 낱글자와 단어 글자 읽기

3 **쓰기 놀이터** 낱글자와 단어 글자 쓰기

*** 색깔 표시 예시**

33회 〈 바 바 밥 밥집! 〉 편　34회 〈 손톱 발톱 〉 편　35회 〈 무엇이든 붓 〉 편

36회 〈 멋진 빗자루 〉 편　37회 〈 탐험 이야기 〉 편

*** (스티커를 붙여주세요) 라는 문구를 찾아 알맞은 스티커를 붙이세요.**

한글이 야호 2

바 바 밥 밥집

바밥 이입 지집

커컵 타탑 사삽

토톱

차 례

33화 <바 바 밥 밥집>편

33화 바 바 밥 밥집

뿌미 놀이터

'ㅂ'을 찾아라!

뿌미와 함께 'ㅂ'을 찾아서 색칠해요.

ㅂ

33화 바 바 밥 밥집

뿌미 놀이터

'ㅂ'의 이름

뿌미가 담벼락에 페인트칠을 했더니 'ㅂ'의 이름이 되었어요.
뿌미가 알려주는 글자를 큰 소리로 읽어봐요.

비
'ㅂ'받침이 붙은 글자를 읽으면
'~읍' 이란 소리가 나요.

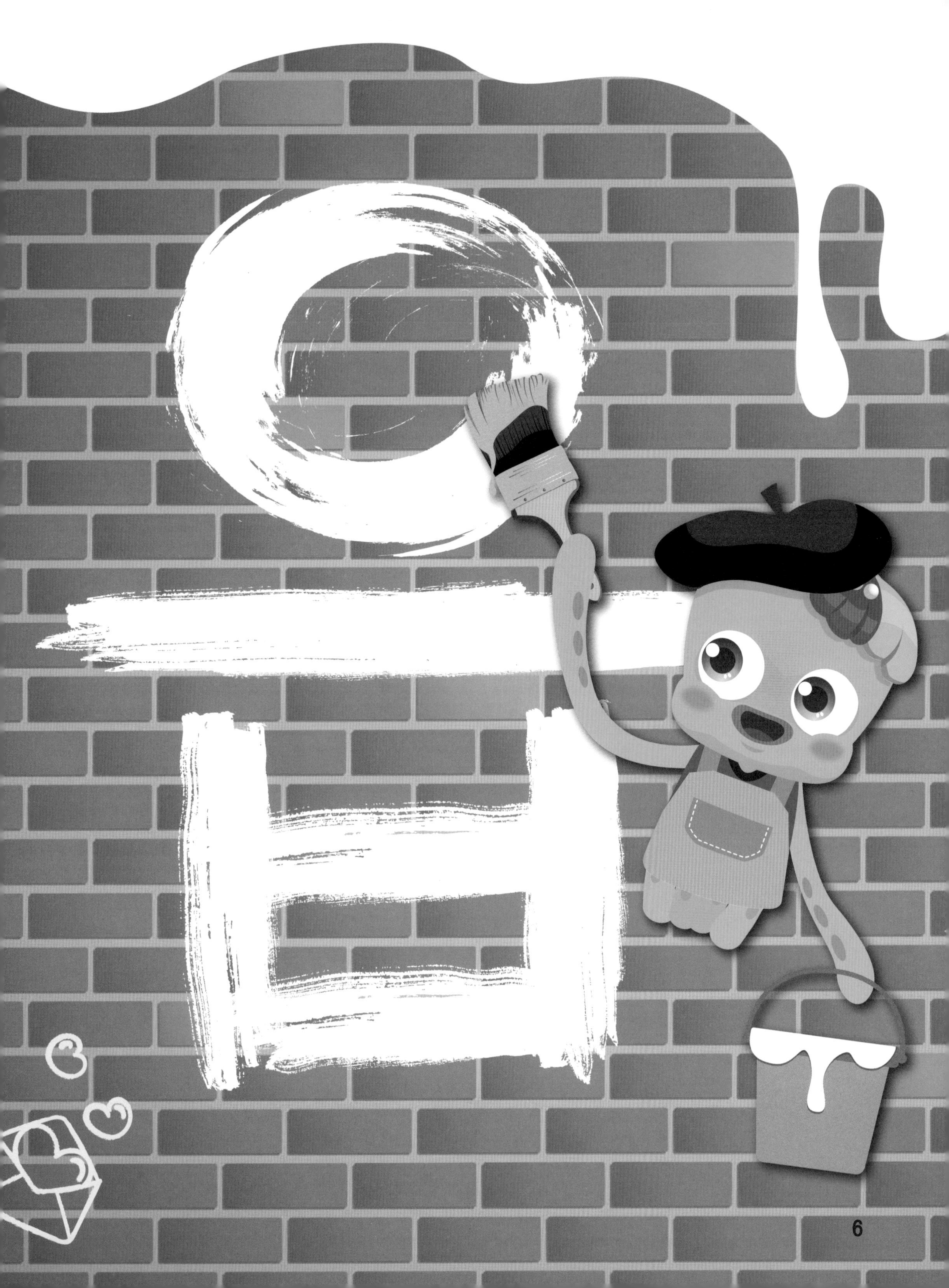
읍

33화 바 바 밥 밥집

사다리위의 글자들

글자들이 사다리 위에 올라가고 있어요.
어떤 글자가 올라가는지 큰 소리로 읽어봐요.

33화 바 바 밥 밥집

뿌미 놀이터

변신 사다리

글자가 올라갔더니 사다리에 숨어 있는 'ㅂ'받침이 나타나고 있어요.
사다리에 숨어 있는 'ㅂ'을 찾아 스티커를 붙여서 글자를 변신시켜봐요.

토
이
지
(스티커를 붙여주세요)
(스티커를 붙여주세요)
(스티커를 붙여주세요)

33화 바 바 밥 밥집

뿌미 놀이터

글자를 착착착!

뿌미가 글자에 'ㅂ(비읍)' 받침을 붙여서 글자를 만들어요.
글자 스티커를 찾아서 붙이고 큰 소리로 읽어봐요.

1

가 갸 거 겨

1

2

ㅂ

2

ㅂ

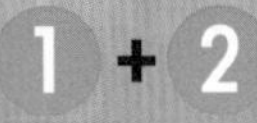

1 + 2

(스티커를 붙여주세요)

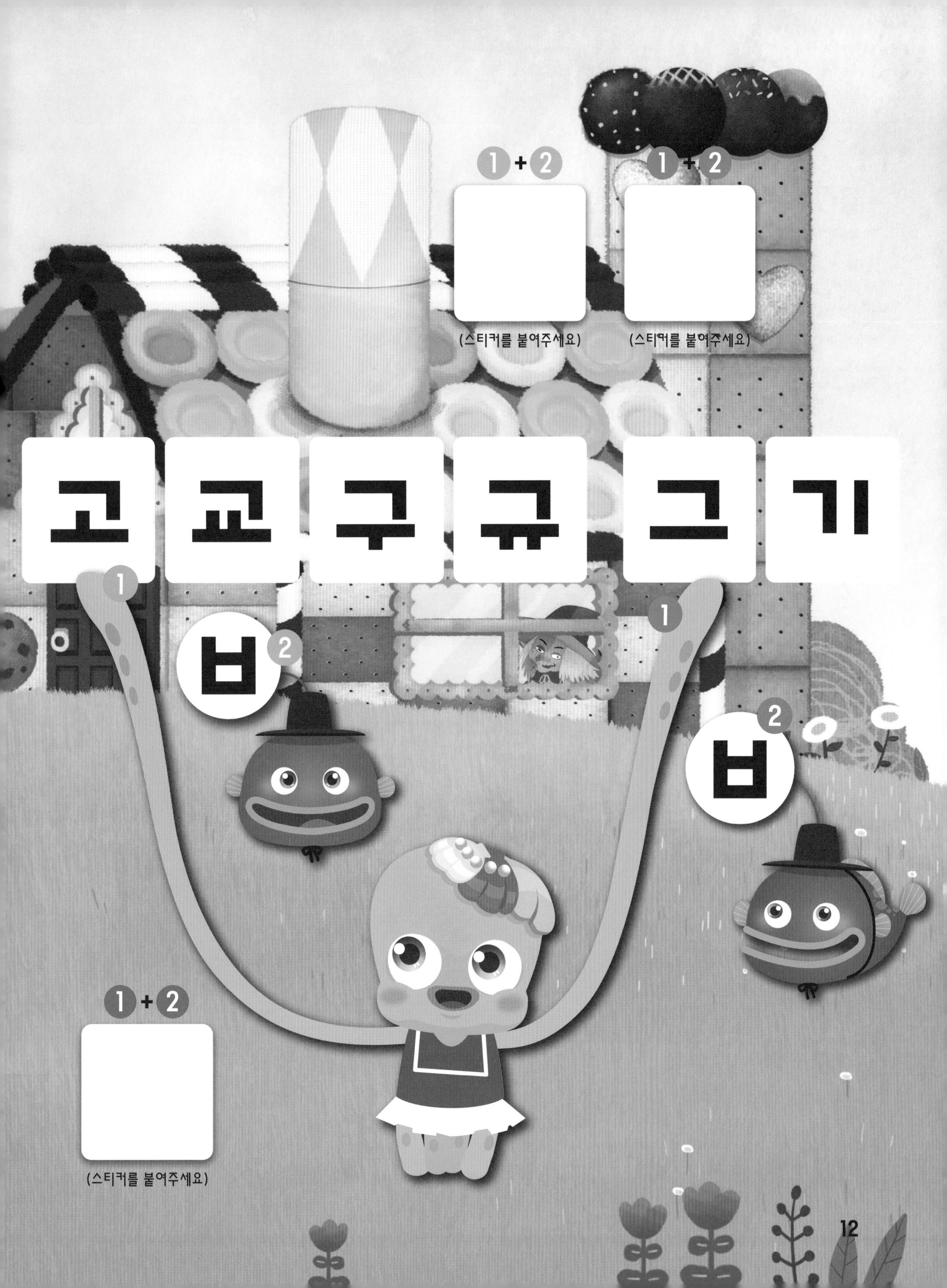
1 + 2
(스티커를 붙여주세요)
1 + 2
(스티커를 붙여주세요)
고
교
구
규
그
기
1
ㅂ
2
1
ㅂ
2
1 + 2
(스티커를 붙여주세요)

33화 바 바 밥 밥집 뿌미 놀이터

글자를 착착착!

뿌미가 글자에 'ㅂ(비읍)' 받침을 붙여서 글자를 만들어요.
글자 스티커를 찾아서 붙이고 큰 소리로 읽어봐요.

1 1

바 뱌 버 벼

ㅂ 2 ㅂ 2

1+2 1+2

(스티커를 붙여주세요) (스티커를 붙여주세요)

보
뵤
부
뷰
브
비
1
1 + 2
(스티커를 붙여주세요)
2
ㅂ

33화 바 바 밥 밥집 뿌미 놀이터

글자를 착착착!

뿌미가 글자에 'ㅂ(비읍)' 받침을 붙여서 글자를 만들어요.
글자 스티커를 찾아서 붙이고 큰 소리로 읽어봐요.

아	야	어	여

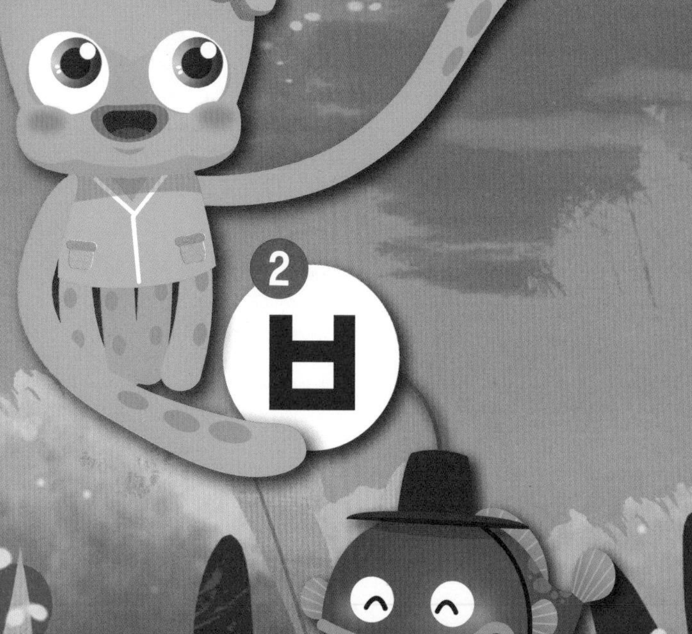

1 + 2
(스티커를 붙여주세요)
1 + 2
(스티커를 붙여주세요)
1 + 2
(스티커를 붙여주세요)
오
요
우
유
으
이
1 + 2
(스티커를 붙여주세요)
1
2
ㅂ

33화 바 바 밥 밥집 뿌미 놀이터

글자를 착착착!

뿌미가 글자에 'ㅂ(비읍)' 받침을 붙여서 글자를 만들어요.
글자 스티커를 찾아서 붙이고 큰 소리로 읽어봐요.

타 탸 터 텨

1+2

(스티커를 붙여주세요)

1
1
토
툐
투
튜
트
티
2
ㅂ
2
ㅂ
1 + 2
1 + 2
(스티커를 붙여주세요)
(스티커를 붙여주세요)

33화 바 바 밥 밥집

야호 놀이터

튼튼해져요

몸이 튼튼하려면 어떤 걸 먹는 게 좋을까요?
몸을 튼튼하게 만드는 밥상을 차려 봐요.

몸을 튼튼하게 만드는 음식에 동그라미 치고, 밥상 위에 그림을 그려주세요.

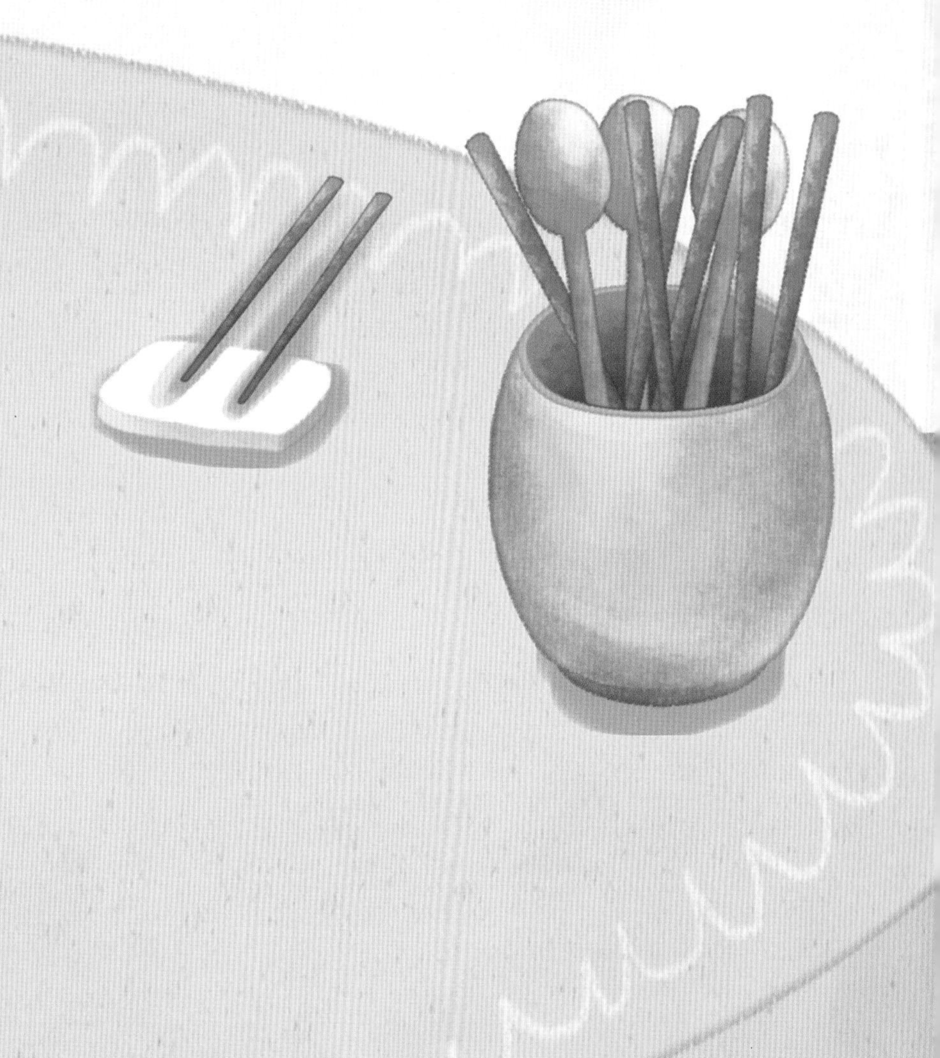

33화 바 바 밥 밥집 야호 놀이터

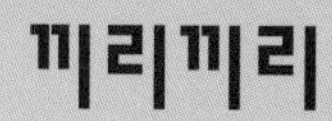

끼리끼리

그림에 맞는 글자 짝을 찾아 줄을 그어요.

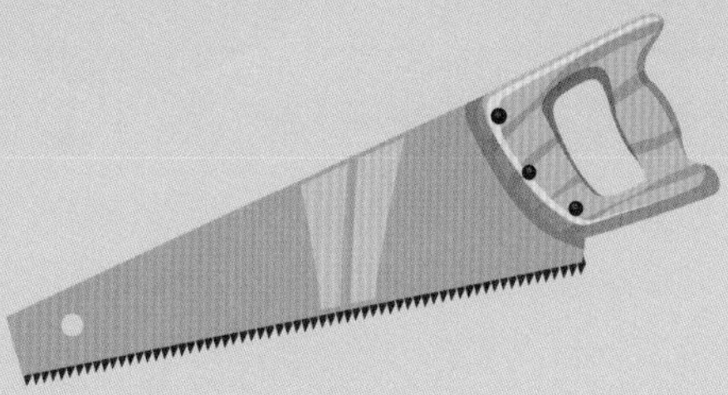

탑

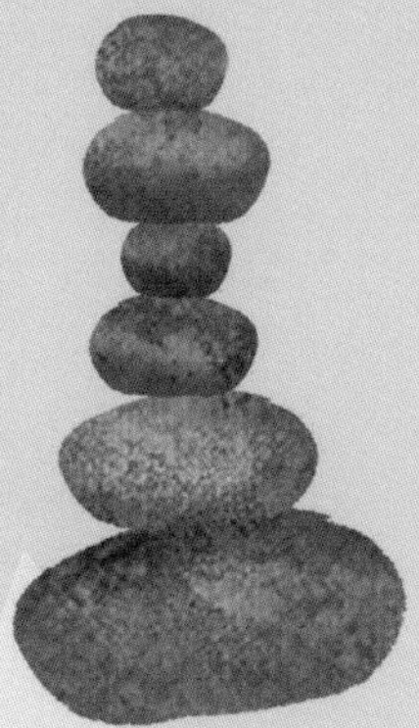

톱

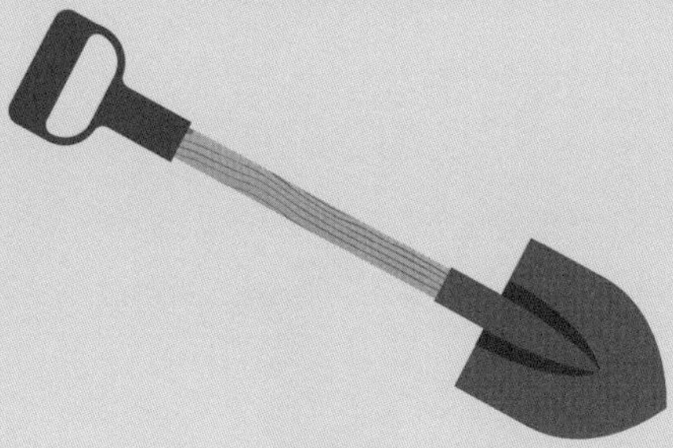

밥집

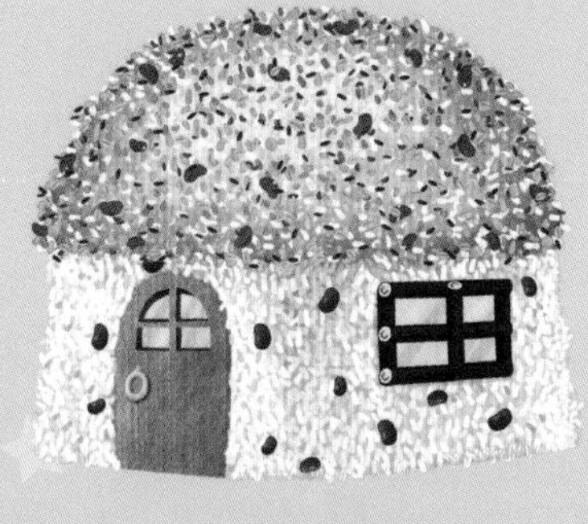

삽

입, 입, 입

누구의 입일까요?
짝을 찾아 줄로 이어요.

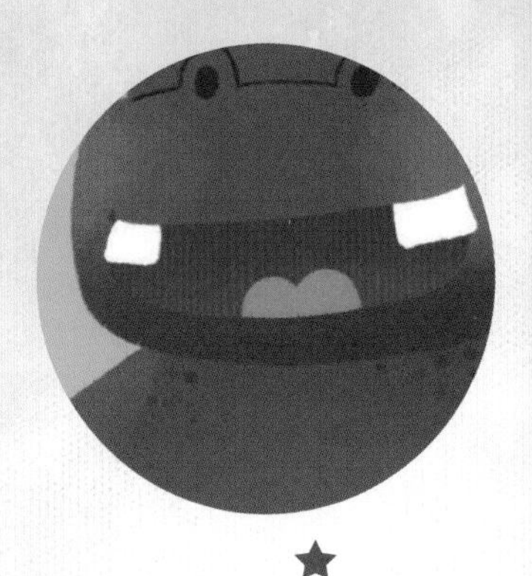

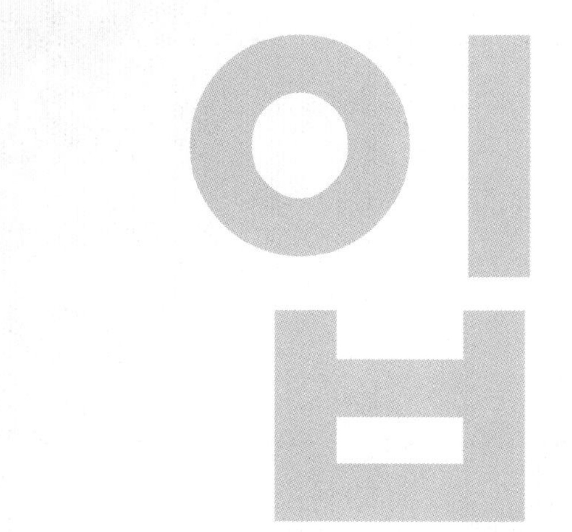

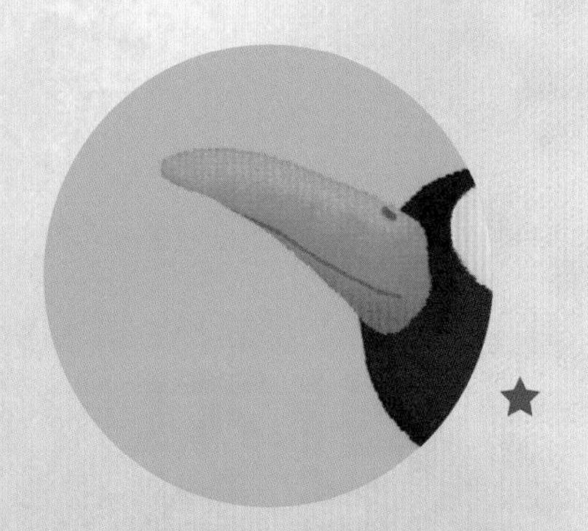

33화 바 바 밥 밥집

야호 놀이터

집, 집, 집

누구의 집일까요?
짝을 찾아 줄로 이어요.

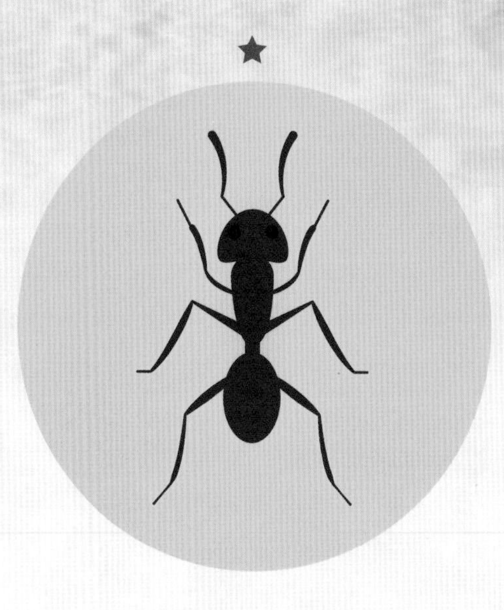

집
?

33화 바 바 밥 밥집 야호 놀이터

한글이의 작은 그림책

한글이와 함께 그림책을 또박또박 읽어봐요.

"밥  밥  은 싫어. 잡곡밥은 더 싫어."

"  먹기 싫어하는 아이들만 오세요. 마녀의 과자  ."

"아이고 배야, 아이고 배야. 과자만 먹었더니 배가 아프네."

"　　을 돌고 돌다보면 배가 괜찮아질 거야."

33화 바 바 밥 밥집

야호 놀이터

"누구나 밥을 좋아하게 만들어 주는 **밥집**에 오세요. 누나의 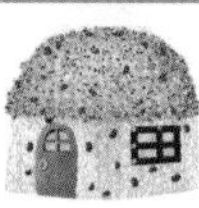 ."

"콩이 쏙쏙 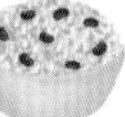 으로 벽을 세우고
알록달록 으로 창틀 만들고
영양만점  으로 지붕을 얹은
예쁘고도 맛있는  !"

"내가 먼저 **밥집**에 갈래. 난 (입) 이 크니까 내 숟가락은 (삽) !
고기는 (톱) 으로 쓱쓱 썰어서 한입에 꿀꺽.
(컵) 대신 대야로 물도 벌컥벌컥."

"나도 (입) 큰 야수 따라 **밥**을 먹어볼까?
우와- 맛있어. 꼭꼭, (밥) 을 꼭꼭 씹어. 꿀꺽."

33화 바 바 밥 밥집

획순에 맞춰서 받침 글자가 있는 글자를 써봐요.

쓰는 순서

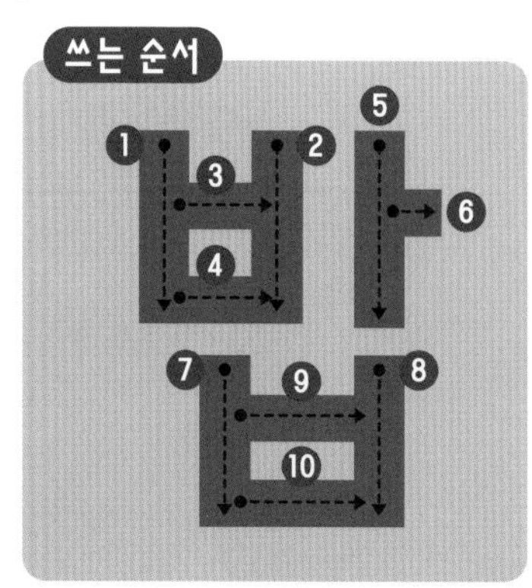

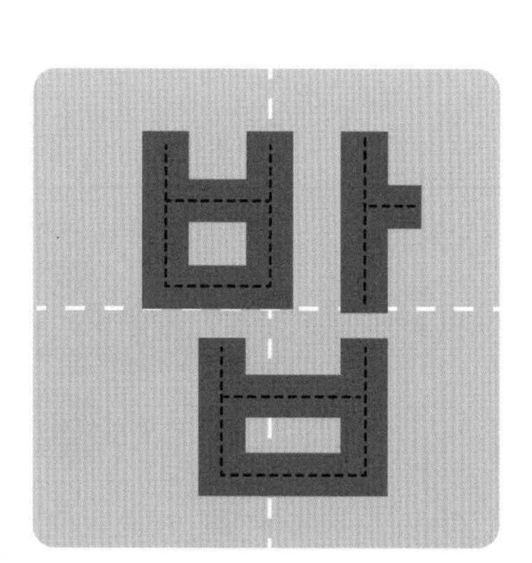

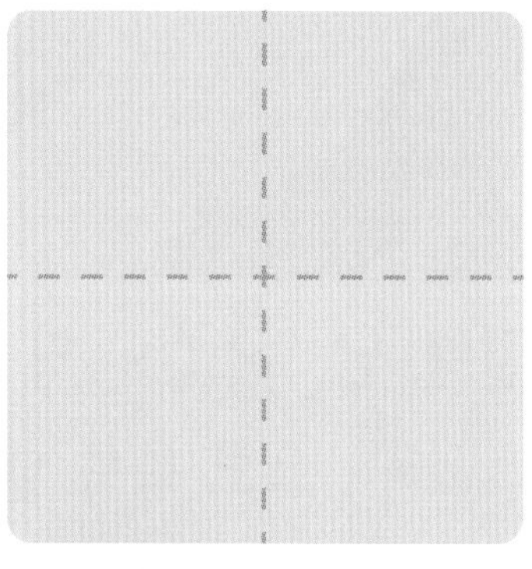
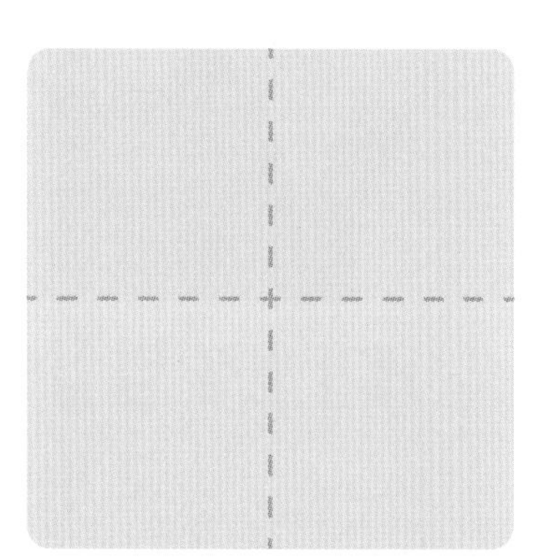

쓰는 순서

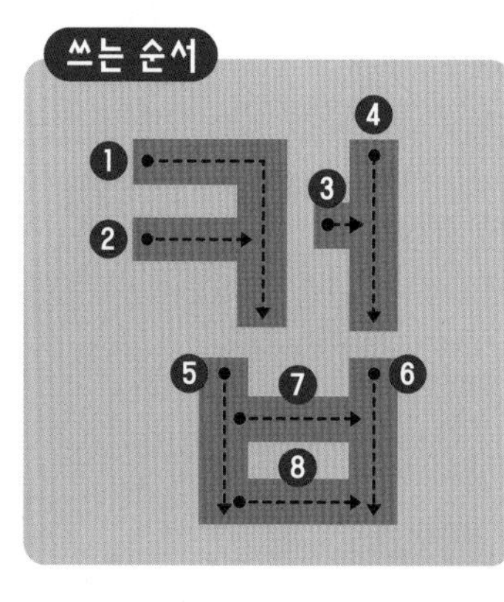

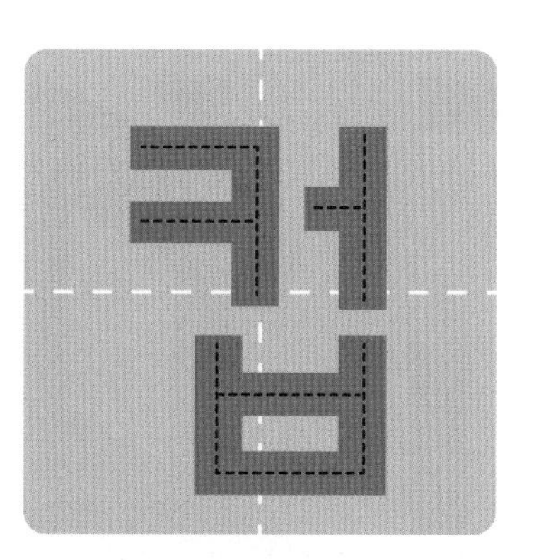

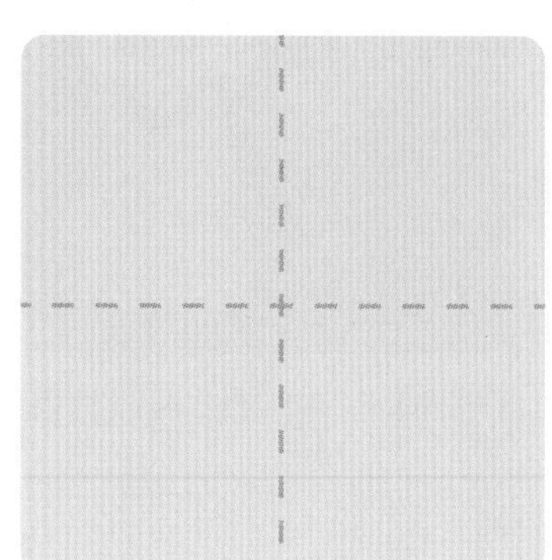
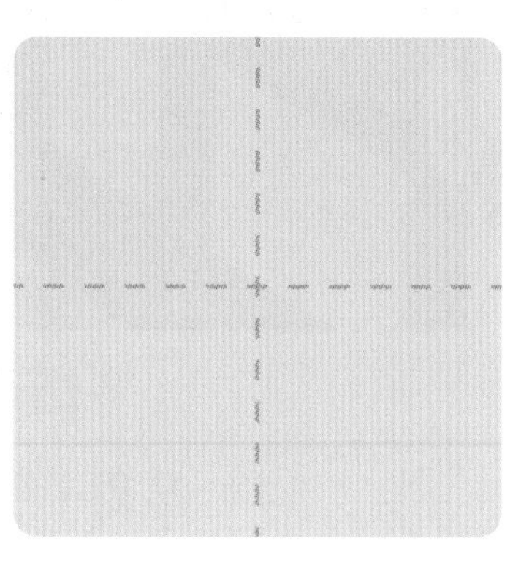

순서대로 쓰기!

획순에 맞춰 글자를 따라써요.

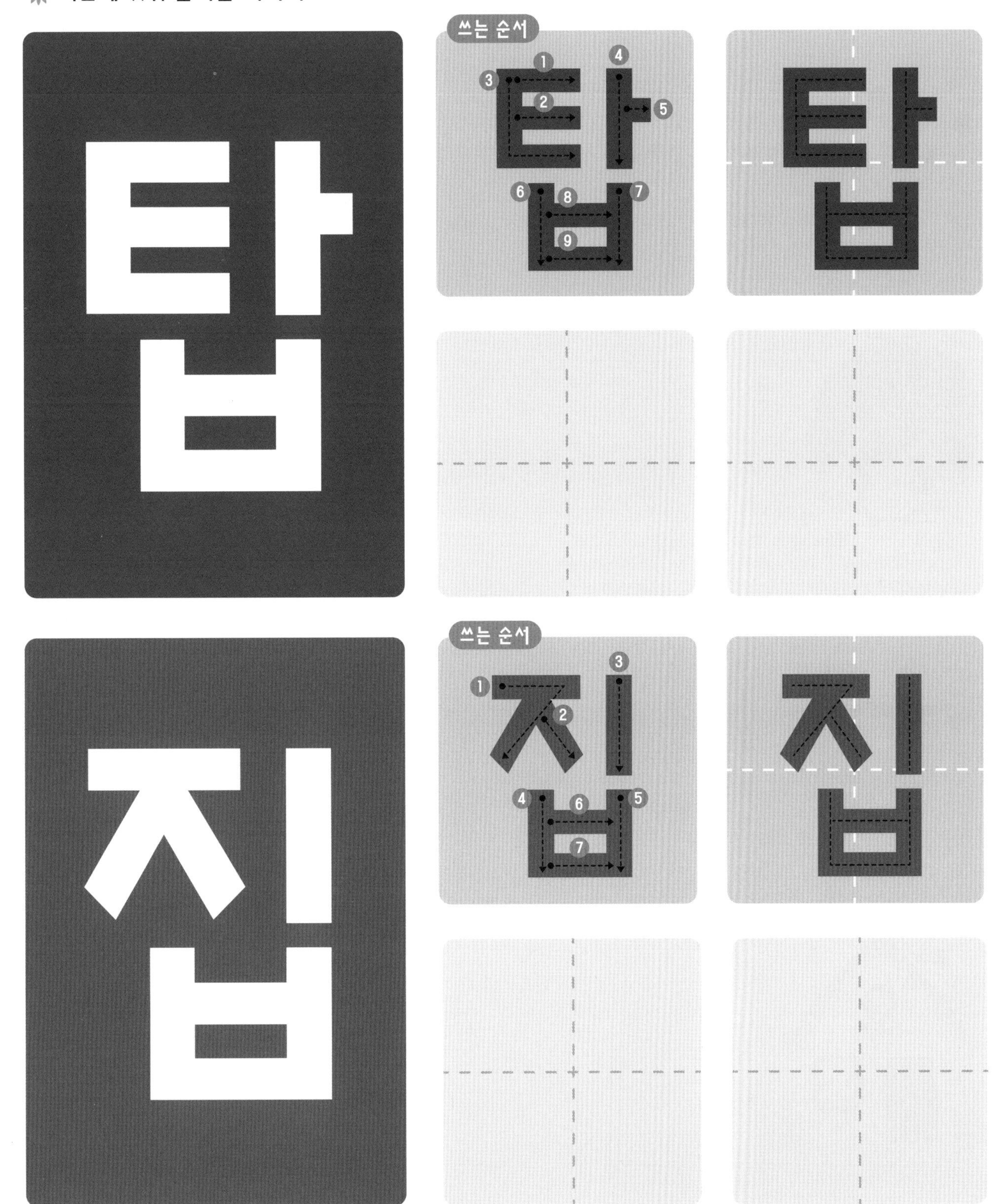

33화 바 바 밥 밥집 쓰기 놀이터

끼리끼리

그림에 맞는 글자 짝을 찾고 흐린 글자 위에 다시 한번 써봐요.

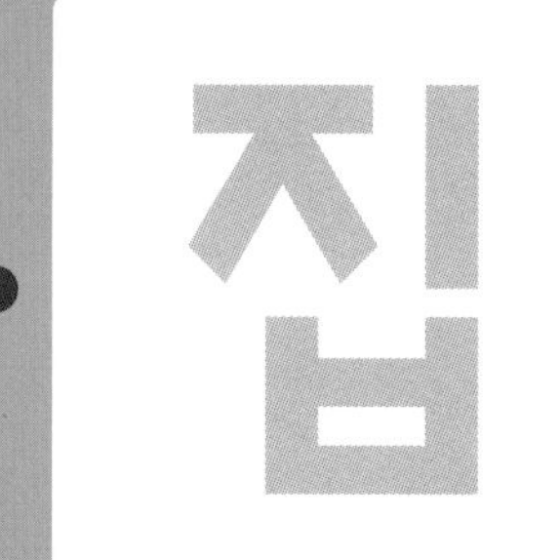

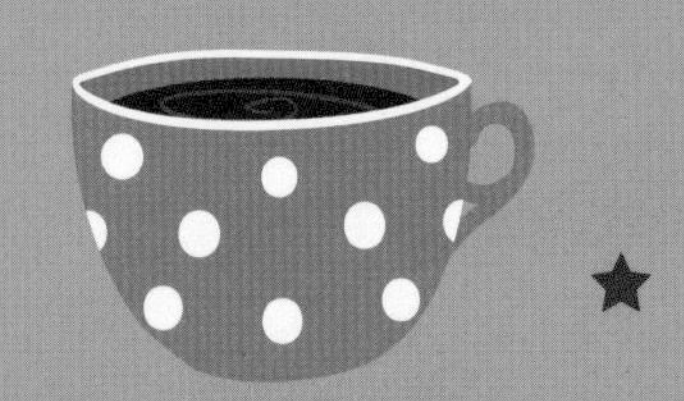

탑

톱

밥집

삽

33화 바 바 밥 밥집

쓰기 놀이터

한글이의 작은 그림책

한글이와 함께 빈자리에 맞는 글자를 써서 그림책을 완성 해봐요.

"밥  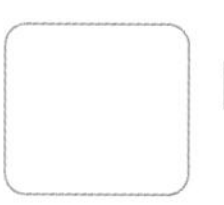 밥  은 싫어. 잡곡밥은 더 싫어."

"  먹기 싫어하는 아이들만 오세요. 마녀의 과자   ."

"아이고 배야, 아이고 배야. 과자만 먹었더니 배가 아프네."

" 을 돌고 돌다보면 배가 괜찮아질 거야."

33화 바 바 밥 밥집 쓰기 놀이터

"누구나 밥을 좋아하게 만들어 주는 **밥집**에 오세요. 누나의 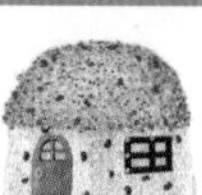 [|]."

"콩이 쏙쏙  [|] 으로 벽을 세우고

알록달록  [|] 으로 창틀 만들고

영양만점  [| |] 으로 지붕을 얹은

예쁘고도 맛있는 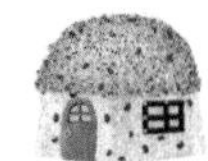 [|]!"

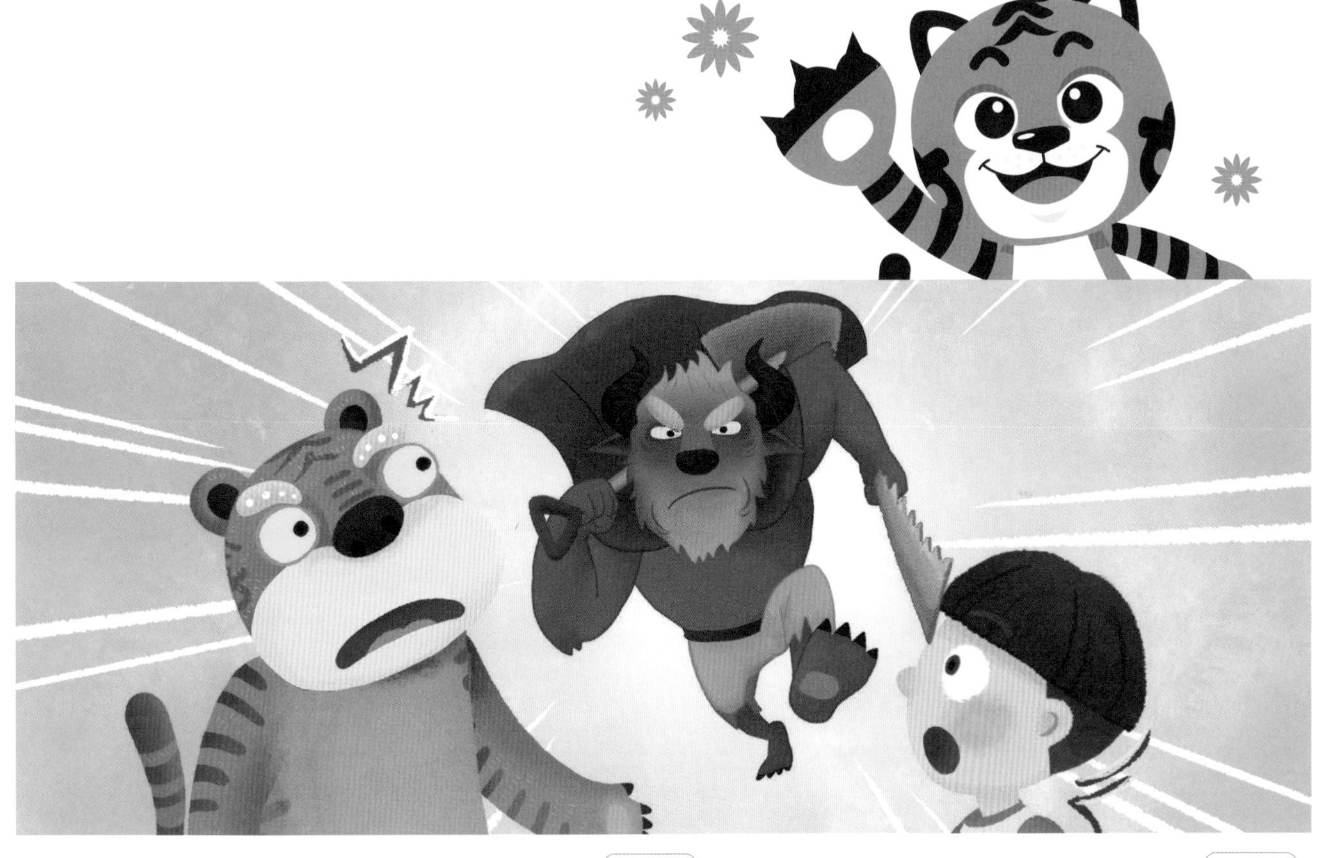

"내가 먼저 **밥집**에 갈래. 난 이 크니까 내 숟가락은 !

고기는  으로 쓱쓱 썰어서 한입에 꿀꺽.

 대신 대야로 물도 벌컥벌컥."

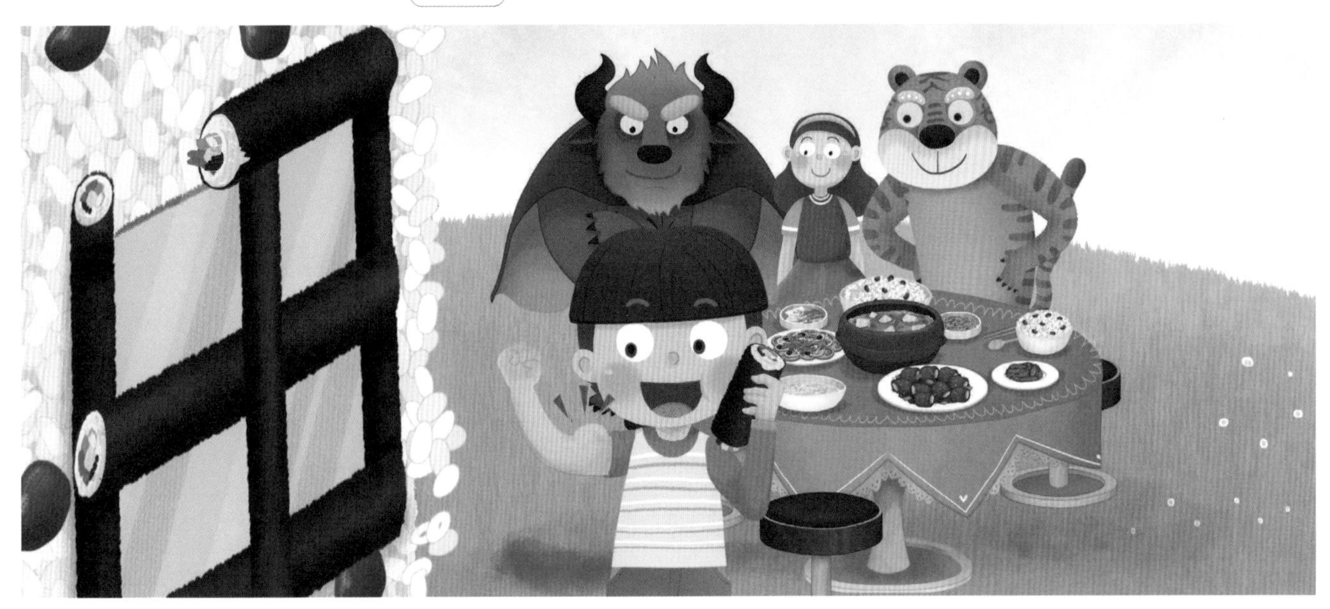

"나도  큰 야수 따라 **밥**을 먹어볼까?

우와- 맛있어. 꼭꼭, 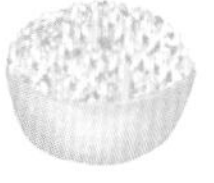 을 꼭꼭 씹어. 꿀꺽."

한글이 야호 2

손톱 발톱

입술 장갑

지갑 말굽

차 례

34화 <손톱 발톱>편

34화 손톱 발톱

뿌미 놀이터

3 + 4

(스티커를 붙여주세요)

글자를 착착착!

뿌미가 글자에 'ㅂ(비읍)' 받침을 붙여서 글자를 만들어요.
글자 스티커를 찾아서 붙이고 큰 소리로 읽어봐요

사	샤	서	셔
타	탸	터	텨
바	뱌	버	벼

5

ㄹ 6

1 + 2, 3 + 4
(스티커를 붙여주세요)
5 + 6, 3 + 4
(스티커를 붙여주세요)
1
소 쇼 수 슈 스 시
ㄴ
2
3
토 툐 투 튜 트 티
ㅂ
4
보 뵤 부 뷰 브 비

34화 손톱 발톱

뿌미 놀이터

글자를 착착착!

뿌미가 글자에 'ㅂ(비읍)' 받침을 붙여서 글자를 만들어요.
글자 스티커를 찾아서 붙이고 큰 소리로 읽어봐요.

3 + 4
1 + 2 , 3 + 4
5 , 3 + 4
(스티커를 붙여주세요)
(스티커를 붙여주세요)
(스티커를 붙여주세요)
고 교 구 규 그 기
5
조 죠 주 쥬 즈 지

34화 손톱 발톱

뿌미 놀이터

글자를 착착착!

뿌미가 글자에 'ㅂ(비읍)' 받침을 붙여서 글자를 만들어요.
글자 스티커를 찾아서 붙이고 큰 소리로 읽어봐요.

아	야	어	여

사	샤	서	셔

1 + 2

(스티커를 붙여주세요)

1 + 2, 3 + 4

(스티커를 붙여주세요)

1

오 요 우 유 으 이

ㅂ 2

3

소 쇼 수 슈 스 시

ㄹ 4

34화 손톱 발톱

글자를 착착착!

뿌미가 글자에 'ㅂ(비읍)' 받침을 붙여서 글자를 만들어요.
글자 스티커를 찾아서 붙이고 큰 소리로 읽어봐요.

3
고 교 구 규 그 기
4
ㅂ
모 묘 무 뮤 므 미
3 + 4
1 + 2, 3 + 4
(스티커를 붙여주세요)
(스티커를 붙여주세요)

34화 손톱 발톱

아호 놀이터

숨은 그림 찾기

'ㅂ(비읍)'받침 있는 글자 물건들이 숨어 있어요.
찾아서 색칠 해봐요.

34화 손톱 발톱

야호 놀이터

야호의 장갑

야호가 "춥다, 추워." 라고 말해요.
손,발 시린 야호를 위해서 멋진 장갑을 그려주어요.

34화 손톱 발톱

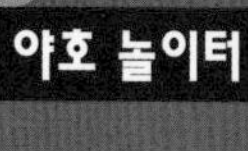

야호와 함께 글자에 맞는 그림을 찾아서 동그라미를 해요.

입술

손톱

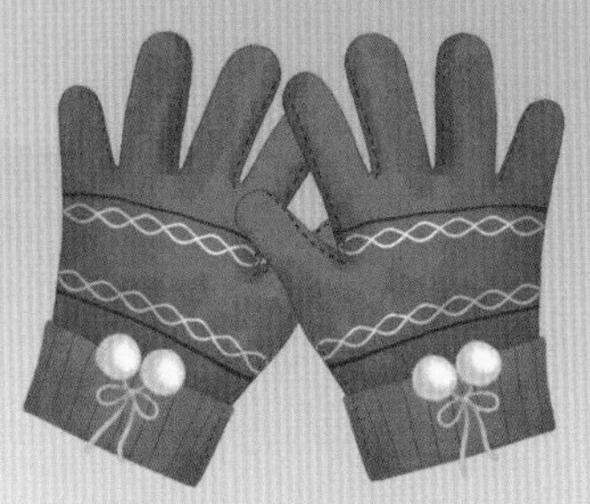

장갑

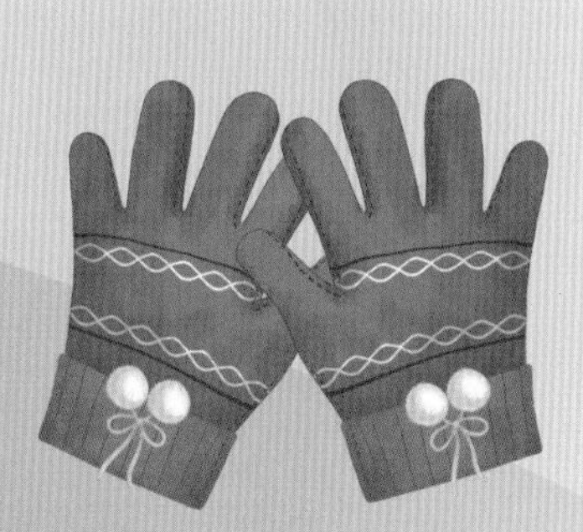

34화 손톱 발톱

야호의 글자통

야호와 함께 그림에 맞는 글자를 찾아서 동그라미를 해요.

발톱

입술

벌집

지갑

지갑
톱밥
밥집
벌집

34화 손톱 발톱

한글이의 작은 그림책

한글이랑 야호와 함께 그림책을 또박또박 읽어봐요.

엄마가 을 씻어 주셨어.

"손톱, 은 늘 깨끗하게 해야지."

색종이로 **지갑**을 접을 때 엄마가 을 깎아 주셨어.

"손톱,  은 길지 않게!"

을 껴서 **손톱**을 가리려고 했지.

엄마가 에 꽃물을 들여 주셨어.

“손톱, 은 늘 깨끗하고 예쁘게!”

34화 손톱 발톱

야호 놀이터

아이는 이제  을 깨끗하게 하는 법을 잘 알아.

아이는 무서운 사자  을 깨끗하게 씻어주었어.

날카로운 [발] 을 짧게 깎아 주었어.

예쁘게 꽃물도 들여 주었지.

동물 친구들이  을 내밀고 모여 들었어.

말도 뛰어왔지. “내  도 부탁해.”

순서대로 쓰기!

획순에 맞춰서 받침 글자가 있는 글자를 써봐요.

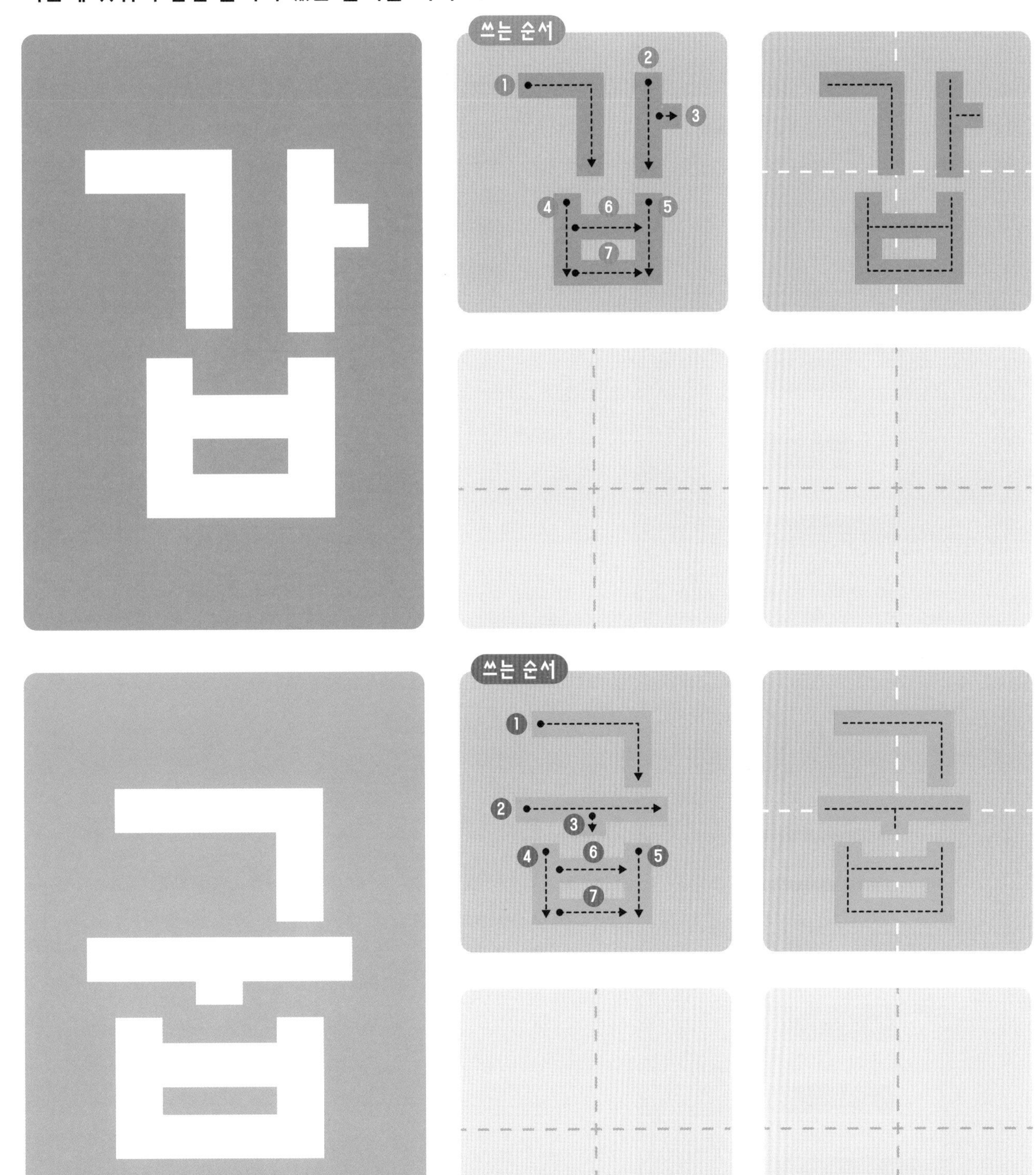

순서대로 쓰기!

✿ 획순에 맞춰 글자를 따라써요.

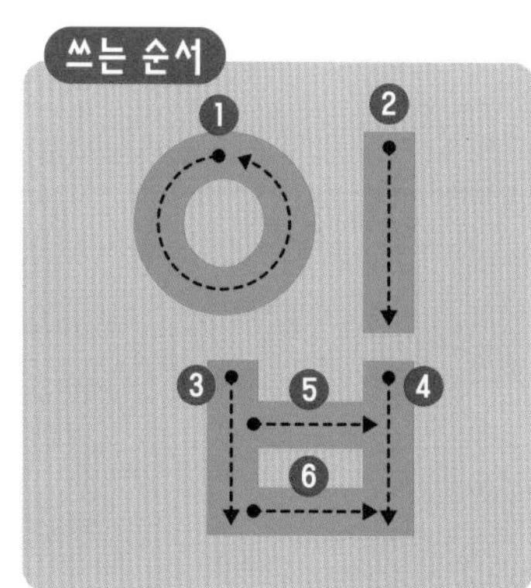

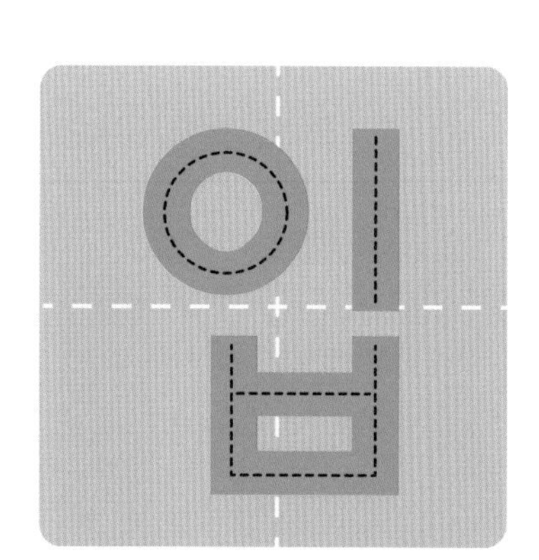

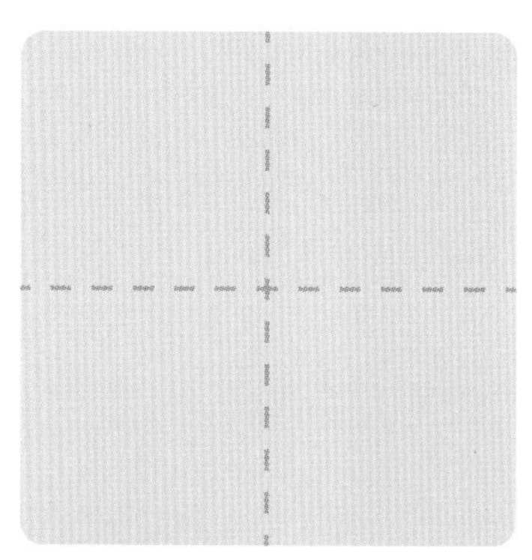

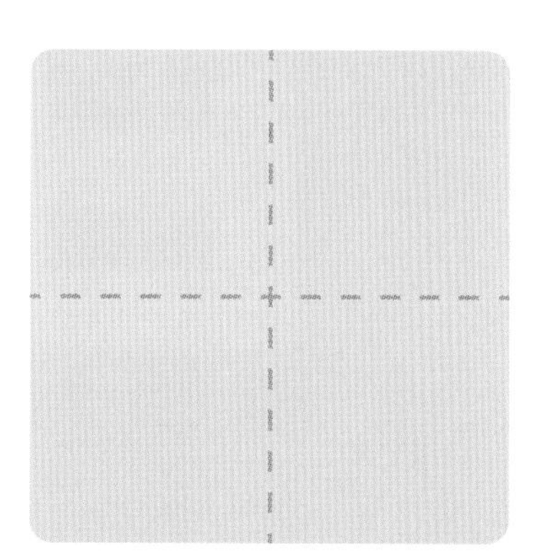

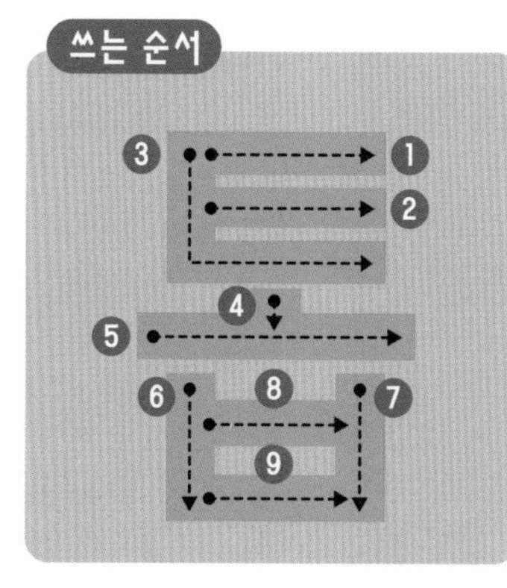

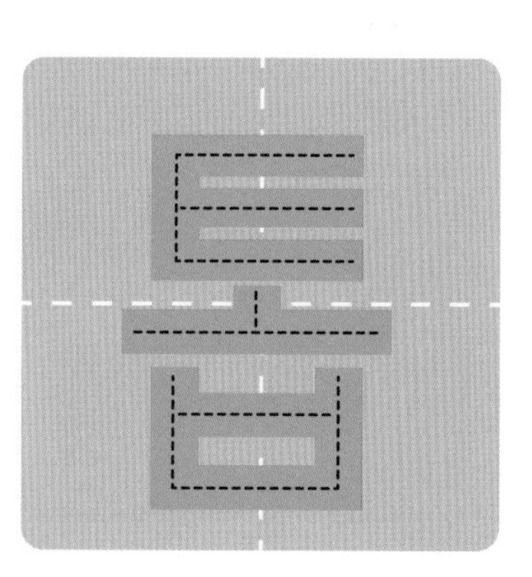

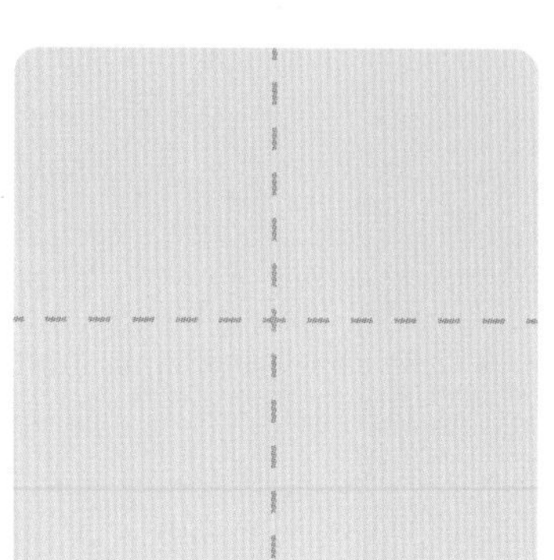

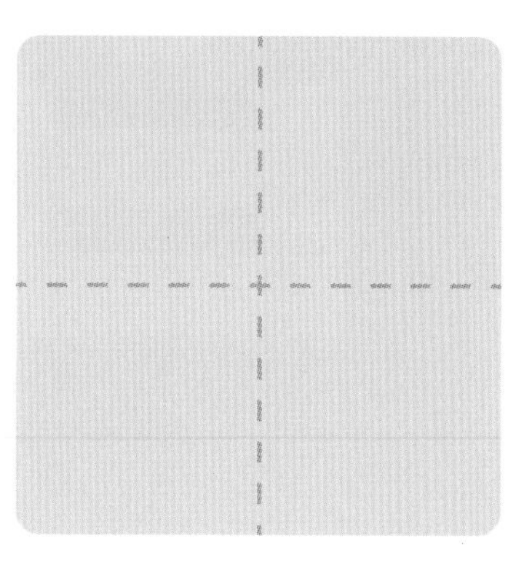

34화 손톱 발톱

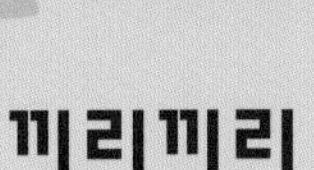

끼리끼리

그림에 맞는 글자 짝을 찾고 흐린 글자 위에 다시 한번 써봐요.

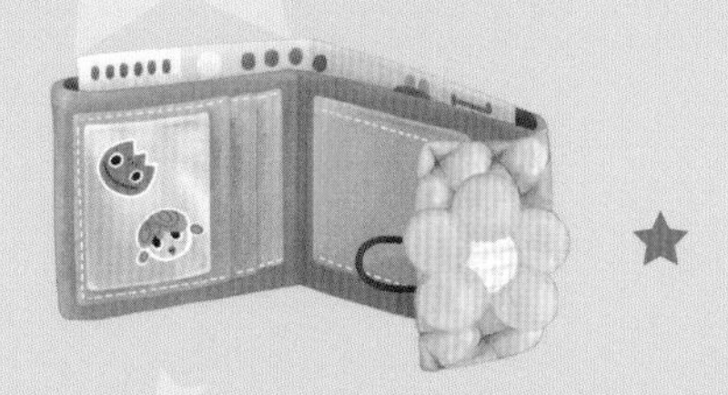

손톱

34화 손톱 발톱

쓰기 놀이터

34화 손톱 발톱

한글이의 작은 그림책

한글이랑 야호와 함께 빈자리에 맞는 글자를 써서 그림책을 완성 해봐요.

엄마가 [ ][ ] 을 씻어 주셨어.

"손톱, [ ][ ] 은 늘 깨끗하게 해야지."

색종이로 **지갑**을 접을 때 엄마가 [ ][ ] 을 깎아 주셨어.

"손톱, [ ][ ] 은 길지 않게!"

34화 손톱 발톱

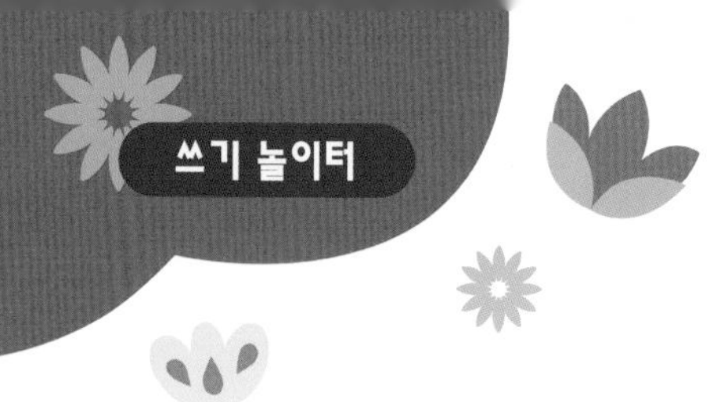
쓰기 놀이터

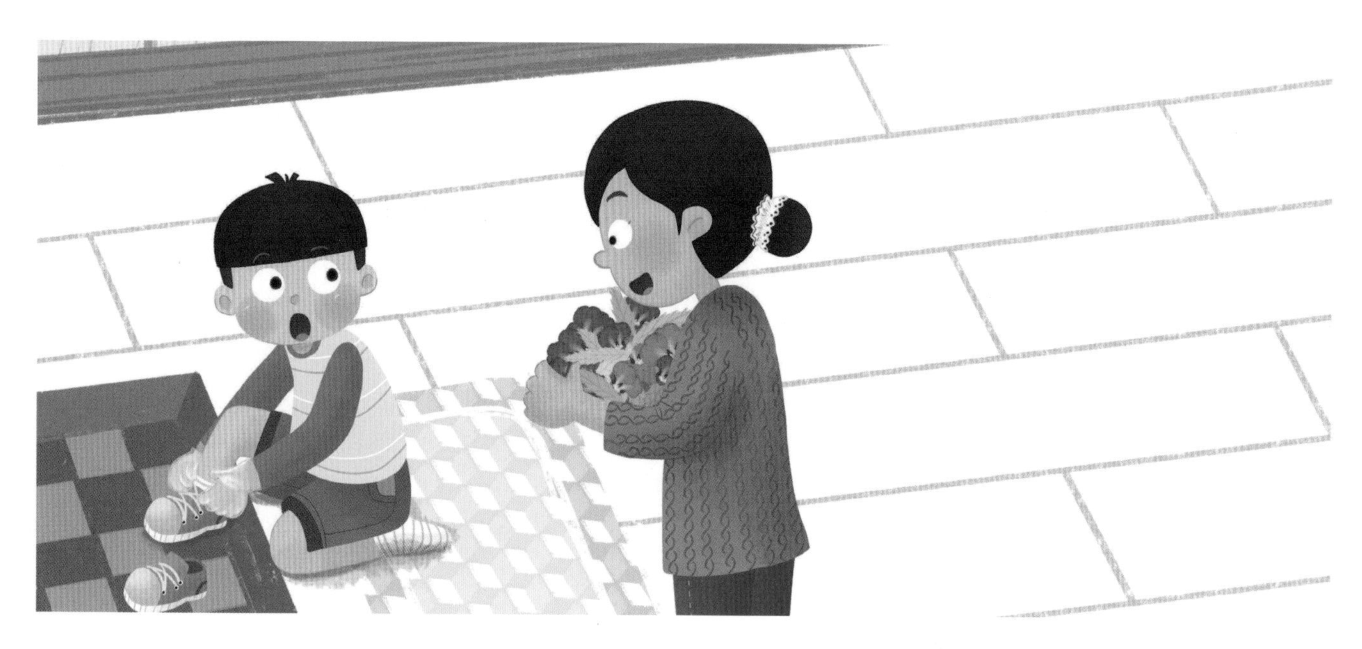

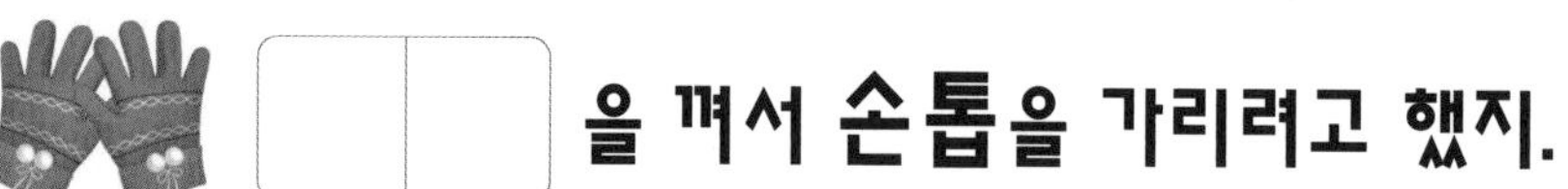
을 껴서 손톱을 가리려고 했지.

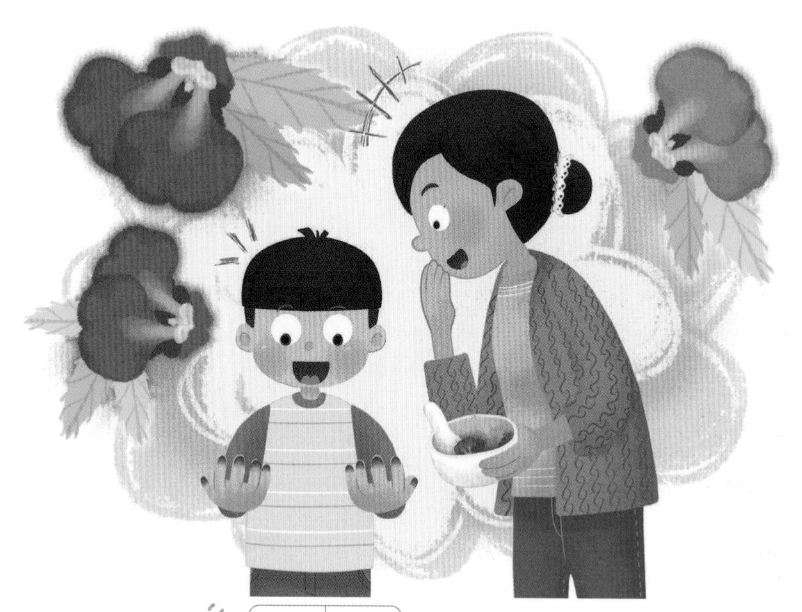

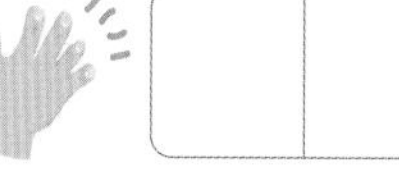
엄마가 에 꽃물을 들여 주셨어.

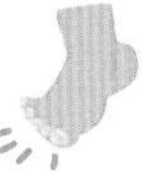
"손톱, 은 늘 깨끗하고 예쁘게!"

아이는 이제 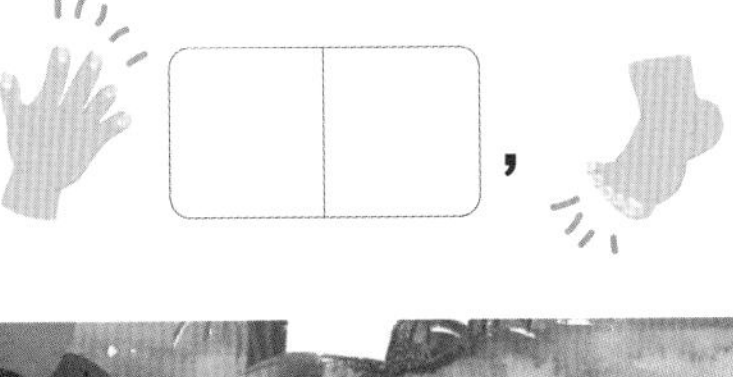 , 을 깨끗하게 하는 법을 잘 알아.

아이는 무서운 사자 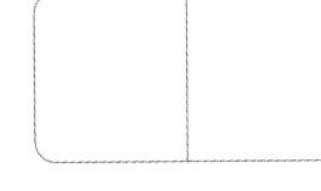 을 깨끗하게 씻어주었어.

34화 손톱 발톱

쓰기 놀이터

날카로운 (발 그림) [|] 을 짧게 깎아 주었어.

예쁘게 꽃물도 들여 주었지.

동물 친구들이 [ ] 을 내밀고 모여 들었어.

말도 뛰어왔지. “내 [ ] 도 부탁해.”

한글이 야호 2

무엇이든 ㅅ

부붓 마맛 나낫

오옷 여엿

모못 비빗

차 례

35화 <무엇이든 붓>편

35화 무엇이든 붓
뿌미 놀이터
'ㅅ'을 찾아라!
초롱이가 뿌미에게 줄 'ㅅ'받침을 찾고 있어요.
'ㅅ'모양을 찾아서 색칠해요.
ㅅ

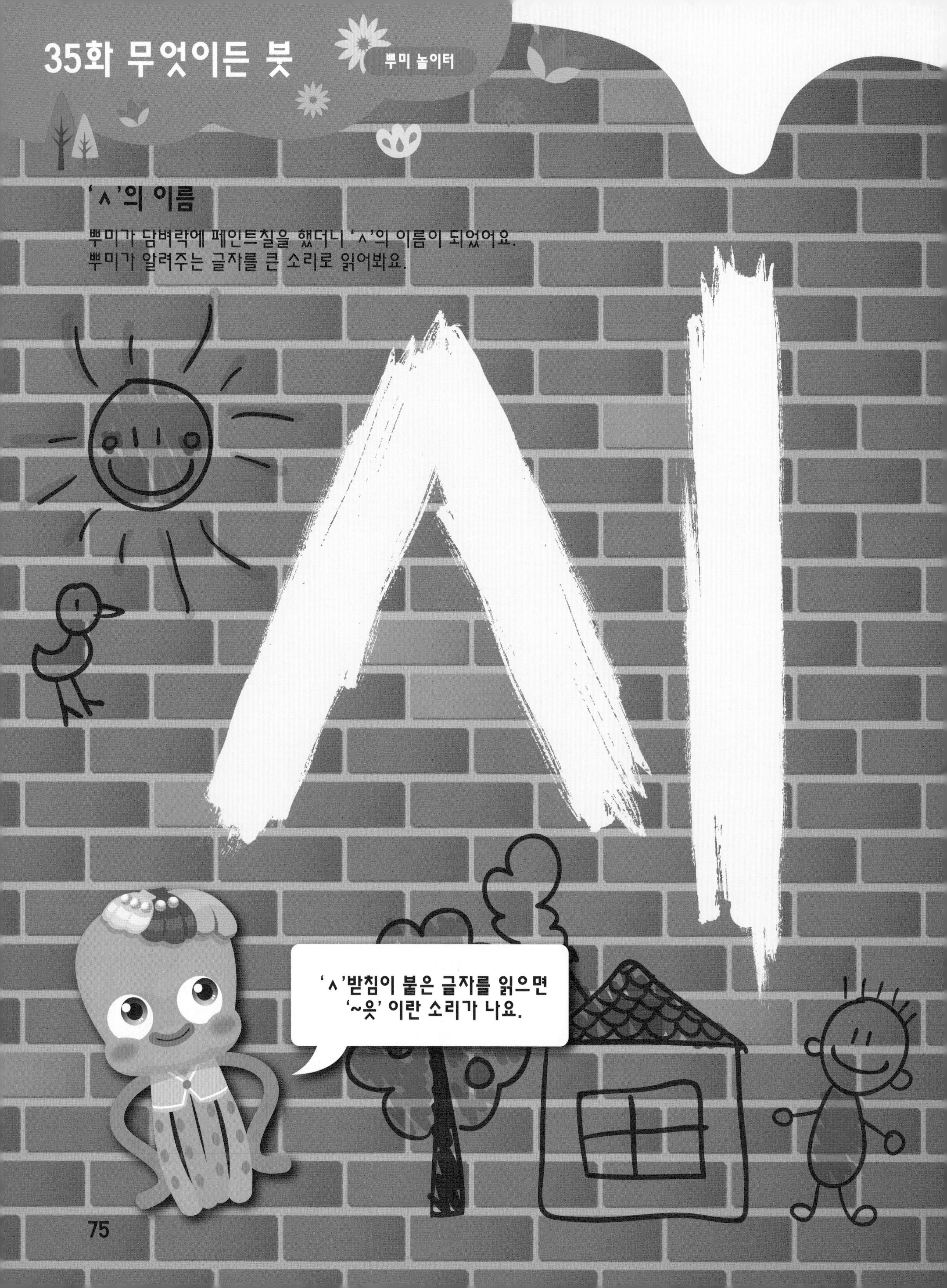
35화 무엇이든 붓
뿌미 놀이터
'ㅅ'의 이름
뿌미가 담벼락에 페인트칠을 했더니 'ㅅ'의 이름이 되었어요.
뿌미가 알려주는 글자를 큰 소리로 읽어봐요.
시
'ㅅ'받침이 붙은 글자를 읽으면
'~읏' 이란 소리가 나요.

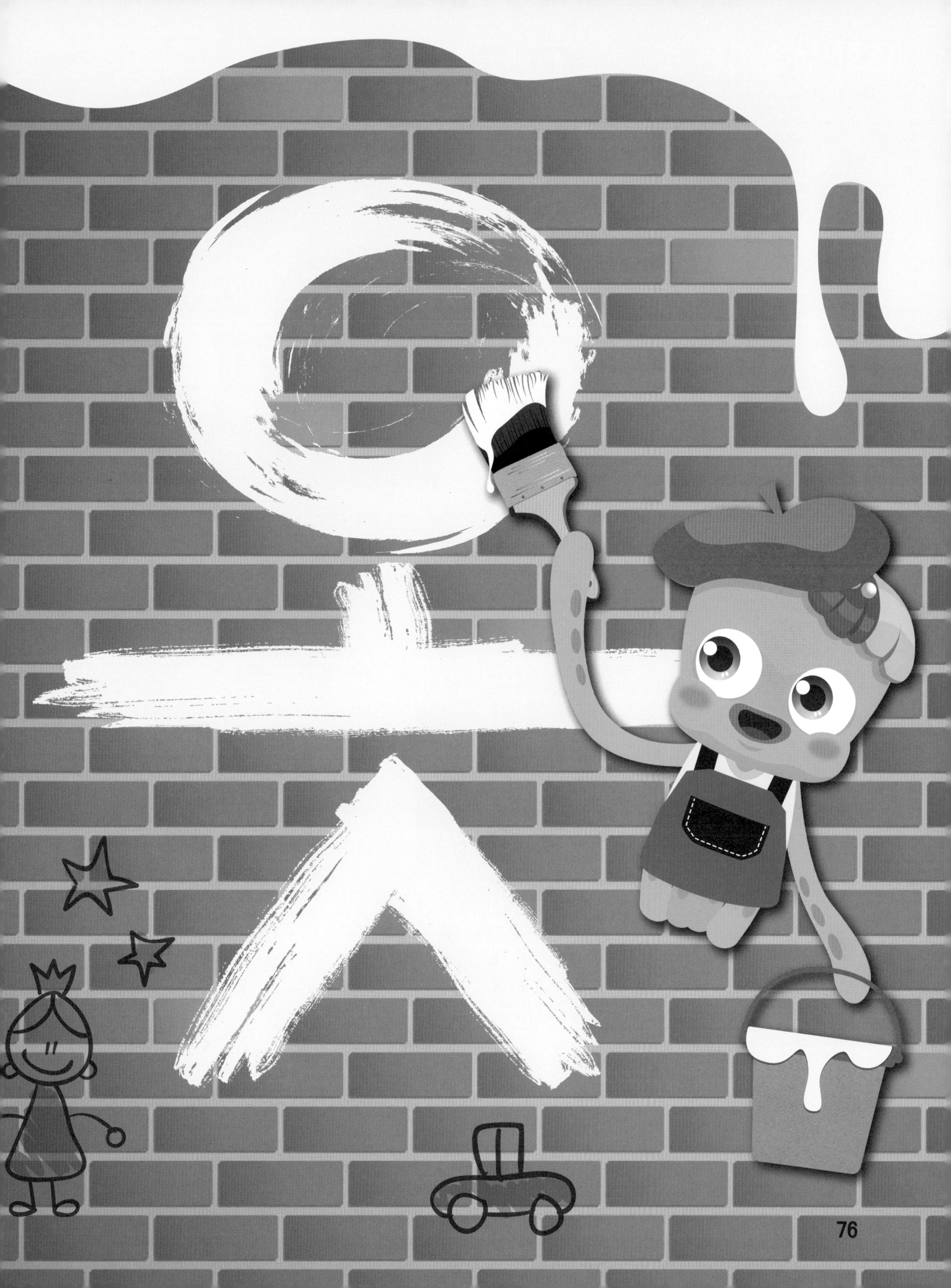
옷

35화 무엇이든 붓

주사위 위의 글자들

글자들이 'ㅅ' 주사위 위로 올라갔어요.
글자들이 변신을 하도록 주사위 위에 어떤 스티커를 붙여야 할까요?
변신시키고 글자를 큰 소리로 읽어봐요.

(스티커를 붙여주세요)

(스티커를 붙여주세요)

모
여
비
(스티커를 붙여주세요)

35화 무엇이든 붓

꼬마 마술사 'ㅅ(시옷)' 마술 짜잔!

꼬마 마술사가 'ㅅ(시옷)'받침 마술을 부렸어요. 어떤 글자로 변했을까요?

변신한 글자는 어떻게 읽을까요?
옆에 있는 그림을 보고 뜻을 생각해봐요.

35화 무엇이든 붓

글자를 착착착!

뿌미가 글자에 'ㅅ(시옷)' 받침을 붙여서 글자를 만들어요.
글자 스티커를 찾아서 붙이고 큰 소리로 읽어봐요.

1+2 (스티커를 붙여주세요)

1+2 (스티커를 붙여주세요)

1+2 (스티커를 붙여주세요)

1
1
고
교
구
규
그
기
2
ㅅ
2
ㅅ

뿌미가 글자에 'ㅅ(시옷)' 받침을 붙여서 글자를 만들어요.
글자 스티커를 찾아서 붙이고 큰 소리로 읽어봐요.

1

노 뇨 누 뉴 느 니

35화 무엇이든 붓

뿌미 놀이터

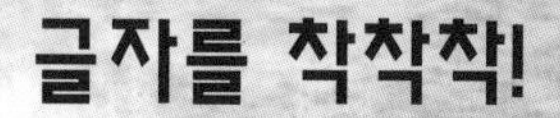

글자를 착착착!

뿌미가 글자에 'ㅅ(시옷)' 받침을 붙여서 글자를 만들어요.
글자 스티커를 찾아서 붙이고 큰 소리로 읽어봐요.

1 + 2
1 + 2
1 + 2
(스티커를 붙여주세요)
(스티커를 붙여주세요)
(스티커를 붙여주세요)
1
모 묘 무 뮤 므 미
2
ㅅ

35화 무엇이든 붓

뿌미가 글자에 'ㅅ(시옷)' 받침을 붙여서 글자를 만들어요.
글자 스티커를 찾아서 붙이고 큰 소리로 읽어봐요.

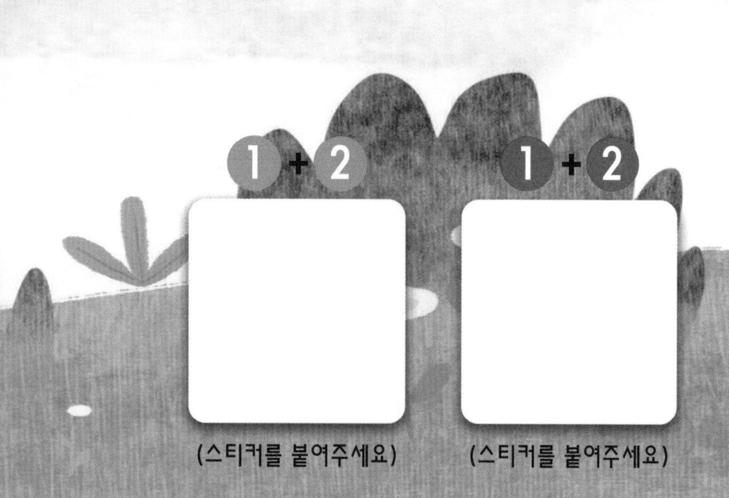

1 1

바 뱌 버 벼

1+2
1+2
(스티커를 붙여주세요)
(스티커를 붙여주세요)
1
1
보
뵤
부
뷰
브
비
2
ㅅ
2
ㅅ

글자를 착착착!

뿌미가 글자에 'ㅅ(시옷)' 받침을 붙여서 글자를 만들어요.
글자 스티커를 찾아서 붙이고 큰 소리로 읽어봐요.

아 야 어 여

1

2 ㅅ

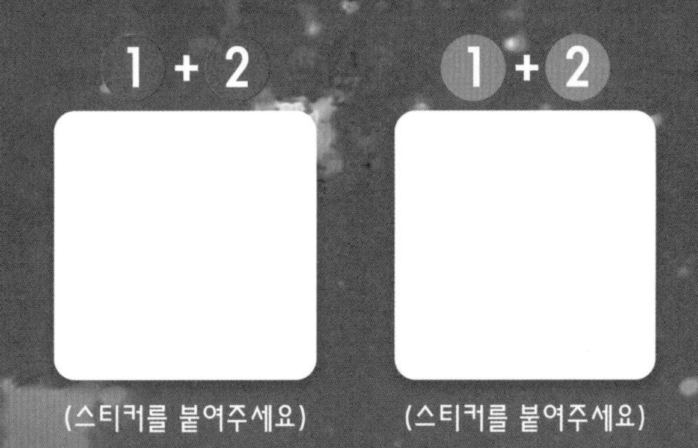
1 + 2
1 + 2
(스티커를 붙여주세요)
(스티커를 붙여주세요)

오
요
우
유
으
이
1
2
ㅅ

35화 무엇이든 붓

무엇이든 '붓'

야호는 '무엇이든 붓'이 생기면 고기를 그려서 실컷 먹고 싶대요.
나에게 '무엇이든 붓'이 생기면 무얼 그리고 싶나요?

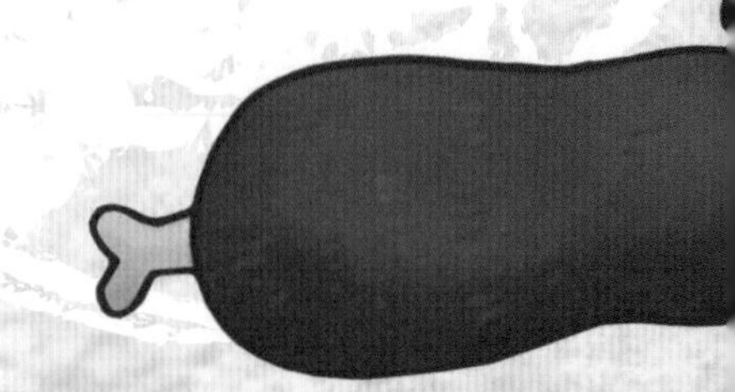

옷이 달라졌어요.

야호 디자이너가 한글이에게 옷에 맞게 머리에 쓰는 것을 골라주려고 해요.
어떤 걸 골라주면 좋을까요? 스티커를 찾아서 붙여봐요.

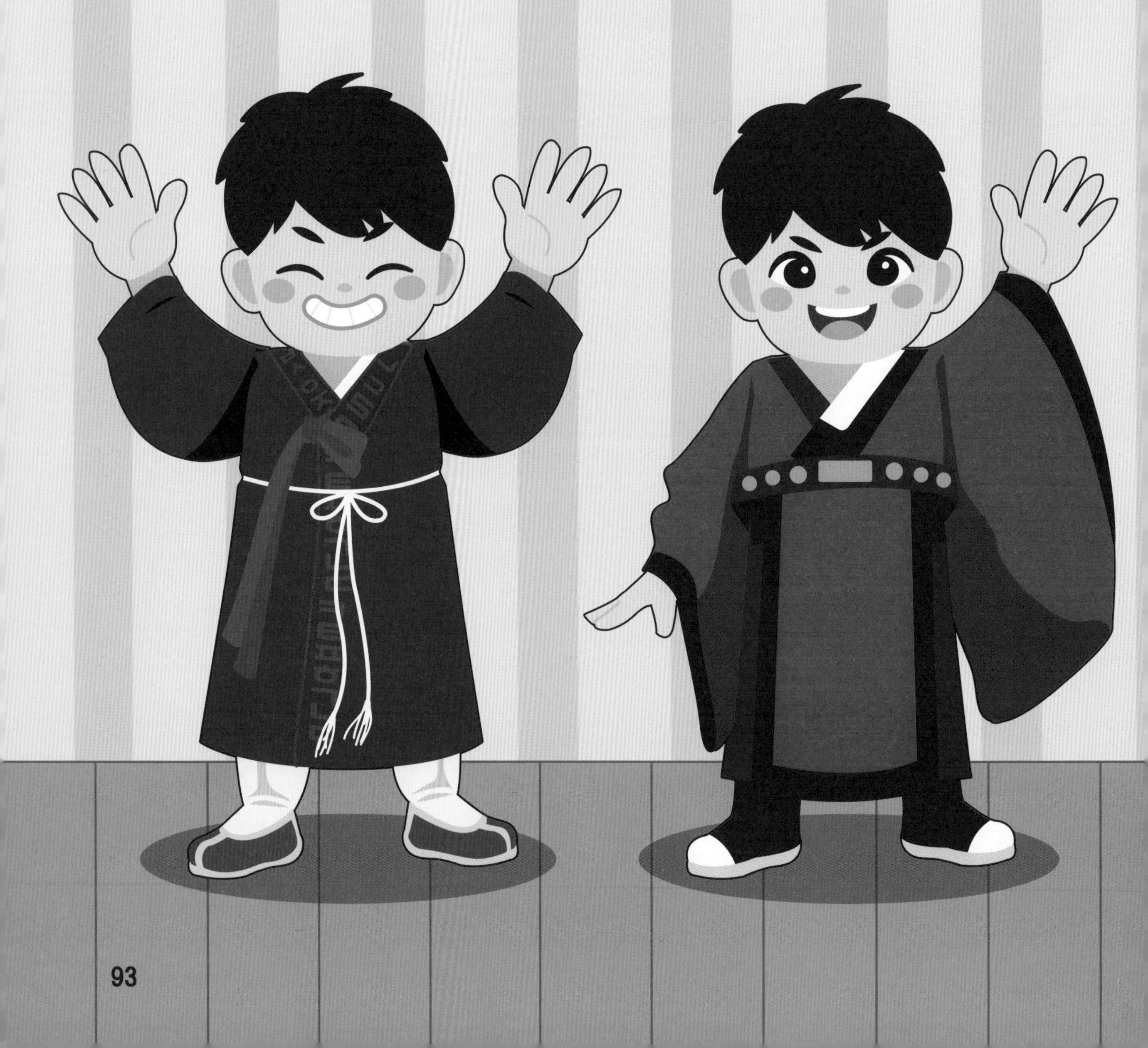

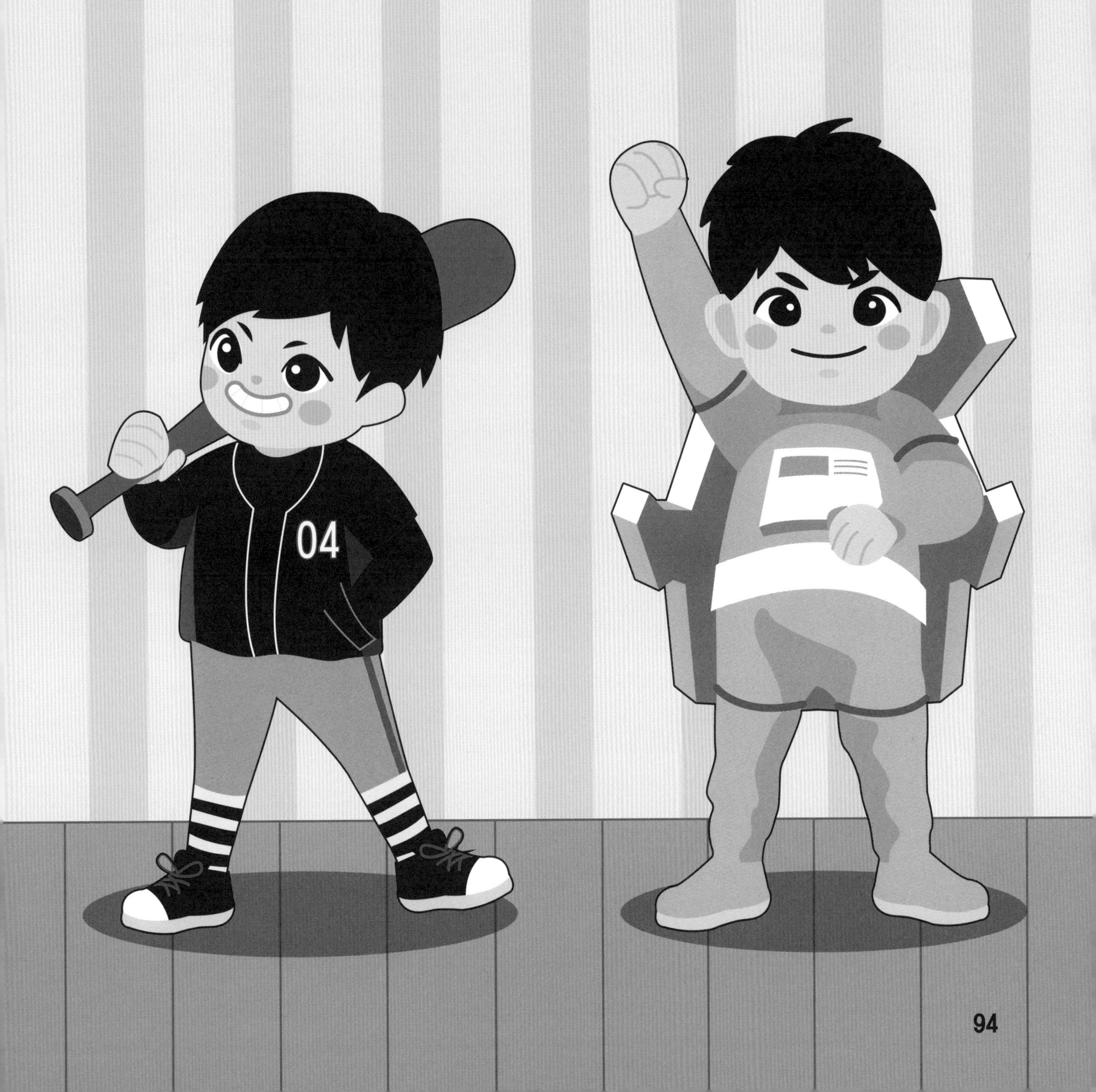
04

35화 무엇이든 붓

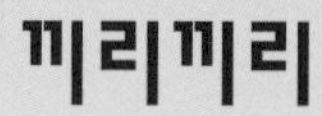

끼리끼리

그림에 맞는 글자 짝을 찾아 줄을 그어요.

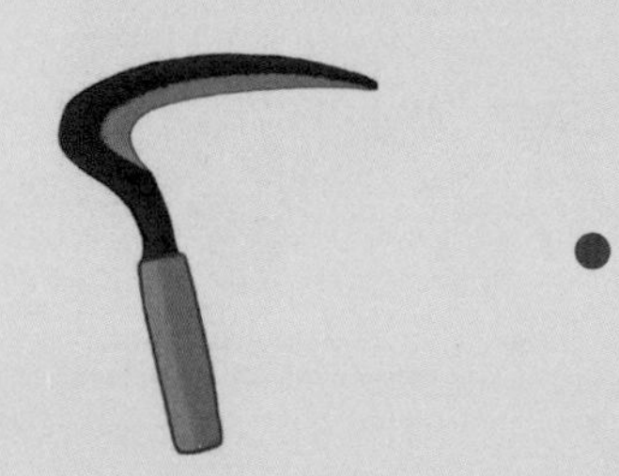

잣
빗
붓
엿

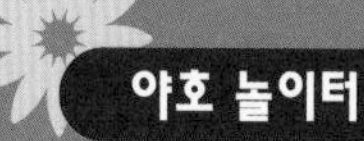

한글이의 작은 그림책

한글이와 함께 그림책을 또박또박 읽어봐요.

아이와 호랑이 앞에 을 쓴 할아버지가 나타났어.

할아버지는 으로 엿을 그렸지.

진짜 이 나타났어.

풀밭에서 농부 아저씨가 걱정을 했어.

할아버지는 붓으로 낫을 그렸지.

진짜 낫이 나타났어.

농부 아저씨는 낫으로 풀을 베었어.

35화 무엇이든 붓

야호 놀이터

여자 아이가 울면서 나타나자

할아버지는 으로 옷과 빗을 그렸지.

진짜 과 빗이 나타났어.

여자 아이는 예쁜 옷을 입고 으로 머리를 빗었지.

목수 아저씨가 망치만 들고 걱정을 했어.

할아버지는 으로 못을 그렸고 진짜 이 나타났지.

35화 무엇이든 붓

야호 놀이터

갓 쓴 할아버지는 숫자 5를 그렸어.

무엇이든 다섯 개가 나타났지.

그리는 대로 나타나는 신기한 , 무엇이든 .

모두 하나씩 갖게 되었지.

순서대로 쓰기!

획순에 맞춰서 받침 글자가 있는 글자를 써봐요.

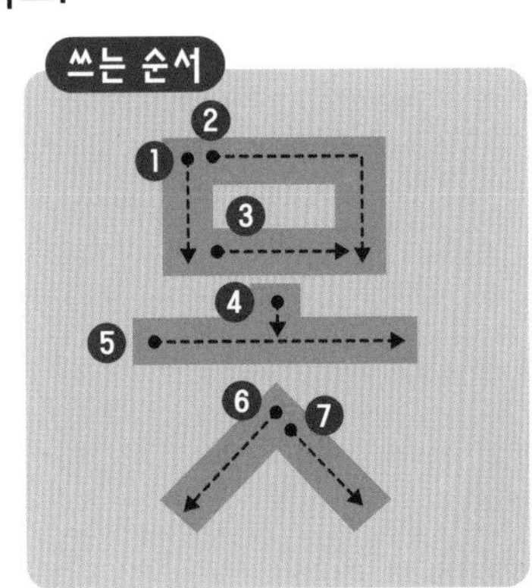

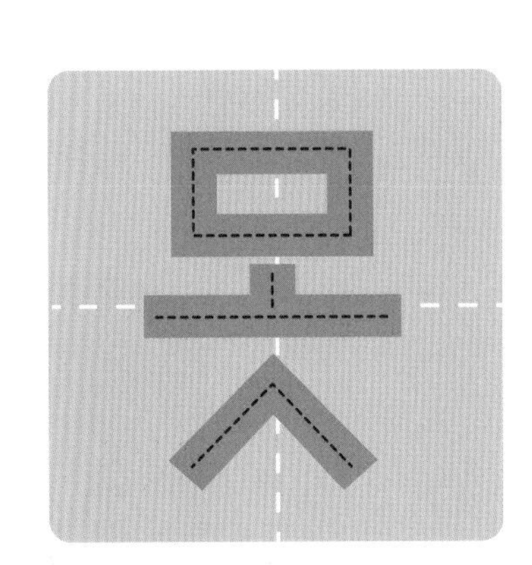

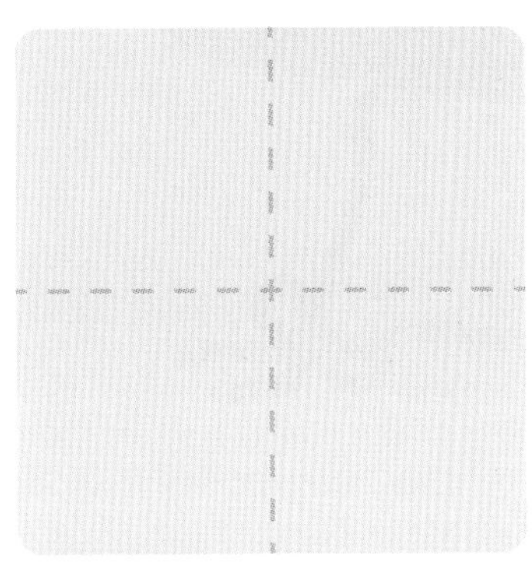

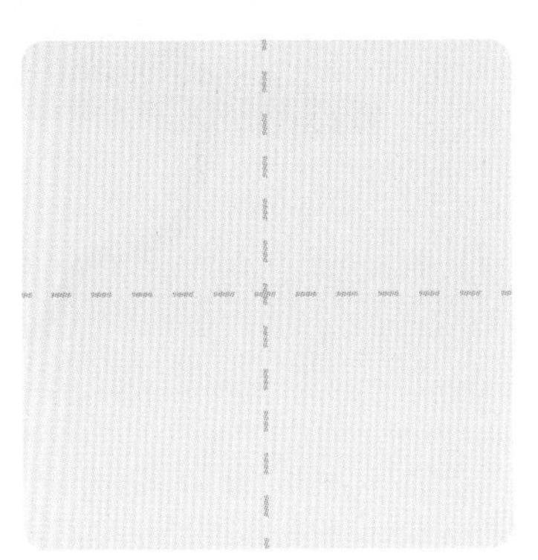

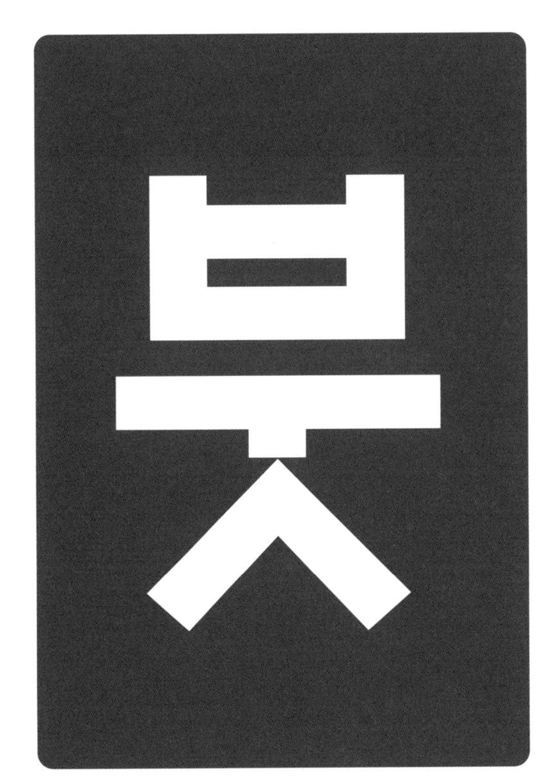

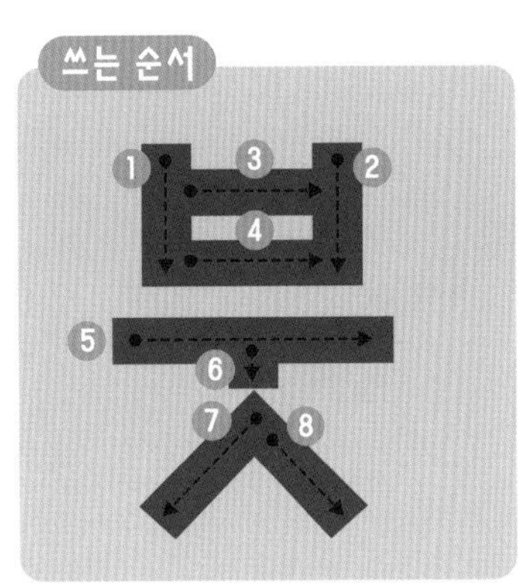

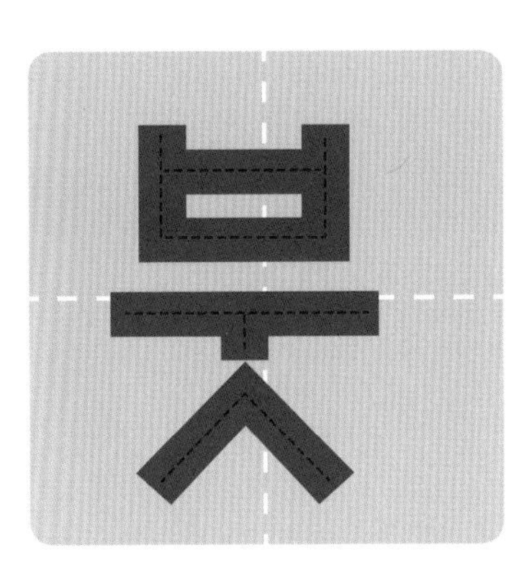

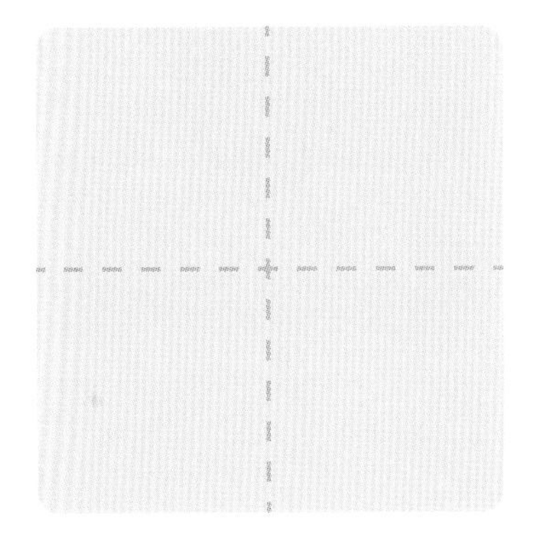

쑥쑥, 글자쓰기

그림을 보고 맞는 단어를 써 봐요.

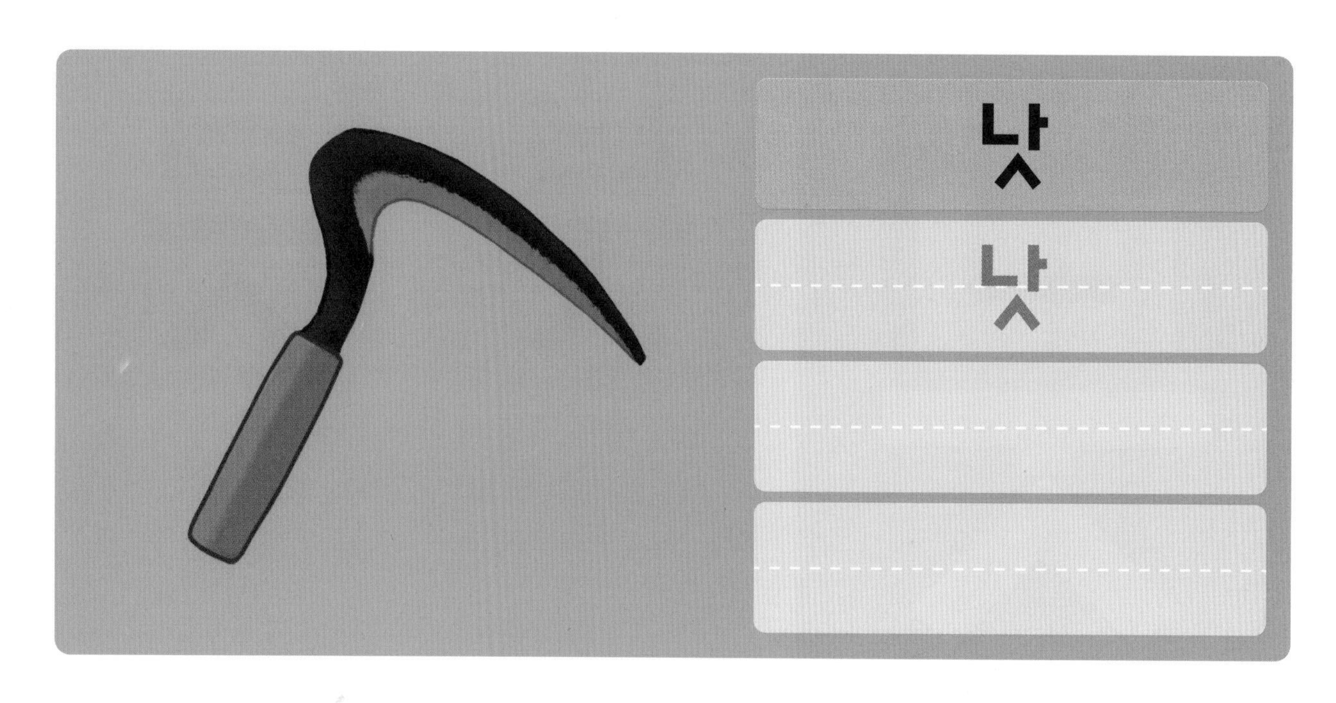

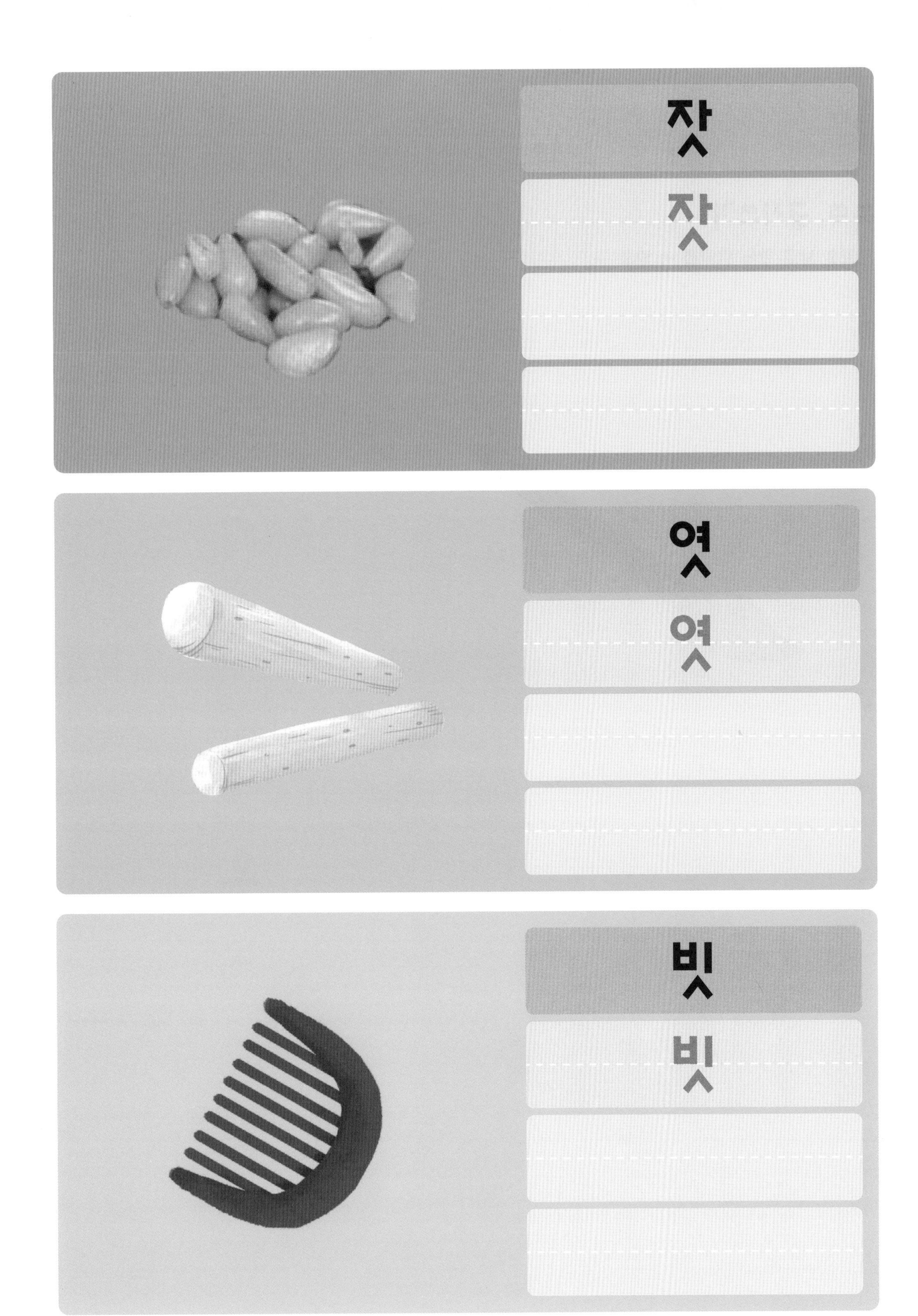
잣
잣
엿
엿
빗
빗

쓱쓱, 글자쓰기

그림을 보고 맞는 단어를 써 봐요.

한글이의 작은 그림책

한글이와 함께 빈자리에 맞는 글자를 써서 그림책을 완성 해봐요.

아이와 호랑이 앞에 [ ] 을 쓴 할아버지가 나타났어.

할아버지는 [ ] 으로 엿을 그렸지.

진짜 [ ] 이 나타났어.

풀밭에서 농부 아저씨가 걱정을 했어.

할아버지는 (붓) [ ] 으로 낫을 그렸지.

진짜 낫이 나타났어.

농부 아저씨는 (낫) [ ] 으로 풀을 베었어.

여자 아이가 울면서 나타나자

할아버지는 으로 옷과 빗을 그렸지.

진짜 과 빗이 나타났어.

여자 아이는 예쁜 옷을 입고  으로 머리를 빗었지.

목수 아저씨가 망치만 들고 걱정을 했어.

할아버지는 [ ]으로 못을 그렸고 진짜 [ ]이 나타났지.

갓 쓴 할아버지는 숫자 5를 그렸어.

무엇이든 [ ] 다섯 개가 나타났지.

그리는 대로 나타나는 신기한 [ ], 무엇이든 [ ].

모두 하나씩 갖게 되었지.

한글이 야호 2

멋진 빗자루

비옷

그릇

밧줄

옷걸이

빗자루

로봇

젓가락

깃털

차 례

36화 <멋진 빗자루>편

36화 멋진 빗자루

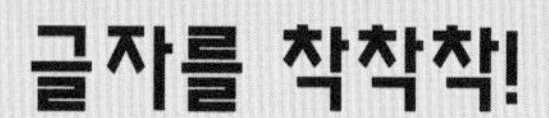

뿌미가 글자에 'ㅅ(시옷) ' 받침을 붙여서 글자를 만들어요.
글자 스티커를 찾아서 붙이고 큰 소리로 읽어봐요.

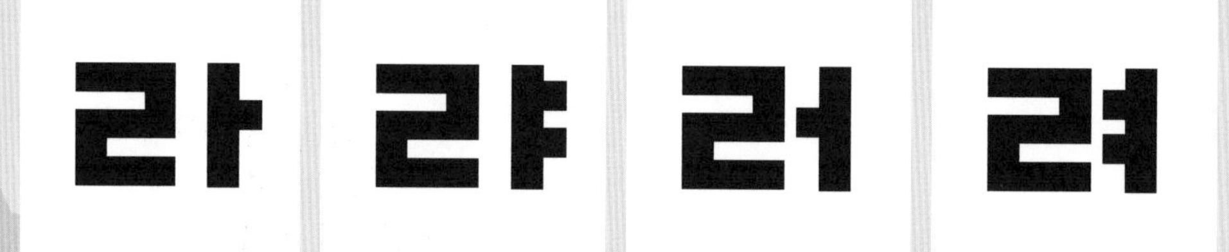

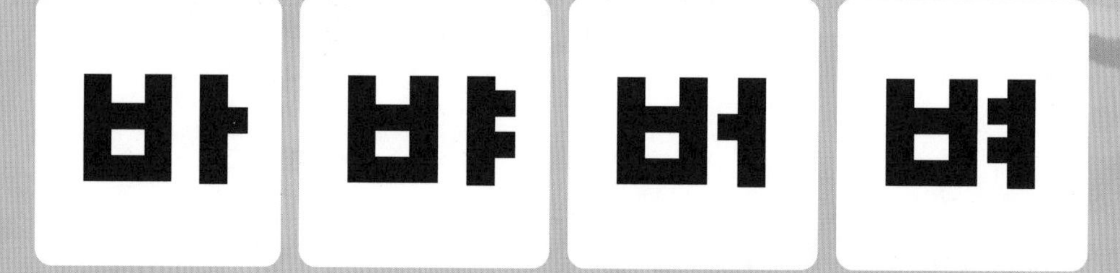

(스티커를 붙여주세요)

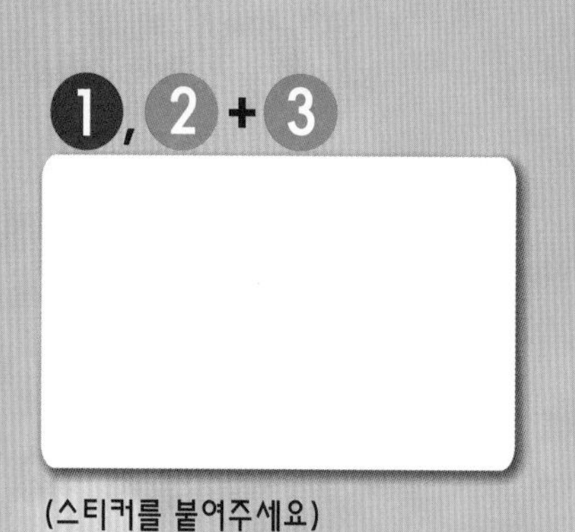

(스티커를 붙여주세요)

1
로 료 루 류 르 리
2
보 뵤 부 뷰 브 비
3
ㅅ

36화 멋진 빗자루

뿌미 놀이터

뿌미가 글자에 'ㅅ(시옷)' 받침을 붙여서 글자를 만들어요.
글자 스티커를 찾아서 붙이고 큰 소리로 읽어봐요.

아 야 어 여

(스티커를 붙여주세요)

1, 2+3

(스티커를 붙여주세요)

바 뱌 버 벼

2
오 요 우 유 으 이
3
ㅅ
1
보 뵤 부 뷰 브 비

36화 멋진 빗자루

글자를 착착착!

뿌미가 글자에 'ㅅ(시옷)' 받침을 붙여서 글자를 만들어요.
글자 스티커를 찾아서 붙이고 큰 소리로 읽어봐요.

가 갸 거 겨

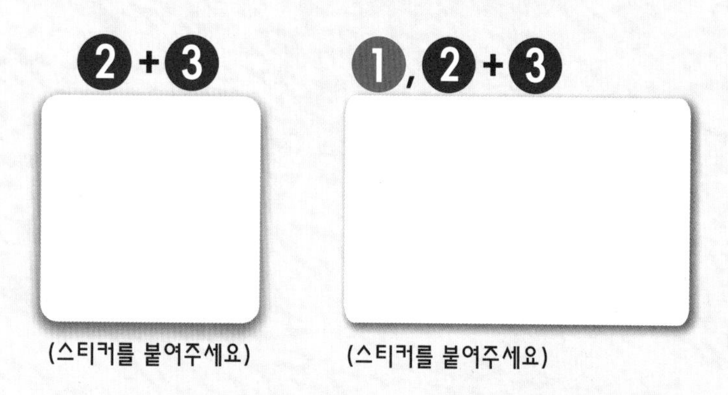

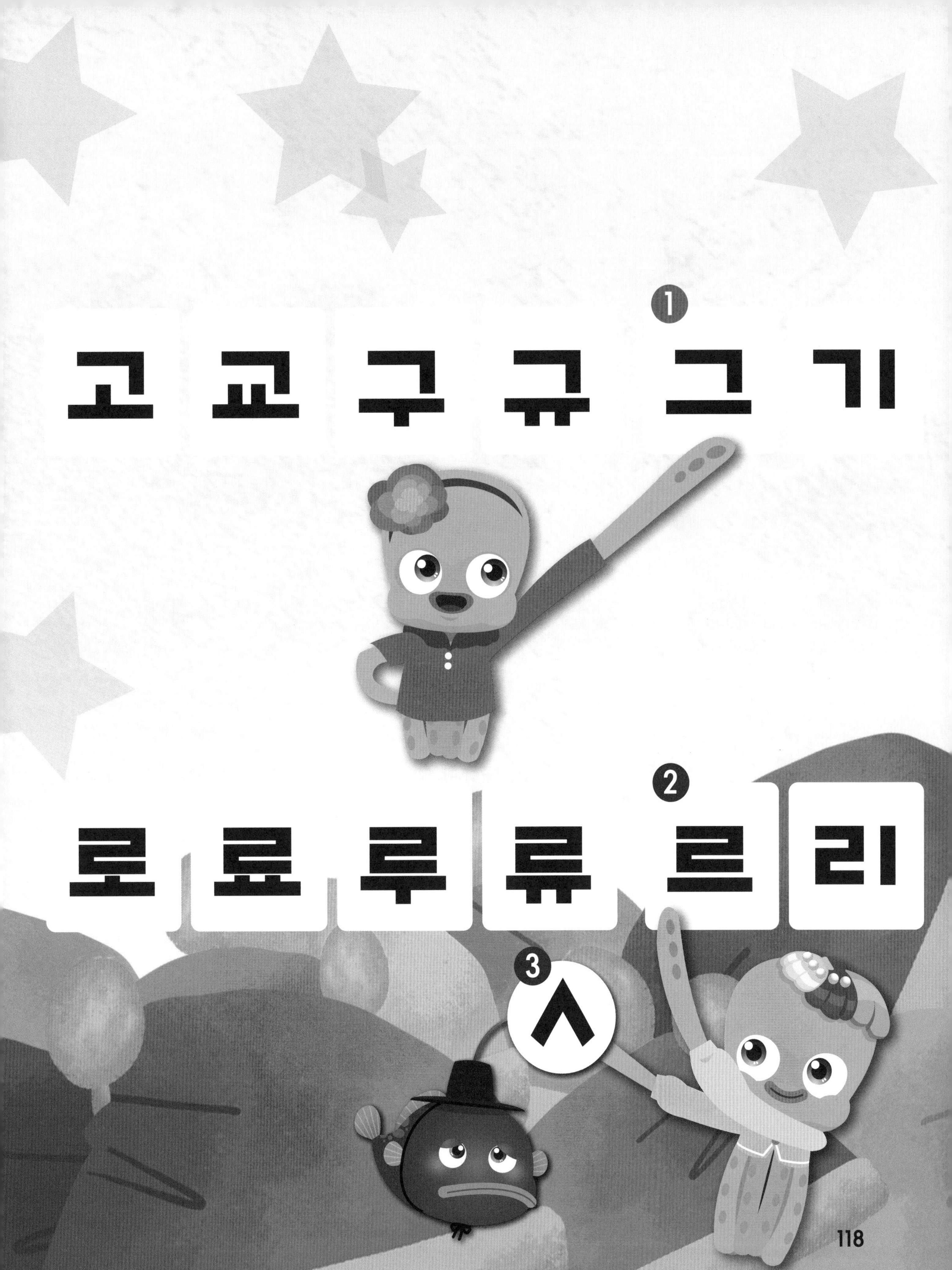

1

고 교 구 규 그 기

2

토 툐 투 튜 트 티

3

ㅅ

글자를 착착착!

뿌미가 글자에 'ㅅ(시옷)' 받침을 붙여서 글자를 만들어요.
글자 스티커를 찾아서 붙이고 큰 소리로 읽어봐요.

바 뱌 버 벼

보 뵤 부 뷰 브 비

1

2 ㅅ

3

자 쟈 저 져

조 죠 주 쥬 즈 지

1 + 2

(스티커를 붙여주세요)

1 + 2, 3, 4

(스티커를 붙여주세요)

라 랴 러 려

4

로 료 루 류 르 리

36화 멋진 빗자루

글자를 착착착!

뿌미가 글자에 받침을 붙여서 글자를 만들어요.
글자 스티커를 찾아서 붙이고 큰 소리로 읽어봐요.

가 갸 거 겨

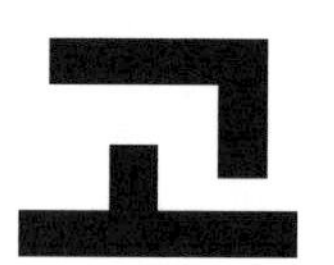

1 + 2
3 + 4
(스티커를 붙여주세요)
(스티커를 붙여주세요)
토
툐
투
튜
트
티
1 + 2, 3 + 4
(스티커를 붙여주세요)
구
규
그
기
1
ㅅ
2

36화 멋진 빗자루

글자를 착착착!

뿌미가 글자에 받침을 붙여서 글자를 만들어요.
글자 스티커를 찾아서 붙이고 큰 소리로 읽어봐요.

아 야 어 여

3

가 갸 거 겨

4

ㄹ

(스티커를 붙여주세요)

1
오 요 우 유 으 이
5
2
ㅅ
1 + 2
(스티커를 붙여주세요)
고 교 구 규 그 기
1 + 2, 3 + 4, 5
(스티커를 붙여주세요)

36화 멋진 빗자루

글자를 착착착!

뿌미가 글자에 받침을 붙여서 글자를 만들어요.
글자 스티커를 찾아서 붙이고 큰 소리로 읽어봐요.

(스티커를 붙여주세요)

4 + 5

(스티커를 붙여주세요)

1 + 2, 3, 4 + 5

(스티커를 붙여주세요)

3

로 료 루 류 르 리

조 죠 주 쥬 즈 지

36화 멋진 빗자루

혼자서도 착착착

야호가 혼자서 정리 정돈을 하려고 해요.
어떻게 정리정돈하면 좋을까요? 야호를 도와서 흩어진 물건들을 제자리에 넣어봐요.

(스티커를 붙여주세요)

척척 로봇

야호가 무엇이든 척척 하는 로봇을 만들고 있어요.
난 어떤 로봇이 생기면 좋을까요? 내가 만들고 싶은 로봇을 그려봐요.

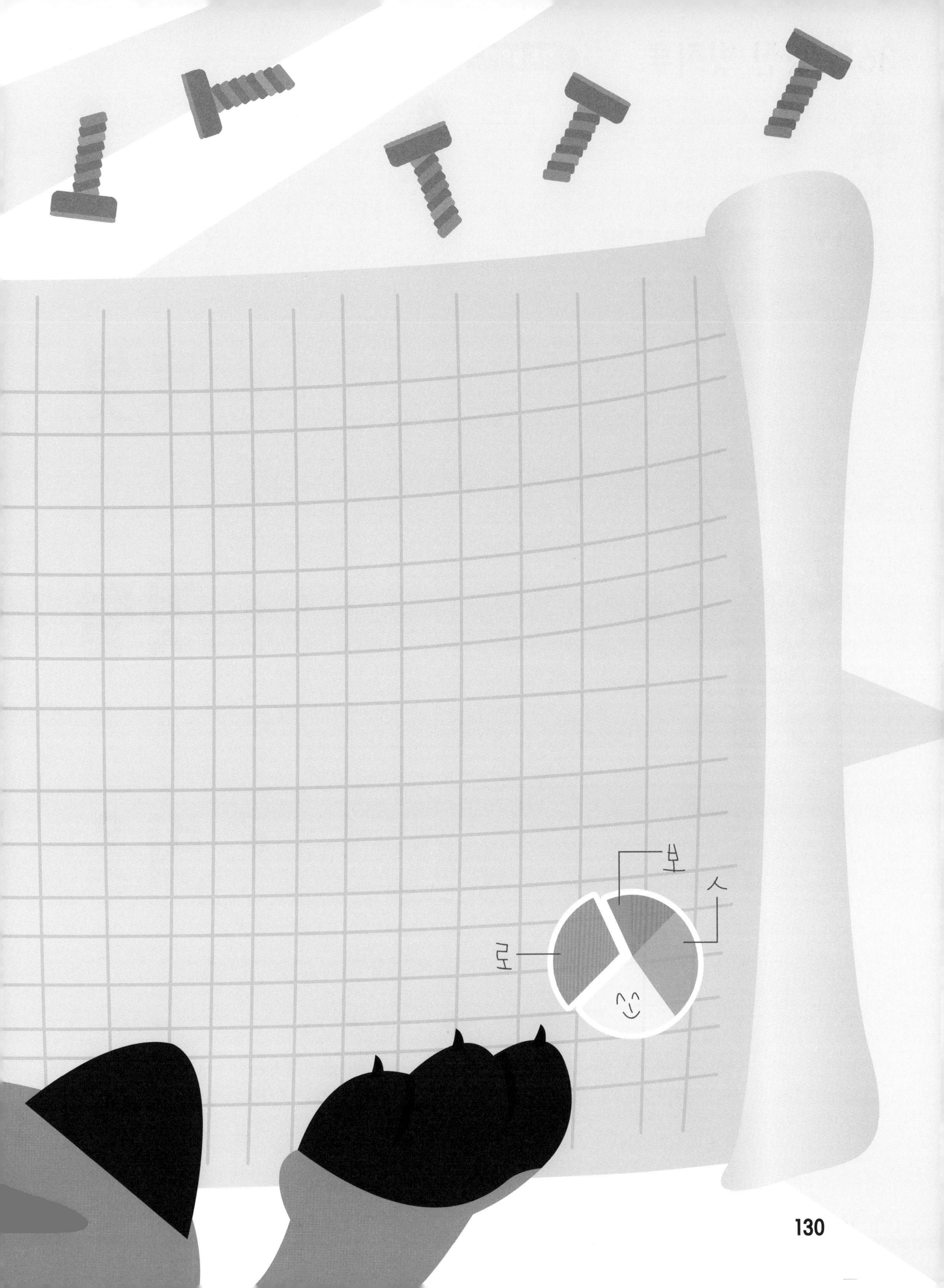
보
스
로

36화 멋진 빗자루

끼리끼리

그림에 맞는 글자 짝을 찾아 줄을 그어요.

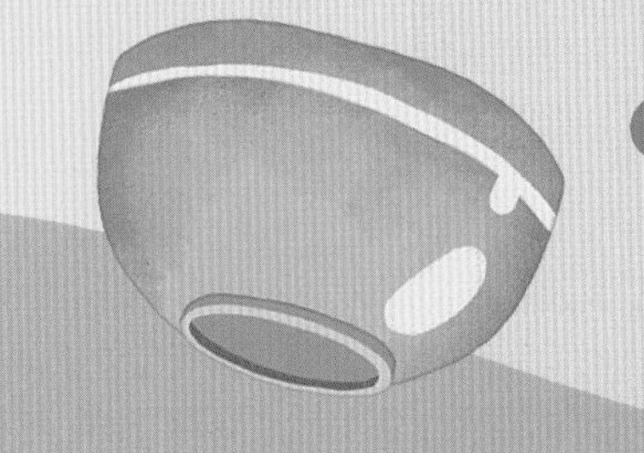

로봇

깃털

비옷

그릇

젓가락

옷걸이

빗자루

36화 멋진 빗자루

글자 종이 접기

야호가 글자 색종이를 찾아냈어요.
접혀진 종이를 펼치니까 받침글자가 나타났어요. 그림 스티커를 찾아 붙여요.

기터 → 기터 / ㅅ ㄹ → 깃털

바주 → 바주 / ㅅ ㄹ → 밧줄

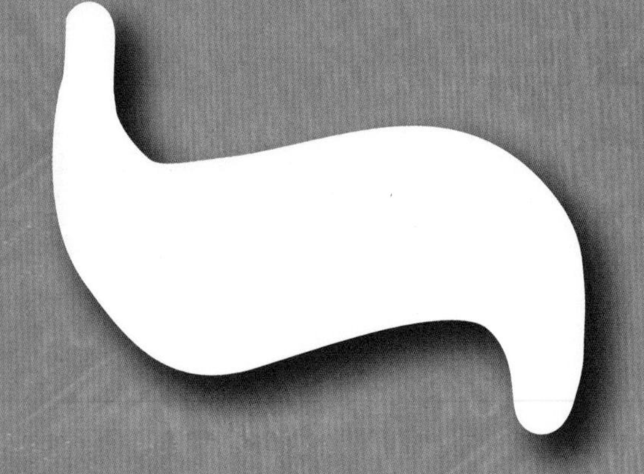

(스티커를 붙여주세요)

(스티커를 붙여주세요)

오거이

오거이

ㅅ ㄹ

옷걸이

(스티커를 붙여주세요)

36화 멋진 빗자루

한글이의 작은 그림책

한글이랑 야호와 함께 그림책을 또박또박 읽어봐요.

아이가 놀다가 잔뜩 어지른 날에 달빛이 [빗자루 그림] 를 깨웠지.

빗자루는  도 깨웠지.

밧줄은 에 걸린 을 입고
로봇은 을 북처럼, 으로 두드렸지.

멋진 의 신나는 정리 쇼, 착착 쇼가 벌어진 거야.

즐거운 마음으로 하면 정리 정돈도 힘들지 않아

너무 신나게 하다 그만 이 쏟아졌어.

걱정 없어. 이 얼른 청소기로 변신을 했거든.

딸깍–.

아이가 나타나자 도  도  도 얼른 얼음이 됐지.

36화 멋진 빗자루

아이는 깨끗해진 방안을 보았어.

"와, 깨끗하니까 멋지다. 나도 정리 정돈 잘 해야지."

와 과 은 빙긋 웃었지.

쓱쓱, 글자쓰기

그림을 보고 맞는 단어를 써 봐요.

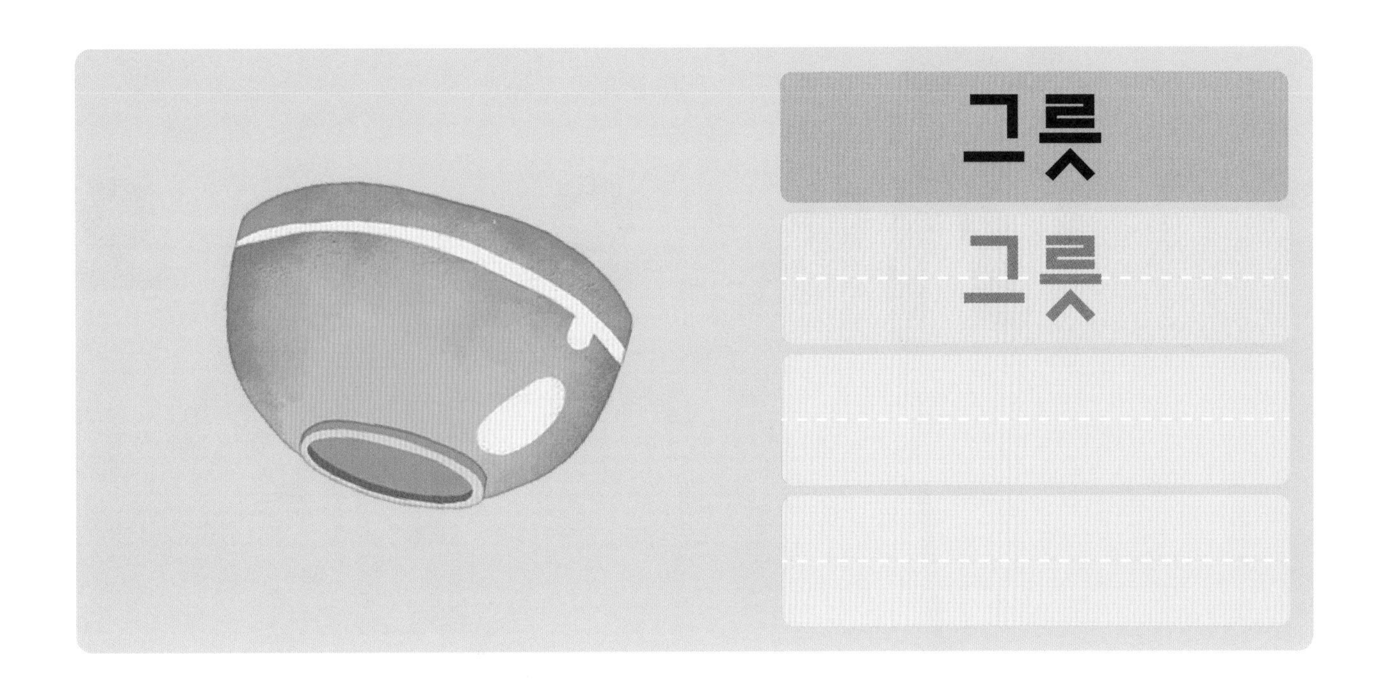

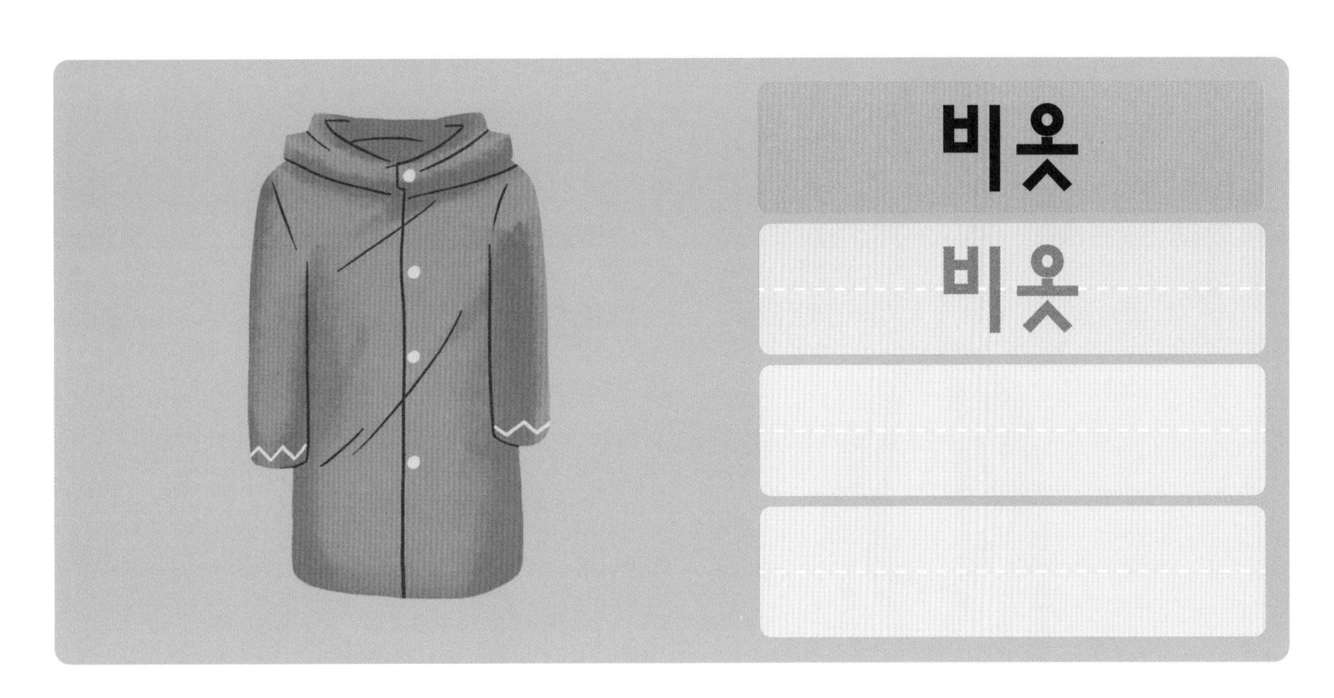

36화 멋진 빗자루

쓰기 놀이터

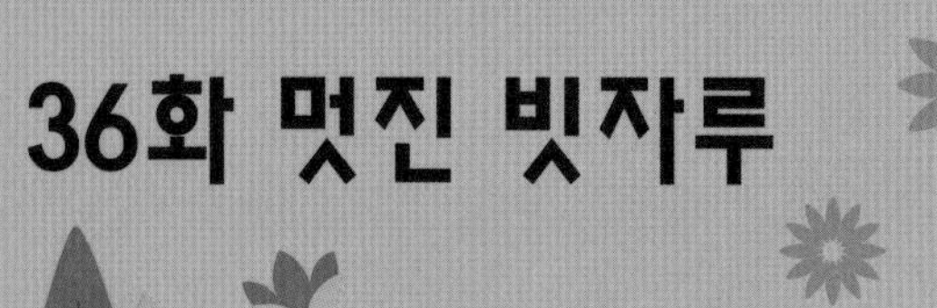

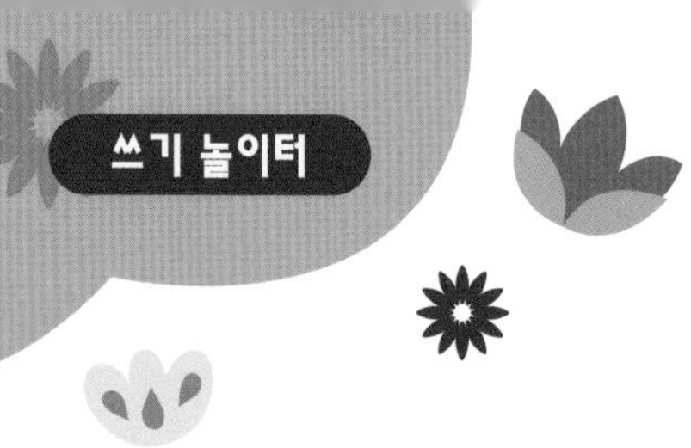

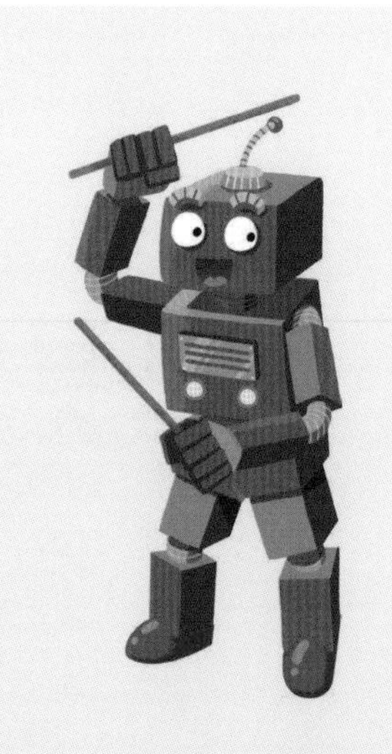

로봇

로봇

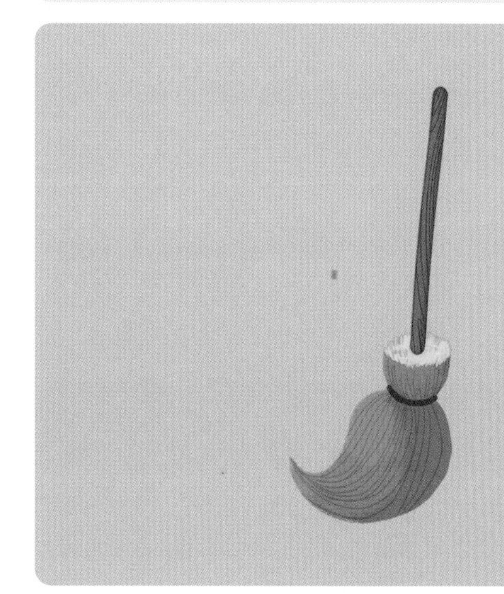

빗자루

빗자루

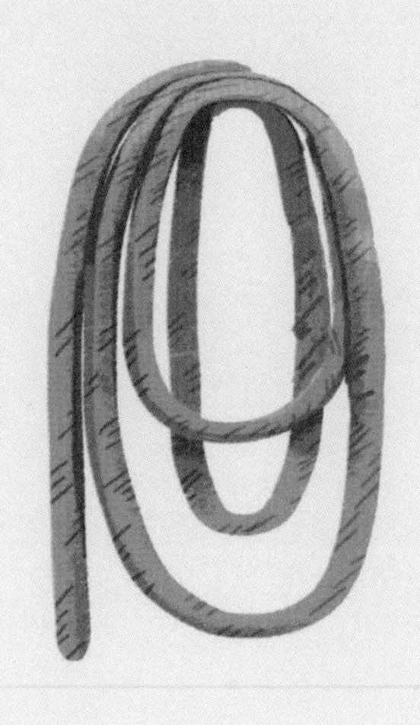

밧줄

밧줄

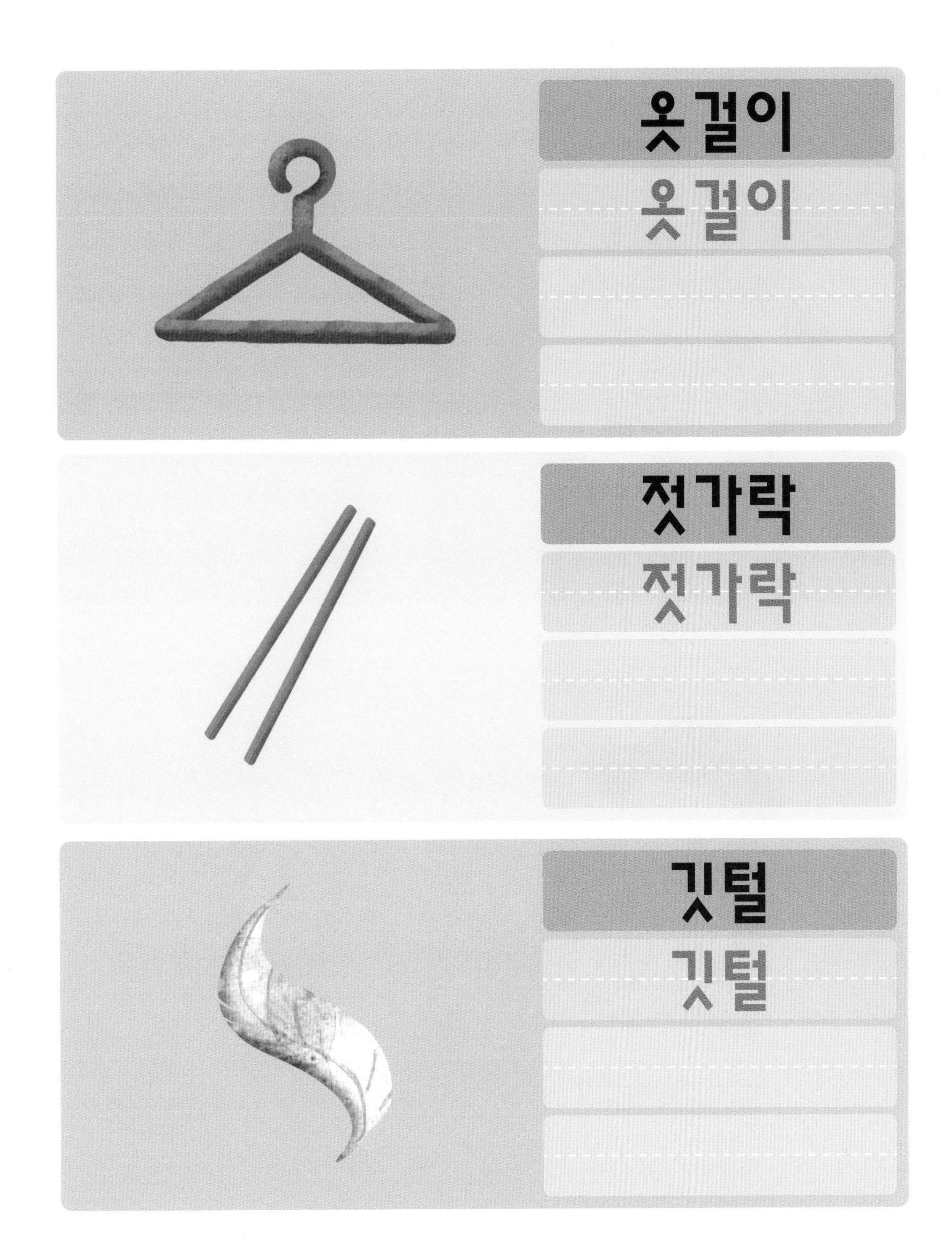
옷걸이
옷걸이
젓가락
젓가락
깃털
깃털

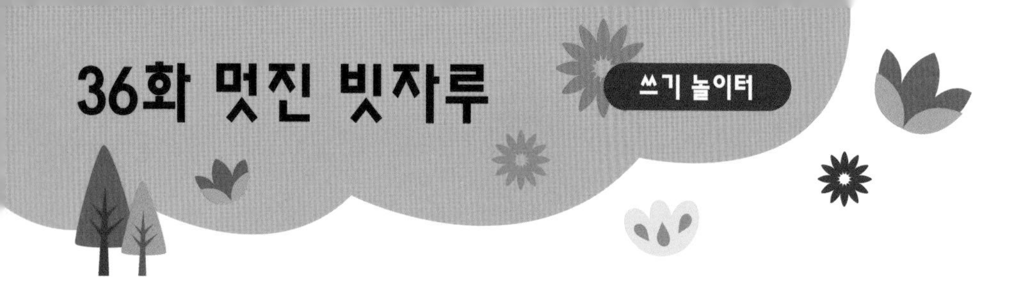
36화 멋진 빗자루
쓰기 놀이터

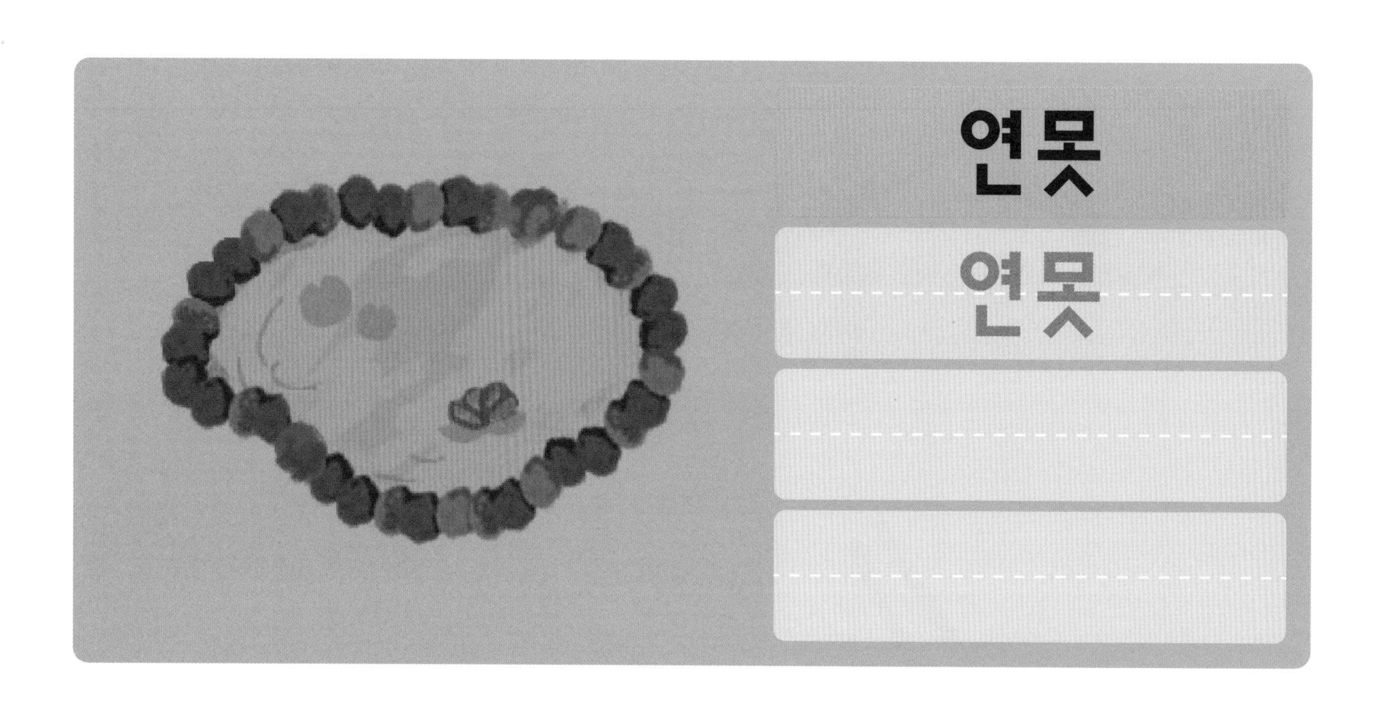
연못
연못

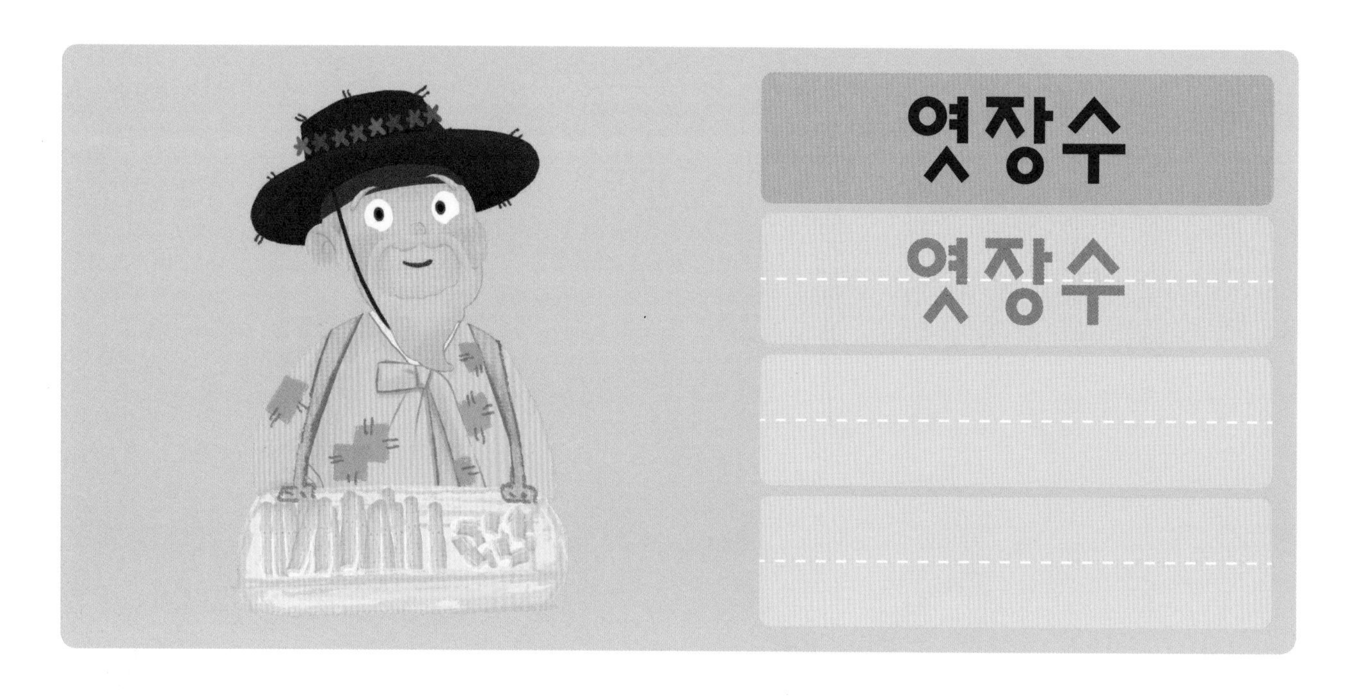
엿장수
엿장수

36화 멋진 빗자루

한글이의 작은 그림책

한글이랑 야호와 함께 그림책을 또박또박 읽어봐요.

아이가 놀다가 잔뜩 어지른 날에 달빛이  를 깨웠지.

빗자루는 [ ] 도 깨웠지.

36화 멋진 빗자루

밧줄은 ______에 걸린 ______을 입고

로봇은 ______을 북처럼, ______으로 두드렸지.

멋진 ______의 신나는 정리 쇼, 착착 쇼가 벌어진 거야.

즐거운 마음으로 하면 정리 정돈도 힘들지 않아

너무 신나게 하다 그만 [ ] 이 쏟아졌어.

36화 멋진 빗자루

걱정 없어. [ ][ ]이 얼른 청소기로 변신을 했거든.

딸깍-. 아이가 나타나자 [ ][ ][ ]도

[ ][ ]도  [ ][ ]도 얼른 얼음이 됐지.

아이는 깨끗해진 방안을 보았어.

“와, 깨끗하니까 멋지다. 나도 정리 정돈 잘 해야지.”

[ ][ ][ ]와 [ ][ ]과 [ ][ ]은 빙긋 웃었지.

한글이 야호 2

탐험 이야기

탐험

보물섬

동굴

공룡

얼음별

차 례

37화 <탐험 이야기>편

글자를 착착착!

초롱이가 전해주는 받침 글자를 붙이면 어떤 글자가 될까요?
글자 스티커를 찾아서 붙이고 큰 소리로 읽어봐요.

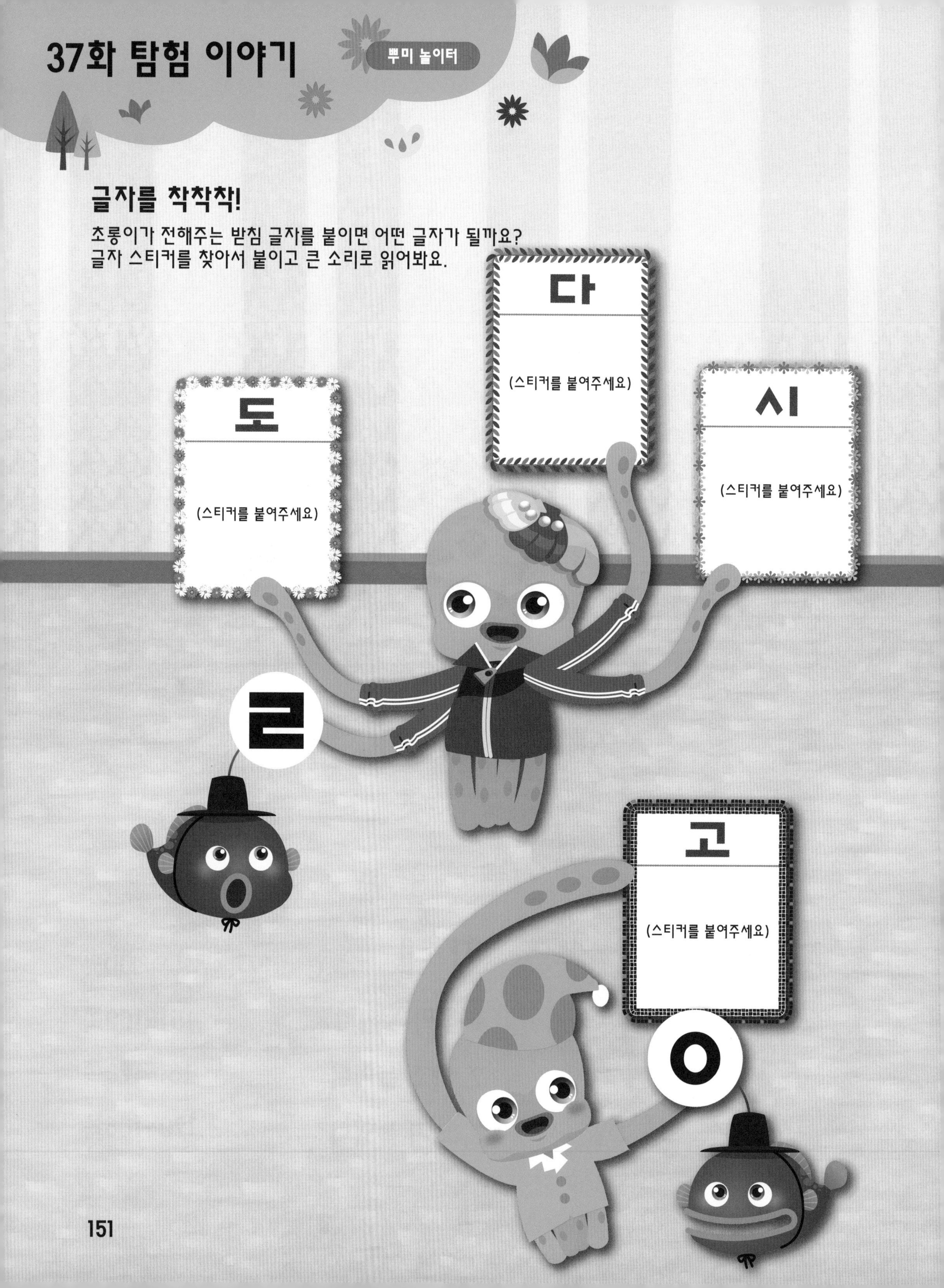

부
(스티커를 붙여주세요)
벼
(스티커를 붙여주세요)
바
(스티커를 붙여주세요)
ㄹ
ㅁ
토
(스티커를 붙여주세요)
야
(스티커를 붙여주세요)
ㅂ
ㄱ

37화 탐험 이야기

뿌미 놀이터

글자를 착착착!

초롱이가 전해주는 받침 글자를 붙이면 어떤 글자가 될까요?
글자 스티커를 찾아서 붙이고 큰 소리로 읽어봐요.

1 바 2 다 3 ㅅ 4 가

1, 2 + 3, 4

(스티커를 붙여주세요)

1 가 2 바 3 ㅇ

1, 2 + 3

(스티커를 붙여주세요)

1 나 2 ㄴ 3 로

1 + 2, 3

(스티커를 붙여주세요)

1 저 2 녀 3 ㄱ

1, 2 + 3

(스티커를 붙여주세요)

❶, ❷, ❸ + ❹

(스티커를 붙여주세요)

37화 탐험 이야기

글자를 착착착!

초롱이가 전해주는 받침 글자를 붙이면 어떤 글자가 될까요?
글자 스티커를 찾아서 붙이고 큰 소리로 읽어봐요.

1, 2 + 3, 4

(스티커를 붙여주세요)

1 + 2, 3

(스티커를 붙여주세요)

1 + 2, 3

(스티커를 붙여주세요)

1 + 2, 3

(스티커를 붙여주세요)

1 자
2 저
3 ㄴ
4 거

1, 2 + 3, 4

(스티커를 붙여주세요)

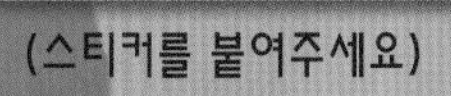

1 우
2 사
3 ㄴ

1, 2 + 3

(스티커를 붙여주세요)

1 하
2 느
3 ㄹ

1, 2 + 3

(스티커를 붙여주세요)

1 나
2 ㄱ
3 지

1 + 2, 3

(스티커를 붙여주세요)

뿌미 놀이터

초롱이가 전해주는 받침 글자를 붙이면 어떤 글자가 될까요?
글자 스티커를 찾아서 붙이고 큰 소리로 읽어봐요.

1 + 2, 3 + 4, 5

(스티커를 붙여주세요)

1 고
2 ㅇ
3 주
4 니
5 ㅁ

1 + 2, 3, 4 + 5

(스티커를 붙여주세요)

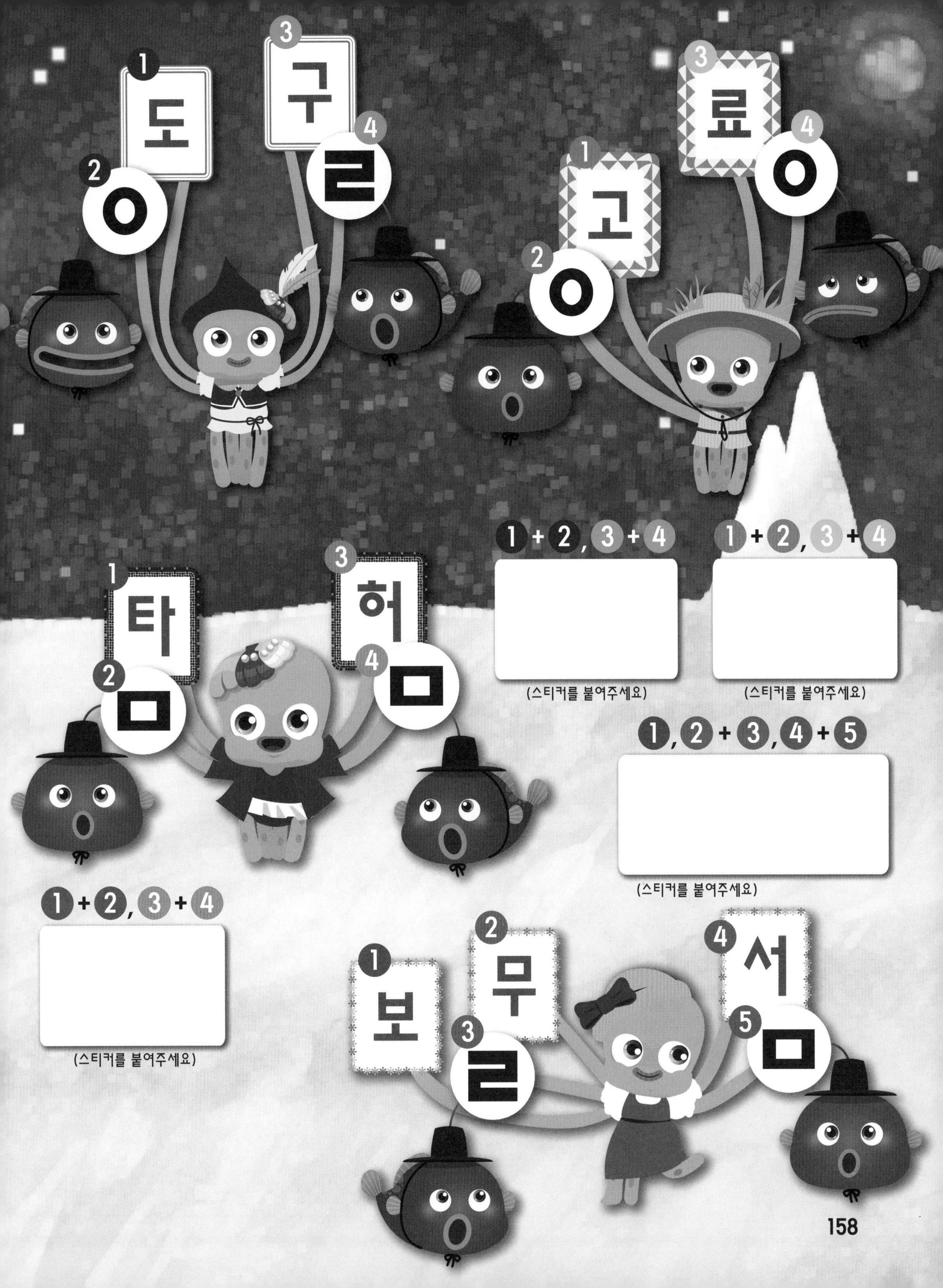

1 도
2 ㅇ
3 구
4 ㄹ
1 고
2 ㅇ
3 료
4 ㅇ
1 + 2, 3 + 4
(스티커를 붙여주세요)
1 + 2, 3 + 4
(스티커를 붙여주세요)
1 타
2 ㅁ
3 허
4 ㅁ
1, 2 + 3, 4 + 5
(스티커를 붙여주세요)
1 + 2, 3 + 4
(스티커를 붙여주세요)
1 보
2 무
3 ㄹ
4 서
5 ㅁ

37화 탐험 이야기

뿌미 놀이터

글자를 착착착!

초롱이가 전해주는 받침 글자를 붙이면 어떤 글자가 될까요?
글자 스티커를 찾아서 붙이고 큰 소리로 읽어봐요.

1 거 2 ㄴ 3 저 4 ㄴ 5 지

1 어 2 ㄹ 3 으 4 ㅁ

1 + 2, 3 + 4, 5

(스티커를 붙여주세요)

3 오 4 ㅅ

1 + 2, 3 + 4

(스티커를 붙여주세요)

1 + 2, 3 + 4

(스티커를 붙여주세요)

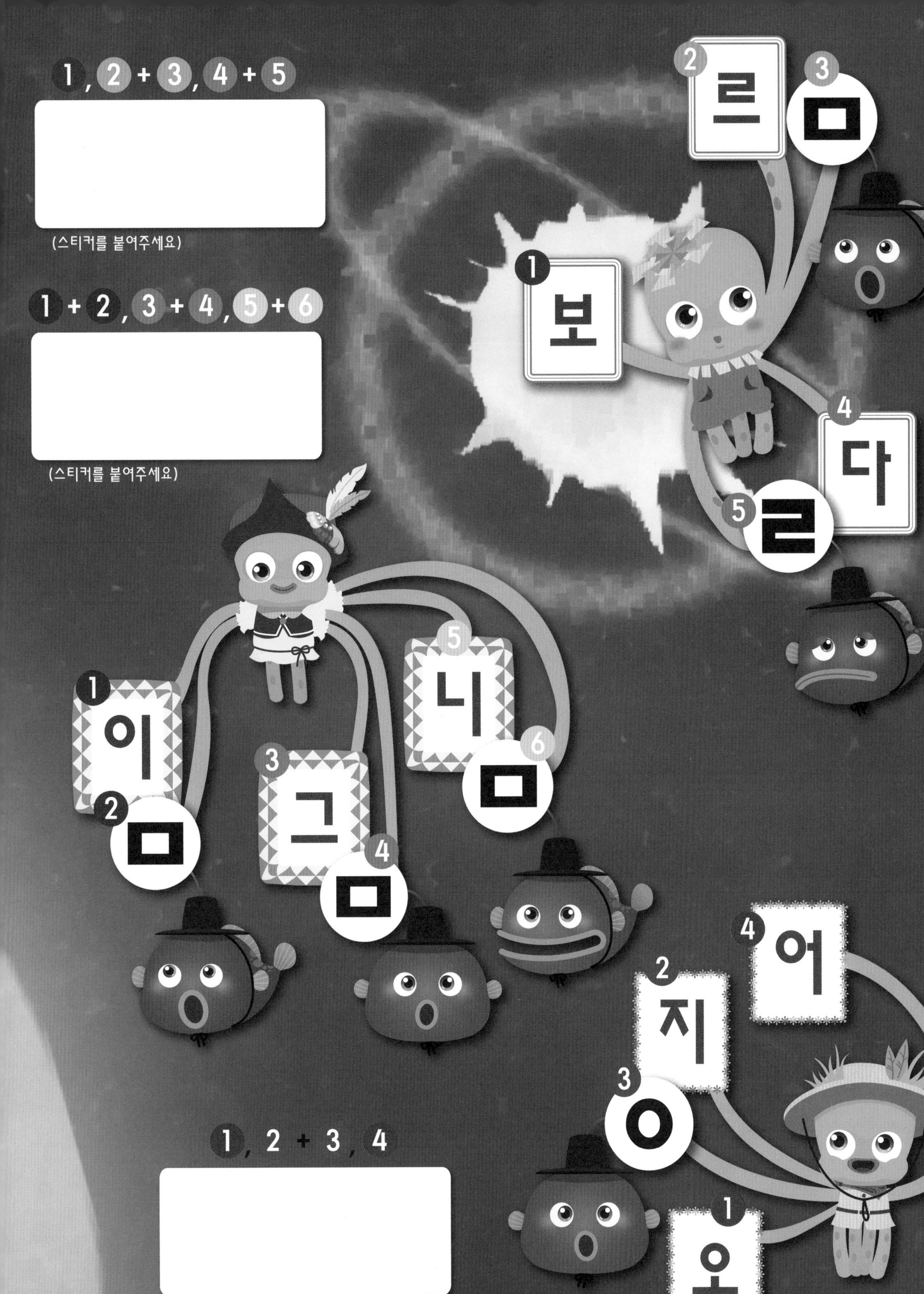
1, 2 + 3, 4 + 5
(스티커를 붙여주세요)
1 + 2, 3 + 4, 5 + 6
(스티커를 붙여주세요)
1 보
2 르
3 ㅁ
4 다
5 ㄹ
1 이
2 ㅁ
3 그
4 ㅁ
5 니
6 ㅁ
1, 2 + 3, 4
(스티커를 붙여주세요)
1 오
2 지
3 ㅇ
4 어

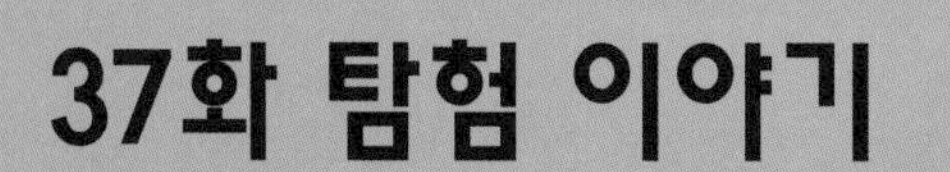

야호와 함께 아이가 탐험한 곳의 지도를 완성해봐요.
아이와 호랑이가 동굴에서 무엇을 보았나요? 또 무엇을 했나요?
스티커를 찾아서 동굴쪽에 붙여 봐요.

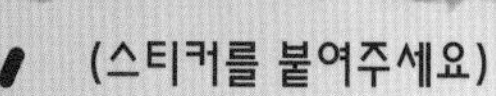

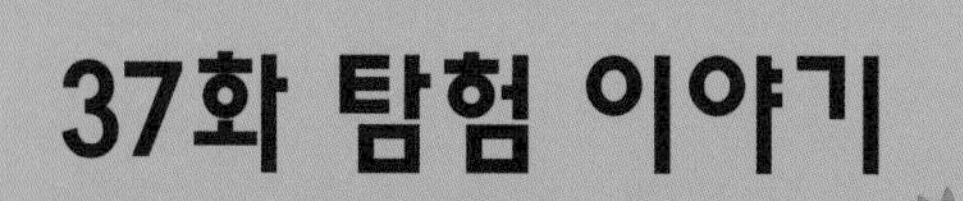

37화 탐험 이야기

야호 놀이터

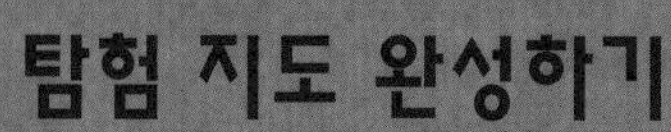

탐험 지도 완성하기

야호와 함께 아이가 탐험한 곳의 지도를 완성해봐요.
아이와 호랑이가 보물섬에서 무엇을 보았나요? 또 무엇을 했나요?
스티커를 찾아서 보물섬쪽에 붙여 봐요.

(스티커를 붙여주세요)

37화 탐험 이야기

야호 놀이터

탐험 지도 완성하기

야호와 함께 아이가 탐험한 곳의 지도를 완성해봐요.
아이와 호랑이가 얼음별에서 무엇을 보았나요? 또 무엇을 했나요?
스티커를 찾아서 얼음별쪽에 붙여 봐요.

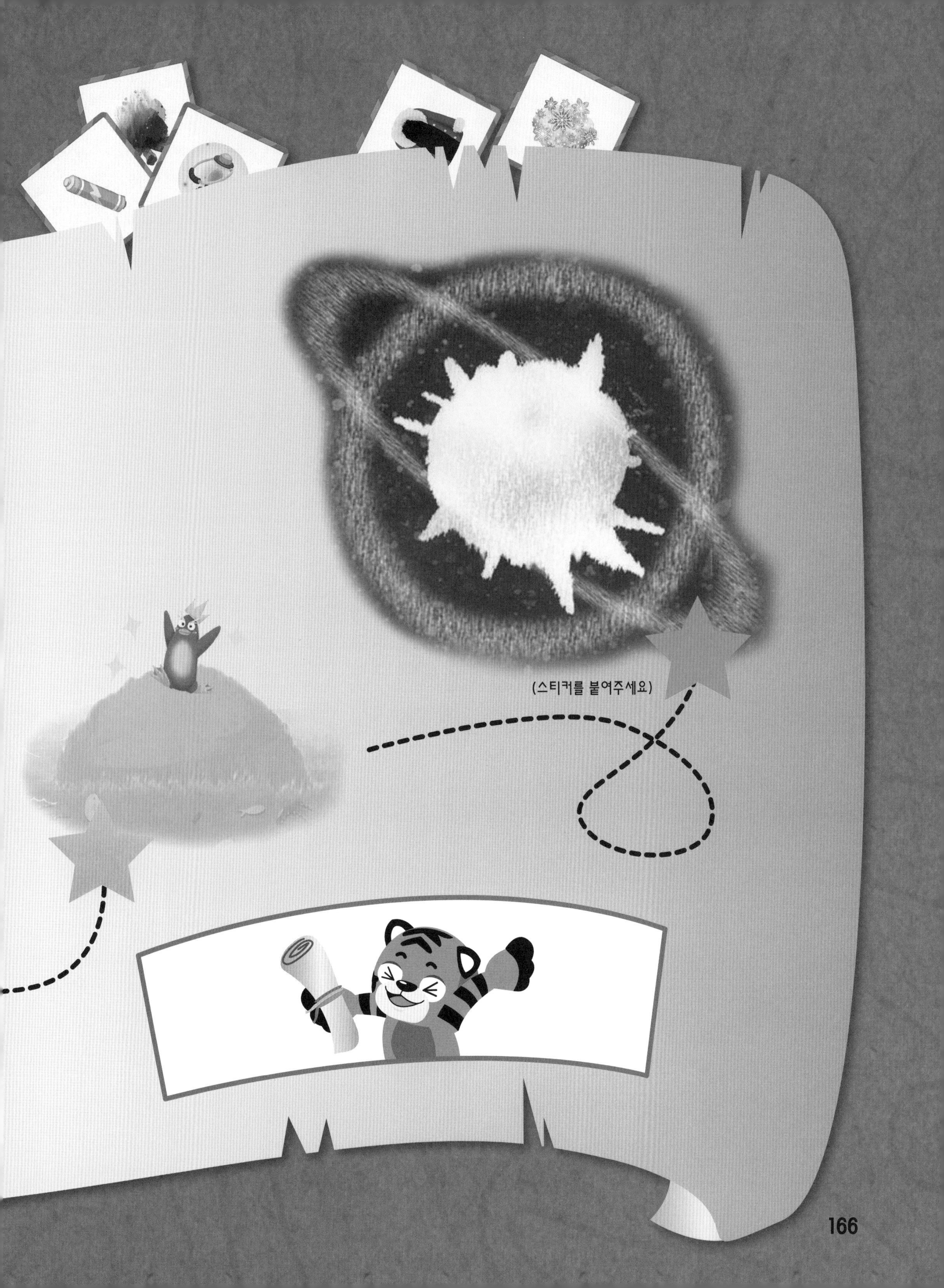
(스티커를 붙여주세요)

37화 탐험 이야기

그림에 맞는 글자 짝을 찾아 줄을 그어요.

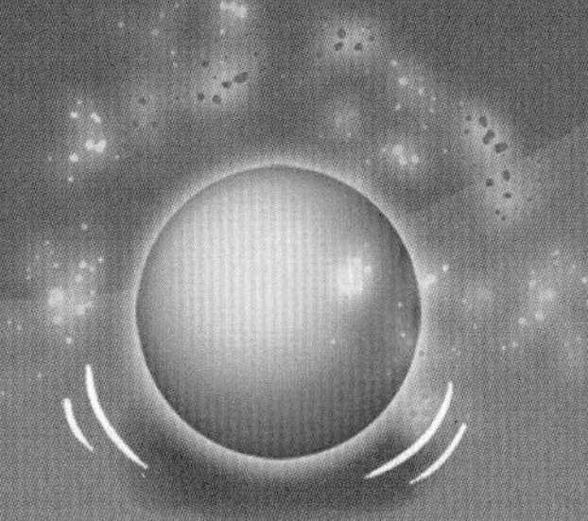

약

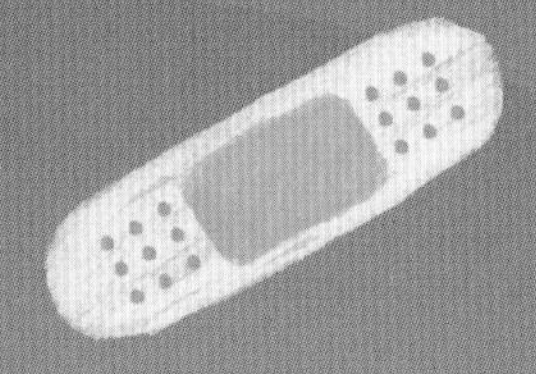

마술공

가방

공룡

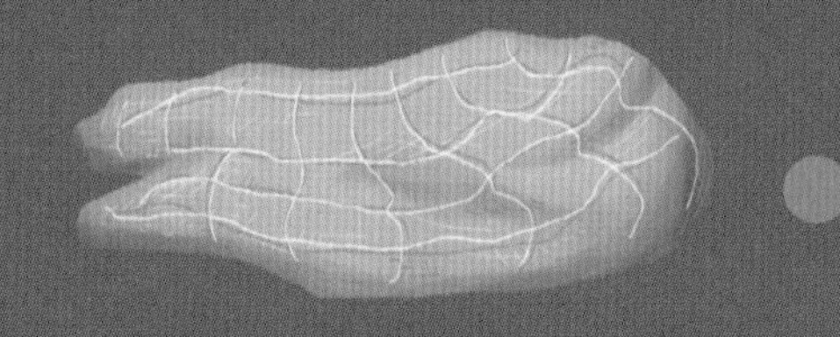

바늘

그물

낙지

오징어

37화 탐험 이야기

빙글빙글 그림통

야호와 함께 글자에 맞는 그림을 찾아서 동그라미를 해요.

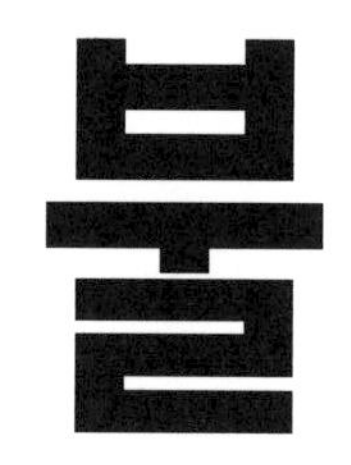

망치

얼음

37화 탐험 이야기

야호와 함께 그림에 맞는 글자를 찾아서 동그라미를 해요.

우산

공주님

임금님

공룡

동굴

보물섬

얼음별

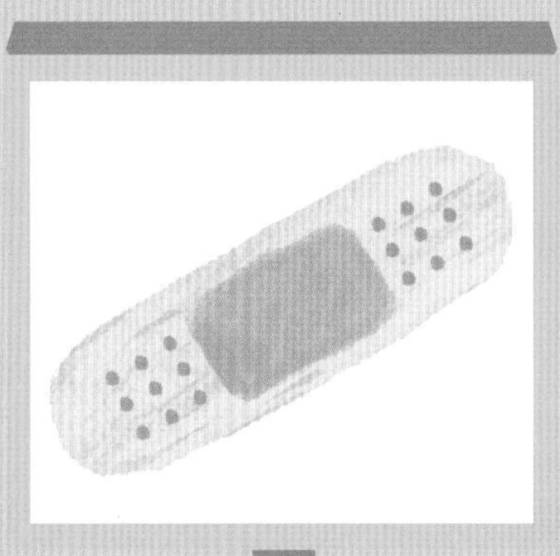

반창고

난로

톱

37화 탐험 이야기

같은 받침 끼리끼리

같은 받침이 있는 글자끼리 줄을 그어요.

임금님 •	• 그물
저녁 •	• 고드름
하늘 •	• 낙지
톱 •	• 윗옷
바닷가 •	• 밥집

37화 탐험 이야기

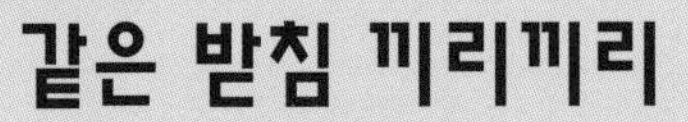

같은 받침 끼리끼리

그림을 보고 이름을 큰 소리로 말해봐요.
이름 글자에 같은 받침이 있는 그림끼리 줄을 그어요.

37화 탐험 이야기

한글이의 작은 그림책

한글이랑 야호와 함께 그림책을 또박또박 읽어봐요.

아이와 호랑이는 탐험 준비를 하느라  부터 바빴어.

아이와 호랑이는 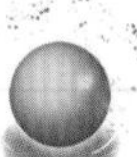 을 따라서 동굴에 갔지.

동굴 안에는  이 돌에 갇혀 있었어.

아이랑 호랑이는 에서 랑 을 꺼내 공룡을 구했지.

을 발라주고 도 붙여 주었어.

아이와 호랑이는 지도가 그려진 을 타고 보물섬에 갔어.

에서 나온 은 배고프고 덥다고 했어.

37화 탐험 이야기

아이와 호랑이는 과 로 찢어진

그물을 꿰매어 와 를 잡았어.

아이와 호랑이가 우주 를 타고 에 갔지.

이 달린 공주님이 춥다고 했어.

 로  에 불을 피우고  을 주었지.

고드름 공주님이 얼음꽃을 주었지.

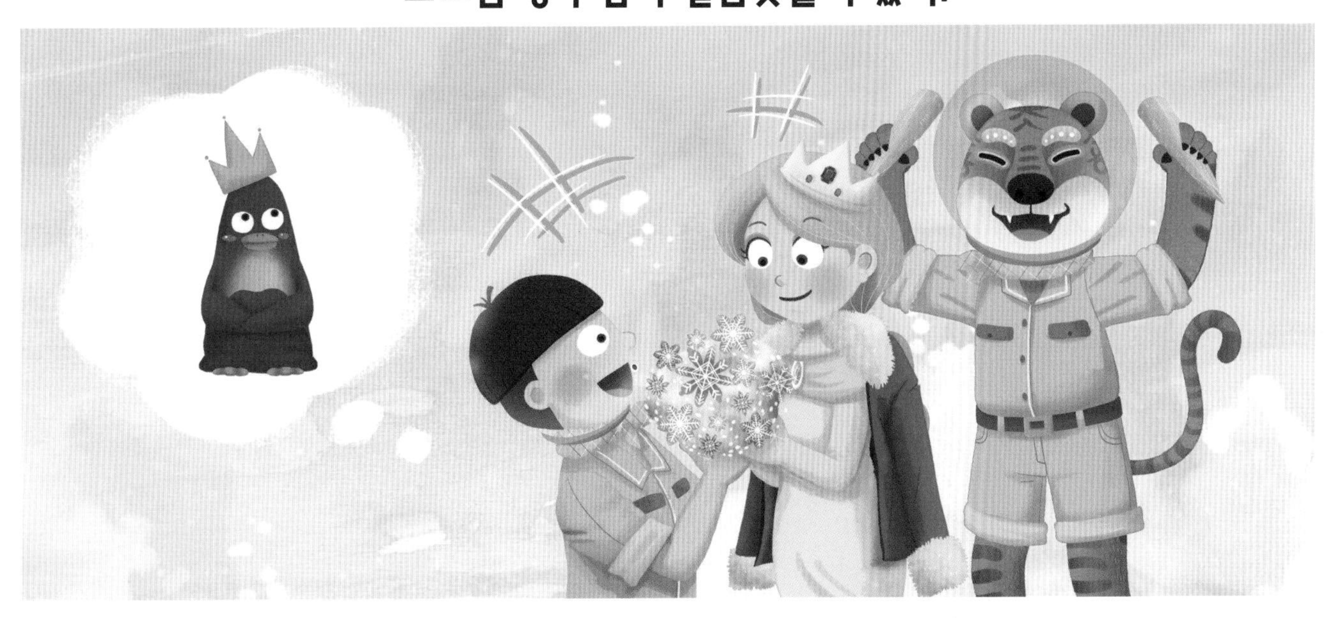

아이와 호랑이는  꽃을 보물섬의 더운  께 갖다 주기로 했어.

아이와 호랑이의 탐험은 계속 될 거야.

37화 탐험 이야기

쓰기 놀이터

쓱쓱, 글자쓰기

그림을 보고 맞는 단어를 써 봐요.

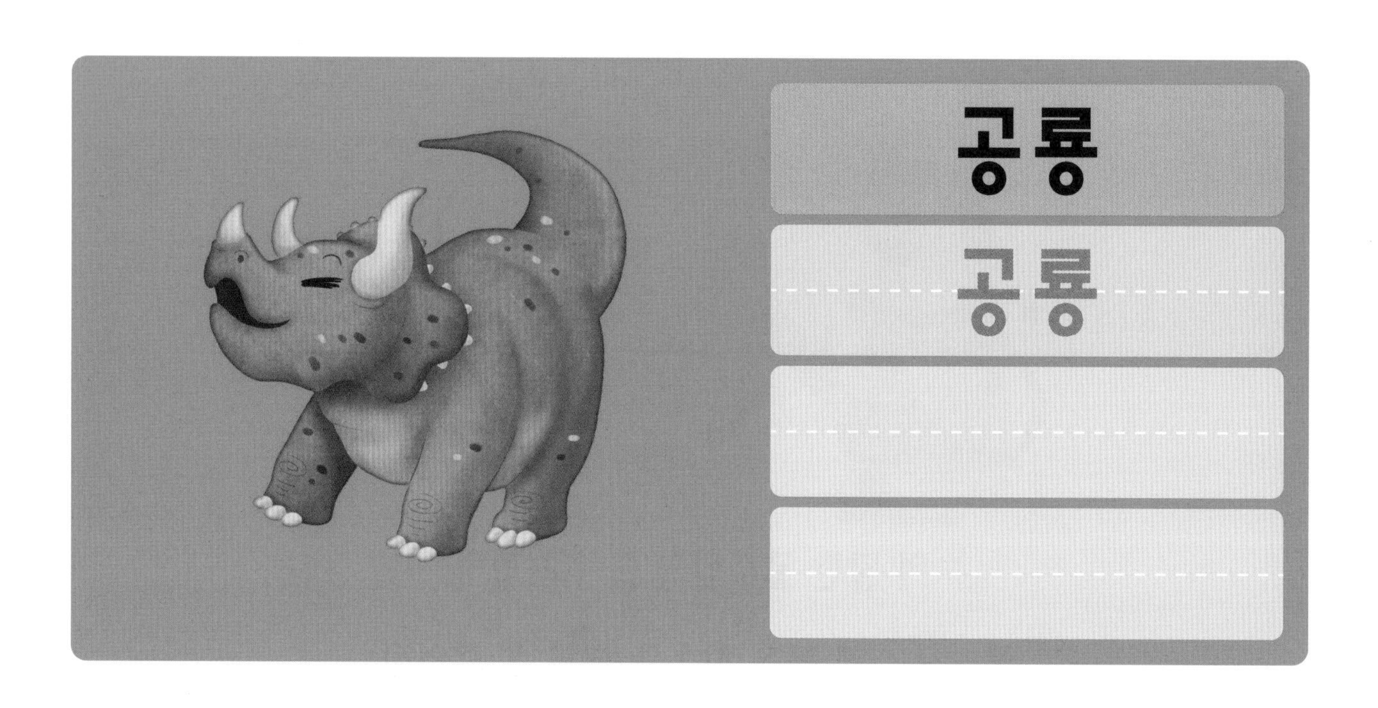

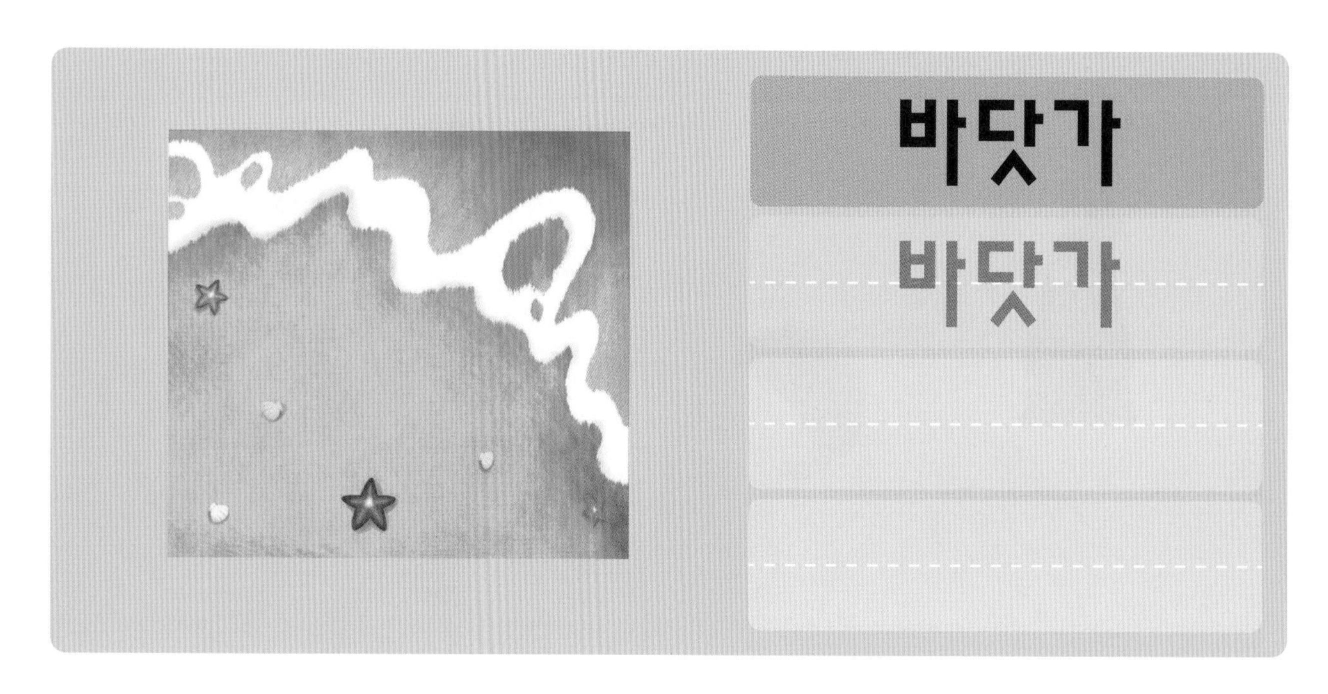

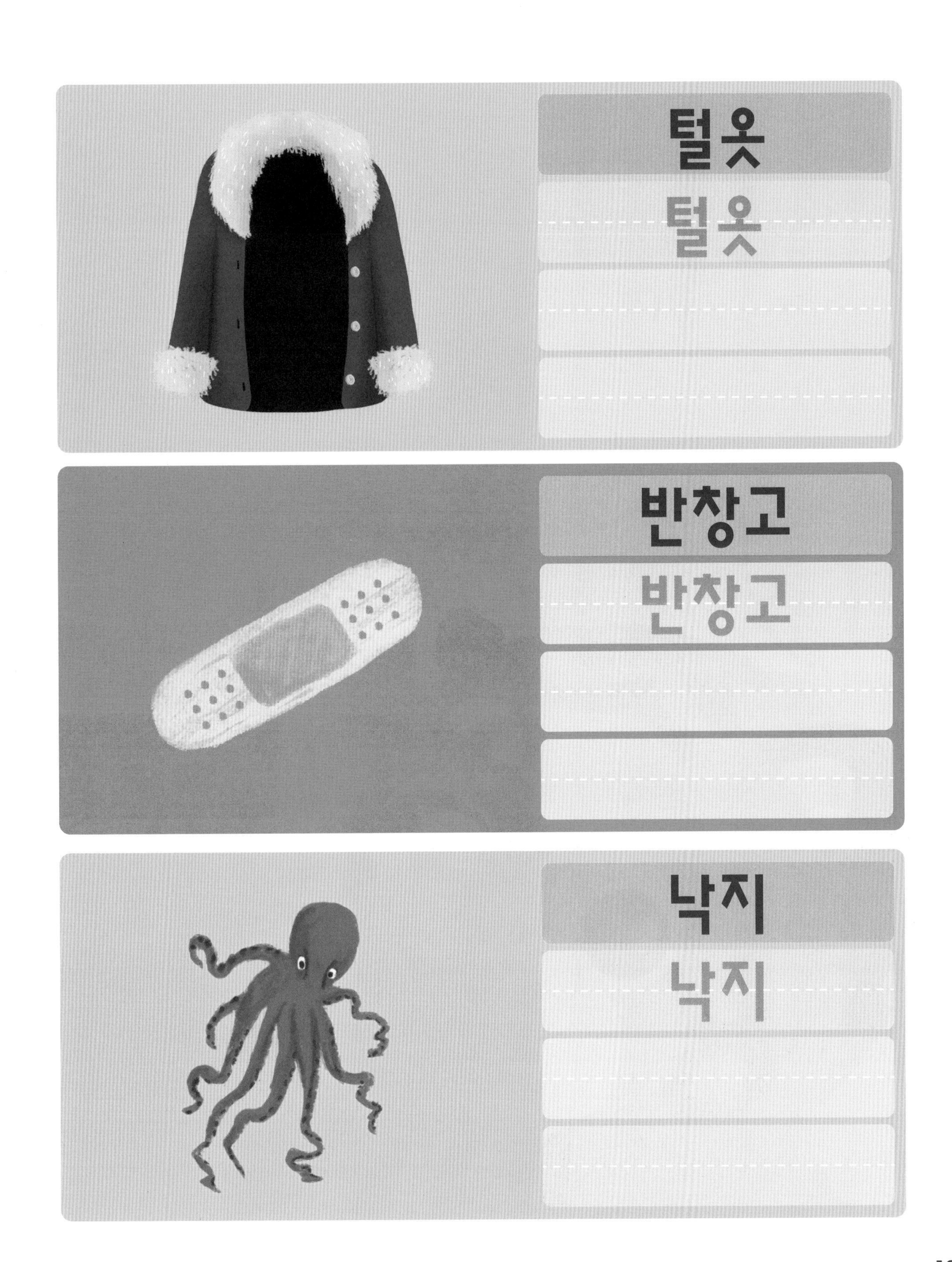
털옷
털옷
반창고
반창고
낙지
낙지

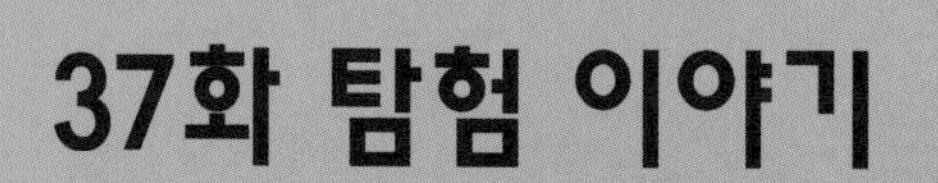

37화 탐험 이야기

쓰기 놀이터

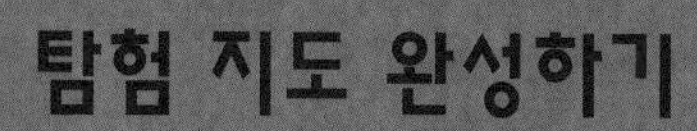

탐험 지도 완성하기

야호와 함께 아이와 호랑이가 탐험한 곳의 지도를 완성해봐요.
동굴에서 무엇을 보았는지 글자로 써요.

마술공

동굴

약

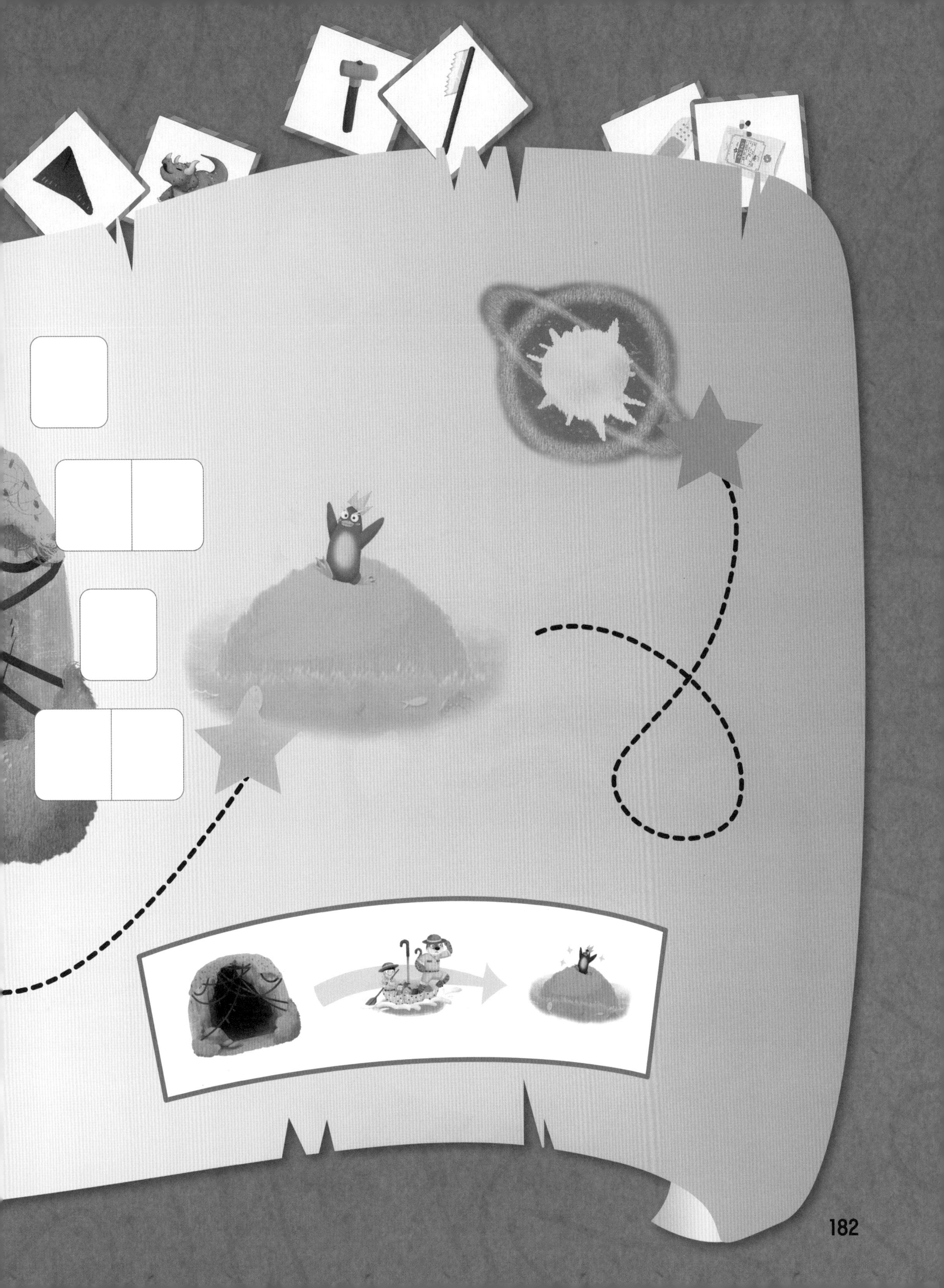

37화 탐험 이야기

쓰기 놀이터

탐험 지도 완성하기

야호와 함께 아이와 호랑이가 탐험한 곳의 지도를 완성해봐요.
보물섬에서 무엇을 보았는지 글자로 써요.

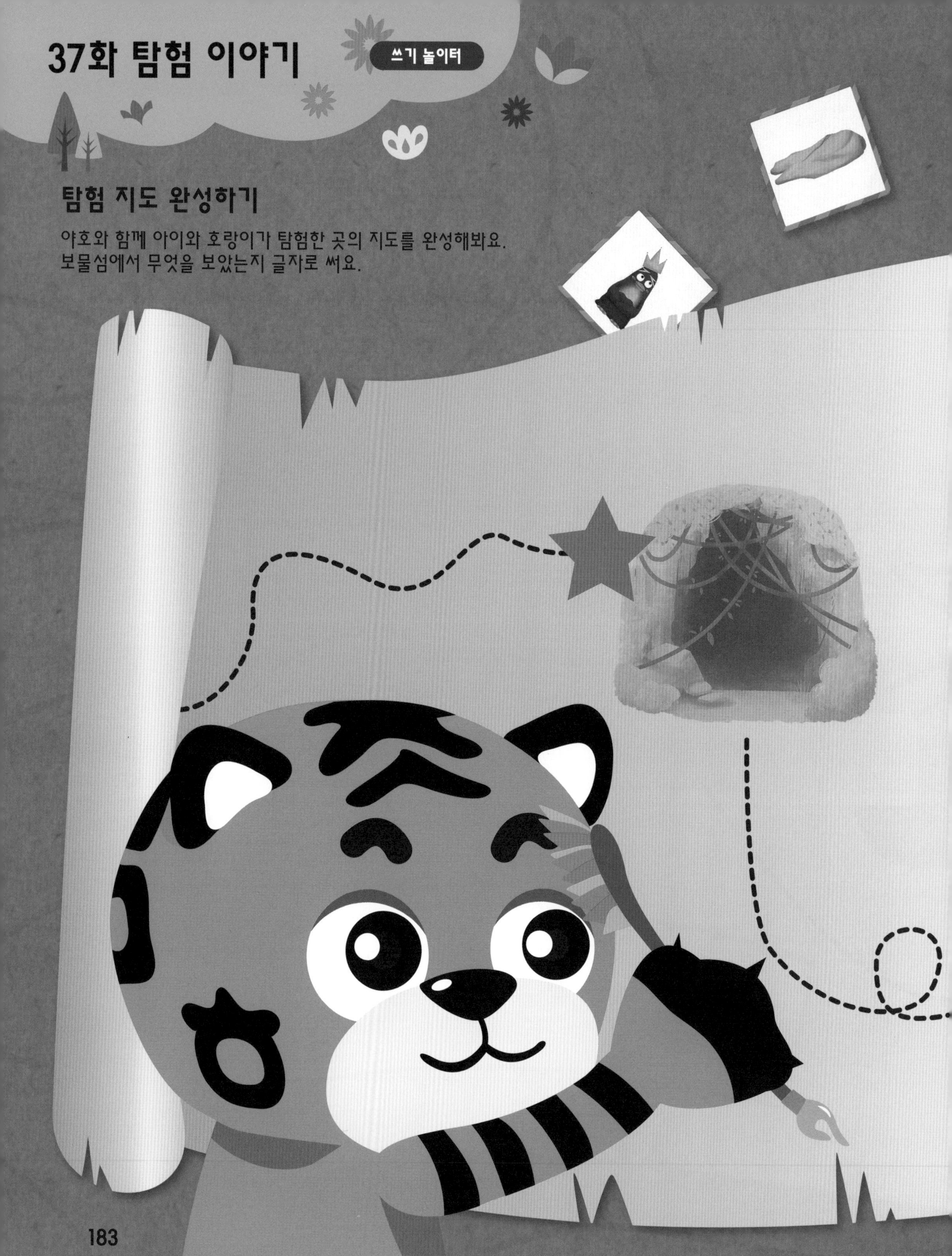

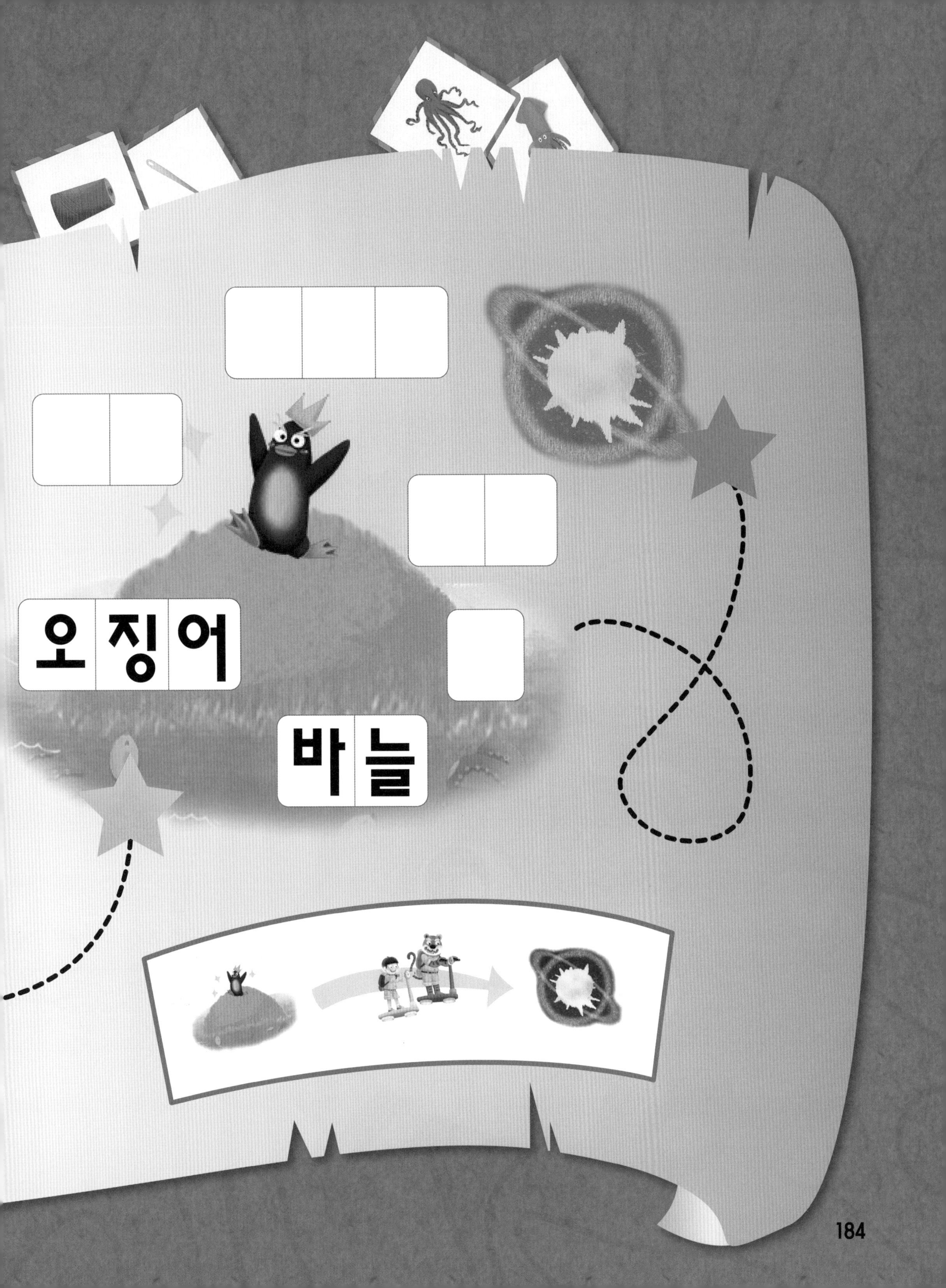
오징어
바늘

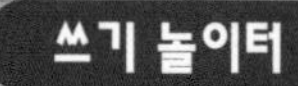

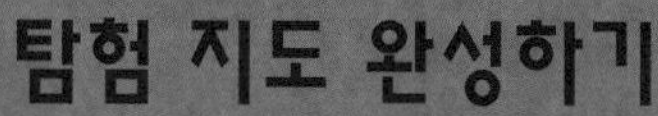

야호와 함께 아이와 호랑이가 탐험한 곳의 지도를 완성해봐요.
얼음별에서 무엇을 보았는지 글자로 써요.

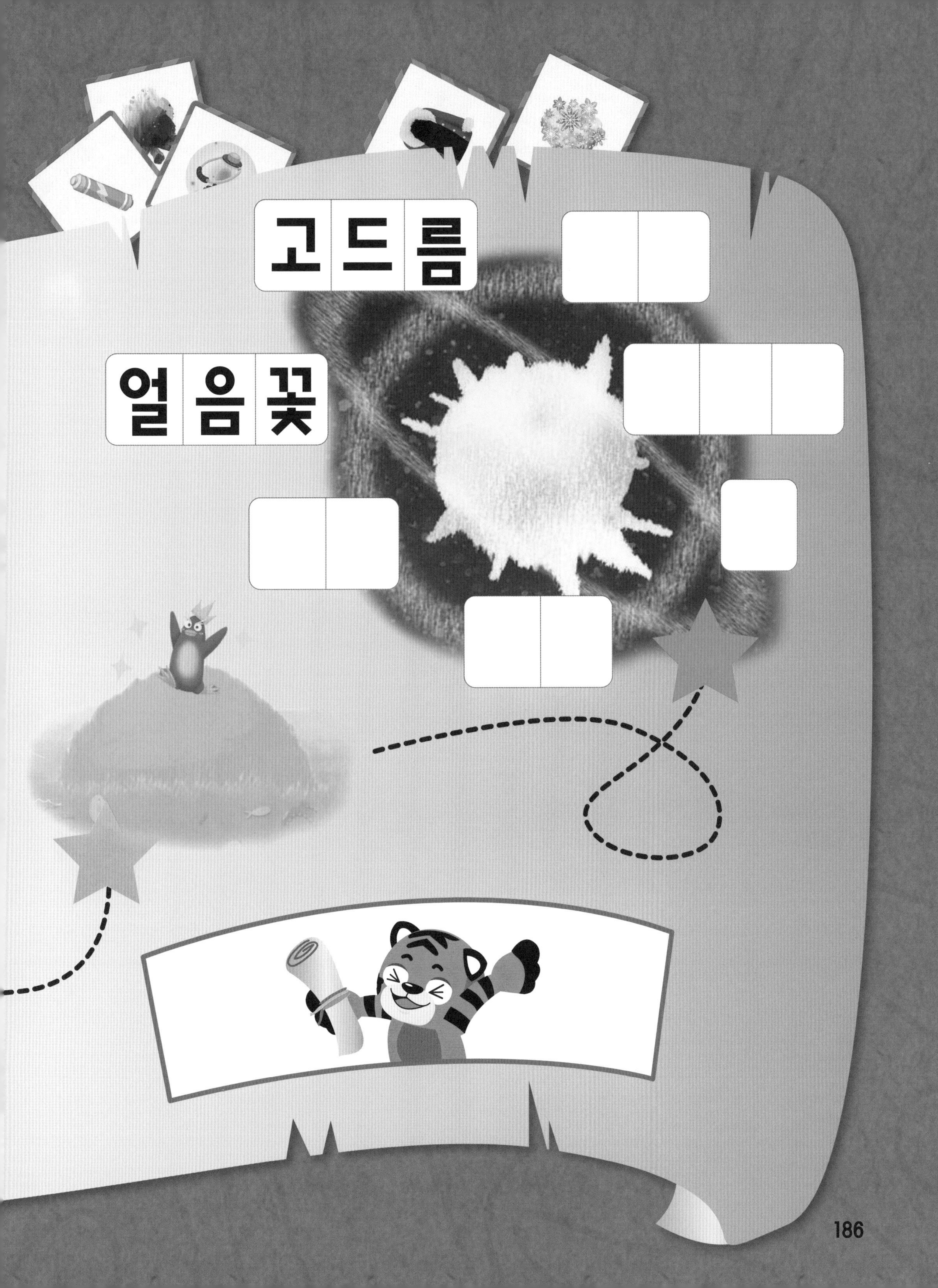
고드름
얼음꽃

바바 밥 밥집 9권

9권 손톱 발톱

9권 무엇이든 붓

멋진 빗자루 9권

탐험 이야기 9권

9권
바바 밥밥집

9권
손톱 발톱

9권
무엇이든 붓

멋진 빗자루
9권

9권
탐험 이야기

바 바 밥 밥집 9권

9권 손톱 발톱

무엇이든 붓 9권

멋진 빗자루 9권

탐험 이야기 9권

워크북 스티커

페이지 9~10

페이지 11~18

갑

겁

곱

급

밥

법 붑 얍

업 엽 입

탑 톱 팁

페이지 41~48

톱 손톱 발톱

갑 장갑 지갑

입 입술 굽 말굽

페이지 77~78

페이지 81~90

갓 깃 곶 낫 놏

맛 멋 못 벗 볏

붓 빗 엿 옷

페이지 93~94

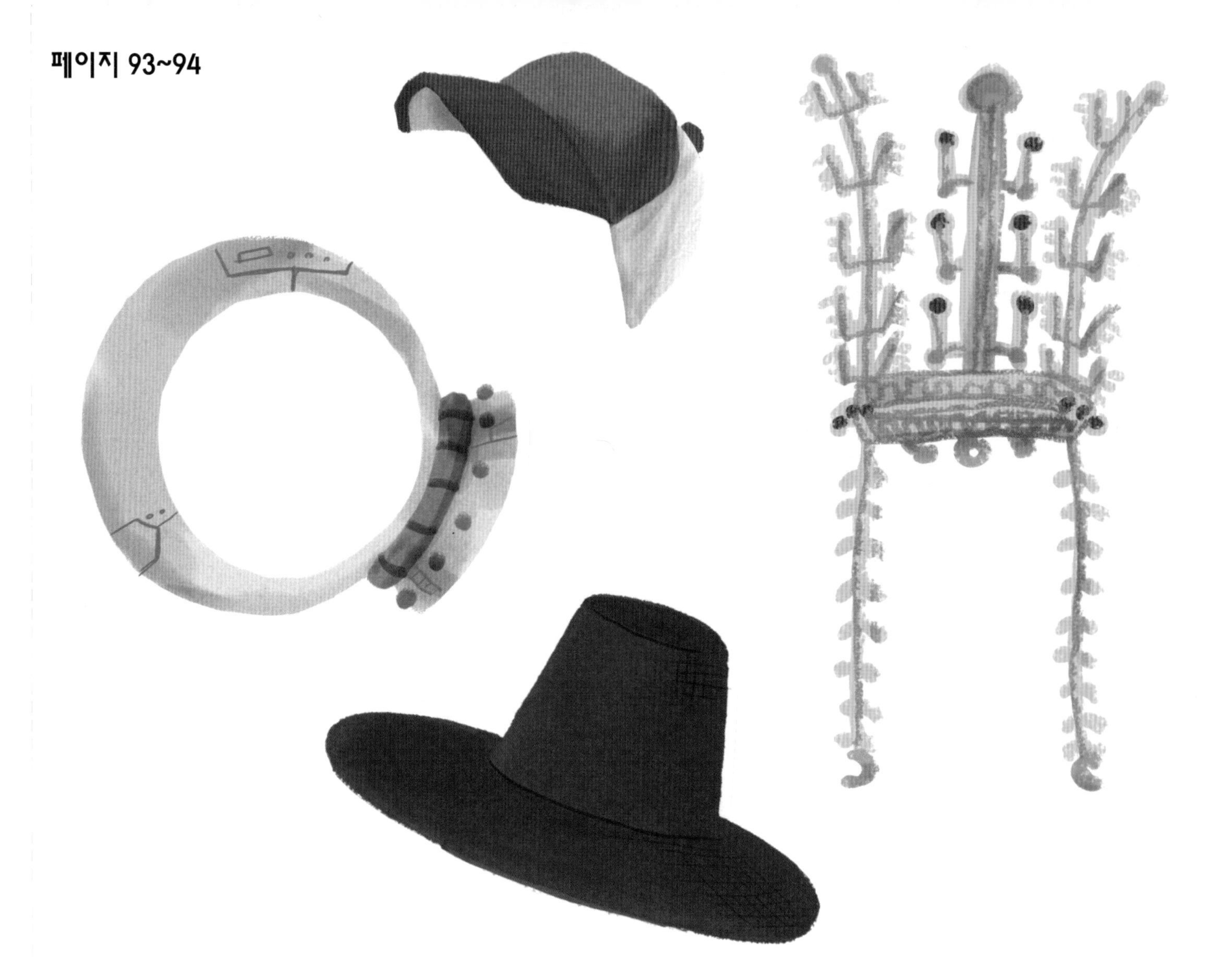

페이지 113~126

봇 로봇 빗 빗자루

깃 옷 비옷 옷 걸

털 깃털 젓 옷걸이

릇 그릇 락 젓가락

공 달 돌 별 약

톱 불 밤 실 우산

아침 저녁 가방 마술

그물 망치 난로 접시

상자 하늘 낙지 탐험

동굴 공룡 얼음 털옷

오징어 자전거 고드름

보물섬 건전지 바닷가

반창고 임금님 공주님
보름달 오징어

페이지 161~166

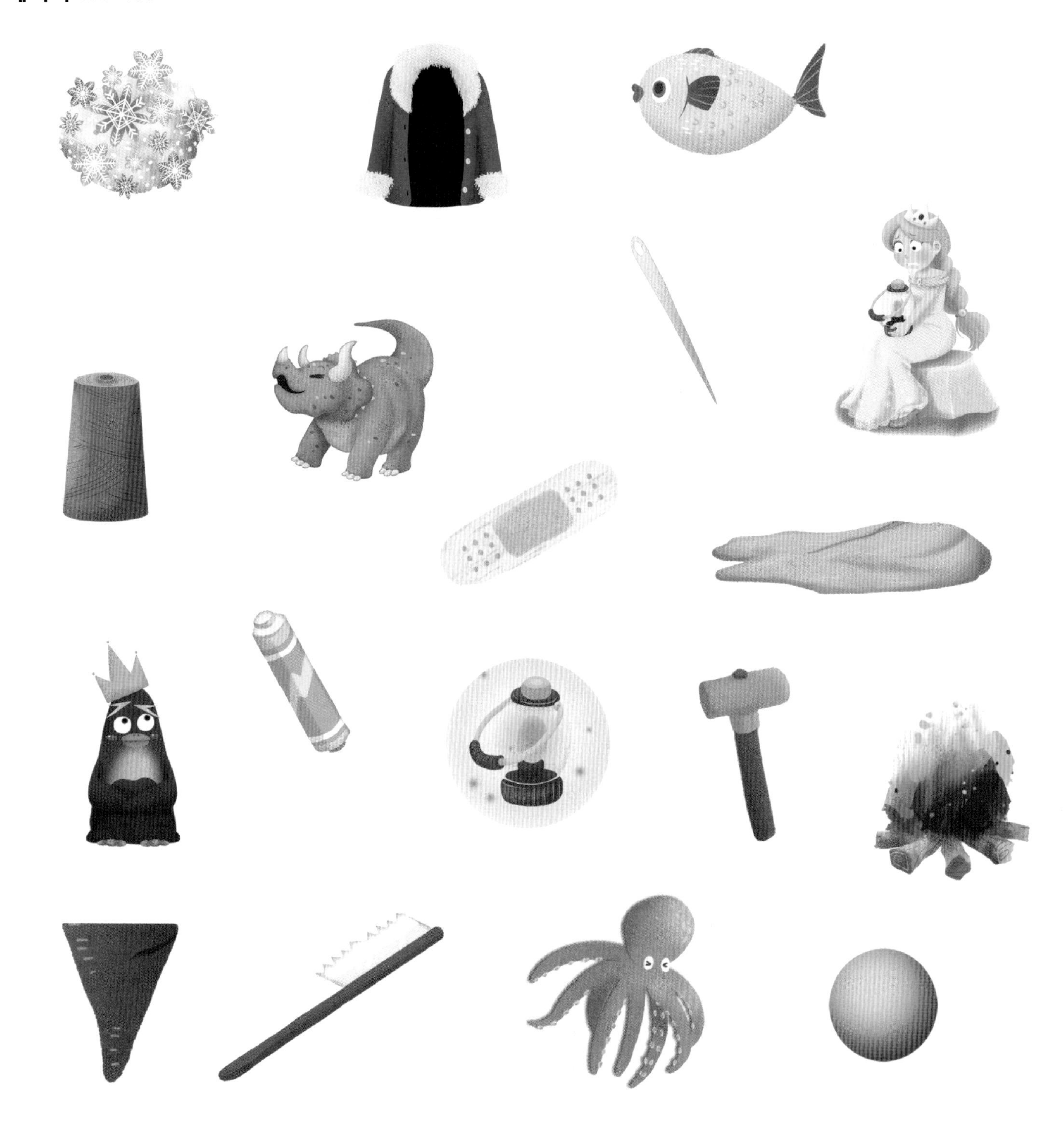

월 일

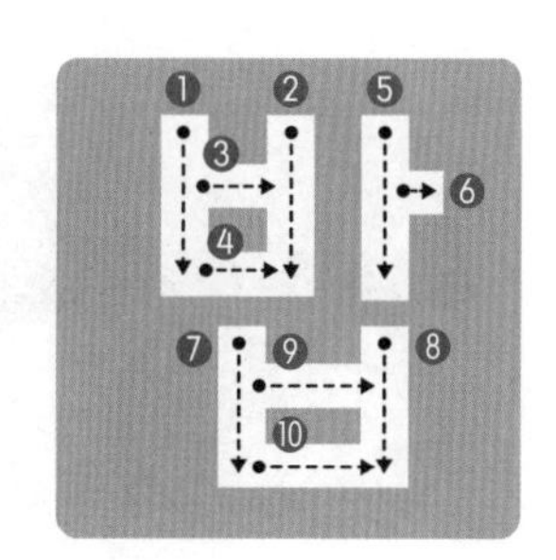

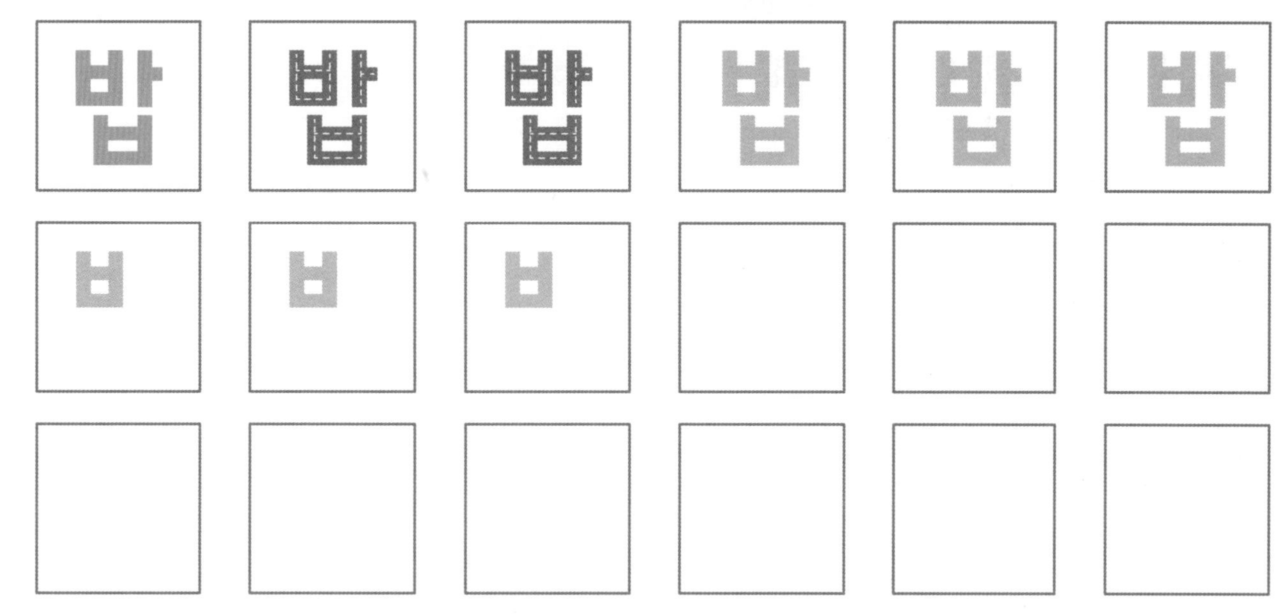

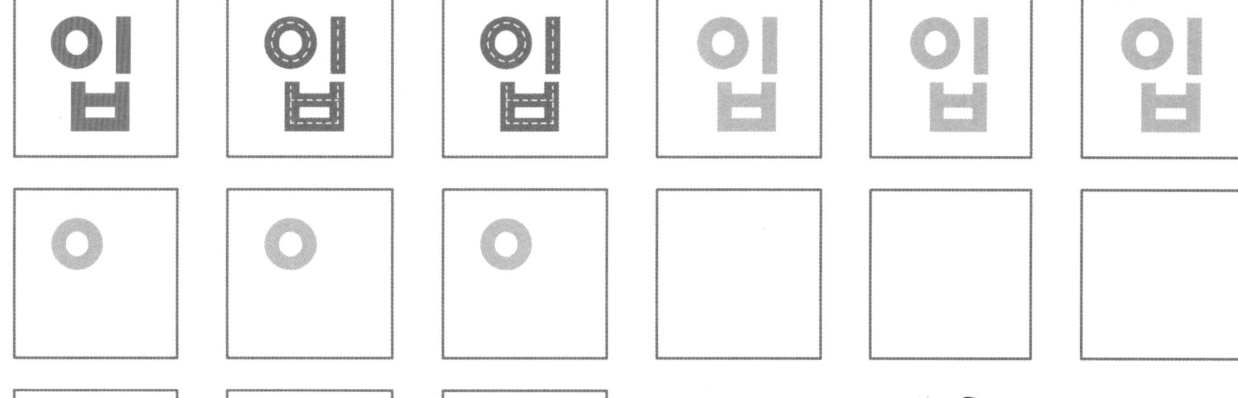

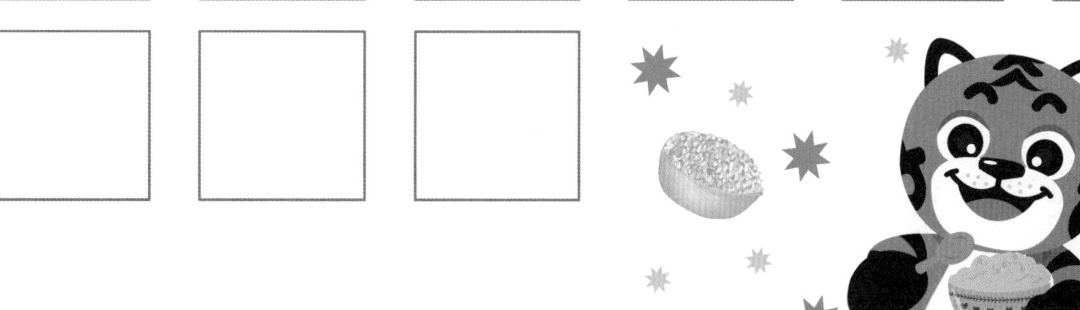

월

일

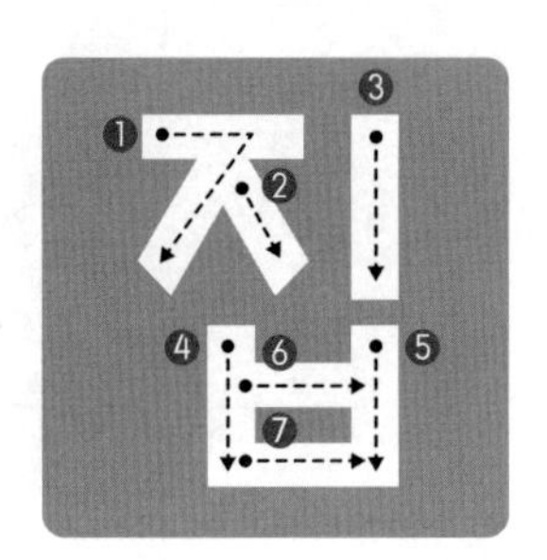

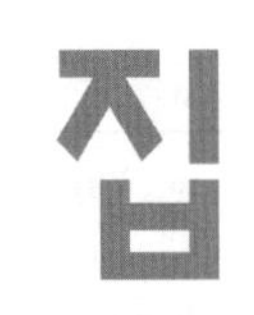 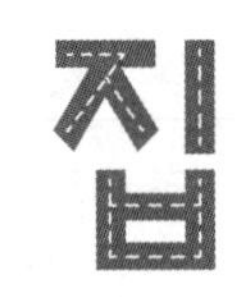    

     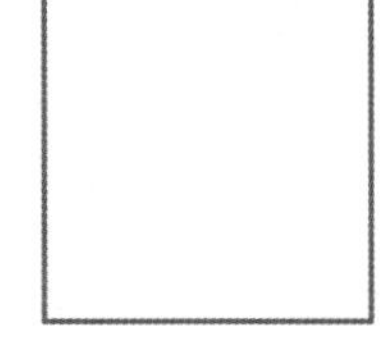

 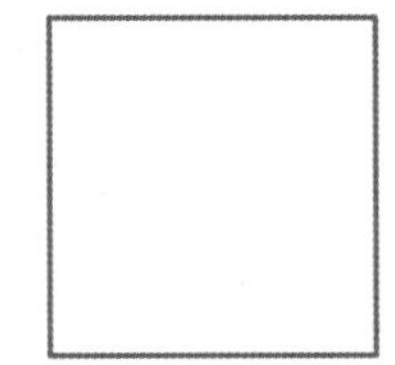   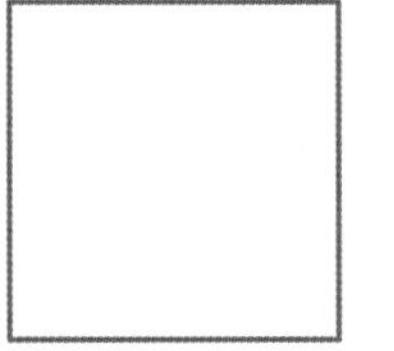 

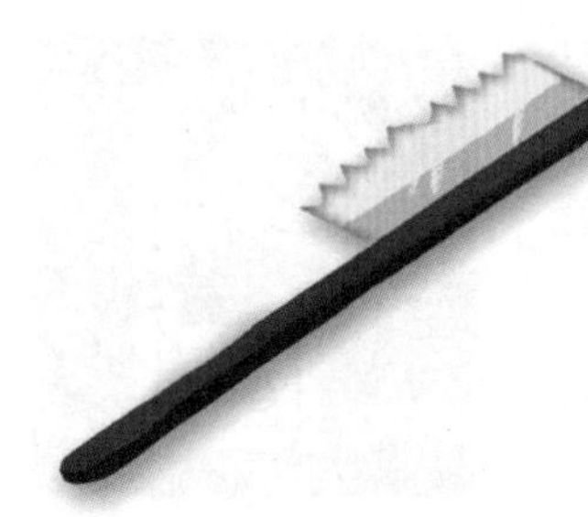
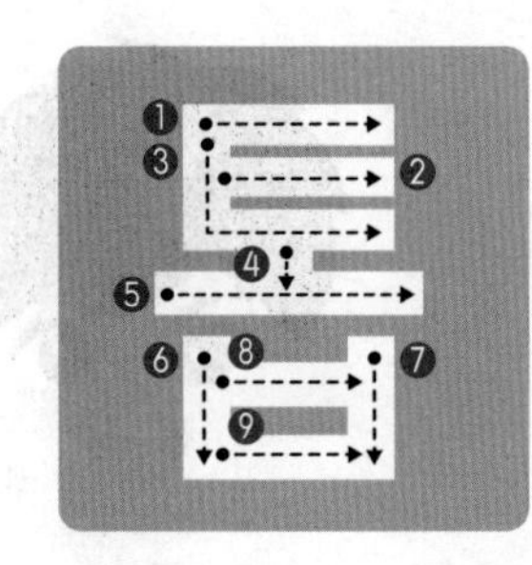

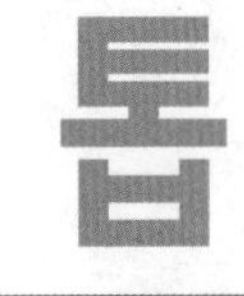 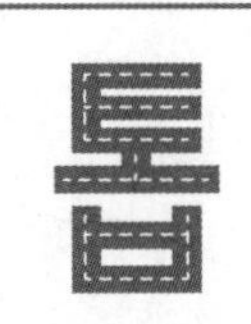 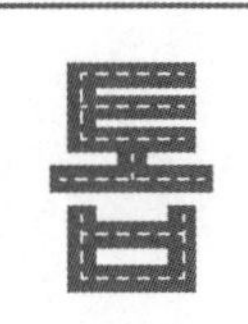  

   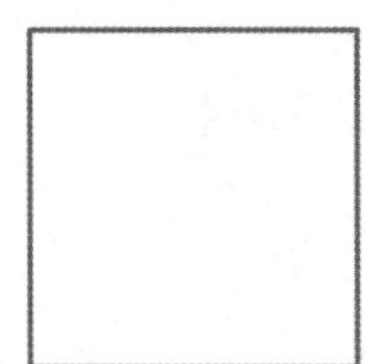  

   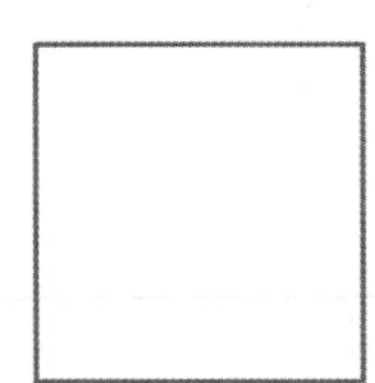  

월
일
참 잘했어요!

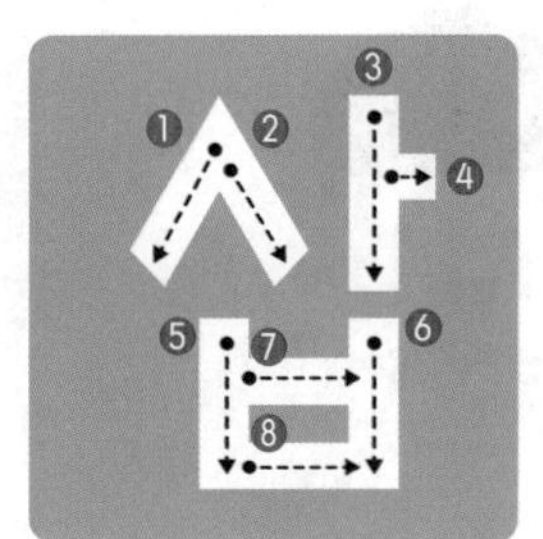

삽

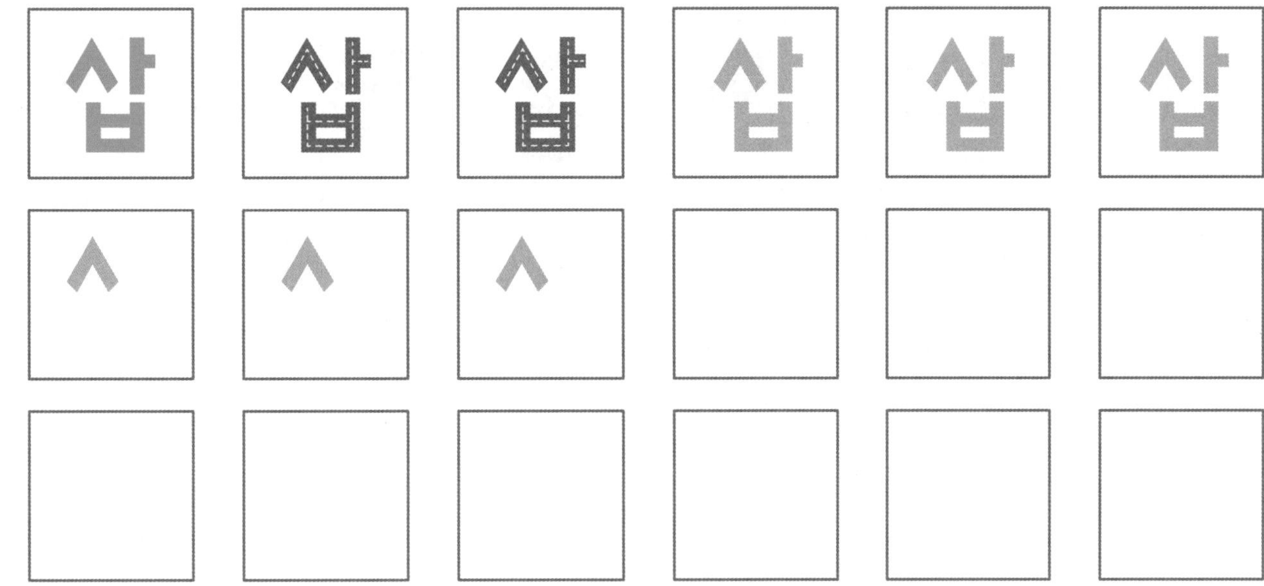

삽 삽 삽 삽 삽 삽
ㅅ ㅅ ㅅ

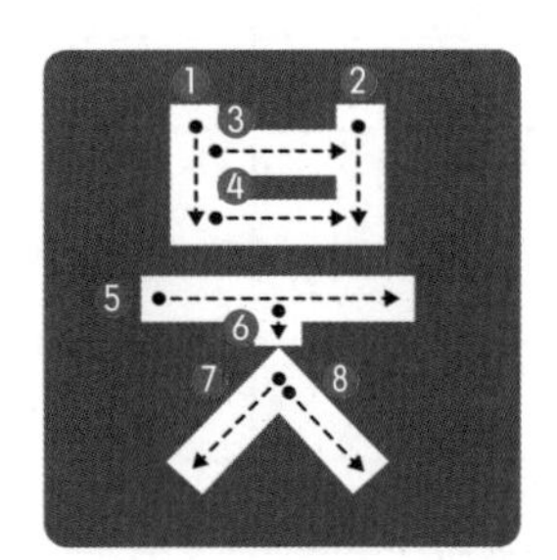

붓

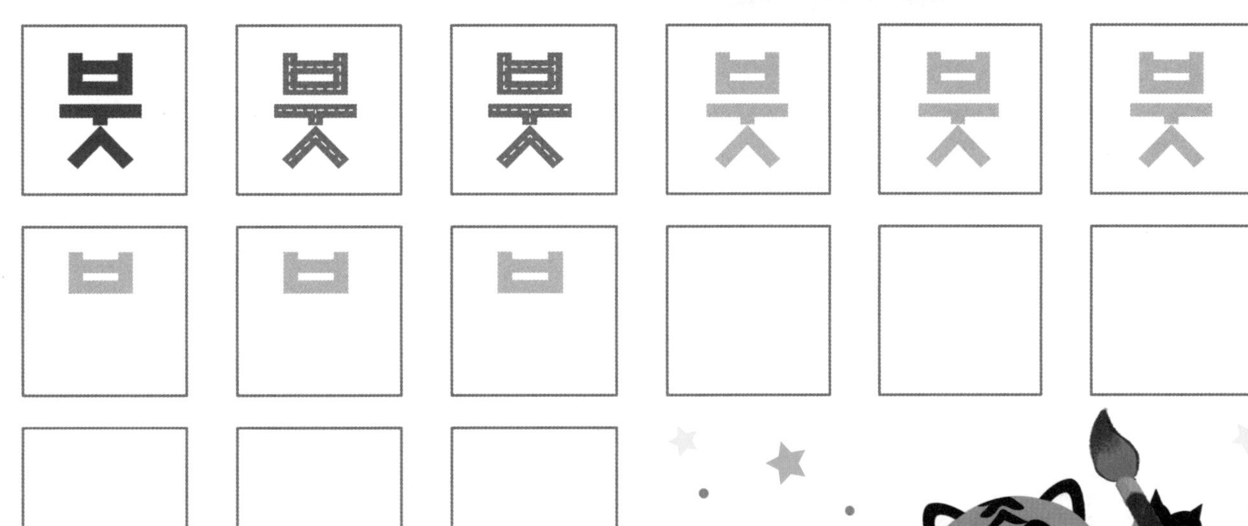

붓 붓 붓 붓 붓 붓
ㅂ ㅂ ㅂ

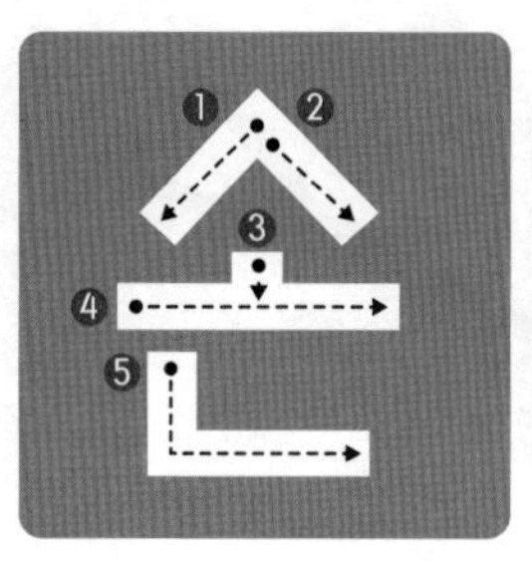
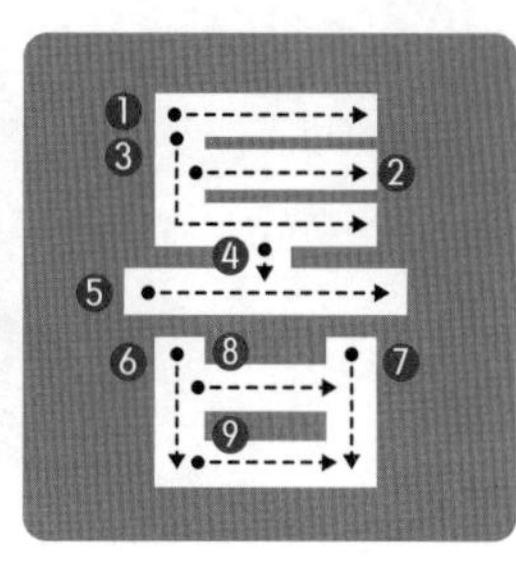

손	톱	손	톱	손	톱	손	톱
손	톱	손	톱	손	톱	손	톱
ㅅ	ㅌ	ㅅ	ㅌ	ㅅ	ㅌ	ㅅ	ㅌ

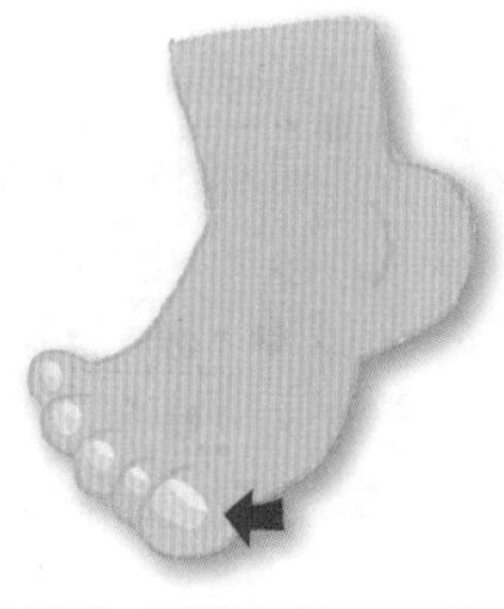

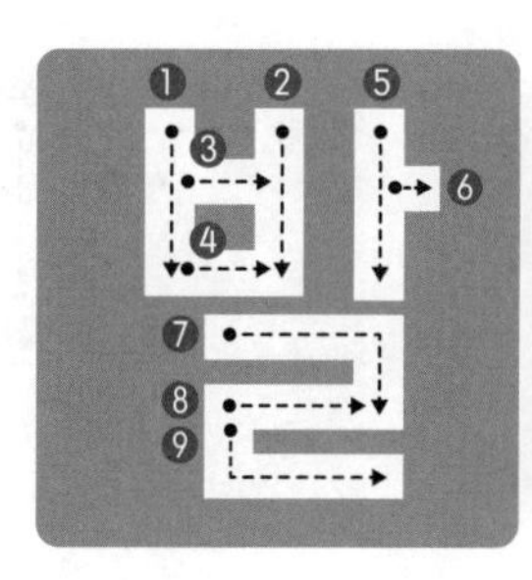

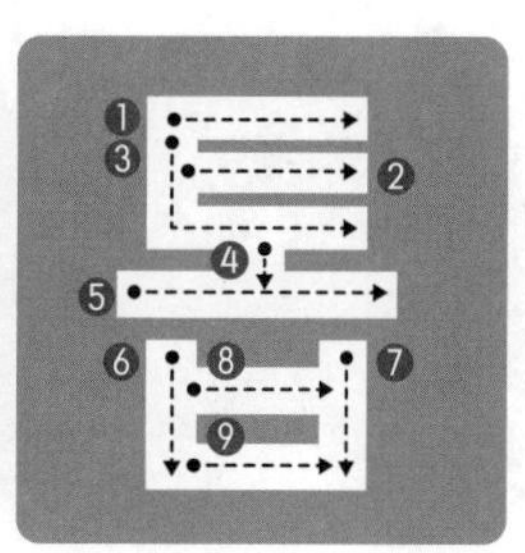

발	톱	발	톱	발	톱	발	톱
발	톱	발	톱	발	톱	발	톱
ㅂ	ㅌ	ㅂ	ㅌ	ㅂ	ㅌ	ㅂ	ㅌ

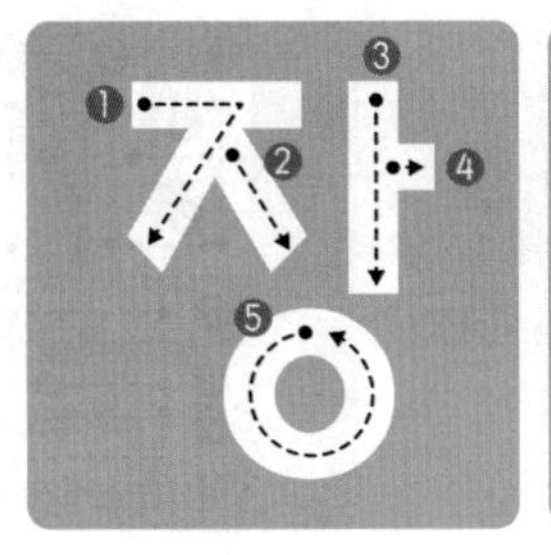

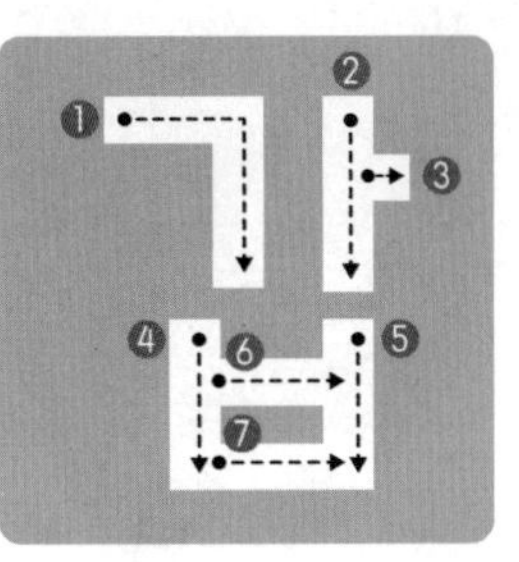

장	갑	장	갑	장	갑	장	갑
장	갑	장	갑	장	갑	장	갑
ㅈ	ㄱ	ㅈ	ㄱ	ㅈ	ㄱ	ㅈ	ㄱ

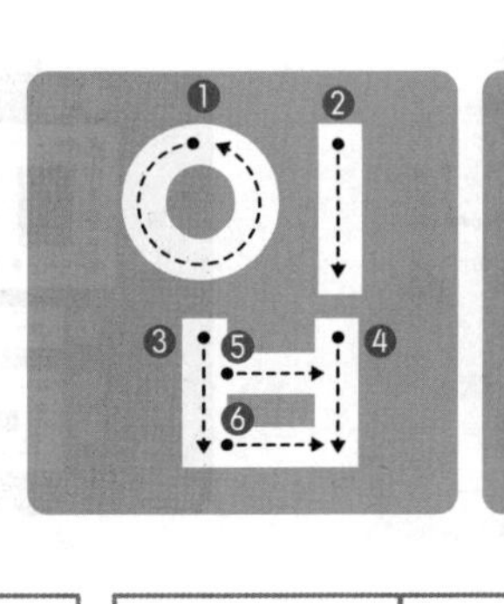

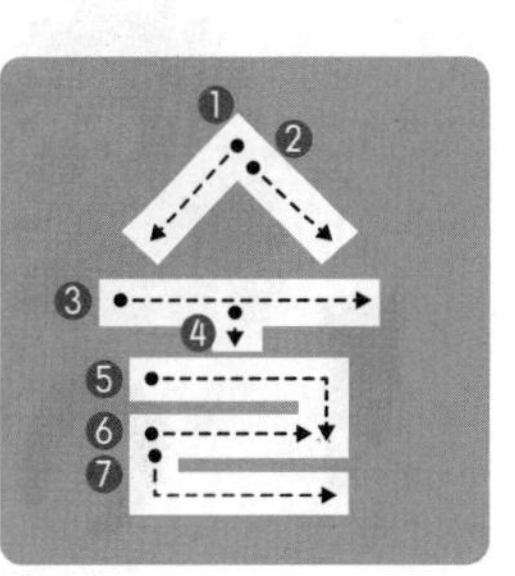

입	술	입	술	입	술	입	술
입	술	입	술	입	술	입	술
ㅇ	ㅅ	ㅇ	ㅅ	ㅇ	ㅅ	ㅇ	ㅅ

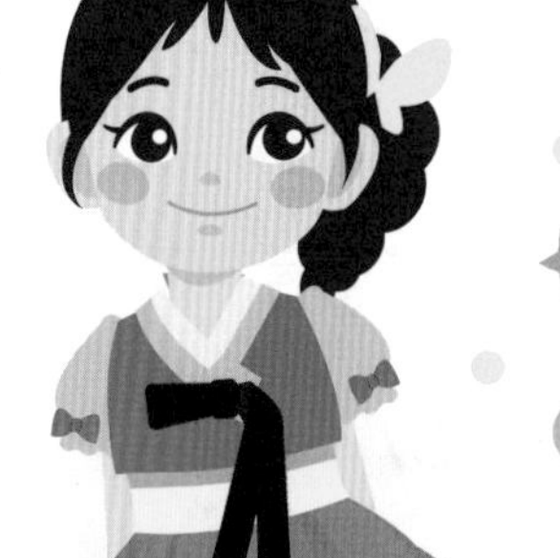

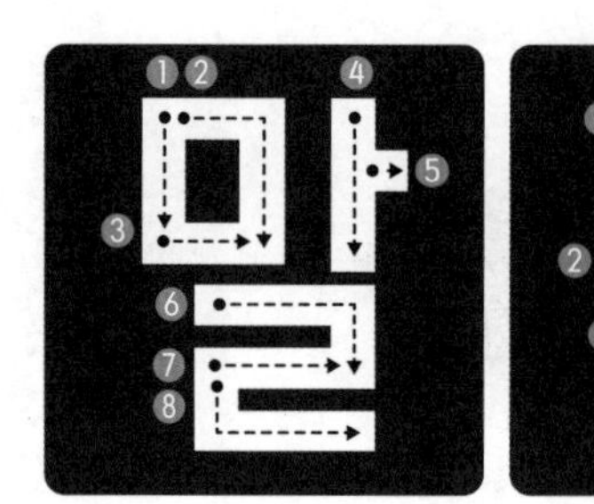

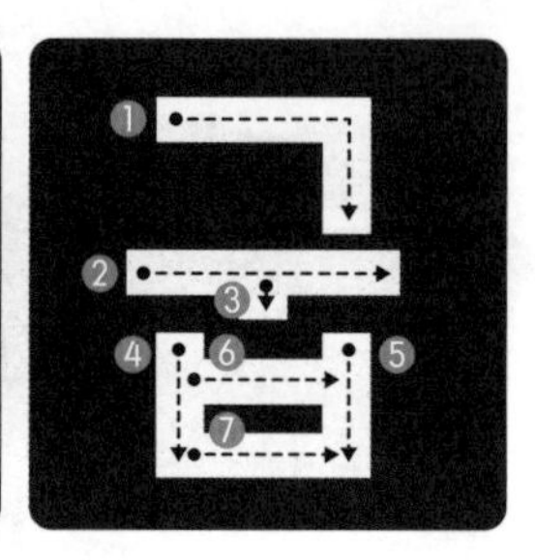

말	굽	말	굽	말	굽	말	굽
말	굽	말	굽	말	굽	말	굽
ㅁ	ㄱ	ㅁ	ㄱ	ㅁ	ㄱ	ㅁ	ㄱ

참 잘했어요!

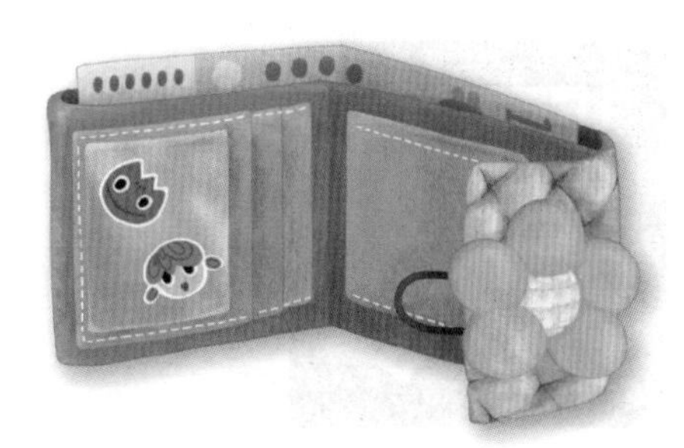

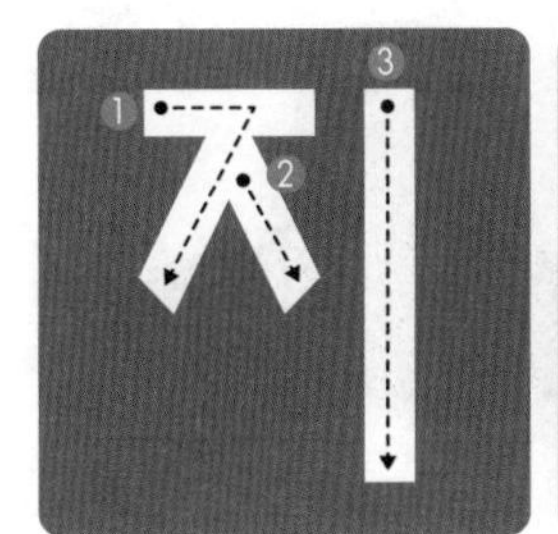

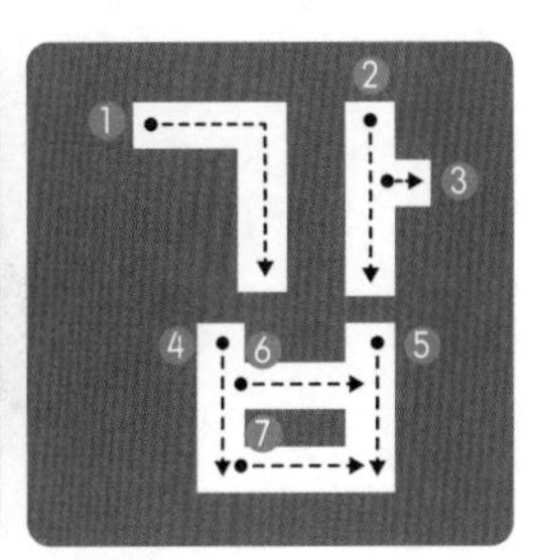

지	갑	지	갑	지	갑	지	갑
지	갑	지	갑	지	갑	지	갑
ㅈ	ㄱ	ㅈ	ㄱ	ㅈ	ㄱ	ㅈ	ㄱ

참 잘했어요!

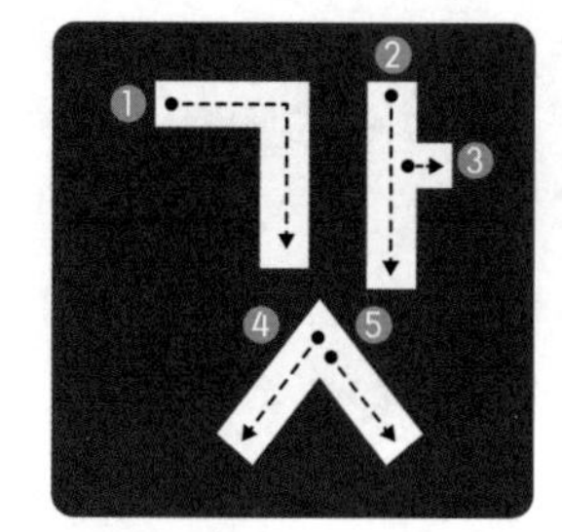
갓

  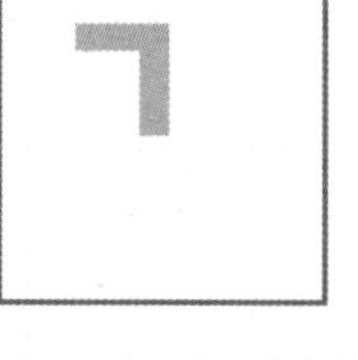   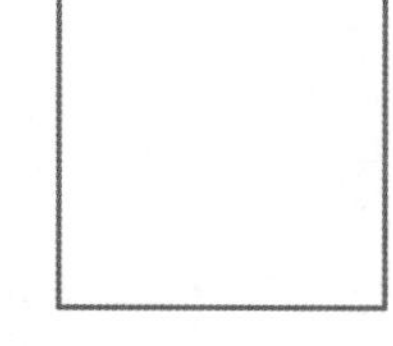

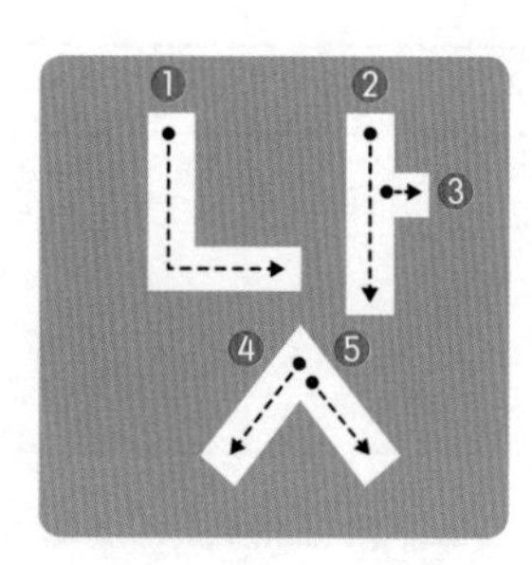
낫

 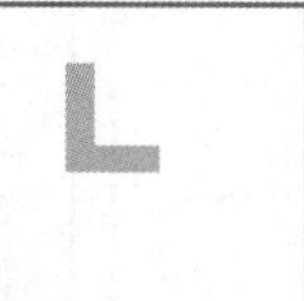    

   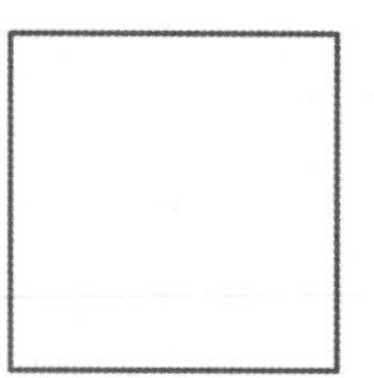 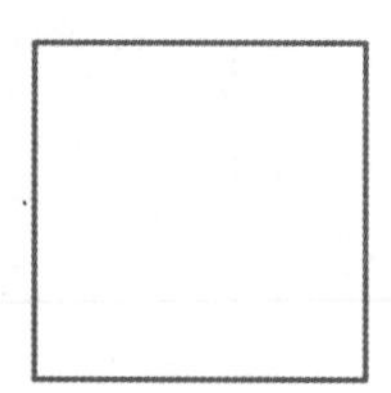 

월 일

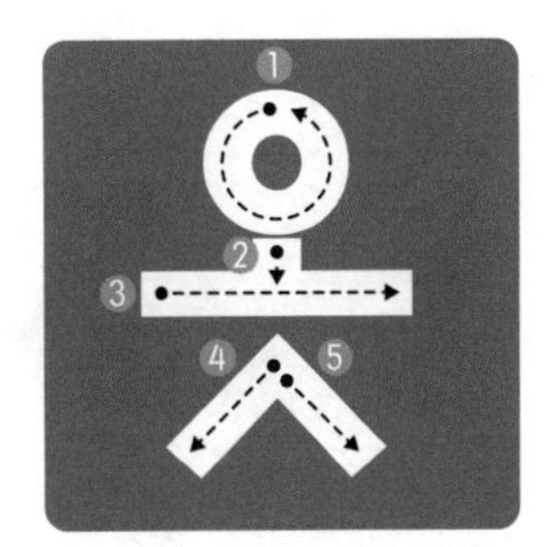
옷

    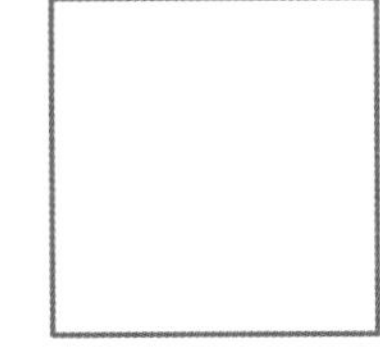 

  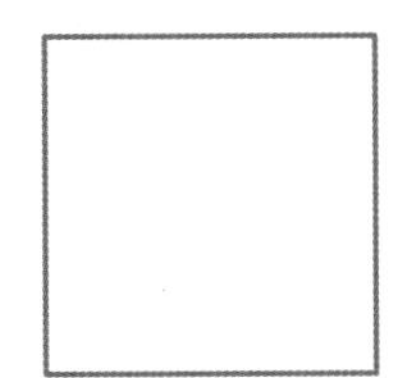   

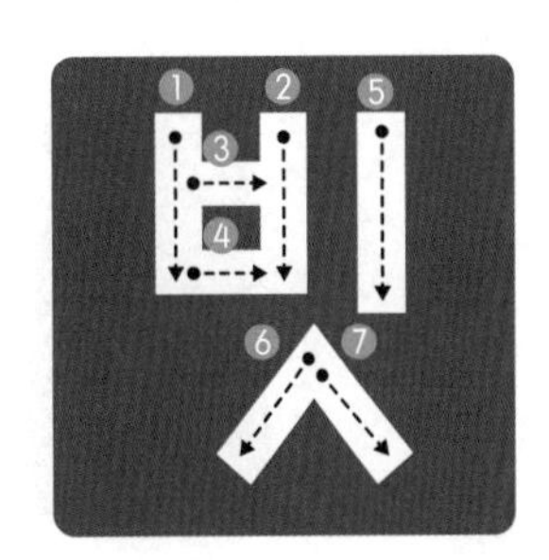
빗

 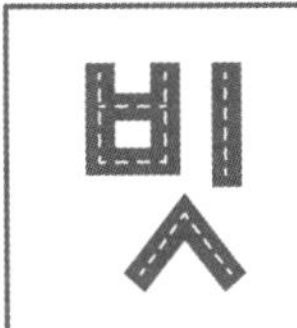    

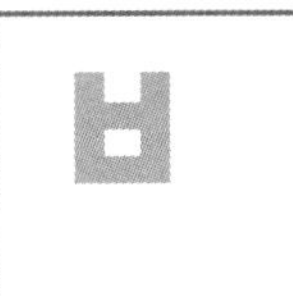 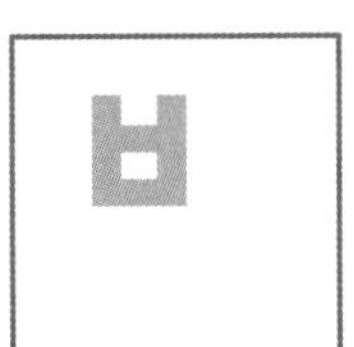 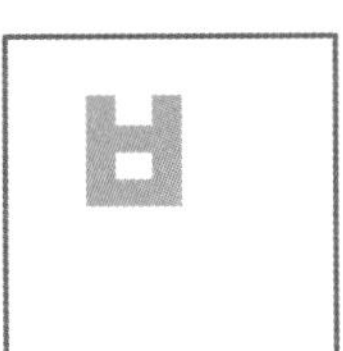  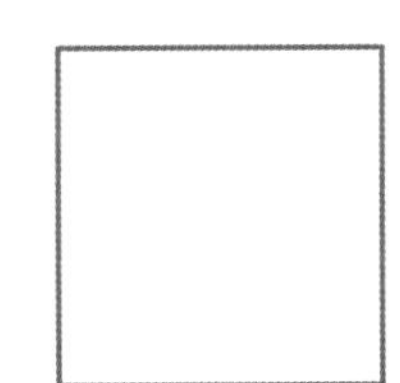 

 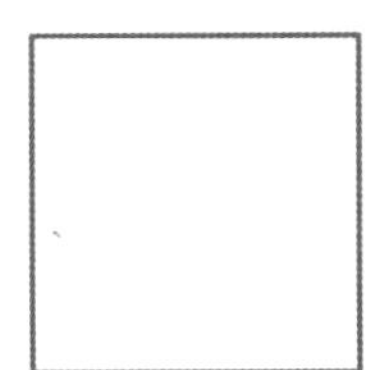 

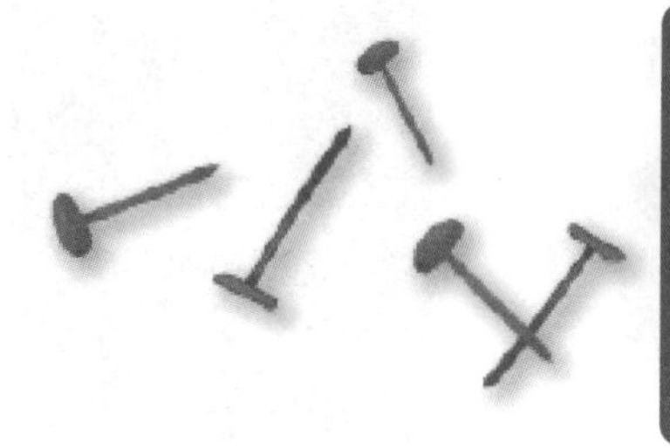

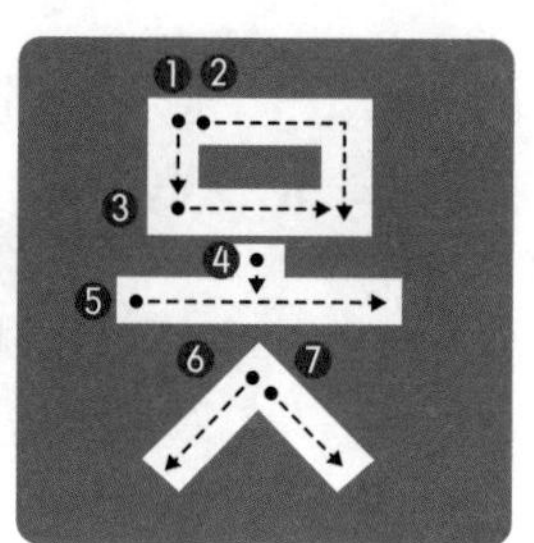

못

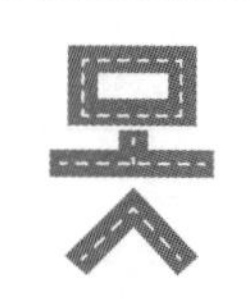

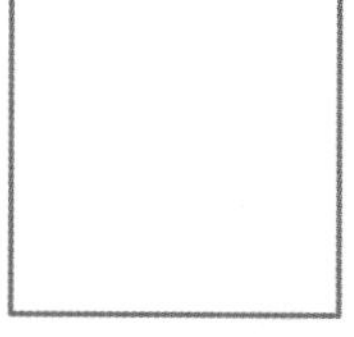

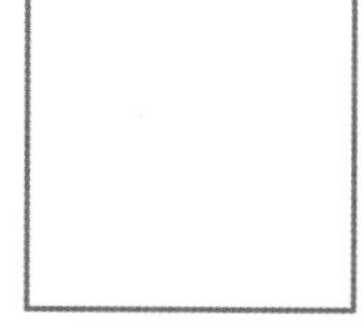

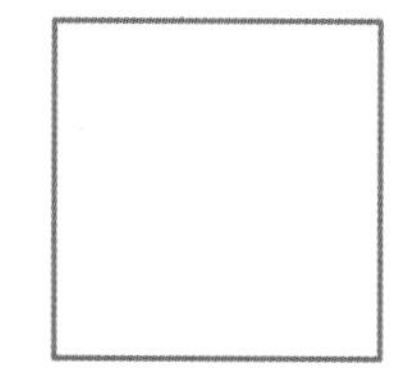

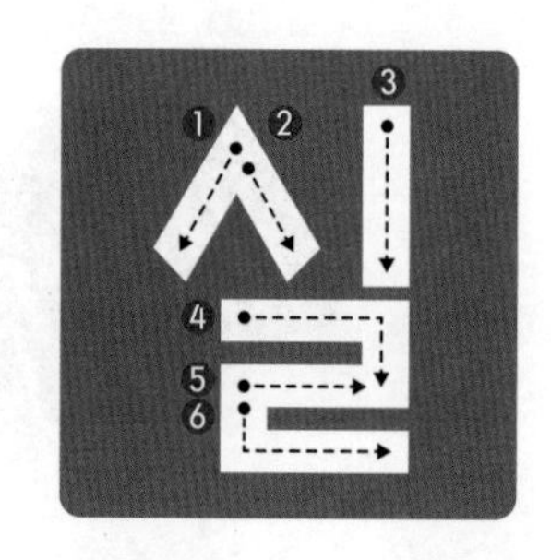

실

실

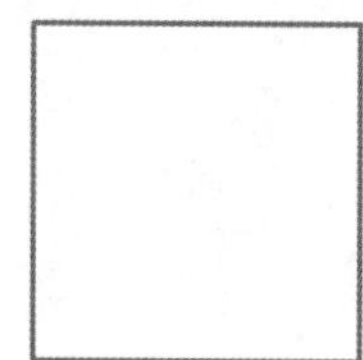
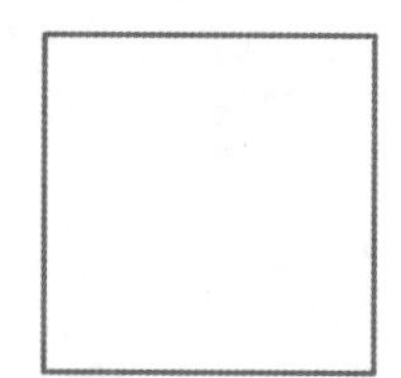

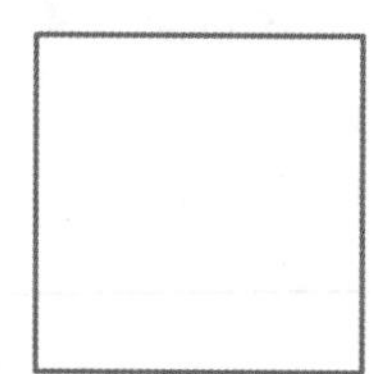
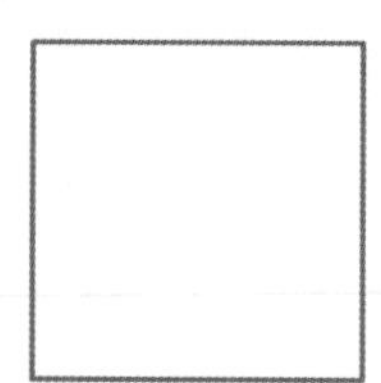

월 일

참 잘했어요!

빗자루

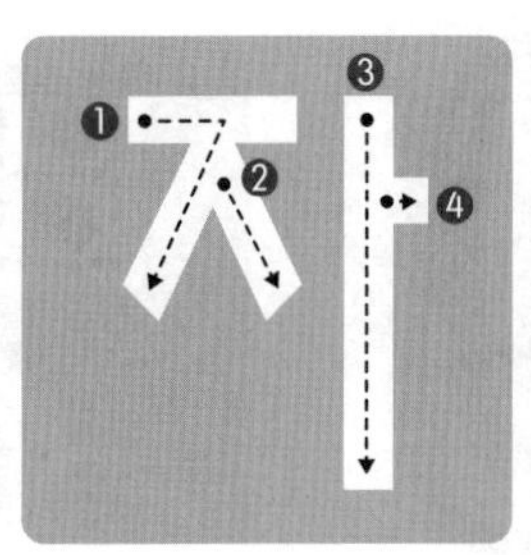
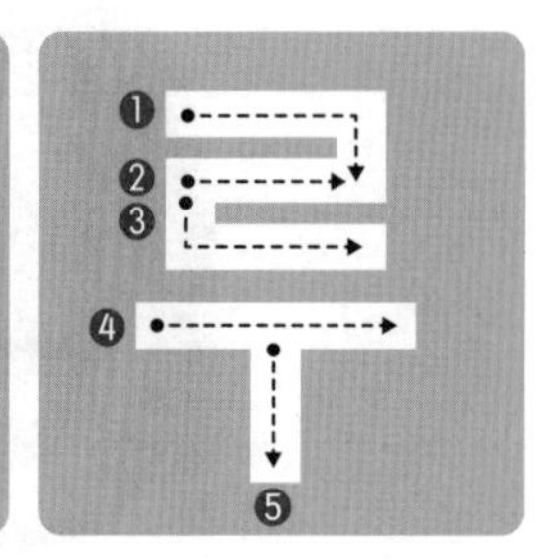

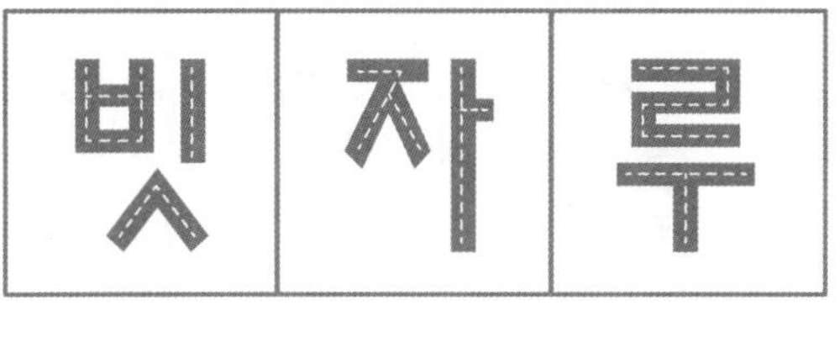

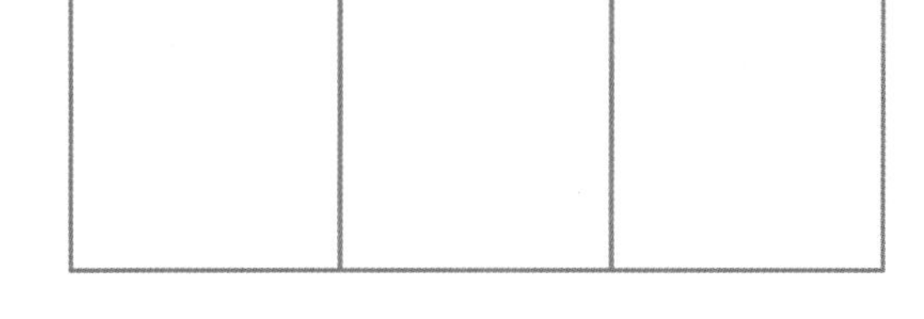

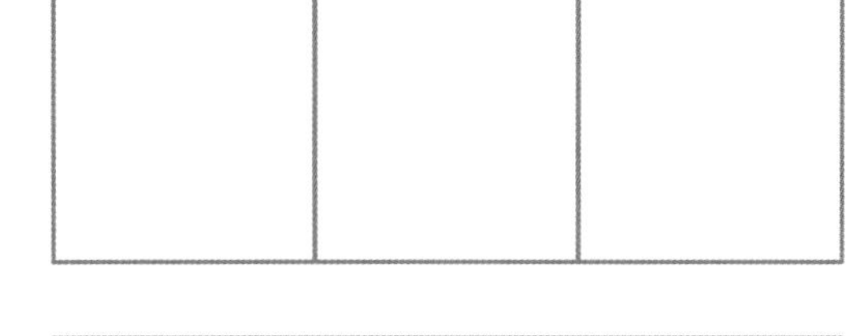

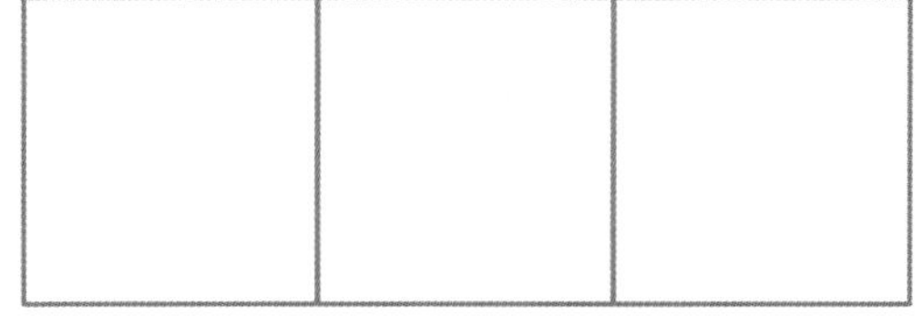

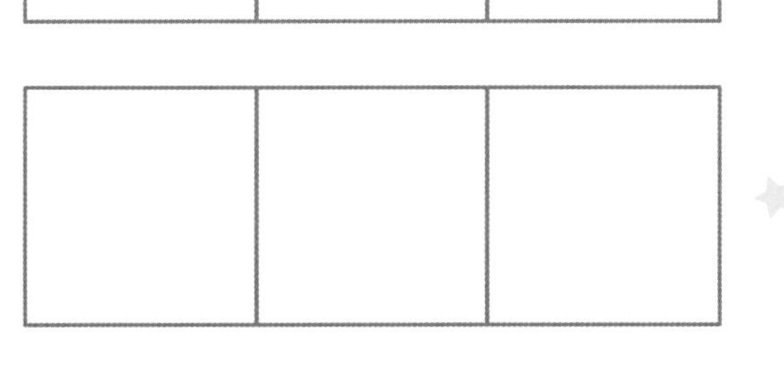

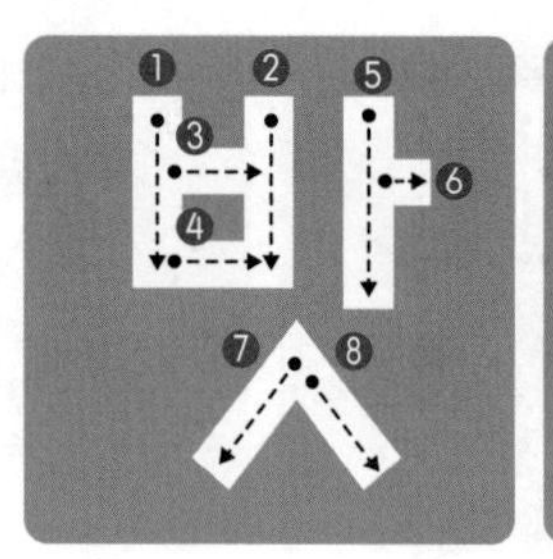

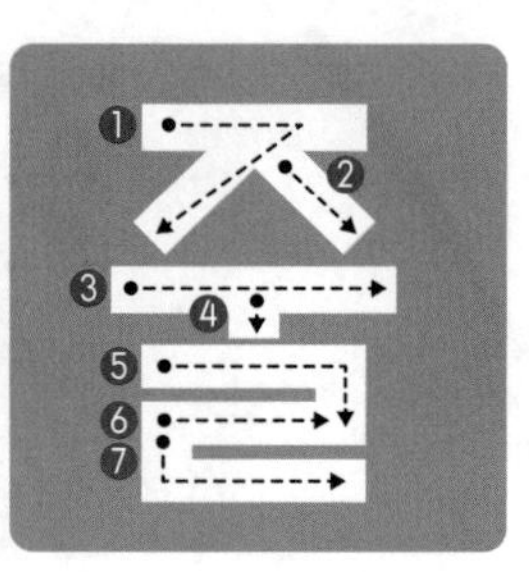

밧	줄	밧	줄	밧	줄	밧	줄
밧	줄	밧	줄	밧	줄	밧	줄
ㅂ	ㅈ	ㅂ	ㅈ	ㅂ	ㅈ	ㅂ	ㅈ

월 일

잘 했어요!

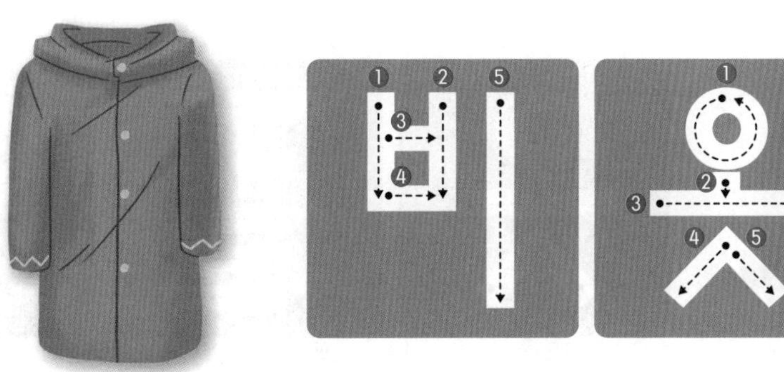

월
일
참 잘했어요!

옷 걸 이
옷 걸 이
옷 걸 이
옷 걸 이
옷 걸 이

월 일

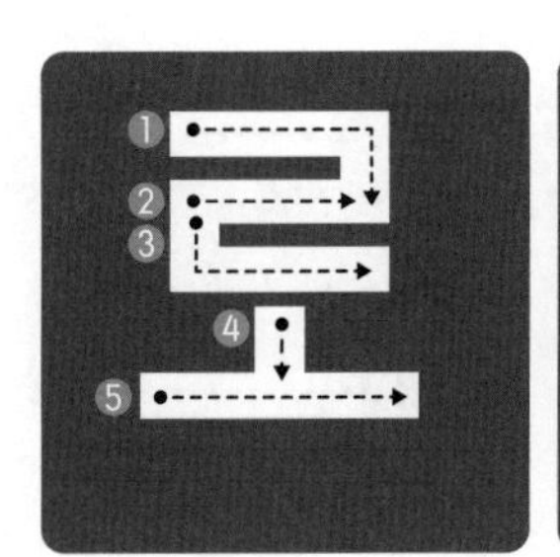

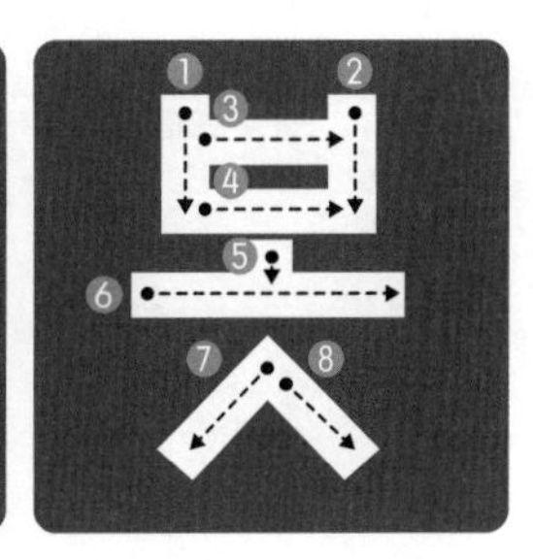

로	봇	로	봇	로	봇	로	봇
로	봇	로	봇	로	봇	로	봇
ㄹ	ㅂ	ㄹ	ㅂ	ㄹ	ㅂ	ㄹ	ㅂ

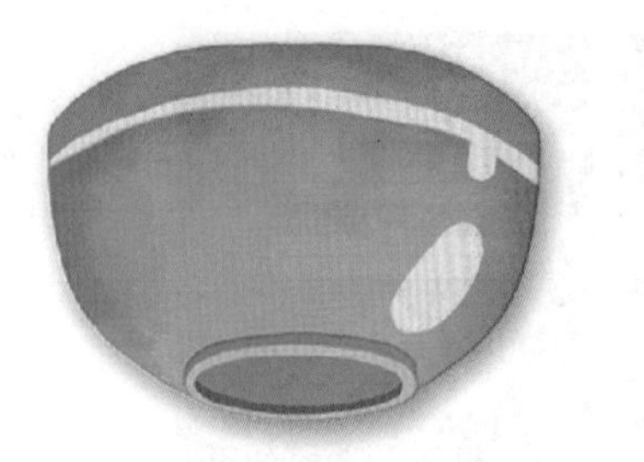

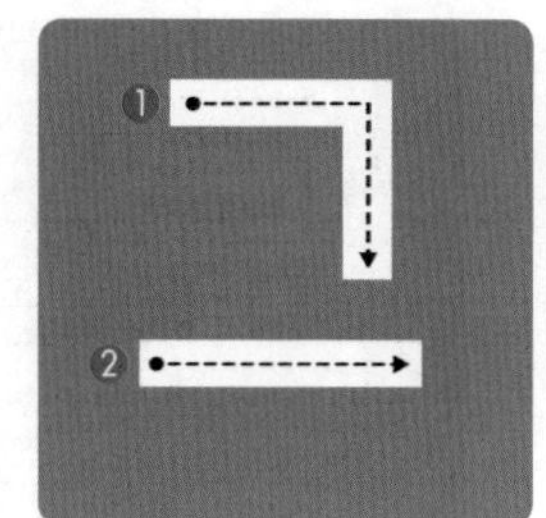

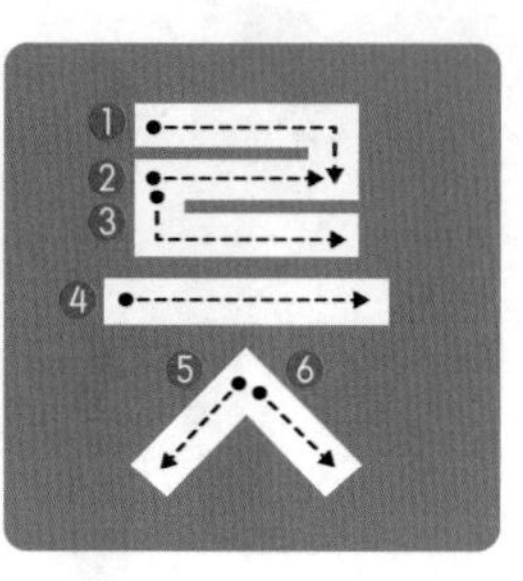

그	릇	그	릇	그	릇	그	릇
그	릇	그	릇	그	릇	그	릇
ㄱ	ㄹ	ㄱ	ㄹ	ㄱ	ㄹ	ㄱ	ㄹ

월 일

참 잘했어요!

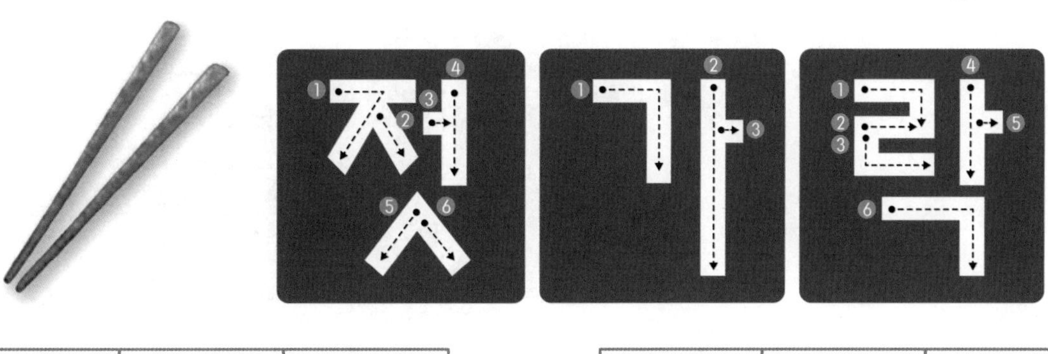

젓	가	락

젓	가	락

젓	가	락

젓	가	락

ㅈ	ㄱ	ㄹ

ㅈ	ㄱ	ㄹ

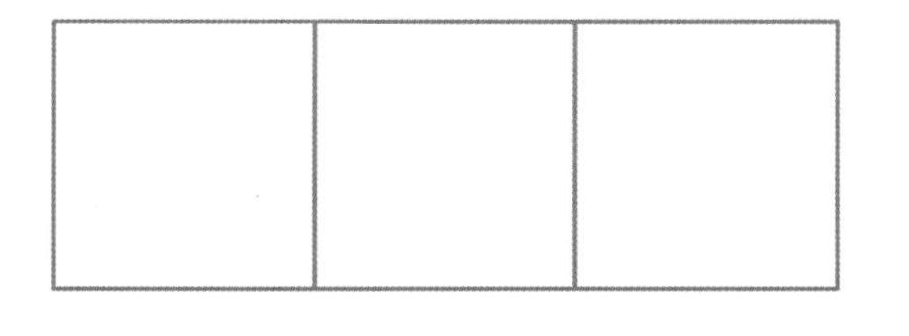

월

일

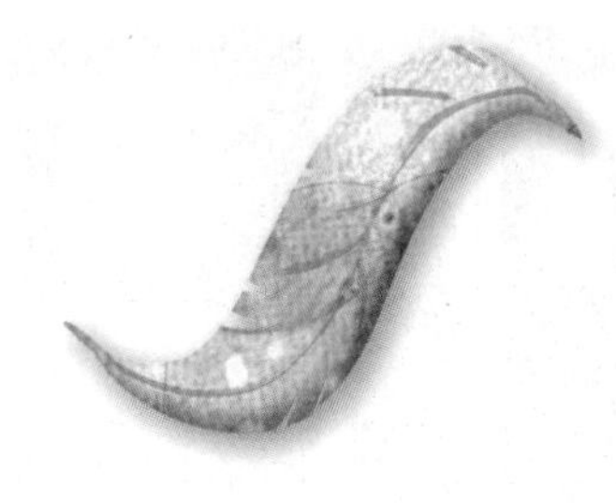
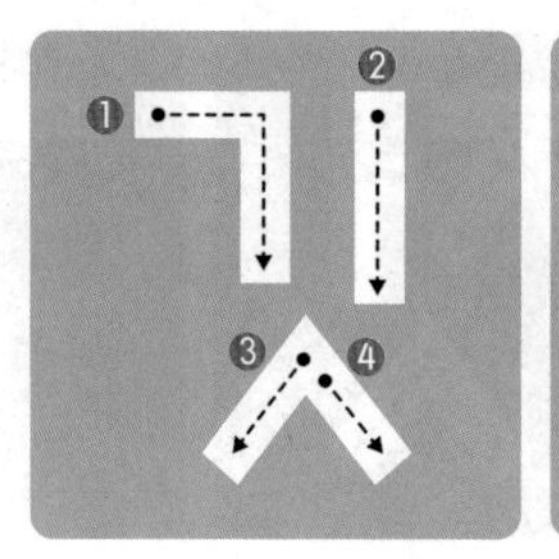

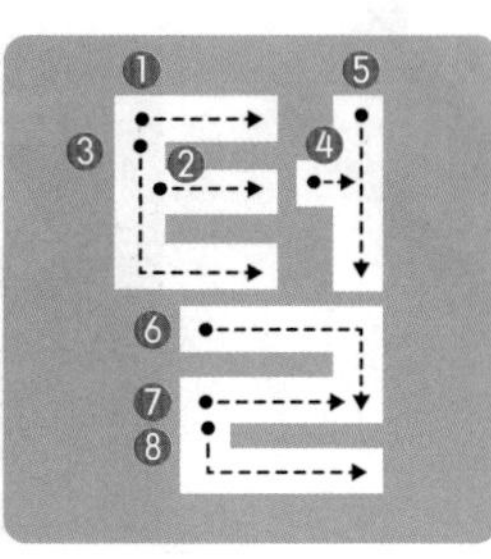

깃	털	깃	털	깃	털	깃	털
깃	털	깃	털	깃	털	깃	털
ㄱ	ㅌ	ㄱ	ㅌ	ㄱ	ㅌ	ㄱ	ㅌ

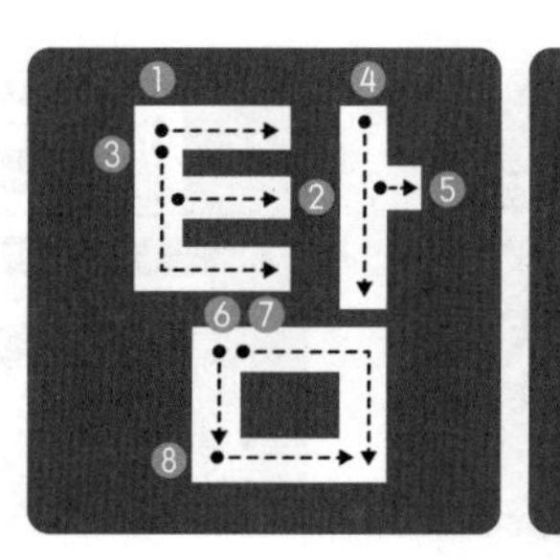

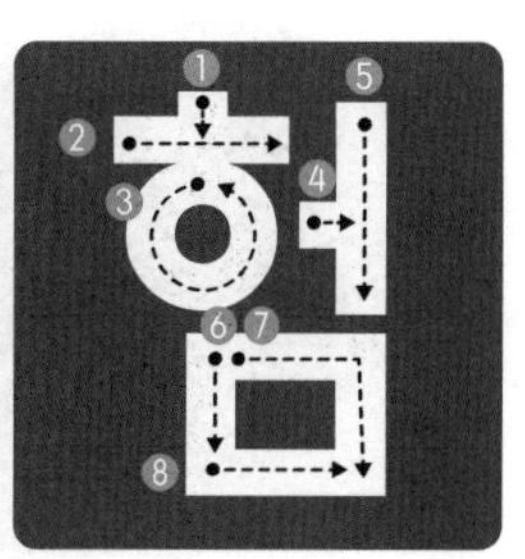

탐	험	탐	험	탐	험	탐	험
탐	험	탐	험	탐	험	탐	험
ㅌ	ㅎ	ㅌ	ㅎ	ㅌ	ㅎ	ㅌ	ㅎ

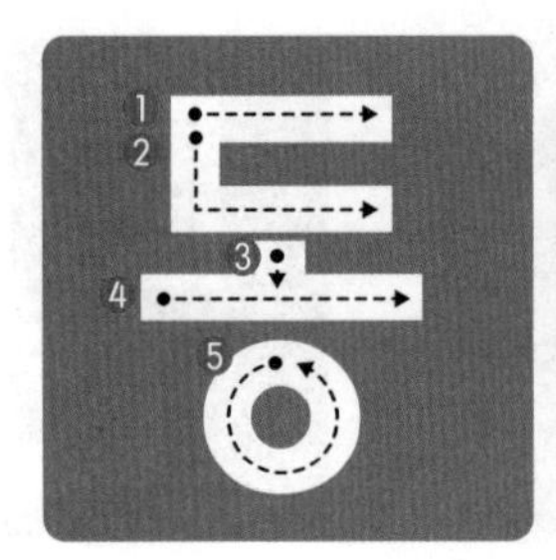

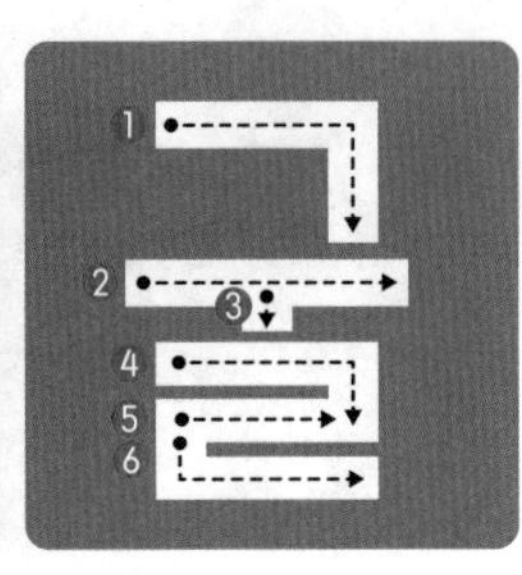

동	굴	동	굴	동	굴	동	굴
동	굴	동	굴	동	굴	동	굴
ㄷ	ㄱ	ㄷ	ㄱ	ㄷ	ㄱ	ㄷ	ㄱ

월 일 참 잘했어요!

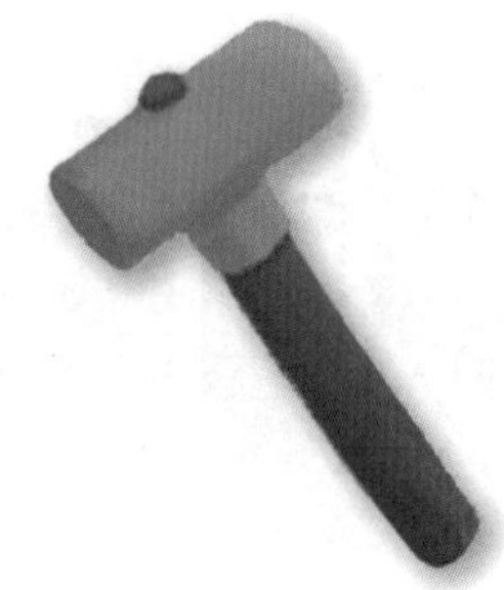

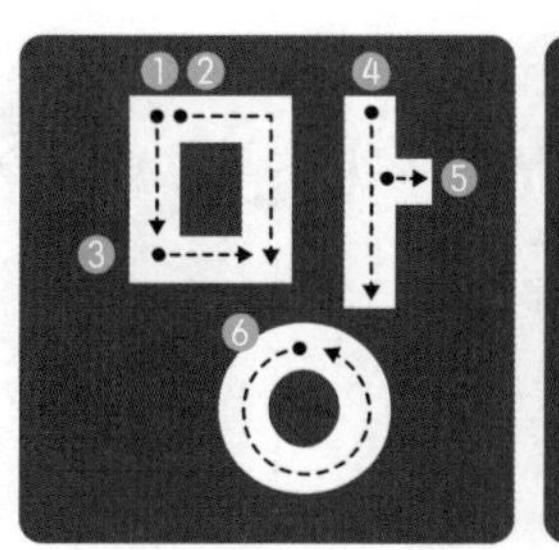

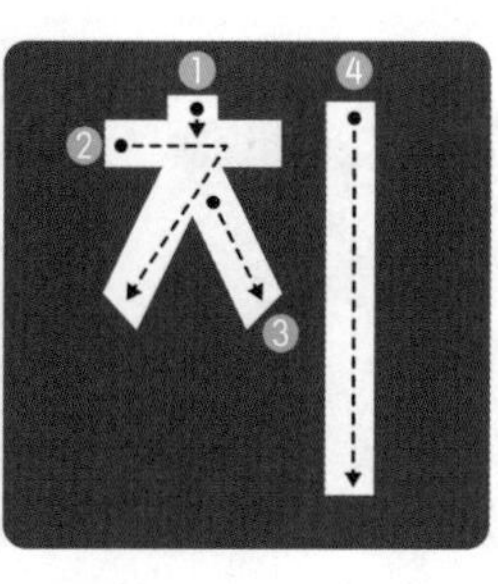

망	치	망	치	망	치	망	치
망	치	망	치	망	치	망	치
ㅁ	ㅊ	ㅁ	ㅊ	ㅁ	ㅊ	ㅁ	ㅊ

월
일
참 잘했어요!

바 닷 가
바 닷 가
바 닷 가
바 닷 가
바 닷 가
ㅂ ㄷ ㄱ
ㅂ ㄷ ㄱ

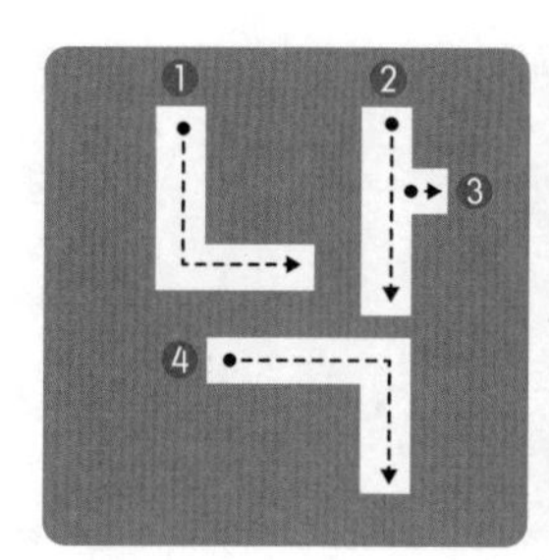

낙	지	낙	지	낙	지	낙	지
낙	지	낙	지	낙	지	낙	지
ㄴ	ㅈ	ㄴ	ㅈ	ㄴ	ㅈ	ㄴ	ㅈ

참 잘했어요!

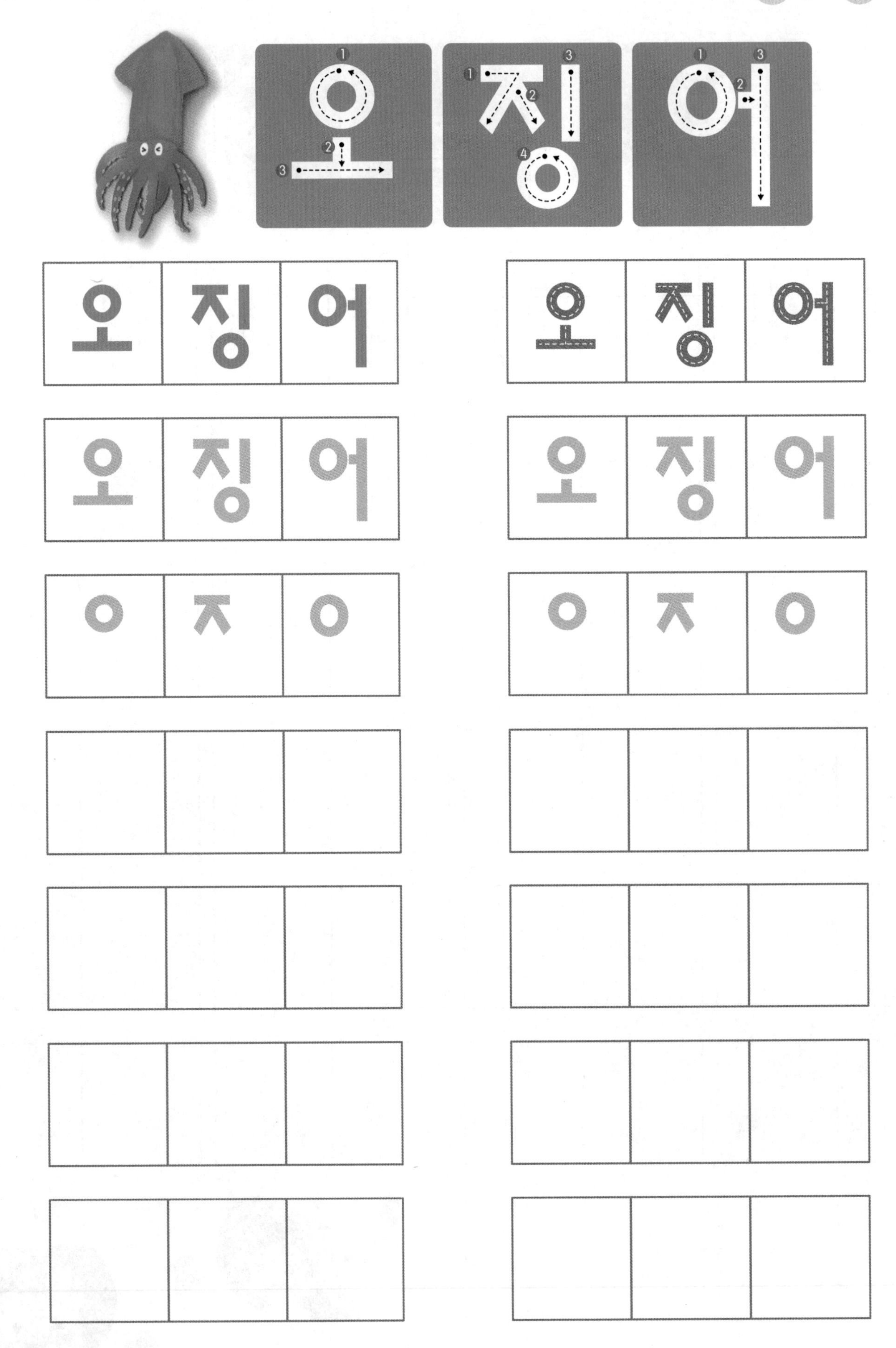
오 징 어
오 징 어
오 징 어
오 징 어
오 징 어
ㅇ ㅈ ㅇ
ㅇ ㅈ ㅇ

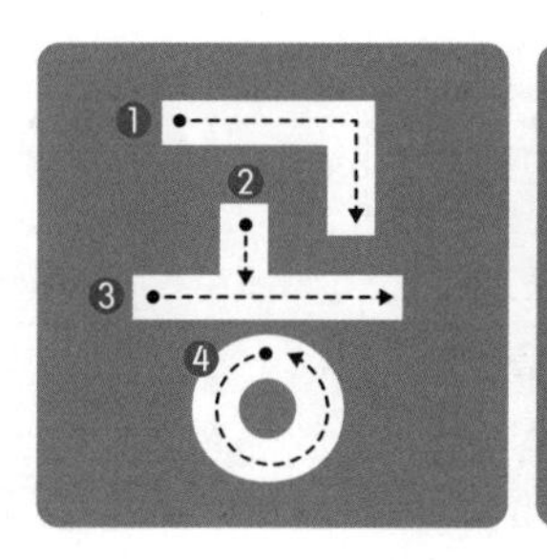

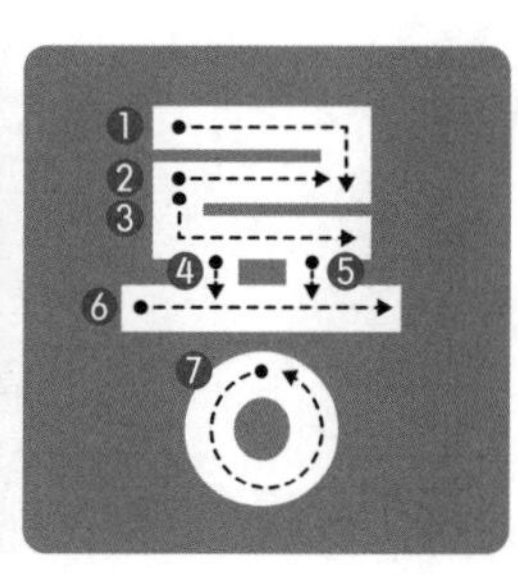

공	룡	공	룡	공	룡	공	룡
공	룡	공	룡	공	룡	공	룡
ㄱ	ㄹ	ㄱ	ㄹ	ㄱ	ㄹ	ㄱ	ㄹ

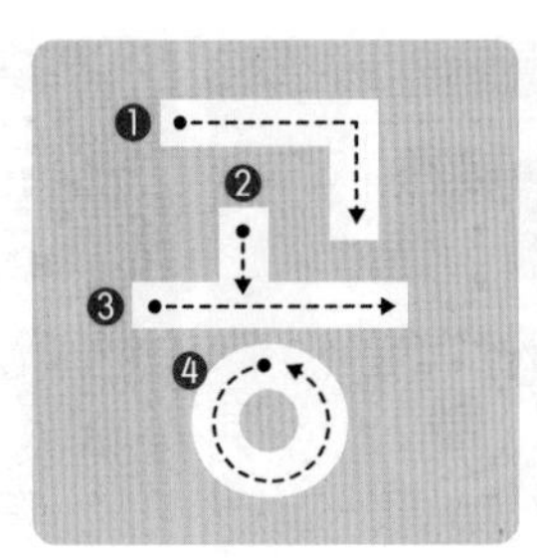

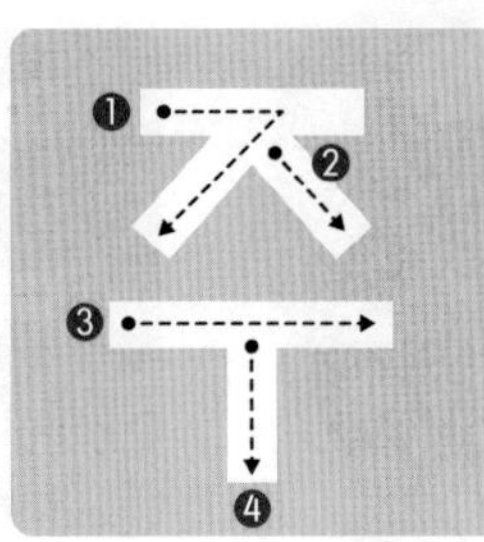

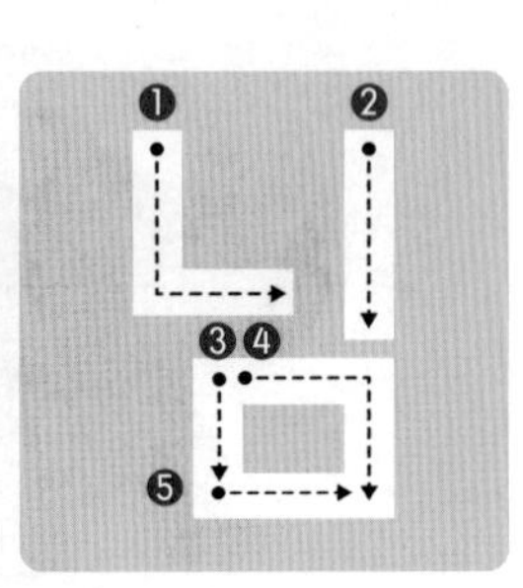

공	주	님

공	주	님

공	주	님

공	주	님

ㄱ	ㅈ	ㄴ

ㄱ	ㅈ	ㄴ

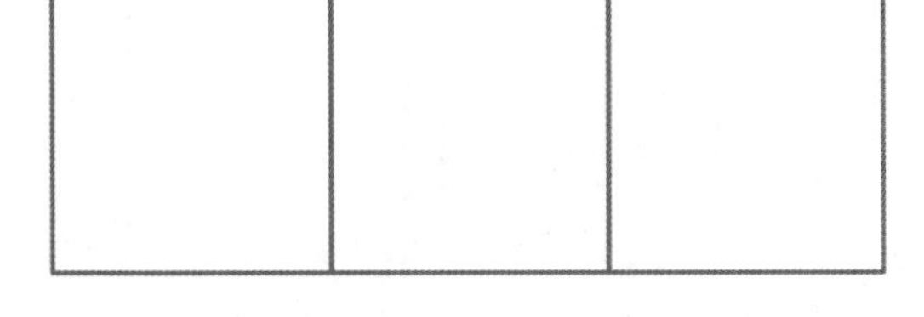

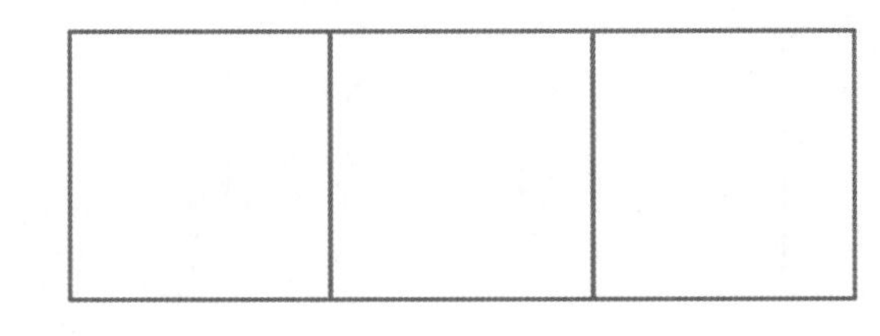

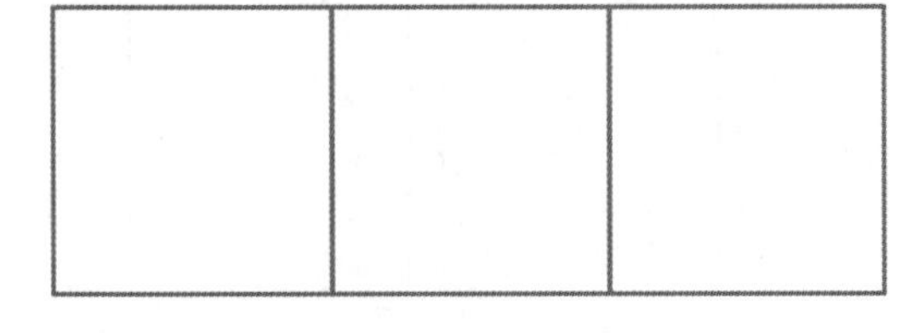

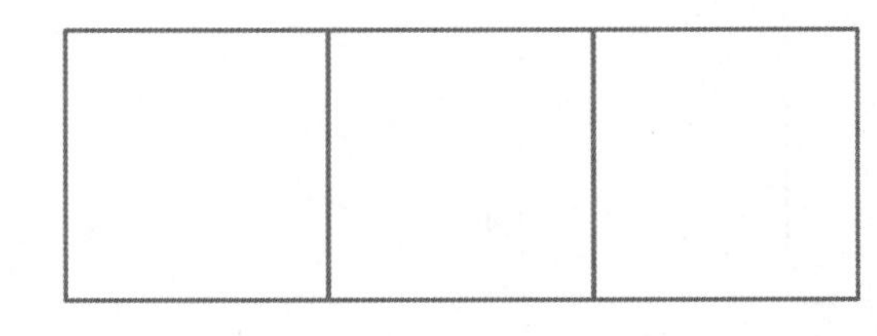

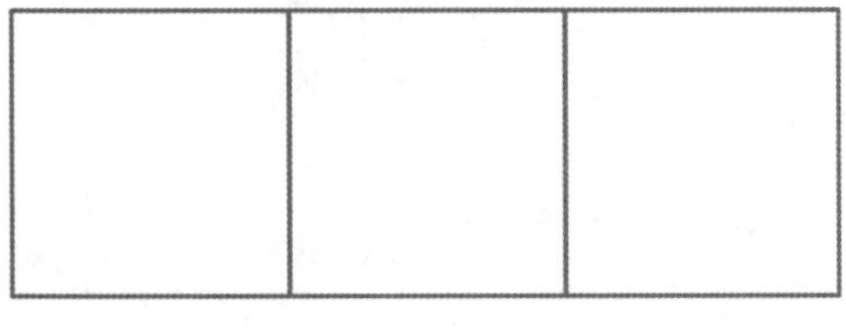

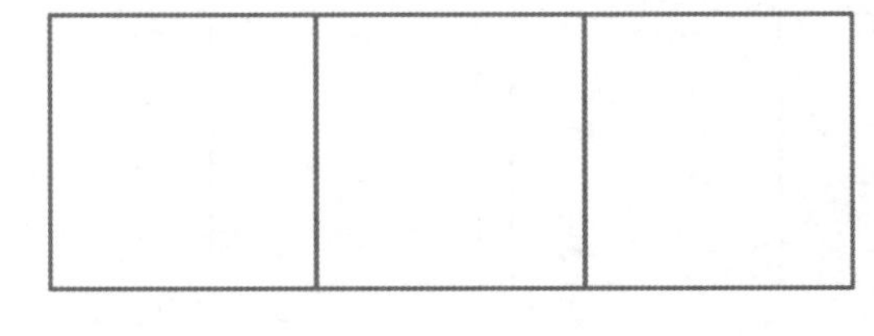

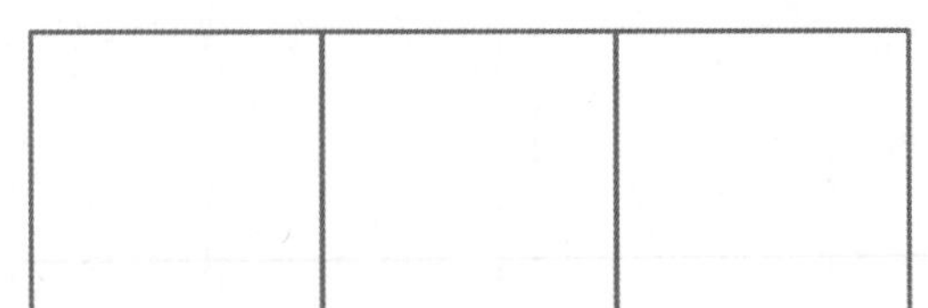

월 일

참 잘했어요!

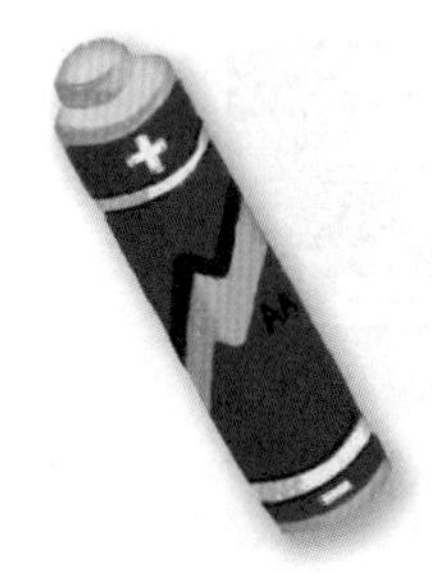

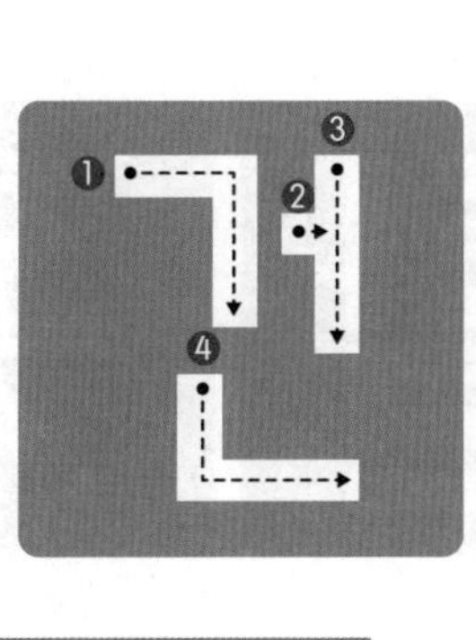

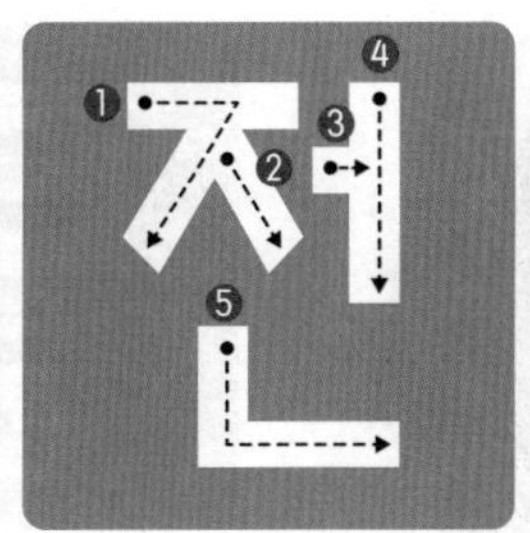

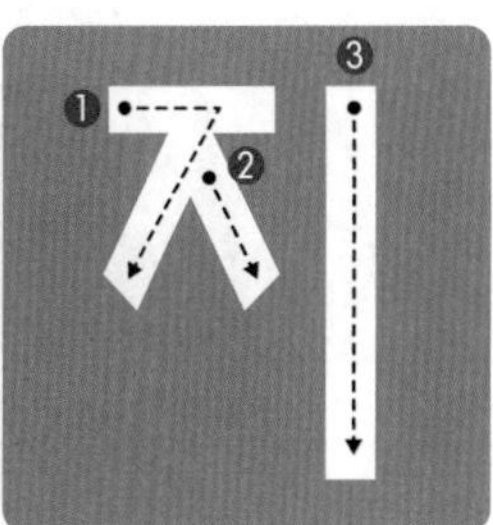

건	전	지
건	전	지
ㄱ	ㅈ	ㅈ

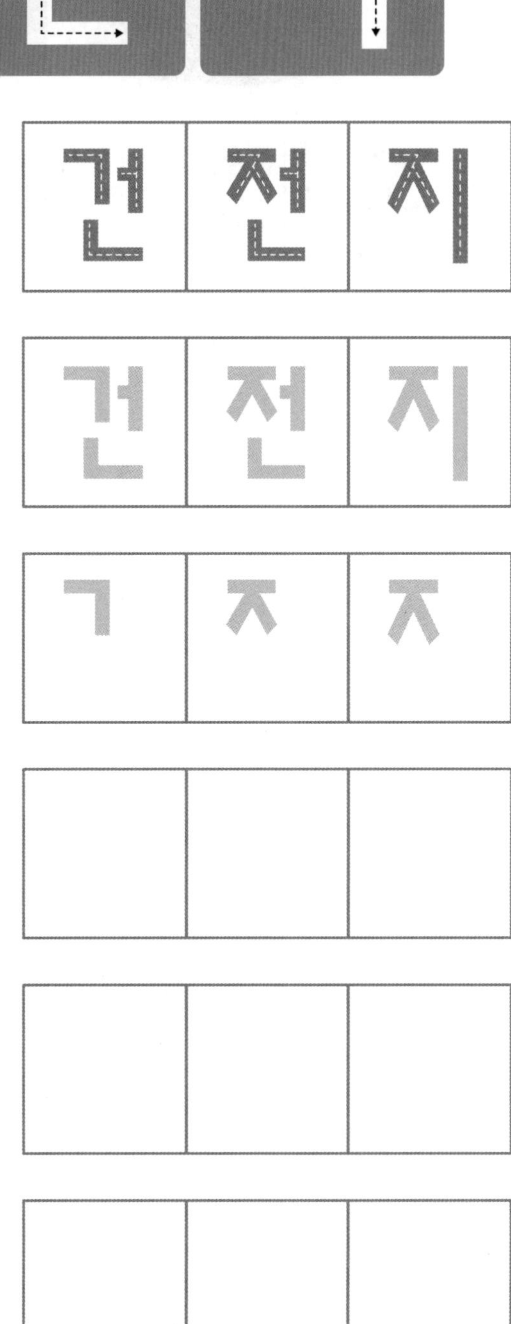

 월  일 

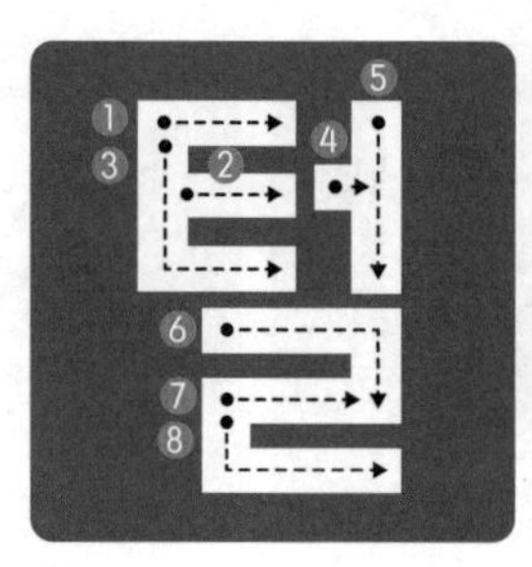

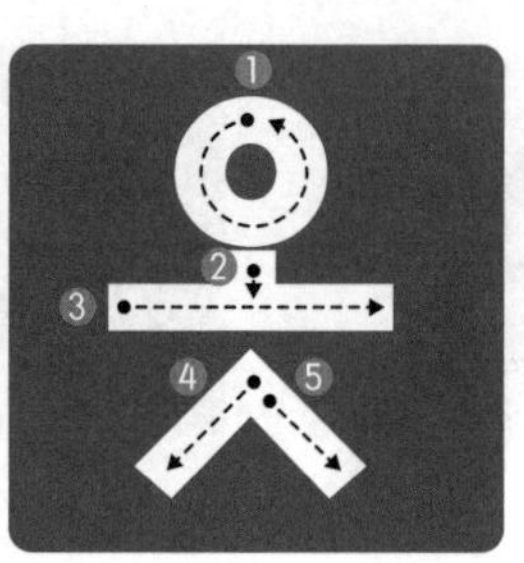

털	옷	털	옷	털	옷	털	옷
털	옷	털	옷	털	옷	털	옷
ㅌ	ㅇ	ㅌ	ㅇ	ㅌ	ㅇ	ㅌ	ㅇ

월 일

잘 했어요!

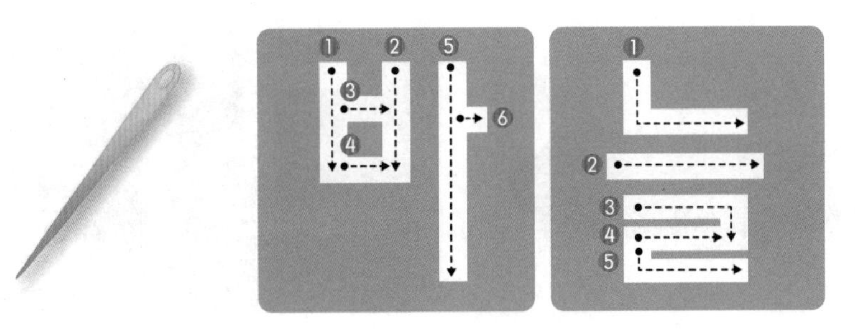

바	늘	바	늘	바	늘	바	늘
바	늘	바	늘	바	늘	바	늘
ㅂ	ㄴ	ㅂ	ㄴ	ㅂ	ㄴ	ㅂ	ㄴ

 월  일 

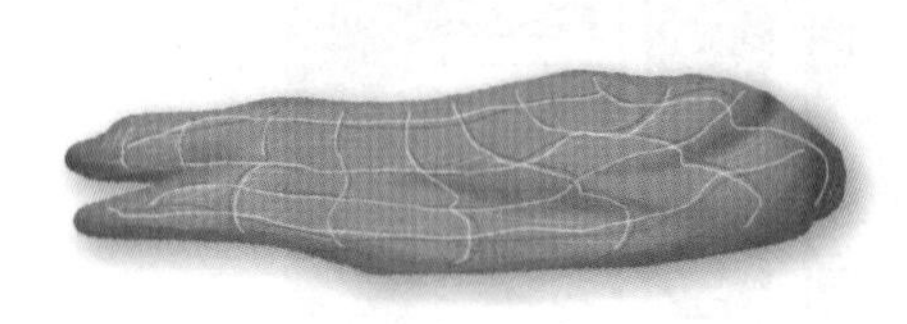

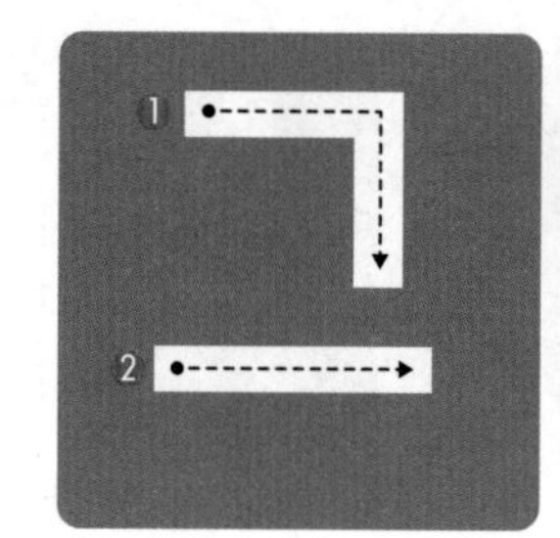

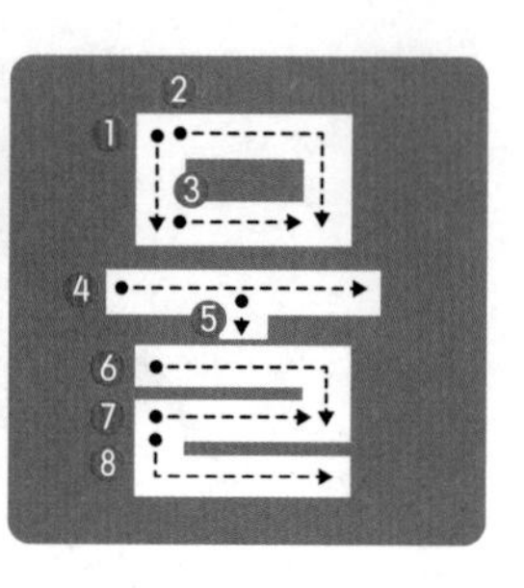

그	물	그	물	그	물	그	물
그	물	그	물	그	물	그	물
ㄱ	ㅁ	ㄱ	ㅁ	ㄱ	ㅁ	ㄱ	ㅁ

월 일

 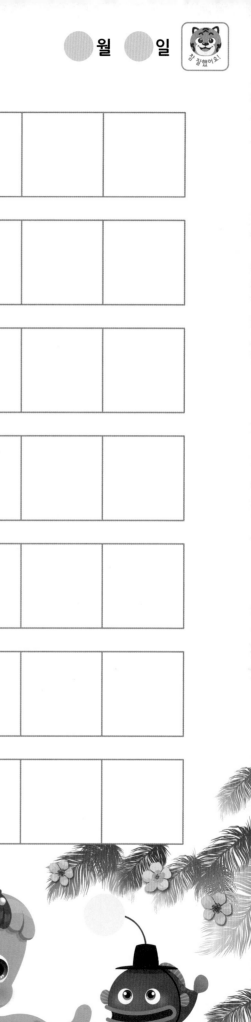

월

일

참 잘했어요!

월
일
참 잘했어요!

월
일

참 잘했어요!

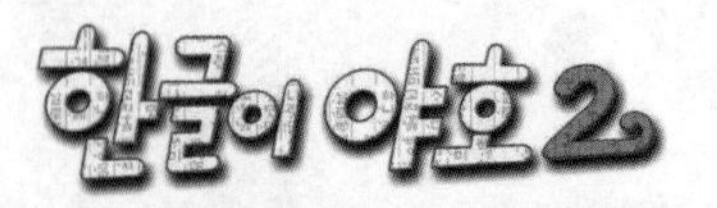
한글이 야호2